D1265921

Lissa Marzano

GUIDE PRATIQUE DE L'ASTRONOMIE

ATLAS COELESTIS;
seu
HARMONIA
MACROCOSMICA.

GUIDE PRATIQUE DE L'ASTRONOMIE

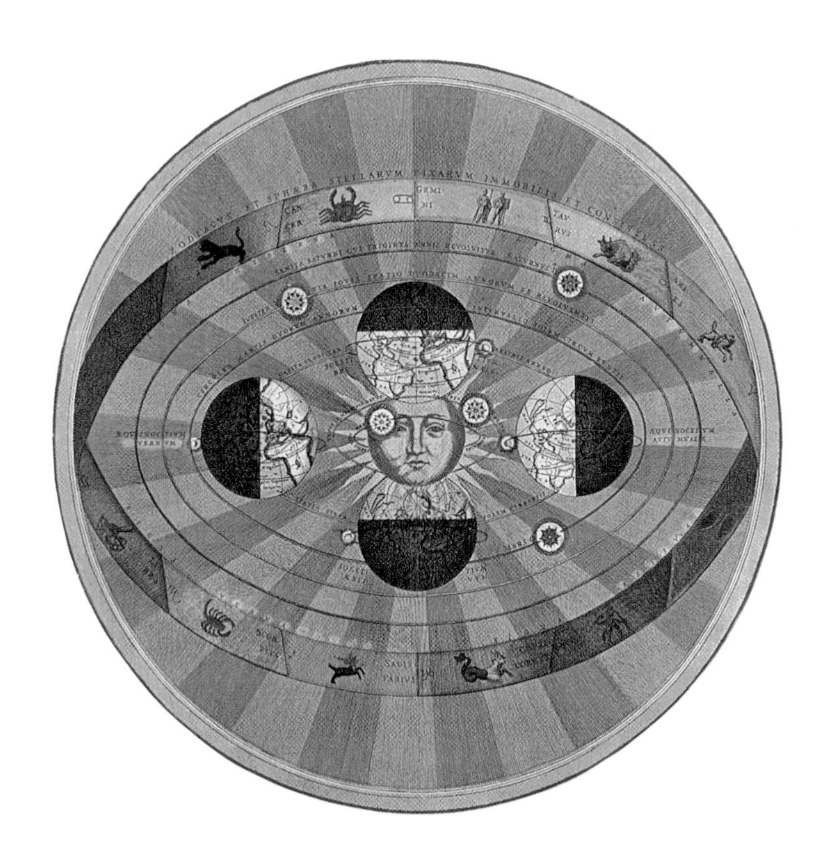

DAVID H. LEVY

PRÉFACE DE HUBERT REEVES

PARIS • BRUXELLES • MONTRÉAL • ZURICH

Le *Guide pratique de l'Astronomie* est l'adaptation française de *Skywatching* conçu par The Nature Company et Weldon Owen et créé par Weldon Owen Pty Limited (Sydney, San Francisco, Londres).

ÉDITION ORIGINALE
CONSULTANT : Dr John O'Byrne
DIRECTION ÉDITORIALE : Sheena Coupe
ÉDITEURS : Lu Sierra, Gillian Hewitt
MAQUETTE : Clare Forte, assistée de Stephanie Cannon
COUVERTURE : John Bull
RECHERCHE ICONOGRAPHIQUE : Gillian Manning
ILLUSTRATIONS : Steven Bray, Lynette R. Cook, David Wood
CARTES DU CIEL : Wil Tirion
ANNEXES : Robert Burnham
FABRICATION : Mick Bagnato, assisté de Simone Perryman

THE NATURE COMPANY
Douglas Orloff, Catherine Kouts, Steve Manning, Sydney Scott, Tracy Fortini, John Luckett, Terry McGinley

ÉDITION FRANÇAISE
TRADUCTION : Michelle Loulergue et Nicole Mein
CONSEIL SCIENTIFIQUE : Jean-Pierre Verdet
RÉALISATION ÉDITORIALE : ML Éditions, Paris, sous la direction de Michel Langrognet, assisté de Christiane Keukens et Anne Papazoglou ; avec la collaboration de RMP, Vincennes.

Sous la direction de l'équipe éditoriale de Sélection du Reader's Digest
DIRECTION ÉDITORIALE : Gérard Chenuet
RESPONSABLES DE L'OUVRAGE : Élizabeth Glachant et Paule Meunier
LECTURE-CORRECTION : Emmanuelle Dunoyer
CARTOGRAPHIE : EDITERRA
FABRICATION : Frédéric Pecqueux

PREMIÈRE ÉDITION
cinquième tirage

ISBN : 2.7098.0602.9

Achevé d'imprimer : janvier 2000
Dépôt légal en France : juillet 1996
Dépôt légal en Belgique : D. 1995. 0621.70
Impression et reliure : Kyodo Printing Co. (S'pore) Pte Ltd.
Imprimé à Singapour
Printed in Singapore

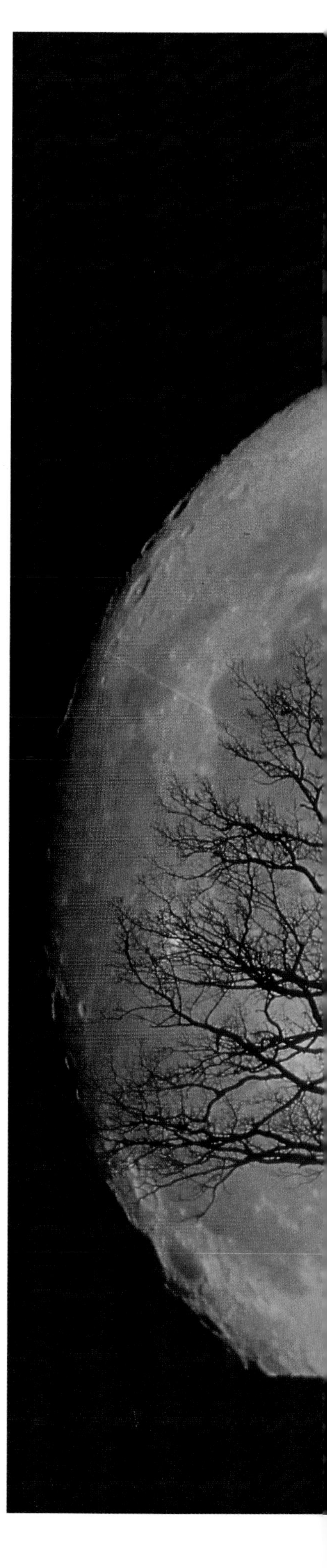

Que l'homme contemple donc la nature entière dans sa haute et pleine majesté […] Qu'il y voie une infinité d'univers, dont chacun a son firmament, ses planètes, sa terre […] PASCAL, *Pensées.*

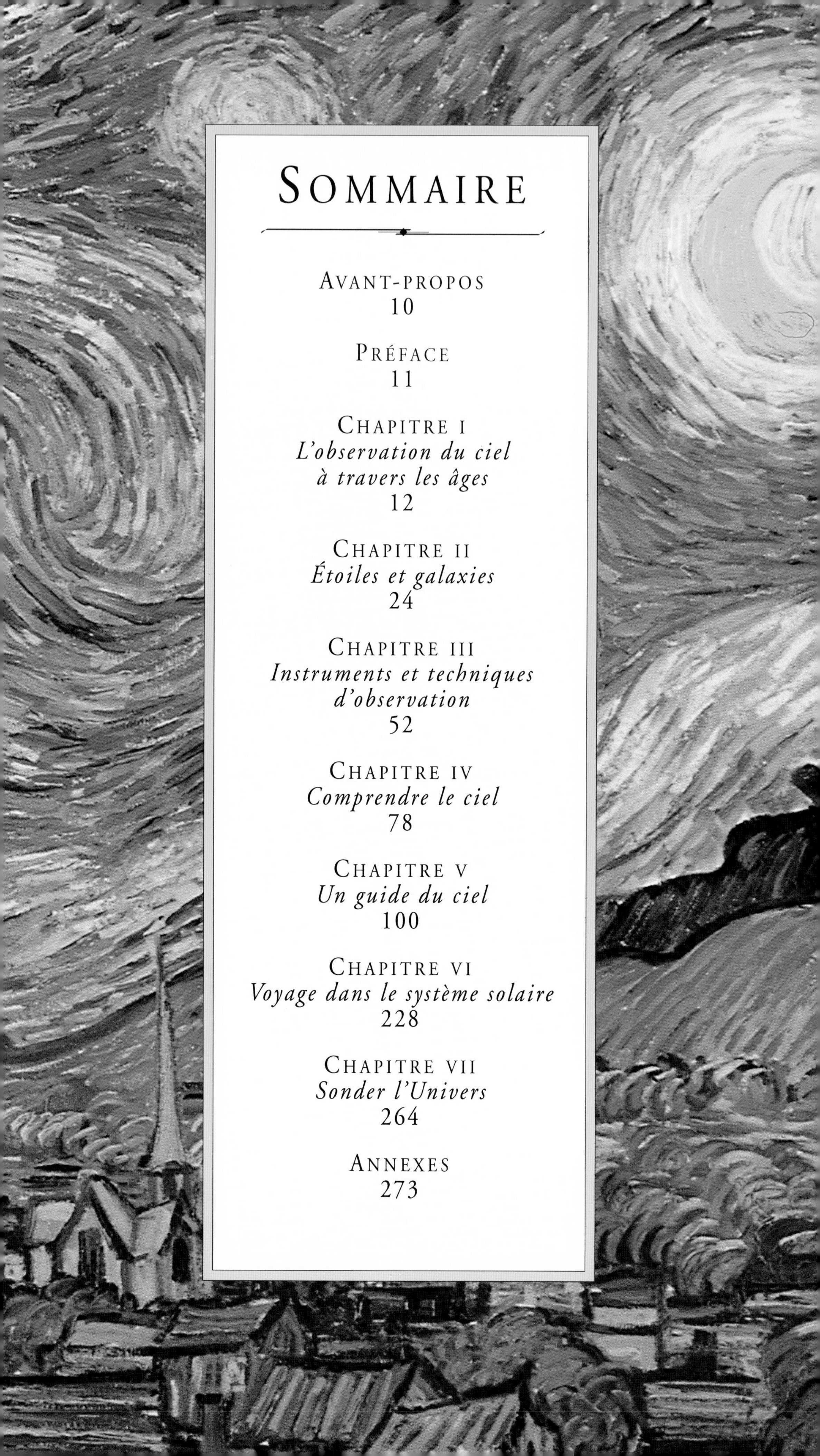

Sommaire

AVANT-PROPOS

Depuis plus de vingt ans, *The Nature Company* s'est fixé pour mission d'aider les gens à étudier, à comprendre et à apprécier le monde de la nature. Nous avons profité de ces années d'expérience en créant les *Guides de Nature Company,* qui traitent de sujets intéressant un vaste public.

Nous avons conçu des guides détaillés, agréables à feuilleter ; nous souhaitons qu'ils vous soient utiles et qu'ils vous passionnent. Chaque guide a pour objet de sensibiliser davantage le lecteur au monde qui l'entoure et de le lui faire pleinement apprécier. Quand on prend la peine de regarder autour de soi, on peut découvrir chaque jour de nouvelles variétés d'arbres, de plantes, d'oiseaux ou d'insectes. Tandis que nous travaillons, jouons ou dormons, l'Univers continue de grandir, des étoiles apparaissent, les oiseaux migrateurs parcourent des milliers de kilomètres…

Lorsque nous avons fondé *The Nature Company,* nous avons éprouvé le besoin de jeter un regard neuf sur le monde étonnant des sciences naturelles, pour qu'il devienne partie intégrante de notre vie quotidienne. Grâce aux talents associés de l'éditeur, du photographe et de l'artiste, nous avons rendu accessible à tous les faits établis par les savants. Nous pensons avoir ouvert une porte sur les merveilles de l'Univers et nous invitons le lecteur à franchir le pas.

Nous espérons que vous y prendrez plaisir.

PRISCILLA WRUBEL
Fondatrice, The Nature Company

PRÉFACE

L'astronomie s'intéresse à une réalité qui nous touche de toute part. Si le monde des étoiles est un monde d'émotions et de rêves, il est aussi un lieu de recherches scientifiques rigoureuses, poursuivies avec les techniques les plus poussées et les analyses conceptuelles les plus abstraites.

Nous retraçons l'épopée des phénomènes qui ont permis l'organisation progressive de l'Univers depuis l'apparition des galaxies issues de la soupe primitive jusqu'à la naissance des planètes et de la vie sur la Terre. Ces connaissances confèrent à l'astronomie une valeur pédagogique inestimable. Les écoliers deviennent plus attentifs et plus motivés quand la science s'intéresse aux corps célestes. La chimie prend une autre saveur quand elle se tourne vers les molécules des nuages interstellaires. Les lois de la mécanique deviennent impressionnantes quand elles entraînent sur leurs orbites les planètes majestueuses. Et le professeur de littérature sait aussi, par expérience, combien l'évocation des nuit étoilées fait vibrer la sensibilité des étudiants. Les « littéraires » rejoignent là les « scientifiques ».

L'astronomie prend sa véritable dimension quand, en examinant le firmament, nous sommes en mesure d'identifier les astres dont la recherche scientifique nous a révélé la nature et l'histoire. Le vertige vient de la jonction de l'œil qui voit avec le cerveau qui sait. Le *Guide pratique de l'Astronomie* de David H. Levy est l'instrument tout indiqué pour atteindre cette familiarité avec les étoiles. Apprenez vous aussi à « lire » le ciel, ce livre vous en donne les moyens.

H. Reeves

HUBERT REEVES

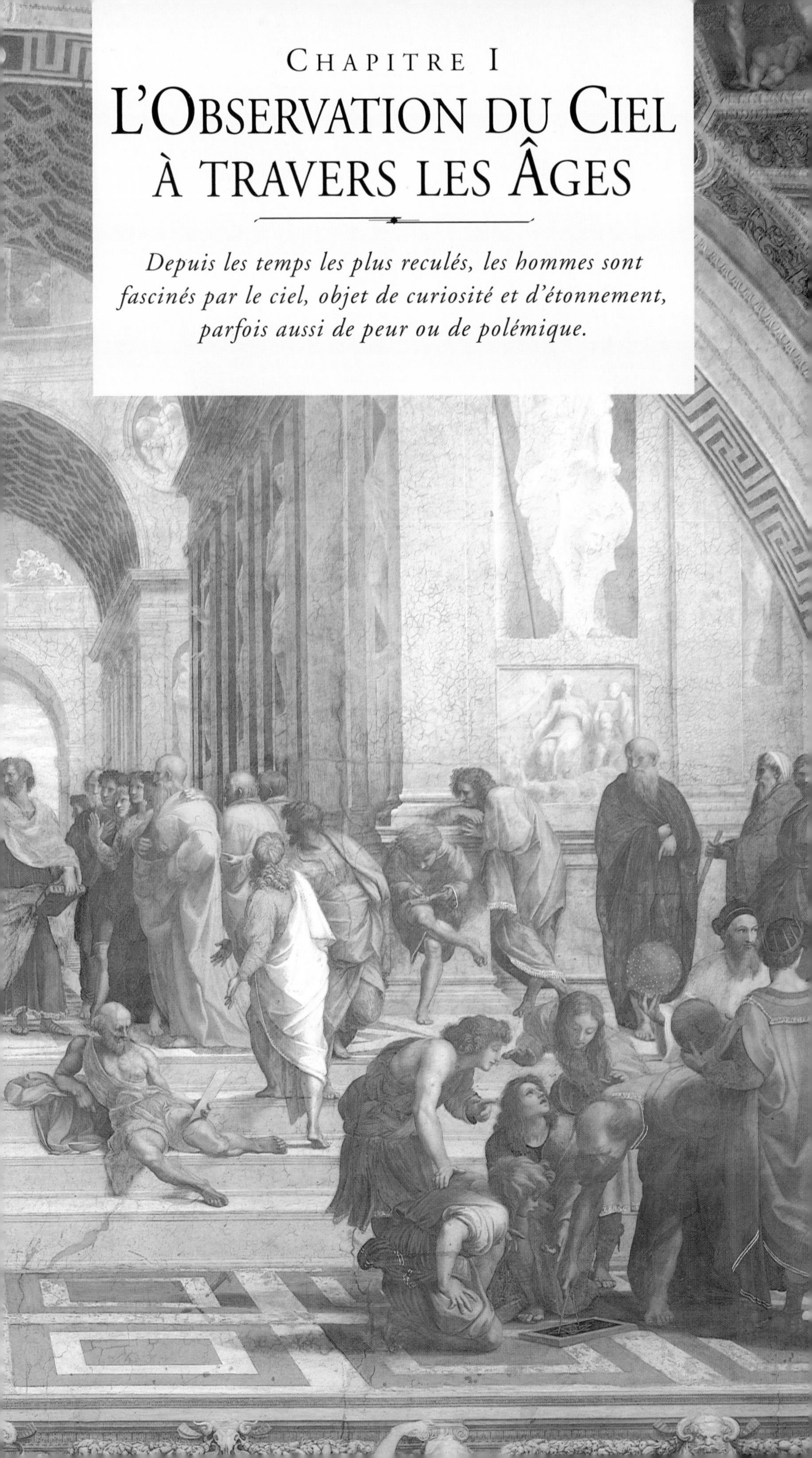

Chapitre I

L'Observation du Ciel à travers les Âges

Depuis les temps les plus reculés, les hommes sont fascinés par le ciel, objet de curiosité et d'étonnement, parfois aussi de peur ou de polémique.

Les premiers astronomes

Dès que les hommes ont établi un lien entre les mouvements du ciel et l'alternance des jours et des nuits, ils furent fascinés par l'astronomie.

TABLETTE DE L'ÉPOQUE BABYLONIENNE, *datant de 550 avant J.-C. et relatant des événements astronomiques.*

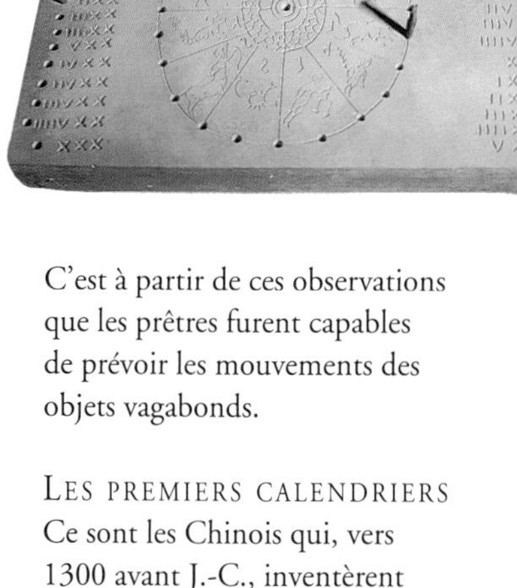

LE CALENDRIER ROMAIN *comprenait des semaines de sept jours et des années de douze mois d'environ trente jours. Les jours, les semaines et les mois étaient comptabilisés à l'aide de trous creusés dans un bloc de pierre.*

Au tout début, c'est dans un contexte religieux que les hommes se mirent à scruter le ciel. C'était pour eux le domaine des dieux, qui commandaient au jour et à la nuit, aux tempêtes et aux éclipses de Soleil ou de Lune.
Dans de nombreuses cultures, les formes et les objets célestes étaient personnalisés et on leur attribuait une influence sur la vie quotidienne. Les mages étudiaient l'astronomie, prenaient des notes et élaboraient des calendriers. Ils se voulaient les gardiens des légendes concernant le ciel. Il n'y avait alors pas de frontière bien définie entre l'astronomie et l'astrologie.

Les Babyloniens

Parmi les tout premiers peuples connus pour avoir consigné leurs observations du ciel, on trouve les Akkadiens, qui vivaient il y a environ 4 500 ans dans la basse Mésopotamie. Il semble que leurs conceptions du mouvement du Soleil, de la Lune et des planètes furent ensuite reprises par les Babyloniens. C'est à partir de ces observations que les prêtres furent capables de prévoir les mouvements des objets vagabonds.

Les premiers calendriers

Ce sont les Chinois qui, vers 1300 avant J.-C., inventèrent le calendrier. Les Babyloniens et les premiers Égyptiens établirent aussi des calendriers précis à partir de leurs observations du ciel. Disposer d'un calendrier signifie connaître les saisons et donc, pour les populations,

STONEHENGE, *au sud-est de l'Angleterre, est l'un des sites mégalithiques les plus remarquables d'Europe. La partie la plus ancienne date de 1800 avant J.-C., et les cercles de pierre les plus récents ont été mis en place au cours des quatre derniers siècles. Les pierres sont alignées de façon à suivre la lumière du Soleil levant au milieu de l'été. Ce site était probablement un lieu destiné à étudier les mouvements de la Lune et du Soleil.*

NOUT, *la déesse égyptienne du Ciel, habituellement représentée dessinant un arc de cercle étoilé au-dessus du dieu de la Terre, Geb, son mari. Rê, le dieu du Soleil, traversait chaque jour le ciel sur sa barque.*

LA NAVIGATION *suppose une bonne connaissance de la position et du mouvement des étoiles.*
Ici, un navigateur de l'époque médiévale fait le point sur la côte.

savoir quand semer et faire la moisson. Pour les Égyptiens, dont l'économie était essentiellement fondée sur l'agriculture, le calendrier permettait de prévoir les crues annuelles du Nil qui viendraient fertiliser les terres. Les prêtres attendaient la première apparition de Sirius, après son occultation par le Soleil.
C'est le lever héliaque de Sirius, qui annonçait les crues du Nil.
Dès l'origine, les semaines comptaient sept jours, en accord avec les quartiers de la Lune, et les années douze mois, correspondant au cycle de la Lune autour de la Terre et de la Terre autour du Soleil.

Les astronomes chinois

Les Chinois ont derrière eux une longue tradition d'astronomie. Environ 1 500 ans avant J.-C., ils avaient déjà identifié les planètes proches les plus lumineuses.
Au IVe siècle avant J.-C., ils conçurent le premier atlas des comètes, le *Livre de soie.*
C'est un ruban de soie de 1,50 m de long qui représente vingt-neuf types de comètes et énumère toutes les catastrophes qu'elles annoncent. Cet ouvrage a été découvert dans un tombeau en 1973.

La navigation

Les marins et les navigateurs ont toujours entretenu des relations étroites avec les cieux et se sont toujours fiés aux étoiles pour se repérer.
Les Polynésiens ont navigué très tôt dans l'immense océan Pacifique, notamment entre Tahiti et Hawaii.
Ils mémorisaient la position des étoiles et la direction des vents dominants grâce à des poésies qu'ils apprenaient par cœur et se transmettaient de génération en génération.

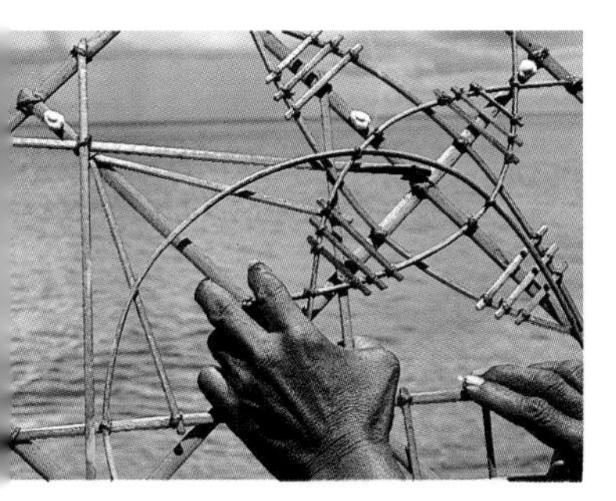

INSTRUMENT DE NAVIGATION *utilisé pendant des millénaires par les habitants des îles Marshall, dans l'océan Pacifique.*

MANTEAU D'ÉTOILES *porté par un Indien Pawnee, d'après une photo du siècle dernier. Les Pawnees considéraient certaines étoiles comme des dieux et tentaient d'attirer leurs faveurs par des cérémonies rituelles.*

DES FORMES DANS LE CIEL

Depuis la nuit des temps, les hommes ont projeté leur imagination sur le ciel étoilé qu'ils ont peuplé de dieux, d'animaux fabuleux et de créatures fantastiques.

Depuis des temps très anciens, les hommes se sont ingéniés à grouper les étoiles en constellations, dessinant sur la voûte céleste des silhouettes plus ou moins fantaisistes.
Ils ont volontiers associé les étoiles aux dieux de leur mythologie, ou à de simples objets de la vie de tous les jours. Les Arabes, par exemple, voyaient une tente dans les étoiles du Corbeau. Certains groupes d'étoiles sont si remarquables qu'ils ont donné naissance à des légendes universelles.
C'est le cas d'Ursa Major, la Grande Ourse. La mythologie grecque raconte que Zeus transforma Callisto en ourse pour la soustraire à la jalousie de sa femme, Héra.
Une autre version prétend que c'est Héra elle-même qui, par vengeance, métamorphosa la nymphe. Le plus étonnant dans l'affaire, c'est que de nombreux peuples, dont des tribus indiennes d'Amérique du Nord, ont vu cette constellation comme une ourse. Elle abrite sept étoiles brillantes connues sous le nom de Grand Chariot, et sa forme particulière a inspiré des poètes tels Homère et Shakespeare.
Dans la mythologie hindoue, ces sept étoiles représentent les maisons des sept grands sages ; les Égyptiens les voyaient comme la cuisse d'un taureau ; les Chinois comme les maîtres des influences célestes et les Anglo-Saxons comme le chariot du roi Arthur.

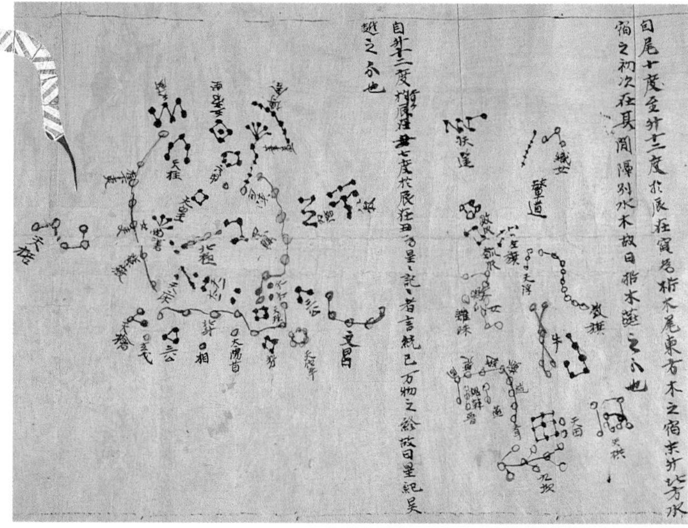

UN SERPENT *tel que celui représenté ci-dessus, peint par des aborigènes sur une écorce d'arbre, est un motif que l'on retrouve souvent dans les groupements d'étoiles.*

CARTE D'ÉTOILES CHINOISE
Cette carte, qui provient de Tonghua, en Chine, date des environs de 940. Mis à part les cartes sommaires figurant sur les astrolabes, celle-ci est la plus ancienne carte transportable. La Grande Ourse est parfaitement visible en bas, à gauche.

CARTE D'ÉTOILES HINDOUE
Cette magnifique interprétation des constellations, illustrée avec des motifs hindous et islamiques, accompagnait l'horoscope commandé par un souverain indien pour son fils, en 1840.

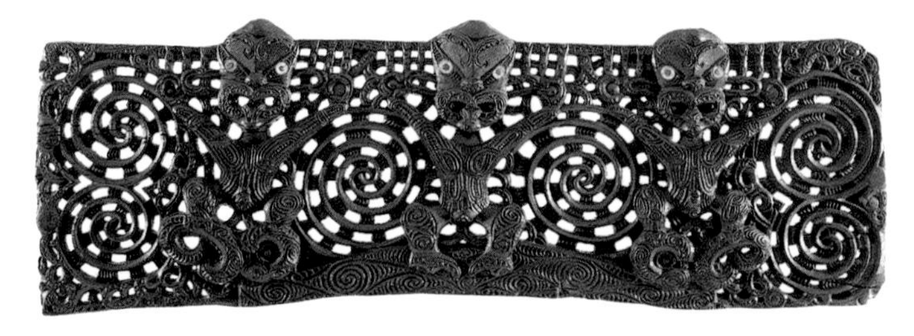

REPRÉSENTATION MAORIE DU CIEL *Sur cette sculpture, on voit le fils de Ranginui (le Ciel, c'est-à-dire le père) et de Papatuanuku (la Terre, la mère), qui vit dans l'obscurité et meurt d'envie de découvrir la lumière et le jour (représentés ici par des spirales entre les personnages).*

LES SIGNES DU ZODIAQUE *(ci-dessous) encerclent le monde, composé des quatre éléments primordiaux : la terre, l'air, le feu et l'eau (encyclopédie du XV*[e] *siècle).*

La nouvelle « forme » de Pégase

La constellation de Pégase, censée représenter un cheval ailé, évoque plus un carré pour la plupart des gens. C'est pourquoi son nom s'est transformé en Grand Carré de Pégase.

Le zodiaque et l'astrologie

Le zodiaque est une ceinture de douze constellations qui traverse l'immensité du ciel. C'est dans cette ceinture que se situe la trajectoire apparente du Soleil, de la Lune et des planètes brillantes. Les signes du zodiaque correspondent aux plus anciennes constellations identifiées et servent de repères pour l'astrologie, art divinatoire qui croit pouvoir déterminer l'influence des astres sur la destinée humaine. Bien qu'il n'existe aucune preuve scientifique de cette influence des astres sur les événements terrestres, les hommes eurent longtemps recours aux astrologues pour tenter de percer leur destin. De nos jours, si l'astrologie est plutôt une sorte de divertissement, il se trouve quand même un certain nombre de personnes pour s'y adonner avec passion. Si vous vous interrogez sur la force d'attraction de la planète Mars sur votre mental à l'heure de votre naissance, sachez simplement que la force d'attraction exercée par l'accoucheur sur votre tête a certainement été bien plus importante !

LES DOUZE APÔTRES *remplacent les douze signes du zodiaque sur cette carte des étoiles due à Julius Schiller dans son livre* Coelum stellatum christianum, *publié en 1627.*

CARTOGRAPHIER L'UNIVERS

Ptolémée plaçait la Terre au centre de l'Univers, et il a fallu attendre le XVIe siècle et Copernic pour détrôner la Terre et comprendre qu'Aristarque de Samos avait eu raison.

CLAUDIUS PTOLEMAEUS, *plus connu sous le nom de Ptolémée, fut un inventeur brillant et prolifique dans un grand nombre de domaines. C'est lui qui dressa les premières cartes scientifiques de la Terre et du ciel.*

Les Grecs anciens furent les premiers à tenter d'expliquer les événements naturels sans faire appel à des causes surnaturelles. Ils comprirent que l'astrologie ne rendait aucun compte des lois de l'Univers qu'ils étaient en train de découvrir. C'est ainsi qu'ils firent de l'astronomie une science. Thalès, qui vivait au VIe siècle avant J.-C., célèbre mathématicien et philosophe grec, fut aussi un voyageur à l'esprit curieux. Il rapporta d'Égypte et de Babylone les éléments de la géométrie et de l'algèbre. Il élabora des théories à mi-chemin entre les anciennes mythologies et les nouvelles découvertes scientifiques.

ARISTOTE, *dont la théorie sur la position de la Terre au centre de l'Univers a dominé la pensée pendant dix-huit siècles, est représenté ici par Rembrandt (1606-1669) contemplant le buste du poète Homère.*

HIPPARQUE *(à droite), astronome grec et mathématicien du IIe siècle avant J.-C., réalisa le premier catalogue d'étoiles et découvrit la précession des équinoxes (voir p. 87).*

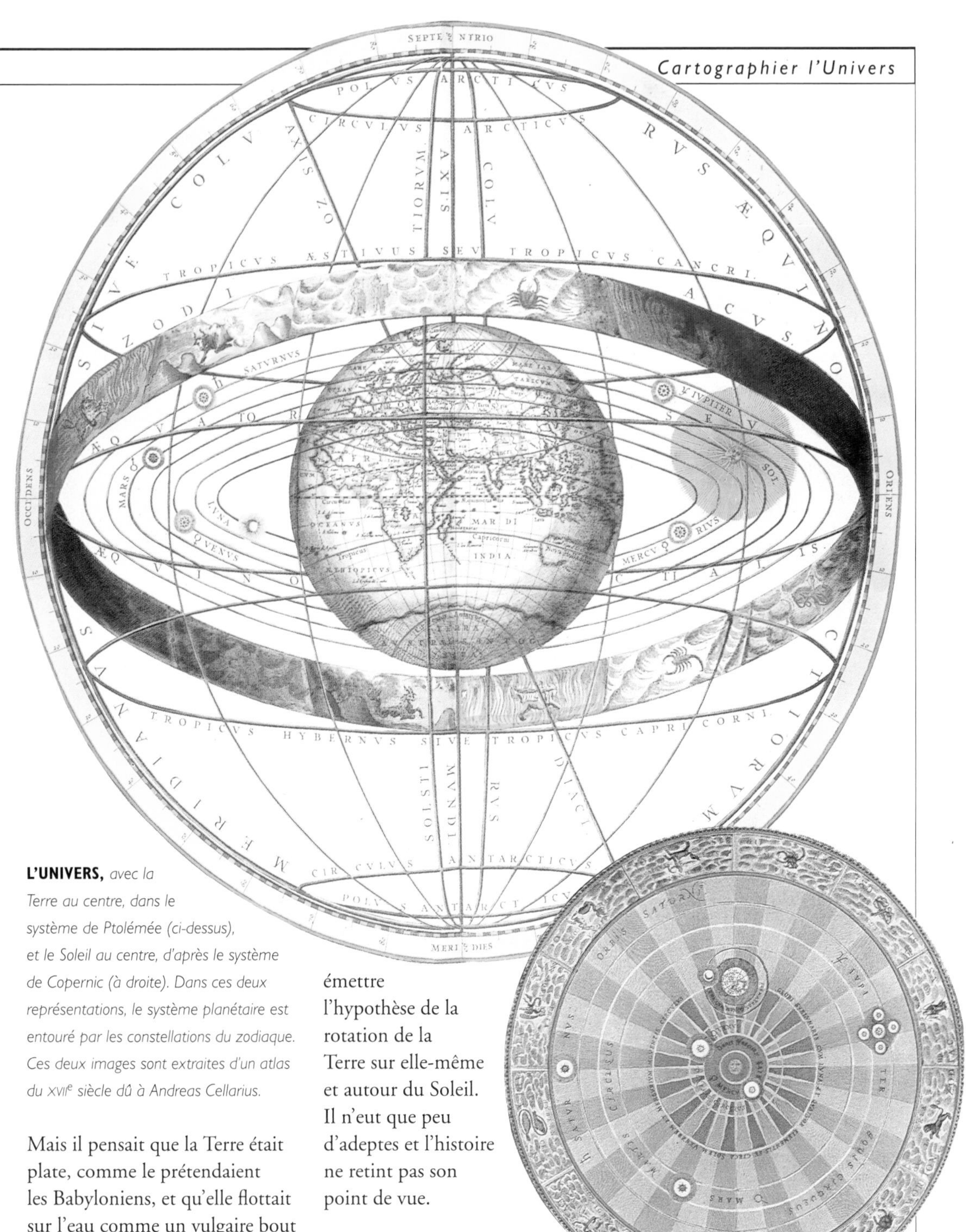

L'UNIVERS, *avec la Terre au centre, dans le système de Ptolémée (ci-dessus), et le Soleil au centre, d'après le système de Copernic (à droite). Dans ces deux représentations, le système planétaire est entouré par les constellations du zodiaque. Ces deux images sont extraites d'un atlas du XVIIe siècle dû à Andreas Cellarius.*

Mais il pensait que la Terre était plate, comme le prétendaient les Babyloniens, et qu'elle flottait sur l'eau comme un vulgaire bout de bois.

DES THÉORIES CONTRADICTOIRES

Aristote (384-322 avant J.-C.), l'un des plus éminents philosophes grecs, prouva que la Terre était ronde. Mais il pensait que notre planète était au centre de l'Univers et que le Soleil, la Lune, les planètes et une sphère contenant toutes les étoiles fixes tournaient autour d'elle. Aristarque de Samos, un astronome grec du IIIe siècle avant J.-C., fut le premier à émettre l'hypothèse de la rotation de la Terre sur elle-même et autour du Soleil. Il n'eut que peu d'adeptes et l'histoire ne retint pas son point de vue.

PTOLÉMÉE

Claude Ptolémée (v. 100-v. 170), un autre astronome grec de grand talent, publia aux environs de l'an 140 le célèbre *Almageste*, une compilation de toutes les connaissances astronomiques des Anciens. Dans cette remarquable encyclopédie scientifique, il a recensé des siècles d'observations faites par les Babyloniens sur le mouvement des planètes, pour étayer son argumentation en faveur de la position de la Terre au centre de l'Univers. Grâce à un système compliqué de cercles se déplaçant sur d'autres cercles (les épicycles), une parfaite réalisation mathématique, il fut capable de prévoir le mouvement des planètes. Le système géocentrique de Ptolémée fit autorité pendant plus de quinze siècles.
La mort de Ptolémée marqua la fin de cette première ère de l'astronomie.

Nicolas Copernic

L'effritement du règne du système de Ptolémée commença avec le travail d'un homme d'Église, le chanoine polonais Nicolas Copernic, né en 1473. Vers 1510, Copernic comprit que ce n'était pas la Terre mais le Soleil qui était au centre des planètes et des étoiles, mais il ne publia son œuvre maîtresse, *De revolutionibus orbium caelestium* (« De la révolution des orbes célestes »), première pierre de l'astronomie moderne, qu'en 1543, juste avant sa mort.
Bien évidemment, l'Église, qui considérait que Dieu avait créé l'Univers avec la Terre en son centre, s'opposa violemment à cet ouvrage.
D'un simple point de vue mathématique, le système de Copernic n'apportait pas grand-chose de plus que celui de Ptolémée, mais deux événements importants vinrent alors accélérer la révolution copernicienne : les observations étonnamment précises de Tycho Brahe sur les planètes et l'utilisation de la lunette par Galilée.

NICOLAUS COPERNICUS *(1473-1543) est le nom latin de l'astronome polonais Nikolaj Kopernik. En tant que chanoine de la cathédrale de Frombork, il eut la possibilité d'étudier les mathématiques, l'astronomie, la médecine et la théologie.*

Tycho Brahe

Un soir de 1572, Tycho Brahe (1546-1601), un astronome danois, vit apparaître dans la constellation de Cassiopée une nouvelle étoile très brillante.
La petite histoire dit qu'il en fut si surpris qu'il demanda à son voisin de le pincer pour s'assurer qu'il ne rêvait pas.
Nous savons maintenant qu'il s'agissait d'une supernova – étoile massive qui se manifeste lors de son explosion en devenant momentanément très lumineuse.
En 1604, une nouvelle supernova flamba dans le ciel. Ces deux découvertes bouleversèrent les convictions de l'époque, issues de la pensée de Ptolémée, à savoir que le ciel et ses étoiles étaient parfaitement immuables.
Le ciel, lui aussi, était en pleine Renaissance !

LA SUPERNOVA DE 1572 *est signalée par un « i » sur ce dessin extrait du livre de Tycho Brahe* De stella nova.

URANIBORG, *l'observatoire de Tycho Brahe (1546-1601), dans l'île danoise de Hveen, où il effectua les observations qui furent sa grande contribution à l'astronomie.*

Johannes Kepler

L'un des grands mérites de Tycho Brahe est d'avoir cédé à son disciple et assistant, Johannes Kepler (1571-1630), les archives de ses observations du mouvement des planètes, réalisées entre 1576 et 1597. À partir de ces données, Kepler entreprit des études précises et systématiques qui donnèrent le jour aux trois célèbres lois relatives au mouvement des planètes.

Galilée et sa lunette

En 1609, Galileo Galilei (1564-1642), un astronome et physicien de Florence, entendit parler d'une invention étonnante venant de Hollande : en regardant à travers deux lentilles de verre, placées à une certaine distance l'une de l'autre, il était possible d'obtenir une image agrandie d'un objet lointain.
Galilée se fabriqua donc une lunette, meilleur moyen, selon lui, pour découvrir et vérifier les lois physiques. Il regarda le ciel et découvrit ainsi que les planètes n'étaient pas des points mais des sphères comme la Terre ; que le Soleil avait des taches ; que la planète Jupiter avait quatre « lunes » parfaitement visibles. La lunette de Galilée venait de révéler une version miniature du système solaire de Copernic.
Quand Galilée publia ses découvertes, il était évident qu'il avait abandonné le point de vue de Ptolémée, mais ce n'est qu'en 1616 que l'Église lui demanda « gentiment » de changer d'avis.
Il publia pourtant en 1632 le *Dialogue sur les grands systèmes du monde,* dans lequel trois personnages discutent sur la nature de l'Univers.
L'un d'eux (au nom suggestif de Simplicio) se faisait le champion du système de Ptolémée.
Le pape de l'époque, pensant que Galilée voulait le ridiculiser, le fit comparaître devant le tribunal de l'Inquisition.
Obligé de renier ses convictions, il passa le reste de sa vie en résidence surveillée.
Mais l'Inquisition ne pouvait rien faire pour arrêter la marche des idées nouvelles.
L'Église catholique finit par le réhabiliter en 1992 !
En 1989, un satellite qui porte le nom de Galilée a été lancé pour observer les satellites de Jupiter.

JOHANNES KEPLER *(1571-1630) rejoignit Tycho Brahe à Prague et lui succéda en tant que mathématicien de l'empereur.*

LA LUNETTE DE GALILÉE, *loin d'être aussi performante que la plus banale de nos lunettes actuelles, a cependant bouleversé notre conception de l'Univers.*

LE PROCÈS DE GALILÉE, *à Rome, en 1633, fut marqué par l'indulgence des juges. Si Galilée ne fut pas emprisonné, il fut cependant déclaré coupable pour avoir soutenu la théorie de Copernic.*

L'OBSERVATION AUJOURD'HUI

Aujourd'hui, les observateurs ont la chance de pouvoir bénéficier des développements extraordinaires que l'astronomie a connus depuis le début du siècle.

LE TÉLESCOPE KECK, *sur le sommet du Mauna Kea, est le plus grand du monde.*

La plupart des gens observent le ciel de temps en temps, par simple plaisir. Les astronomes amateurs, eux, vont un peu plus loin. Alors qu'autrefois les astronomes professionnels se distinguaient par leur matériel, la frontière avec les amateurs est maintenant plus floue dans la mesure où ces derniers ont maintenant accès à un matériel très sophistiqué. Une énorme moisson d'observations a été récoltée par les astronomes amateurs et professionnels, ce qui a donné lieu à des découvertes parfois surprenantes.

Ces découvertes jalonnent l'immense parcours réalisé au cours de ce siècle dans le domaine de la connaissance de l'Univers. Des télescopes de plus en plus grands, associés à des détecteurs de plus en plus sophistiqués, ont joué un rôle important dans ce parcours. Au début du siècle,

QUELQUES REPÈRES IMPORTANTS DE L'ASTRONOMIE DU XXe SIÈCLE

1900-1919

1905
Publication de la théorie de la relativité restreinte par Einstein.

1908
Hertzsprung définit les classes de luminosité des étoiles : naines et géantes.

1912
Henriett Leavitt découvre la relation période-luminosité des céphéides.

1916
Publication de la théorie de la relativité générale par Einstein, qui prédit l'expansion de l'Univers.

1917
Mise en service du miroir de 2,50 m du télescope du mont Wilson.

1920-1939

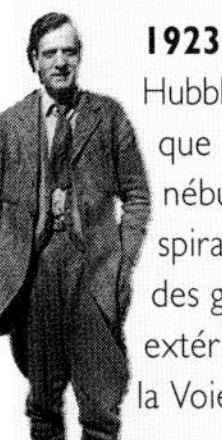

1923
Hubble montre que les nébuleuses spirales sont des galaxies extérieures à la Voie lactée.

1929
Hubble propose l'expansion de l'Univers.

1930
Tombaugh découvre Pluton.

1931
Jansky observe les premières ondes radio de l'espace.

1937
Reber observe avec un radiotélescope le rayonnement radio de la Voie lactée.

1938
Hans Bethe énonce la théorie de l'énergie nucléaire, source de rayonnement des étoiles.

1940-1949

1942
Hey et ses collègues découvrent le rayonnement radio du Soleil.

1946
Hey, Parsons et Phillips identifient la plus puissante source radio du ciel – Cygnus A.

1948
Le télescope de 5 m du mont Palomar est opérationnel.

Bond et Gold proposent leur théorie cosmologique d'Univers stationnaire.

Gamov et Alpher développent la théorie du big-bang et de l'origine des éléments.

1950-1959

1952
Baade multiplie par un facteur 2 l'échelle des distances des galaxies.

1957
Le lancement du premier Spoutnik ouvre l'ère de la conquête de l'espace.

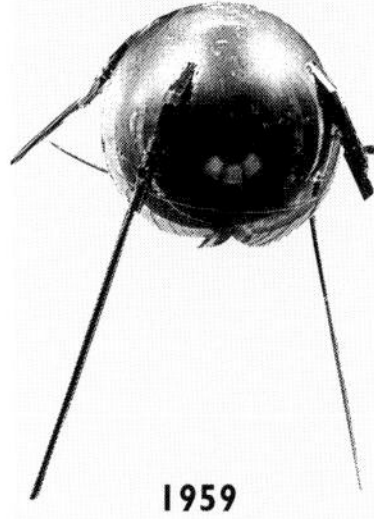

1959
Premières images de la face cachée de la Lune prises par une sonde soviétique.

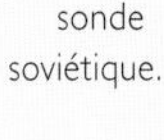

1960-1969

1961
Gagarine effectue le premier vol spatial habité.

1963
Schmidt découvre le premier quasar au mont Palomar, en Californie.

1965
Penzias et Wilson découvrent le rayonnement radio du fond du ciel à 3 °K.

1967
Découverte des pulsars par Bell et Burnell à Cambridge (Angleterre).

1969
Premier alunissage par Armstrong et Aldrin (mission Apollo 11).

les astronomes n'avaient guère à leur disposition que des plaques photographiques. De nos jours, tous les grands observatoires sont équipés de caméras CCD.
En 1900, le plus grand télescope en activité (1 m de diamètre) était celui de l'observatoire de Yerkes, dans le Wisconsin. Vers 1917, un télescope de 1,50 m fut installé sur le mont Wilson, en Arizona ; un autre de 1,80 m à Victoria, en Colombie-Britannique ; puis un second télescope de 2,50 m au mont Wilson, chacun d'eux scrutant le ciel toujours un peu plus loin. En 1948, le télescope de Hale, un télescope géant de 5 m, est mis en service au mont Palomar, en Californie. Les années 1960 et 1970 voient la prolifération des grands télescopes optiques – en particulier dans l'hémisphère Sud – et l'installation d'un grand nombre de radiotélescopes ; les années 1970 et 1980 la mise en orbite des premiers petits télescopes spatiaux – dans les domaines infrarouge, ultraviolet, X et gamma. Cette période s'est terminée en apothéose avec le lancement du télescope spatial de Hubble en 1990 (et sa réparation en 1993).

Les limites extrêmes de l'Univers

Qu'avons-nous vu, avec tous ces télescopes ? Au début du siècle, nous pensions être au centre de la Galaxie.
En 1920, Harlow Shapley nous déplace légèrement sur le côté. En 1929, Edwin Hubble nous révèle que nous faisons partie d'un Univers en expansion. En 1930, Clyde Tombaugh agrandit notre système solaire avec la découverte de Pluton. Puis, après la Seconde Guerre mondiale, les travaux de Walter Baade conduisent à doubler la taille présumée de l'Univers.
Les limites extrêmes de l'Univers ont continué à reculer régulièrement depuis le jour où Maarten Schmidt (en 1963) découvrit le premier quasar (noyau très énergétique de galaxie très éloignée), le premier d'une longue série. Dans les années 1980, les astronomes découvrirent la distribution en grumeaux des amas de galaxies. L'une des clés de l'origine de l'Univers, le rayonnement radio du fond du ciel, fut découverte par Arno Penzias et Robert Wilson, alors qu'en 1992 le télescope spatial COBE découvrait un faible indice concernant la formation des galaxies.

1970-1974

1971-1972
Premières images de Mars (Mariner 9).

1973
Premier survol de Jupiter (Pionner 10).

1973
Mise en service d'un télescope de 4 m à Kitt Peak (Arizona).

1974
Premiers gros plans de Mercure et de l'atmosphère de Vénus (Mariner 10).

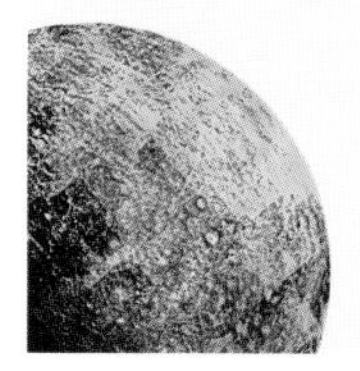

1975-1979

1975
Premières images de la surface de Vénus (Venera 9).

1976
Les sondes Viking 1 et 2 se posent sur Mars.

1977
Découverte par Kowal de l'astéroïde Chiron aux confins du système solaire.

Découverte des anneaux d'Uranus.

1978
Découverte du satellite de Pluton, Charon, par Christy.

1979
Lancement des deux sondes Voyager 1 et 2 vers Jupiter.

Premier survol de Saturne (Pioneer 11).

1980-1984

1980
Première étude détaillée de Saturne et de son système d'anneaux (Voyager 1).

Mise en service de l'interféromètre radio à longue base au Nouveau-Mexique.

1981
Deuxième survol de Saturne (Voyager 2).

1983
Le satellite astronomique IRAS termine son premier balayage du ciel en infrarouge.

1985-1989

1985-1986
La comète de Halley réapparaît, observée par les satellites Giotto et Vega.

1986
Voyager 2 survole Uranus.

1987
Apparition de la supernova 1987A dans le Grand Nuage de Magellan.

1989
Voyager 2 survole Neptune.

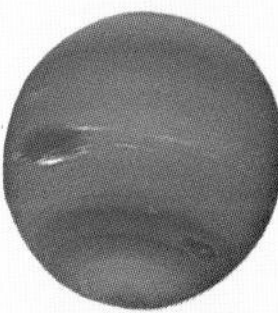

Geller et Uchra découvrent des « murs » et des espaces vides dans la distribution spatiale des galaxies.

1990-...

1990
Lancement du télescope spatial Hubble et découverte de sa « myopie ».

Le satellite Magellan réalise la première cartographie radar de Vénus.

1992
Le satellite Cobe capte et enregistre des signaux presque aussi vieux que l'Univers lui-même.

Le télescope Keck de 10 m de diamètre est mis en service.

1993
Le télescope spatial Hubble est réparé dans l'espace.

1994
Collision de la comète périodique Shoemaker-Levy avec Jupiter.

Chapitre II
Étoiles et Galaxies

L'Univers est parsemé d'une infinie variété d'étoiles et de galaxies. Pour mieux les admirer, apprenons à les connaître d'un peu plus près.

LE GRAND VIDE DE L'ESPACE

En regardant les images qui suivent et en comparant leurs tailles respectives, vous allez faire un bond dans l'espace et prendre conscience de l'immensité de l'Univers.

VUE SATELLITE DE LA RÉGION DE WASHINGTON *Le fleuve Potomac, en noir, sépare le Maryland de la Virginie. La ville est coloriée en bleu et la campagne environnante en rose. La photo correspond à un carré de 50 km de côté.*

LA TERRE *photographiée par le satellite météorologique européen Meteosat. La vue de Washington (en haut, à gauche) n'occuperait guère que 0,3 mm sur cette image du globe terrestre, dont le diamètre est de 12 760 km. On a colorié la photo pour donner à la Terre son aspect habituel. Les astronautes de la mission Apollo 8 ont été les premiers, en 1968, à observer la Terre depuis l'espace.*

LA TERRE ET LA LUNE *vues par le satellite Galileo en route vers Jupiter. À l'échelle, la Lune devrait se trouver à 1,50 m de la Terre. D'autres planètes ont des « lunes », mais seules la Terre et Pluton ont des satellites de dimensions imposantes, par rapport à leur planète mère. Sur la photo, le contraste a été accentué, en particulier pour la Lune, afin d'accroître la visibilité.*

LE SYSTÈME SOLAIRE *Ce dessin représente le Soleil et sa famille de planètes (la taille des orbites et les dimensions des planètes ne sont pas à l'échelle). L'anneau bleu près du centre représente l'orbite terrestre, à 150 millions de km du Soleil. L'angle entre l'orbite de Pluton et celle de Neptune est agrandi quarante fois. Dans cette perspective, la Terre paraît minuscule.*

LES ÉTOILES LES PLUS PROCHES *(ci-dessous) Toutes ces étoiles, situées à moins de 20 années-lumière du Soleil, sont dans notre environnement proche. À l'échelle de ce dessin, les étoiles auraient une dimension de l'ordre de l'atome, c'est-à-dire infiniment petite.*

1 *Proxima Centauri, Alpha Centauri A, Alpha Centauri B* ; **2** *étoile de Barnard* ; **3** *Wolf 359* ; **4** *Sirius A, Sirius B* ; **5** *Epsilon Eridani* ; **6** *Epsilon Indi* ; **7** *61 Cygni A, 61 Cygni B* ; **8** *Tau Ceti* ; **9** *Procyon A, Procyon B*

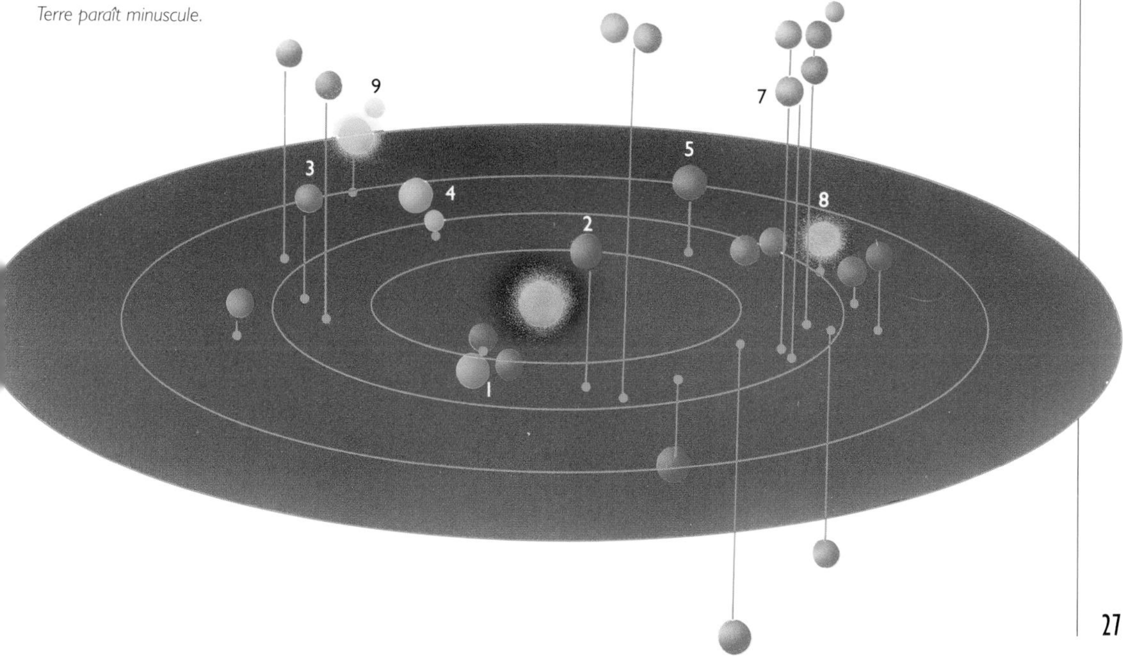

Que l'homme regarde cette éclatante lumière, mise comme une lampe éternelle pour éclairer l'Univers ; que la Terre lui paraisse comme un point au prix du vaste tour que cet astre décrit.

BLAISE PASCAL, *Pensées.*

LA VOIE LACTÉE : *notre galaxie, à environ 150 000 années-lumière de diamètre, est vue ici comme un tourbillon incandescent de quelque 200 milliards d'étoiles. Notre Soleil n'est qu'un petit grain dans l'un des grands bras spiraux. Le voisinage du Soleil, tel qu'on le voit sur le dessin de la page précédente, formerait une minuscule tache de 0,03 mm de diamètre. À la vitesse de la lumière, il faut trente mille ans pour aller du Soleil au centre de la Galaxie.*

UNITÉS DE DISTANCES

Alors que, sur la Terre, le kilomètre est une unité bien adaptée, dire qu'Andromède (M31), la galaxie la plus proche de la Voie lactée, est à 21 milliards de milliards de km (21 000 000 000 000 000 000 km), le nombre est si grand qu'il n'a plus aucun sens.

UNITÉ ASTRONOMIQUE

L'unité astronomique (symbole : ua) est une unité pratique dans le Système solaire. C'est la distance moyenne entre la Terre et le Soleil. Elle correspond approximativement à 150 millions de km. Mercure est à 1/3 de ua du Soleil, alors que Pluton est environ à 40 ua.

ANNÉE-LUMIÈRE

Pour mesurer des distances plus grandes, on utilise l'année de lumière (symbole : al), distance parcourue par la lumière en un an. La lumière parcourt 300 000 km à la seconde, soit environ sept fois le tour de la Terre en une seconde. Une année-lumière équivaut donc à 10 000 milliards de km.

PARSEC

Les astronomes utilisent aussi le parsec (symbole : pc), égal à environ 3,3 al ou encore 206 000 ua. Si un objet est situé à la distance de 1 pc, il aura une parallaxe annuelle de 1 seconde d'arc (environ 1/1 800 du diamètre de la Lune).

PARALLAXE

On appelle *parallaxe* l'angle sous lequel, d'un objet observé, on voit une longueur choisie par convention en grandeur et en direction. La parallaxe caractérise la distance d'un objet à la base : si la distance de la base est connue, l'objet l'est aussi. Dans le cas de la parallaxe annuelle, la base est le demi-grand axe de l'orbite terrestre, appelée unité astronomique.

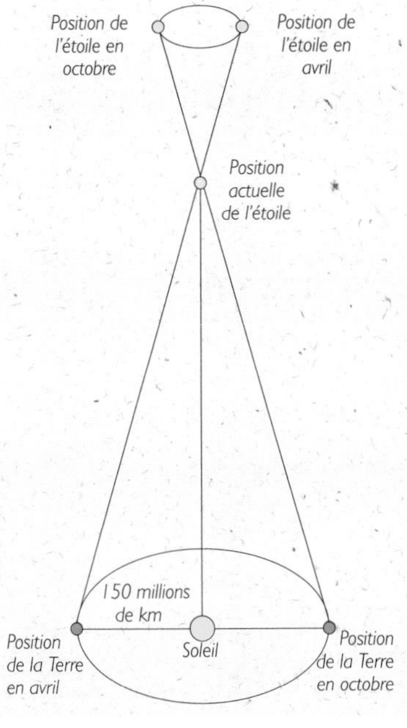

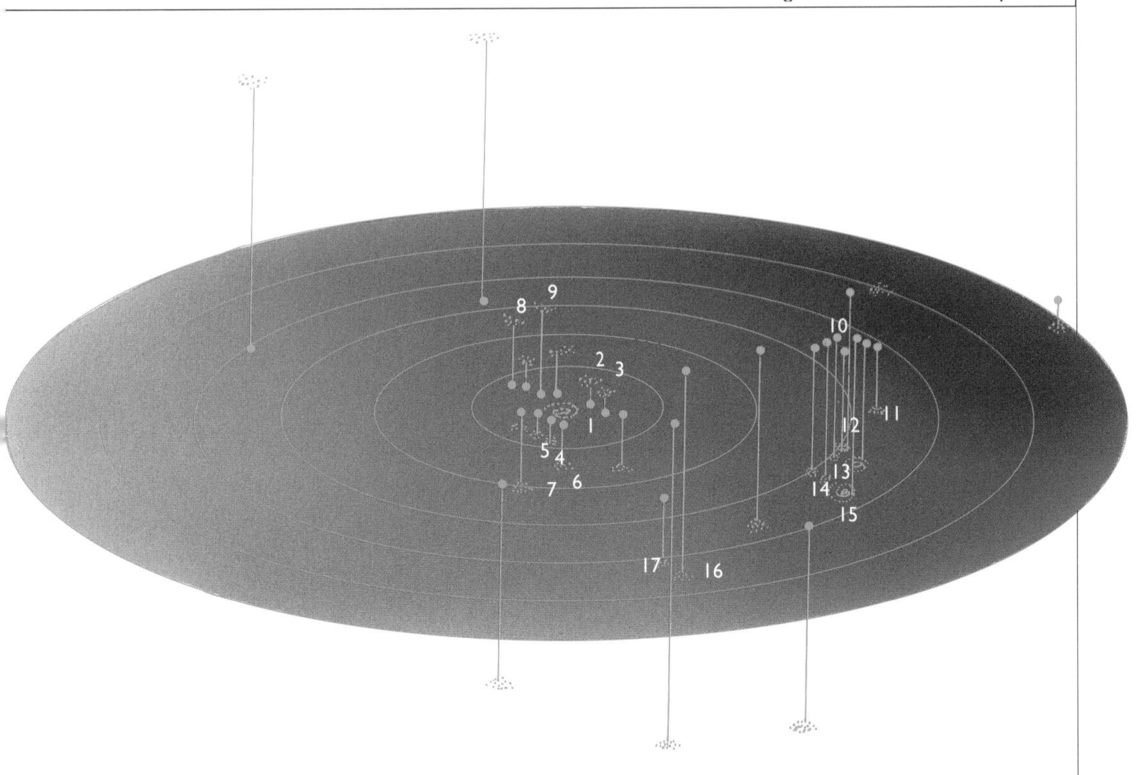

LE GROUPE LOCAL *est un petit amas d'une trentaine de galaxies réparties dans un volume de 2,5 millions années-lumière. La Voie lactée et Andromède sont les plus grandes. Par rapport à l'échelle utilisée pour représenter les distances, les galaxies sont deux fois trop grandes.*

1 *Voie lactée ;* **2** *Draco ;* **3** *Ursa Minor ;* **4** *Petit Nuage de Magellan ;* **5** *Grand Nuage de Magellan ;* **6** *Sculptor ;* **7** *Fornax ;* **8** *Leo I ;* **9** *Leo II ;* **10** *NGC 185 ;* **11** *NGC 147 ;* **12** *NGC 205 ;* **13** *M 32 ;* **14** *Andromeda (M 31) ;* **15** *M 33 ;* **16** *IC 1613 ;* **17** *NGC 6822*

L'UNIVERS DES GALAXIES
Cette photographie, prise par le télescope spatial Hubble, montre un amas de galaxies de différents types, tel qu'il en existe des milliers disséminés dans le ciel. À cette distance, notre Galaxie serait juste une toute petite tache de lumière.

NAINES, GÉANTES ET SUPERGÉANTES

À l'exception de la Lune et des planètes, tout point fixe dans le ciel est une étoile, c'est-à-dire une centrale nucléaire, et ces étoiles vont des naines aux supergéantes.

SIRIUS A *est une étoile de la séquence principale 10 000 fois plus brillante que son compagnon, Sirius B, une naine blanche qui ressemble à un point lumineux à 11" d'arc. Cette photo a subi un traitement spécial pour faire apparaître les deux étoiles.*

Notre Soleil, une étoile comme une autre, nous semble très grand et très lumineux du fait de sa proximité. La plupart des étoiles sont si lointaines qu'elles n'apparaissent que comme des points lumineux, même à travers les plus grands télescopes. Nous savons qu'elles sont de tailles différentes et que plus de la moitié d'entre elles sont des systèmes doubles ou triples, liés par la gravitation.

QU'EST-CE QU'UNE ÉTOILE ?

Les étoiles sont de grands ballons d'hydrogène et d'hélium. Elles contiennent d'infimes proportions d'autres éléments, tous à l'état gazeux. L'ensemble est en équilibre entre la gravité, qui a tendance à attirer la matière vers l'intérieur, et la pression exercée par les gaz chauds, qui a tendance à la dilater. La source d'énergie de l'étoile est située dans son cœur, où des millions de tonnes d'hydrogène fusionnent chaque seconde pour former de l'hélium. Ce processus de fusion dure depuis cinq milliards d'années et cependant le Soleil n'a brûlé qu'une petite partie de son hydrogène. Il est encore dans la première partie de sa vie, dans sa séquence principale.

LES DIFFÉRENTS TYPES D'ÉTOILES

Les étoiles de la séquence principale. Au début du siècle, deux astronomes, le Danois Ejnar Hertzsprung et l'Américain Henry Norris Russell, essayant de trouver un lien entre toute cette merveilleuse variété d'étoiles,

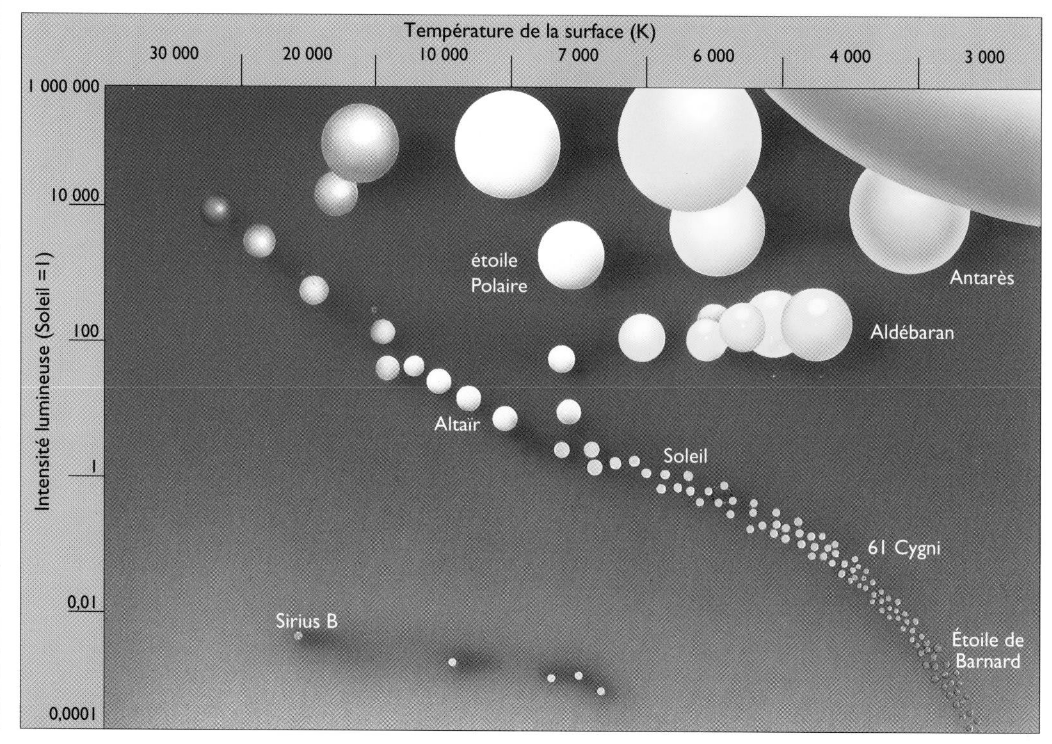

tracèrent le célèbre diagramme dit de Hertzsprung-Russel (HR) qui relie la luminosité de l'étoile à sa température de surface. La grande majorité des étoiles, y compris le Soleil, se situent dans ce diagramme sur une bande étroite, la *séquence principale.* Les étoiles de cette séquence, comme le Soleil, sont appelées *naines,* bien qu'un certain nombre d'entre elles soient vingt fois plus grandes et vingt mille fois plus lumineuses que le Soleil.

Les naines rouges. Dans la partie froide et peu lumineuse de la séquence principale les *naines rouges* forment la grande majorité des étoiles. Plus petites que le Soleil, elles consomment peu de combustible, ce qui leur permet de vivre des dizaines de milliards d'années. Si toutes les naines rouges étaient visibles, elles encombreraient le ciel, et le diagramme HR serait saturé dans sa partie froide et peu lumineuse. Mais ces étoiles sont si faibles qu'on ne peut guère observer que les plus proches d'entre elles, comme Proxima Centauri, l'étoile la plus proche de la Terre.

Les naines blanches. Plus petites que les naines rouges, elles ont une taille voisine de celle de la Terre, avec une masse égale à celle du Soleil. Elles occupent une place à part dans le diagramme HR, par rapport aux autres naines de la séquence principale. Ce sont des étoiles qui ont fini de brûler leur combustible nucléaire.

Les géantes rouges. Les étoiles les plus nombreuses, après celles de la séquence principale, sont les *géantes rouges.* Elles ont la même température de surface que les naines rouges, mais un diamètre bien plus grand, et donc une luminosité beaucoup plus grande. Elles se situent au-dessus de la séquence principale dans le diagramme HR. Ces étoiles monstrueuses, de masse identique à celle du Soleil, pourraient englober toutes les planètes intérieures du système solaire. La plupart d'entre elles ont une couleur orangée, mais R Leporis, dans la constellation du Lièvre, est rouge comme du sang.

Les supergéantes. Au sommet du diagramme HR, on trouve les étoiles *supergéantes,* beaucoup moins nombreuses. Bételgeuse, située dans l'épaule d'Orion, est à environ 1 400 al. Toujours dans Orion, Rigel, une supergéante bleue, autre merveilleuse étoile visible à l'œil nu, dix fois plus petite que Bételgeuse, a encore près de cent fois la taille du Soleil.

DIAGRAMME D'HERTZSPRUNG-RUSSELL *(à gauche). Il présente les différents types d'étoiles en indiquant leur couleur et leur taille. Le nombre d'étoiles de chaque région du diagramme n'est pas représenté d'une manière exacte. La majorité des étoiles se situent sur la séquence principale, qui s'étire en diagonale du haut à gauche vers le bas à droite, avec un nombre croissant d'étoiles peu lumineuses et froides. Au-dessus de la séquence principale on trouve les étoiles géantes comme Aldébaran; plus haut encore, quelques supergéantes. En dessous de la séquence principale, les naines blanches, minuscules étoiles peu lumineuses.*

COMPARAISON DES TAILLES *Le Soleil, étoile naine, est représenté par un grand cercle jaune. La géante rouge derrière lui (dont on n'aperçoit qu'une petite partie) est en réalité cent fois plus grande. À l'opposé, une naine blanche, environ cinquante fois plus petite, est représentée par un cercle bleu; une étoile à neutrons, mille fois plus petite encore, est représentée par un point noir exagérément grossi.*

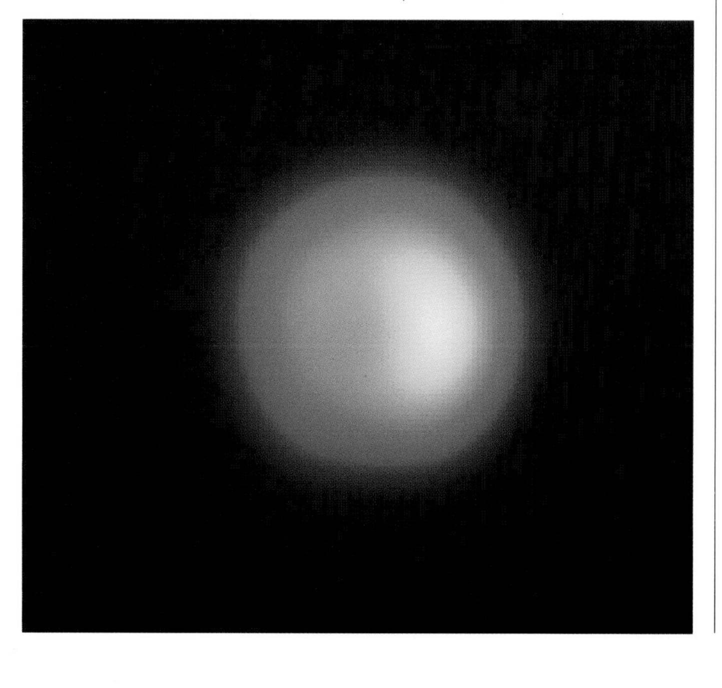

BÉTELGEUSE *La seule étoile, le Soleil mis à part, dont il est possible d'obtenir une image, en utilisant des techniques empruntées à la radioastronomie.*

L'ÉVOLUTION DES ÉTOILES

Les étoiles vivent très longtemps, trop longtemps pour qu'on puisse en observer une tout au long de sa vie. C'est pourquoi on reconstitue leur vie en les étudiant à différentes étapes de leur cycle.

Par nuit noire, vous distinguerez le long de la Voie lactée des bandes sombres qui correspondent à d'immenses nuages de gaz et de poussières qui ne sont visibles qu'illuminés par des étoiles voisines. Dispersés dans la Galaxie, ces nuages fournissent la matière brute des nouvelles étoiles.

Une pouponnière d'étoiles

Si vous regardez l'épée d'Orion avec des jumelles, l'étoile centrale vous paraîtra brumeuse.
Un télescope révélera un nuage de gaz brillamment éclairé par un groupe d'étoiles bleues, dernières nées d'une famille issue du gaz inondant le ciel dans la constellation d'Orion.

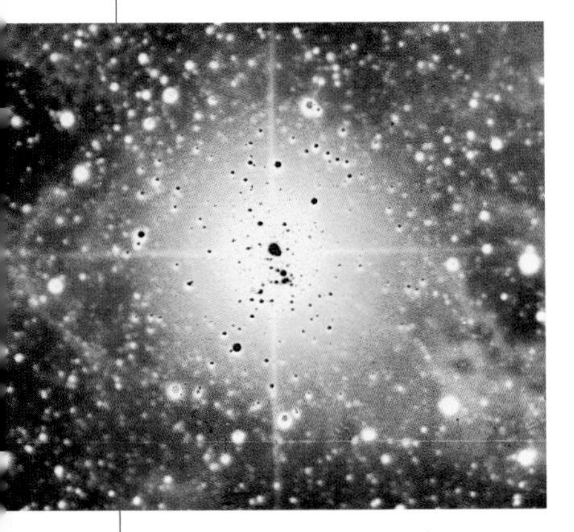

LA SUPERNOVA 1987A, *photographiée au moment de son explosion en 1987. Superposées en noir, les images prises avant l'événement montrent la pré-explosion centrée sur une étoile supergéante bleue de magnitude 12 déjà cataloguée, Sanduleak -69° 202. De telles pré-explosions de supernova sont extrêmement rares.*

Leur formation a peut-être été déclenchée par une étoile de première génération qui a explosé comme une supernova, il y a quelques millions d'années.
Notre Soleil, comme toutes les autres étoiles, a dû naître dans une région similaire, mélange de nuages et d'étoiles, mais ses sœurs, au fil de milliards d'années, se sont dispersées dans l'espace.

Alpha Centauri

Après leur naissance, les étoiles passent la majorité de leur vie sur la séquence principale des naines, comme les trois étoiles du système proche d'Alpha (α) Centauri. L'étoile la plus brillante, qui est très semblable au Soleil, a une espérance de vie de dix milliards d'années sur la séquence principale.
Elle devient lentement plus chaude et plus lumineuse au fur et à mesure qu'elle brûle son hydrogène.
Son compagnon orange, moins chaud, fera la même chose pendant une vingtaine de milliards d'années, alors que la naine rouge Proxima Centauri survivra au moins soixante milliards d'années.

Une étoile à la fin de sa vie

Qu'arrive-t-il à une étoile comme le Soleil quand la quantité d'hydrogène capable de fusionner en hélium s'amenuise ?
Lorsque la quantité de carburant atteint un stade critique, l'étoile devient plus grosse, plus brillante et plus rouge et transforme l'hélium en carbone.
Ce n'est plus une naine de la séquence principale, mais une géante rouge.
L'étoile brillante Capella, dans la constellation du Cocher, a deux composantes, trois fois plus massives que le Soleil, qui évoluent toutes deux vers le stade de géantes rouges.
Plusieurs étoiles brillantes du ciel – comme Arcturus, dans le Bouvier, et Aldébaran, dans le Taureau – sont déjà des géantes rouges.

LA VIE DU SOLEIL *L'effondrement d'un nuage de gaz, probablement consécutif à l'explosion d'une supernova, a donné naissance au Soleil et aux planètes. Après avoir passé un long moment sur la séquence principale, le Soleil se transformera en géante rouge, avant d'éjecter calmement ses couches périphériques et de finir ses jours comme une naine blanche peu lumineuse.*

Mira, la merveilleuse

Dans la constellation de la Baleine se trouve une « vieille » géante rouge qui a, *grosso modo,* la même masse que le Soleil.
Dans quelque temps, elle sera suffisamment brillante pour être observée à l'œil nu, puis sa luminosité diminuera si fort qu'elle ne sera plus visible qu'avec un télescope.
Dans quelques milliards d'années, il se passera la même chose pour le Soleil : il se dilatera, puis se contractera.

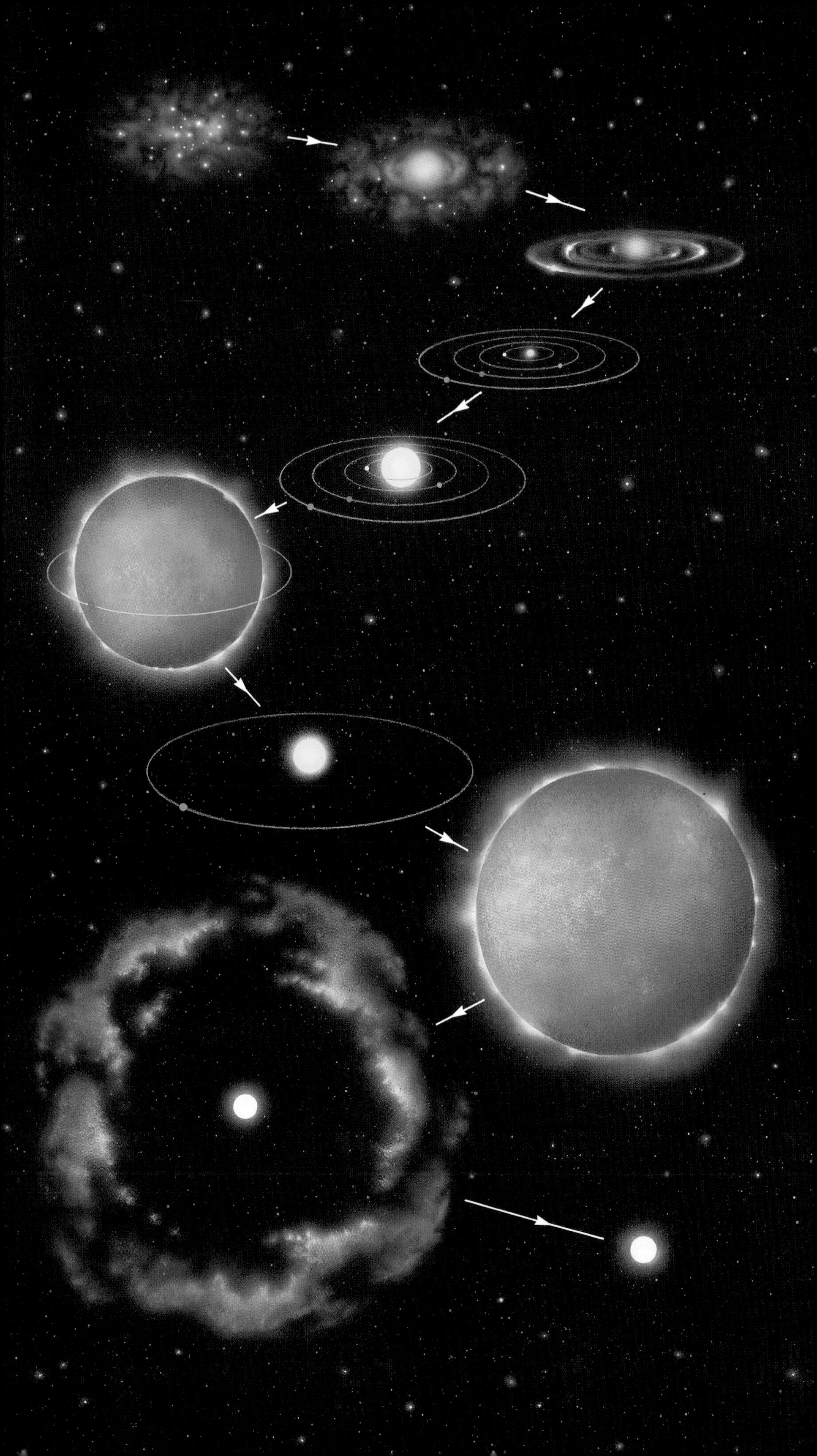

Cimetières d'étoiles

La vie d'une étoile est intimement liée à sa masse ; de même pour sa phase ultime en naine blanche, étoile à neutrons ou trou noir.

Lorsqu'elle quitte la séquence principale, une étoile comme le Soleil passe par le stade de géante rouge pendant un milliard d'années environ. Ensuite, lorsqu'elle a épuisé son combustible nucléaire, elle éjecte ses couches extérieures et devient une nébuleuse planétaire *(voir p. 43)*.
Son cœur s'éteindra lentement en quelques millénaires pour se transformer en naine blanche.

UNE NÉBULEUSE PLANÉTAIRE, *telle la nébuleuse Dumbbel (M 27), dans la constellation du Petit Renard, représente l'ultime moment de gloire des étoiles. Le centre s'évanouit dans l'obscurité pour donner une naine blanche.*

La supernova 1987A

Le 22 février 1987, Ian Shelton, un astronome canadien, s'installe au télescope de Las Campanas, au Chili, pour une série d'observations.
Il cherche des novae et des étoiles variables dans les deux Nuages de Magellan, galaxies voisines de la nôtre.
Deux jours plus tard, il remarque une étoile nouvelle près de la nébuleuse de la Tarentule, dans le Grand Nuage de Magellan. Elle est si brillante qu'il comprend tout de suite qu'il s'agit d'une supernova – l'explosion d'une étoile qui meurt. Mais la chose lui paraît incroyable, car la dernière observation d'une supernova brillante remonte à 1604 !
Les astronomes suivirent cette supernova pendant quelques mois : elle devenait de plus en plus brillante jusqu'à être aussi lumineuse que l'ensemble des étoiles du Grand Nuage de Magellan.
Pour exploser ainsi, une étoile doit avoir une masse initiale au moins dix fois supérieure à celle du Soleil. Elle évolue ensuite en supergéante rouge, produisant dans son cœur des éléments lourds comme le fer, alors que ses couches extérieures se dilatent. Si elle ne peut perdre une grande partie de sa masse, l'étoile ne peut résister à l'implacable force de gravitation. En une fraction de seconde, le cœur s'effondre, soufflant l'étoile.
L'envelope de matière qui se dilate va heurter le milieu interstellaire environnant et donner les restes de supernova.
La nébuleuse du Crabe (M 1), dans la constellation du Taureau, est tout ce qu'il reste d'une puissante explosion qu'on a observée en 1054.

LA SUPERNOVA 1987A *et la nébuleuse de la Tarentule (NGC 2070), en 1984 (ci-dessus) et en 1987 (à droite).*

Étoiles à neutrons et pulsars

Après l'explosion, tout ce qui reste de l'étoile est le cœur

UN TROU NOIR *(à droite) émet de l'énergie venant d'un disque d'accrétion et de jets de matière, comme l'a suggéré l'artiste sur ce dessin.*

UN PULSAR *dans la nébuleuse du Crabe (M 1) observé aux rayons X; il pulse à une période d'un trentième de seconde.*

effondré, une étoile à neutrons, dont la densité est beaucoup plus grande encore que celle des naines blanches.
Les étoiles à neutrons tournent très rapidement sur elles-mêmes, en émettant des faisceaux de lumière et d'ondes radio qui balaient la Terre comme un phare. C'est ce phénomène de clignotement qui a conduit les astronomes à désigner ces étoiles sous le nom de pulsars (étoiles pulsantes). Les pulsars les plus rapides tournent à plus de mille tours par seconde!

Trous noirs

Les étoiles massives peuvent connaître un autre destin : le trou noir. La supergéante bleue HDE 226868, dans la constellation du Cygne, attira l'attention des astronomes lorsqu'ils s'aperçurent que sa position coïncidait avec celle de la source X Cygnus X-1, qui émet un signal tous les quelques millièmes de seconde. Il leur sembla aussi que cette étoile tournait autour d'un compagnon invisible sur une période de 5,6 jours.
La masse de cet objet a été estimée entre huit et seize fois celle du Soleil : il était donc trop massif pour être une étoile à neutrons stable. En théorie, cet objet devrait s'effondrer indéfiniment jusqu'à devenir une source gravitationnelle si dense que même la lumière ne pourrait plus s'en échapper. La plupart des astronomes pensent que c'est le destin qu'a connu le compagnon de HDE 226868 – il s'est effondré pour former un trou noir. Le gaz de l'étoile est alors aspiré par le trou noir et c'est en tombant qu'il émet le rayonnement X.

ROBERT EVANS

La recherche des supernovae était un domaine réservé aux astronomes professionnels jusqu'au jour où, dans les années 1950, le révérend Robert Evans décida de s'y consacrer à son domicile de Hazelbrook, en Australie. À mesure qu'il se familiarisait avec les galaxies (en une seule nuit, il en répertoriait plus de deux cents), il apprenait à repérer les étoiles « anormales ». Au cours d'une seule année où il observa plus de quinze mille galaxies, il eut la joie de découvrir deux supernovae. Repérer des supernovae n'est certes pas chose aisée. La plupart des galaxies présentent, en effet, des zones lumineuses comme des étoiles qui peuvent évoquer des explosions d'étoiles, mais un examen plus approfondi montre que ce ne sont que des nébuleuses gazeuses. Il faut une grande constance dans l'observation pour finir par dénicher des supernovae.

Déjà la nuit en son parc amassait / Un grand troupeau d'étoiles vagabondes / Et pour entrer aux cavernes profondes / Fuyant le jour, ses noirs chevaux chassait.

Joachim du Bellay, *l'Olive.*

Couples d'étoiles

Si le Soleil est une étoile isolée, plus de la moitié des étoiles de la voûte céleste ont au moins un compagnon.

Les étoiles solitaires, comme le Soleil, sont en minorité. En effet, les étoiles sont le plus souvent groupées par paires, en systèmes triples ou même en amas, mais on ne peut guère s'en rendre compte qu'avec un télescope. Il arrive que la nature tente de nous tromper en alignant sur notre ligne de visée deux étoiles qui sont, en réalité, très éloignées l'une de l'autre. Ces faux systèmes doubles ne peuvent être différenciés des vrais que par des observations étalées sur de nombreuses années pour mettre en évidence le mouvement réel des étoiles. On arrive à détecter le mouvement orbital des vraies binaires, mais cela peut prendre des centaines d'années. La plupart des systèmes binaires sont si serrés qu'il n'y a aucune chance de distinguer visuellement leurs deux composantes. On utilise donc des instruments comme le spectrographe, qui examine en détail les couleurs de la lumière émise et les restitue à chacune des composantes du système.

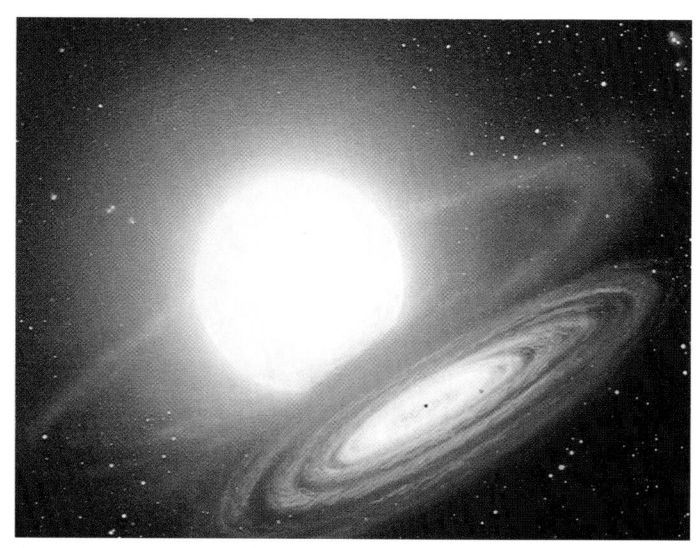

UN ÉCHANGE DE MASSE *peut se produire dans un système binaire serré. Ici, une étoile bleue verse lentement de la matière sur le disque d'accrétion d'un trou noir.*

Étoiles doubles

L'exemple le plus proche de nous est celui d'Alpha (α) Centauri. Mieux visible aux latitudes australes, cette paire magnifique est le système stellaire le plus proche du Soleil. À l'œil nu, on ne distingue qu'une seule étoile, mais dans un télescope on en voit deux très distinctement.

En fait, Alpha Centauri est un système triple dont le troisième membre est Proxima Centauri, une petite naine rouge qui orbite autour des deux autres à environ 2° de distance. Mizar, l'étoile du milieu dans le timon du Grand Chariot, fait partie de l'un des systèmes doubles les mieux connus. Elle est située tout près d'une étoile plus faible nommée Alcor, visible à l'œil nu par ciel clair. Ces deux étoiles ne sont pas un vrai système double : sur la ligne de visée, Alcor est à 12' de Mizar. Cependant, si vous pointez un télescope sur Mizar, vous devriez distinguer deux étoiles, qui forment un vrai système double, avec seulement 14" de séparation. L'observation des étoiles doubles avec un télescope est passionnante. C'est un bon moyen de tester le pouvoir de résolution de votre télescope et la qualité du ciel. Un miroir de 60 mm devrait permettre de séparer deux étoiles de même éclat distantes angulairement de 2" d'arc, avec un fort grossissement.

DOUBLES OPTIQUES *comparées aux vraies doubles physiques. La coïncidence de deux lignes de visée n'a rien à voir avec la réalité physique de deux étoiles gravitant l'une autour de l'autre.*

ALCOR ET MIZAR *(dans le coin inférieur gauche) forment l'une des paires les plus célèbres pour les observateurs de l'hémisphère Nord; elles sont séparées par plus d'un demi-diamètre lunaire.*

TRANSFERT DE MASSE D'UNE GÉANTE ROUGE *vers une naine blanche. Le gain de masse peut provoquer des explosions périodiques de la naine blanche.*

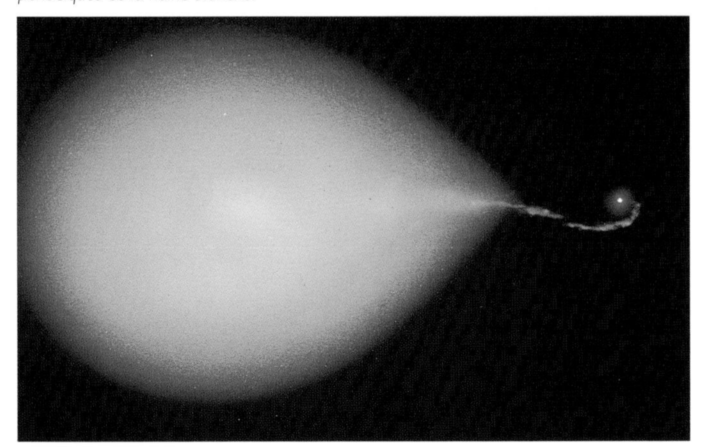

Un télescope de 100 mm devrait faire deux fois mieux en séparant deux étoiles distantes angulairement de 1".
Si vous échouez, c'est que la qualité du ciel laisse à désirer ou que votre télescope n'est pas assez performant. Étudier les couleurs des étoiles dans une paire est toujours intéressant, le contraste entre les deux étoiles donnant parfois aux couleurs un aspect inhabituel. Par exemple, Albireo, l'étoile de tête du Cygne, est une magnifique étoile double dont la composante la plus brillante est jaunâtre, alors que la moins lumineuse a une nuance verte (séparation angulaire de 34").
Il peut être amusant de demander à plusieurs personnes de décrire les couleurs des étoiles d'une paire donnée pour comparer leur perception des couleurs.

ÉTOILES MULTIPLES

Castor est la deuxième étoile la plus brillante dans la constellation des Gémeaux. Une nuit où les images sont stables, vous pourrez, à l'aide d'un petit télescope, la séparer en ses deux composantes (séparation de 3,9"). Vous pourrez également distinguer une troisième étoile, plus faible, un peu plus loin dans le champ. En analysant la lumière venant de ces étoiles avec un spectroscope, on s'est aperçu que chacune de ces trois étoiles est double et qu'en fait le système se compose de six étoiles reliées par la gravitation. La brillante étoile Alpha (α) Capricorni constitue un système tellement séparé (6' d'arc) que vous pouvez distinguer ses deux composantes sans l'aide d'aucun instrument. C'est un effet de perspective, mais un télescope fera toute la différence puisque les deux étoiles sont elles-mêmes des doubles (de séparations respectives 46" et 7") et que la moins lumineuse d'entre elles est encore un système double.

UN ÉCHANTILLON D'ÉTOILES DOUBLES FACILES À OBSERVER

Cette liste comprend quelques-unes des plus belles étoiles doubles du ciel.

Bêta (β) Cephei : Deux étoiles blanches de magnitude 3,3 et 7,9, séparées par 13" d'arc.

Gamma (γ) Andromedae : Très belle paire visible avec un télescope de taille moyenne, séparée de 10" d'arc : la composante la plus brillante est orange, la plus faible bleuâtre.

Thêta (θ) Orionis : Le fameux Trapèze au centre de la nébuleuse d'Orion. Avec un petit télescope, vous découvrirez quatre étoiles; avec un télescope un peu plus grand, deux étoiles supplémentaires, moins lumineuses.

Gamma (γ) Leonis : Très belle paire dont la période de révolution est d'environ quatre siècles et dont la séparation moyenne est de 5" d'arc.

Gamma (γ) Virginis : Chaque étoile tourne autour de l'autre avec une période de 180 ans. Vue de la Terre, la distance entre les deux étoiles semble diminuer au cours du temps avec une séparation moyenne de 3" d'arc.

Epsilon (ε) Lyrae : La fameuse « double double » de la constellation de la Lyre, non loin de la brillante Véga. Chacune des étoiles est double (avec une séparation de 2,5" d'arc).

Alpha (α) Crucis : L'étoile la plus brillante de la Croix du Sud.

Amas d'étoiles

Les étoiles ne sont pas seulement groupées par deux ou par trois : elles peuvent aussi former des amas de dix à des centaines de milliers de membres.

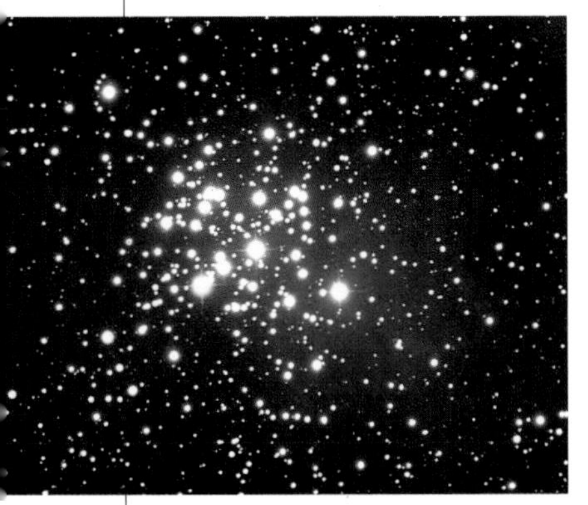

NGC 3293, *dans la Carène, à 8 500 années-lumière, est formé de plusieurs douzaines d'étoiles relativement brillantes.*

Au bas de l'échelle des amas, on trouve les amas ouverts, appelés *amas galactiques* parce qu'ils sont situés relativement près de nous dans le plan du disque de notre Galaxie. Ils n'ont en général que quelques dizaines ou quelques centaines de membres, qu'il est facile de voir individuellement.

La plupart de ces étoiles sont plus jeunes que le Soleil – quelques-unes sont parmi les plus jeunes que nous puissions voir. Les Pléiades (connues aussi sous le nom des Sept Sœurs ou M 45), dans la constellation du Taureau, est un célèbre amas ouvert.

À l'œil nu, on distingue six ou sept étoiles, mais à travers un télescope on en voit bien plus, de moins lumineuses. Non loin des Pléiades, il y a Aldébaran, l'œil rouge sang du Taureau. Près d'Aldébaran, un groupe d'étoiles en forme de V, l'amas des Hyades, l'un des amas ouverts les plus proches. Il est souvent difficile de séparer les étoiles de l'amas de celles situées au premier plan ou à l'arrière-plan.

Si l'amas est assez proche, comme c'est le cas pour les Hyades, une étude minutieuse permet de distinguer les étoiles, car elles se déplacent toutes à la même vitesse et dans la même direction.

Notre Soleil se déplace au sein d'un groupe d'étoiles, l'amas mobile de la Grande Ourse, qui comprend la plupart des étoiles du Grand Chariot et quelques autres disséminées dans le ciel et identifiées par leur vitesse commune.

LES PLÉIADES *(M 45), dans le Taureau, est probablement le plus connu des amas ouverts. Il est parfaitement visible à l'œil nu. Le halo de poussière n'est visible que sur des photographies comme celle-ci.*

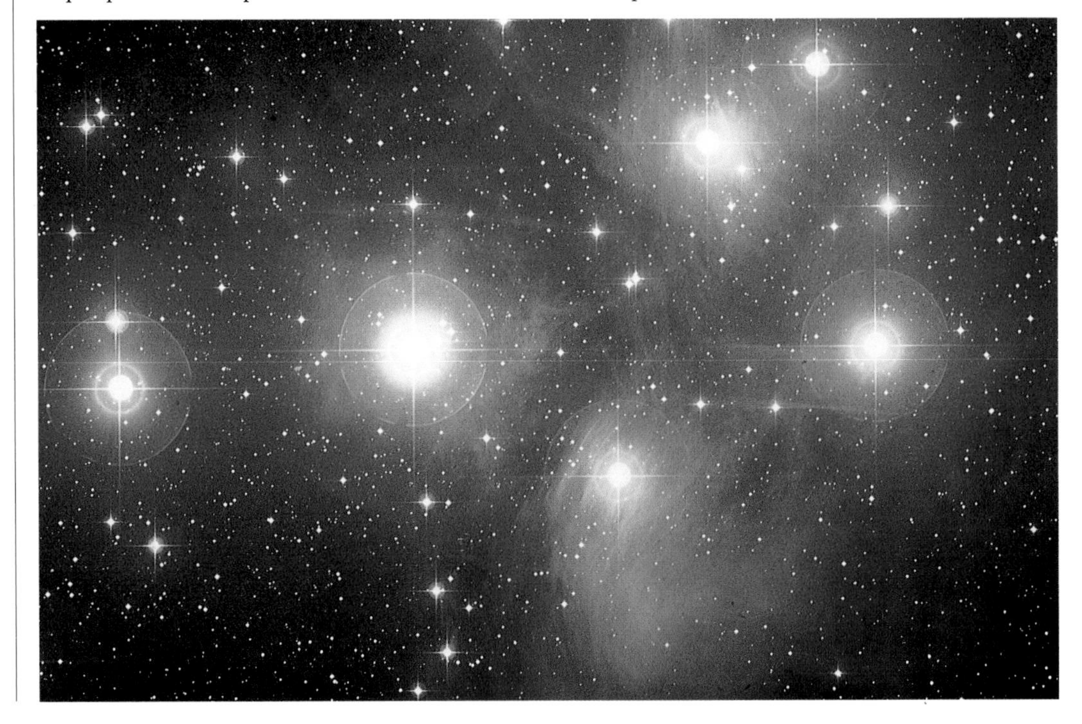

Amas globulaires

On dénombre plus de cent amas globulaires éparpillés dans tout le ciel. Ces gigantesques agrégats d'étoiles, vieux de quelque quinze milliards d'années, ont à peu près l'âge de la Voie lactée.
Vus à travers un petit télescope, ils se présentent comme de merveilleux petits globules ; avec des instruments de 200 mm d'ouverture, on peut les résoudre en plusieurs milliers d'étoiles.
Les amas globulaires ont été étudiés presque aussitôt après l'invention de la lunette.
En 1610, Peiresc observe la nébuleuse d'Orion, puis, en 1612, Simon Marius celle d'Andromède, déjà repérée à l'œil nu par al-Sufi au XIe siècle.
En 1786, William Herschel notait que ces amas mouchetés étaient « résolubles en étoiles ».
La plupart des amas globulaires appartiennent à notre Galaxie.
Ils ne sont pas dans le plan du disque, mais dans le halo, la banlieue de la Galaxie. Le ciel de l'hémisphère Sud contient de superbes ruches d'étoiles âgées.
L'une d'elles, Omega (ω) Centauri, immense amas ovale de milliers d'étoiles, est visible à l'œil nu, les soirées de printemps, par un grand nombre d'habitants du sud des États-Unis et du bassin méditerranéen.
47 Tucanae, le plus raffiné peut-être de tous les amas globulaires, ne dévoile sa magnificence qu'aux observateurs de l'hémisphère Sud.
Le plus bel amas de l'hémisphère Nord est M 13, dans la constellation d'Hercule. Situé à 23 000 années-lumière, et d'une extension de 100 années-lumière, il est facile à trouver sur un côté de la clé de voûte d'Hercule.
À quoi pourrait bien ressembler la vie à l'intérieur d'un amas globulaire ? Le ciel paraîtrait inondé de centaines d'étoiles aussi brillantes que Véga.
À la tombée de la nuit, la voûte céleste ne serait qu'un immense crépuscule. La plus belle vue que l'on pourrait avoir à partir de bien des amas serait celle de la Voie lactée avec ses bras spiraux occupant la moitié du ciel.

... Alouettes de la nuit, étoiles, qui tournoyez aux sources de l'abandon, soyez progrès aux fronts qui dorment...

RENÉ CHAR, *le Météore du 13 août.*

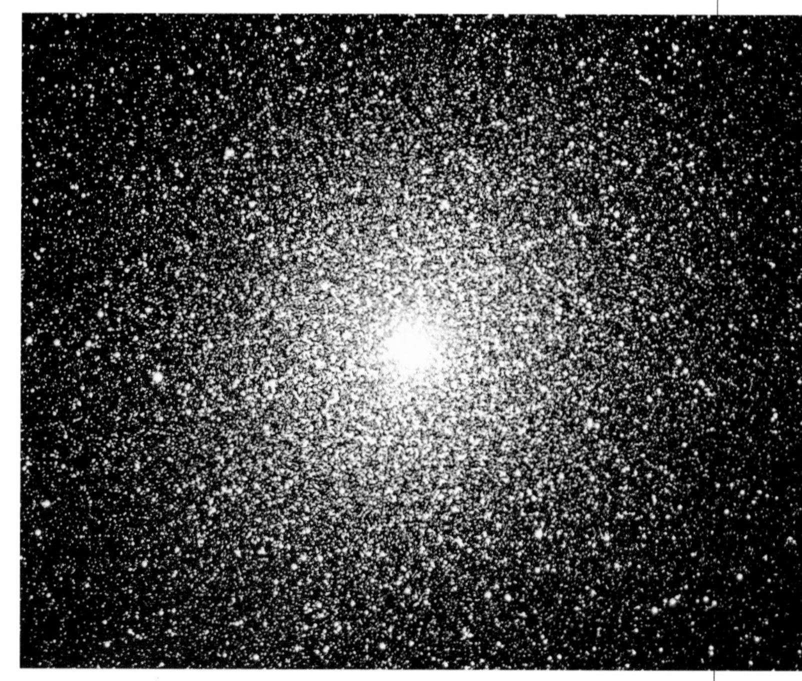

L'AMAS GLOBULAIRE 47 TUCANAE *(NGC 104), l'une des gloires de l'hémisphère Sud, montre un cœur très dense en étoiles.*

SÉLECTION D'AMAS OUVERTS

Nom	Constellation	Magnitude (totale)	Taille approx. (' d'arc)	Distance approx. (al)
M 44 (la Ruche)	Cancer	3,1	95	600
NGC 4755 (la Boîte à Bijoux)	Crux	4,2	10	6 800
M 39	Cygnus	4,6	30	7 300
M 35	Gemini	5,5	30	2 800
h (l'Amas double)	Perseus	4,4	35	7 000
Chi (χ)	Perseus	4,7	35	8 100
M 6 (le Papillon)	Scorpius	4,6	26	1 500
M 7	Scorpius	3,3	50	800
M 11 (le Canard sauvage)	Scutum	5,8	14	5 600
M 45 (les Pléiades)	Taurus	1,2	110	400
(Hyades)	Taurus	0,5	330	150

SÉLECTION D'AMAS GLOBULAIRES

Nom	Constellation	Magnitude (totale)	Taille approx. (' d'arc)	Distance approx. (al)
M 3	Canes Venatici	6	18	35 000
NGC 5139 (Omega [ω] Centauri)	Centaurus	3,7	36	17 000
M 13	Hercules	5,9	17	23 000
M 92	Hercules	6,5	11	26 000
M 15	Pegasus	6,4	12	34 000
M 22	Sagittarius	6	18	10 000
M 5	Serpens	5,8	17	26 000
NGC 104 (47 Tucanae)	Tucana	4,5	31	16 000

ÉTOILES VARIABLES

Les étoiles variables changent de luminosité et d'éclat. Certaines changent de taille, alors que d'autres éjectent violemment de la matière. D'autres encore sont des paires qui s'« éclipsent » mutuellement.

A u fil des années, les astronomes amateurs ont suivi les cycles de brillance de centaines d'étoiles à des distances variées. Sans aucun doute, l'une des plus connues est Mira (Omicron [o] Ceti), dont le caractère variable fut découvert en 1596 par David Fabricius, un pasteur hollandais, astronome amateur expérimenté. Mira est une étoile géante rouge, de masse à peu près égale à celle du Soleil, dont l'éclat varie sur une période de onze mois. Aisément détectable à l'œil nu à son maximum, elle disparaît ensuite très progressivement. Son déclin arrivé à terme, le processus inverse s'enclenche et elle finit par réapparaître.

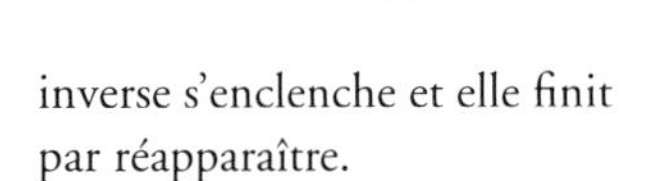

LES BINAIRES À ÉCLIPSES *sont des paires serrées, orbitant l'une autour de l'autre en quelques heures ou en quelques jours. Elles se masquent partiellement chacune à leur tour, ce qui entraîne une diminution de la lumière globale reçue. Généralement, la plus petite est la plus brillante, et son éclipse provoque la plus grande diminution de lumière. La courbe de variation de lumière révèle que les paires très serrées déforment mutuellement leurs enveloppes.*

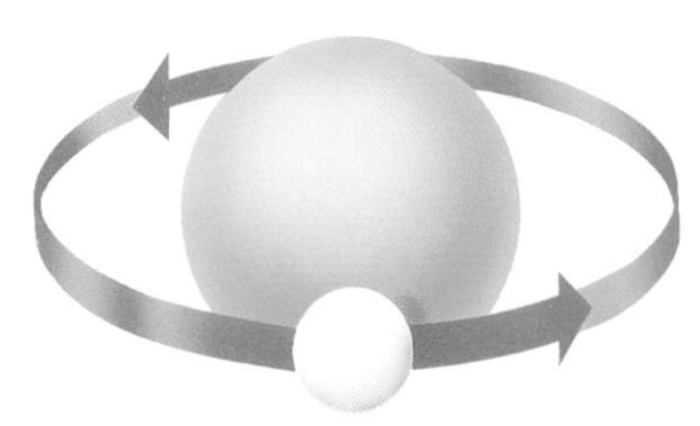

LES ÉTOILES DE TYPE MIRA

Les étoiles variables à longue période de type Mira sont les plus nombreuses (plusieurs milliers d'exemples) et les plus connues. Ce sont des géantes rouges qui pulsent sur des périodes de plusieurs centaines de jours avec des cycles très irréguliers.
Leur variation de brillance dépasse souvent 6 à 8 magnitudes – soit une variation d'éclat d'un facteur de plusieurs centaines – alors que leur taille ne varie pas de plus de 50 %.

BINAIRES À ÉCLIPSES

Certaines étoiles doubles sont placées de telle façon – par rapport à l'observateur – que l'une passant devant l'autre, puis derrière, il en résulte une variation d'éclat du système.
La plus célèbre d'entre elles est Algol, dans la constellation de Persée. Tous les 2,9 jours, l'étoile la plus faible passe devant la plus brillante. Au cours de l'éclipse de

QUELQUES ÉTOILES VARIABLES À DÉCOUVRIR

Nom	Type	Domaine de magnitude	Période (en jours)
Êta (η) Aquilae	Céphéide	3,5–4,4	7,2
R Carinae	Mira	3,9–10,5	308,7
R Centauri	Mira	5,3–11,8	546,2
Delta (δ) Cephei	Céphéide	3,5–4,4	5,4
Omicron (o) Ceti	Mira	3,4–9,3	332
Dzêta (ζ) Geminorum	Céphéide	3,7–4,2	10,2
Delta (δ) Librae	Binaire à éclipses	4,9–5,9	2,3
Bêta (β) Lyrae	Type Bêta Lyrae	3,3–4,3	12,9
Bêta (β) Persei	Binaire à éclipses	2,1–3,4	2,9
R Scuti	Type RV Tauri	4,5–8,2	140

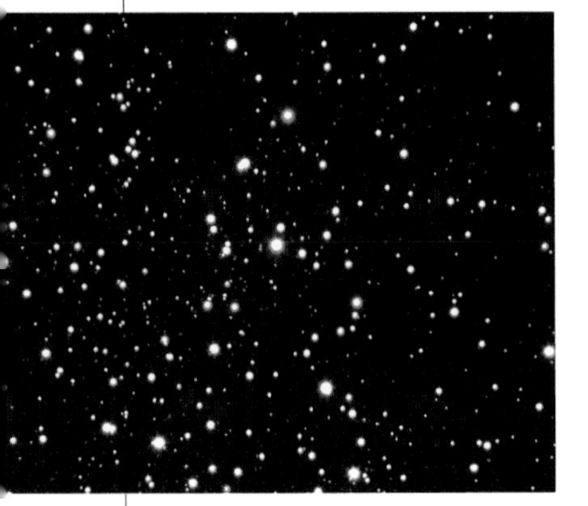

NOVA CYGNI 1975, *apparue en août 1975 avec une magnitude maximale de 1,8. On la voit ici, au centre de la photo, quelques mois plus tard.*

LES CÉPHÉIDES *varient en éclat parce que, en réalité, elles changent de taille (le changement est grossi sur le dessin), de température de surface et donc de couleur. Une courbe de lumière typique (en rouge) montre, sur une période de quelques jours, la brillance de l'étoile, qui augmente rapidement et décroît ensuite lentement.*

lumière correspondante, qui dure environ dix heures, l'éclat du système varie d'une magnitude.

Céphéides

Les étoiles d'éclat variable, ou céphéides (du nom de leur prototype Delta [δ] Cephei, la première découverte), présentent, comme les étoiles Mira, des fluctuations dues à des variations cycliques qui les font se dilater ou se contracter. Lorsqu'une céphéide se dilate, sa luminosité diminue ; lorsqu'elle se contracte, son éclat augmente.

Ce phénomène a une régularité d'horloge. L'étoile Polaire (Polaris), dans la Petite Ourse, est une céphéide dont le domaine de variation est réduit. Il semble d'ailleurs que ses variations se soient interrompues récemment, ce qui prouverait que les variables ne sont pas toujours variables, mais qu'elles traversent une phase d'instabilité.

Le plus grand titre de gloire des céphéides est d'avoir fourni la clef de la taille de la Galaxie.

En 1784, John Goodricke, un adolescent sourd-muet, mit en évidence les fluctuations de Delta (δ) Cephei. Un siècle plus tard, Henrietta Leavitt, assistante d'Edward Pickering, à l'université d'Harvard, découvrit, en observant vingt-cinq céphéides du Petit Nuage de Magellan, l'une des galaxies les plus proches de nous, que plus l'étoile était brillante, plus sa période de variation était importante.

Harlow Shapley eut enfin une intuition géniale en regardant toutes les céphéides : il comprit que, pour chaque couple de céphéides de même période de variation, la plus brillante en moyenne était la plus proche de nous. La relation période-luminosité allait servir à mesurer les distances dans l'espace.

Étoiles variables cataclysmiques et novae

Si les étoiles variables nous offrent un magnifique spectacle, les étoiles cataclysmiques et éruptives nous réservent d'autres surprises. Un moment considérées comme des étoiles nouvelles (d'où leur nom), les novae sont en réalité des explosions qui se produisent dans des systèmes d'étoiles binaires. Une nova est formée de deux étoiles, une grande étoile et une petite étoile chaude – en général une naine blanche – qui aspire des jets de gaz venant de la plus grosse. Le gaz capturé s'échauffe de plus en plus, au fur et à mesure qu'augmente la quantité de gaz transférée. Finalement se produit une explosion thermonucléaire qui entraîne une augmentation de brillance de l'étoile de plus de 10 magnitudes.

Les étoiles ne sont cependant pas détruites dans l'explosion. On estime que le phénomène de nova peut se reproduire sur des périodes de centaines ou de milliers d'années. Les plus petites explosions caractérisent les novae « naines », telle SS Cygni, dans la constellation du Cygne, qui peut varier d'environ 4 magnitudes en quelques heures, à des intervalles de vingt à quatre-vingt-dix jours. R Coronae Borealis est l'un des rares exemples d'« antinova ». Cette étoile, parfaitement visible avec des jumelles la plupart du temps, peut disparaître pendant plusieurs semaines ou plusieurs mois. On ne la voit même plus au télescope. On pense que ce phénomène est dû à l'apparition d'un nuage de suie.

HENRIETTA LEAVITT *(1868-1921) était experte dans l'analyse photographique de la brillance des étoiles variables. C'est ainsi qu'elle découvrit la loi reliant la période et la luminosité des céphéides, loi qui conduisit à la détermination de leurs distances relatives.*

Nuages au milieu des étoiles : les nébuleuses

Parmi toutes les splendeurs du ciel, les délicats nuages de gaz et de poussières que l'on désigne sous le nom de nébuleuses – à la fois pouponnières et cimetières d'étoiles – sont les plus stupéfiants.

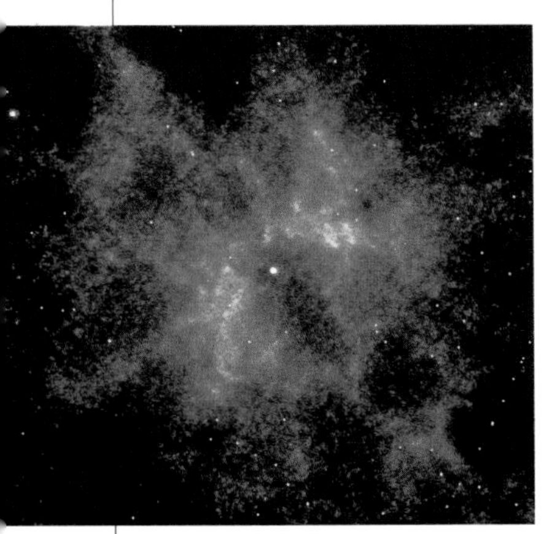

LES NÉBULEUSES PLANÉTAIRES *n'ont pas toujours une forme en anneau. Cette photo prise par Hubble montre NGC 2440, nébuleuse de magnitude 11, et son étoile centrale de magnitude 16.*

Le mot latin *nebula,* qui signifie nuage, désigne le gaz et la poussière interstellaires. La plupart des nébuleuses sont éclairées par les étoiles qu'elles contiennent. Les plus grandes nébuleuses ne brillent guère, mais sont visibles parce qu'elles interceptent la lumière d'étoiles plus lointaines.

Nébuleuses en émission

Les nébuleuses en émission sont les plus colorées de toutes. Elles brillent grâce à l'énergie libérée par les étoiles qu'elles abritent en leur sein. Sous un bon ciel, un télescope de 250 mm de diamètre mettra en évidence le gaz incandescent et les teintes rouges et vertes de quelques nébuleuses, mais seules de longues poses photographiques dévoileront la palette entière des couleurs, en particulier l'étonnante couleur rose de l'hydrogène. La nébuleuse la plus facile à observer est près de l'étoile du milieu de l'Épée, dans la constellation d'Orion : c'est la Grande Nébuleuse d'Orion (M 42). Elle apparaît à l'œil nu comme une tache floue ; avec des jumelles, même en ville, elle se présente comme un nuage chevelu. Plus le télescope est puissant, plus le spectacle est majestueux.

Nébuleuses par réflexion

Comme leur nom l'indique, les nébuleuses par réflexion sont éclairées par la lumière diffuse des étoiles voisines. Mérope, l'une des étoiles des Pléiades, est entourée d'un halo bleu, caractéristique de ces nébuleuses. Par nuit claire, un petit télescope révélera la faible enveloppe nuageuse de Mérope, invisible à l'œil nu.

Nébuleuses obscures

« Il y a un trou dans le ciel ! » Voilà un peu plus de deux siècles,

LA NÉBULEUSE DE LA ROSETTE *(NGC 2237-2239), dans la constellation de la Licorne, est une grande nébuleuse entourant l'amas ouvert NGC 2244. Spectaculaire sur les photographies, elle est difficile à voir à l'œil nu et même au télescope.*

UNE NÉBULEUSE OBSCURE *(ci-dessous) réduit ou masque la lumière des étoiles plus lointaines de la Voie lactée.*

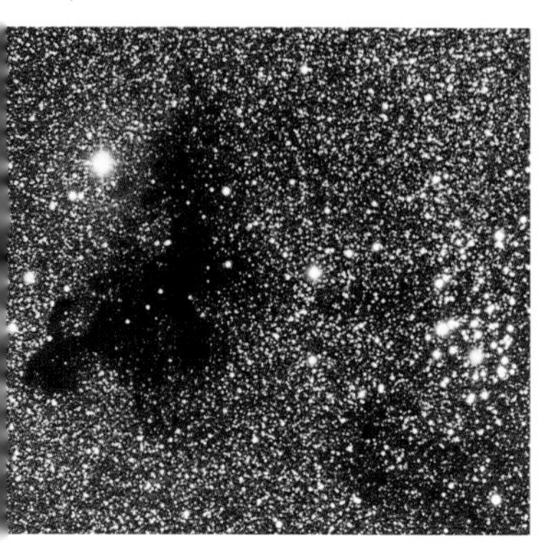

William Herschel, l'un des plus grands astronomes observateurs, découvrit une nouvelle catégorie d'objets. Il supposa qu'ils correspondaient à des régions « très vieilles qui avaient subi les outrages du temps » plus durement que les étoiles environnantes. Son fils John pensait, lui, que c'étaient des sortes de passages vers « quelque chose » situé au-delà. Bas dans le ciel du sud, sur le côté droit de la Croix du Sud, il étudia une zone du ciel qui paraît si noire qu'on l'appelle aujourd'hui le Sac de Charbon. En fait, ils avaient découvert les nébuleuses obscures, des nuages de gaz et de poussières sans étoile voisine pour les éclairer et qui masquent la lumière des étoiles situées derrière eux. Ces nébuleuses sont visibles sur le fond lumineux des étoiles de la Voie lactée ou devant une nébuleuse brillante.

NÉBULEUSES PLANÉTAIRES

De nombreuses nébuleuses, mais pas toutes, sont le lieu où naissent les étoiles. Lorsqu'une étoile comme le Soleil évolue vers le stade de géante rouge, elle entre dans une phase brève où elle expulse ses couches extérieures. Ces couches peuvent se manifester sous forme d'une fine enveloppe de gaz autour de l'étoile. Les astronomes du XIXe siècle remarquèrent que ces nébuleuses, par leur forme et par leur couleur, ressemblaient à Uranus ou à Neptune, d'où leur nom de *nébuleuses planétaires,* mais nous savons maintenant qu'elles n'ont rien à voir avec les planètes. La nébuleuse de l'Anneau (M 57), dans la constellation de la Lyre, est la plus connue des nébuleuses planétaires. Dans un petit télescope, elle apparaît comme une étoile défocalisée ; dans un télescope de 75 mm, elle ressemble à un anneau. La Tête de Clown, dans la constellation des Gémeaux, une autre célèbre nébuleuse planétaire, vue dans un grand télescope, évoque vraiment une tête de clown, avec un gros nez brillant.

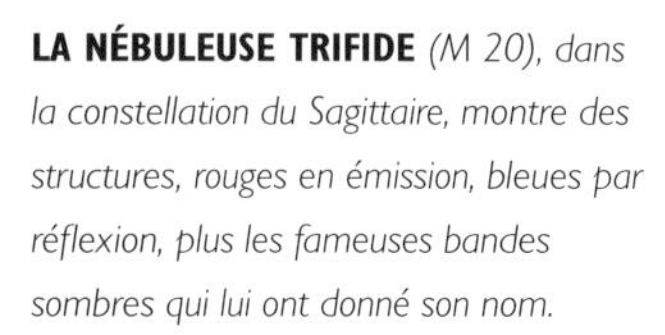

LA NÉBULEUSE TRIFIDE *(M 20), dans la constellation du Sagittaire, montre des structures, rouges en émission, bleues par réflexion, plus les fameuses bandes sombres qui lui ont donné son nom.*

LA NÉBULEUSE EN CÔNE, *dans la constellation de la Licorne, est une nébuleuse sombre de forme spectaculaire qui fait contraste sur le fond brillant. Comme bien d'autres nébuleuses de ce type, elle est difficile à voir dans un petit télescope.*

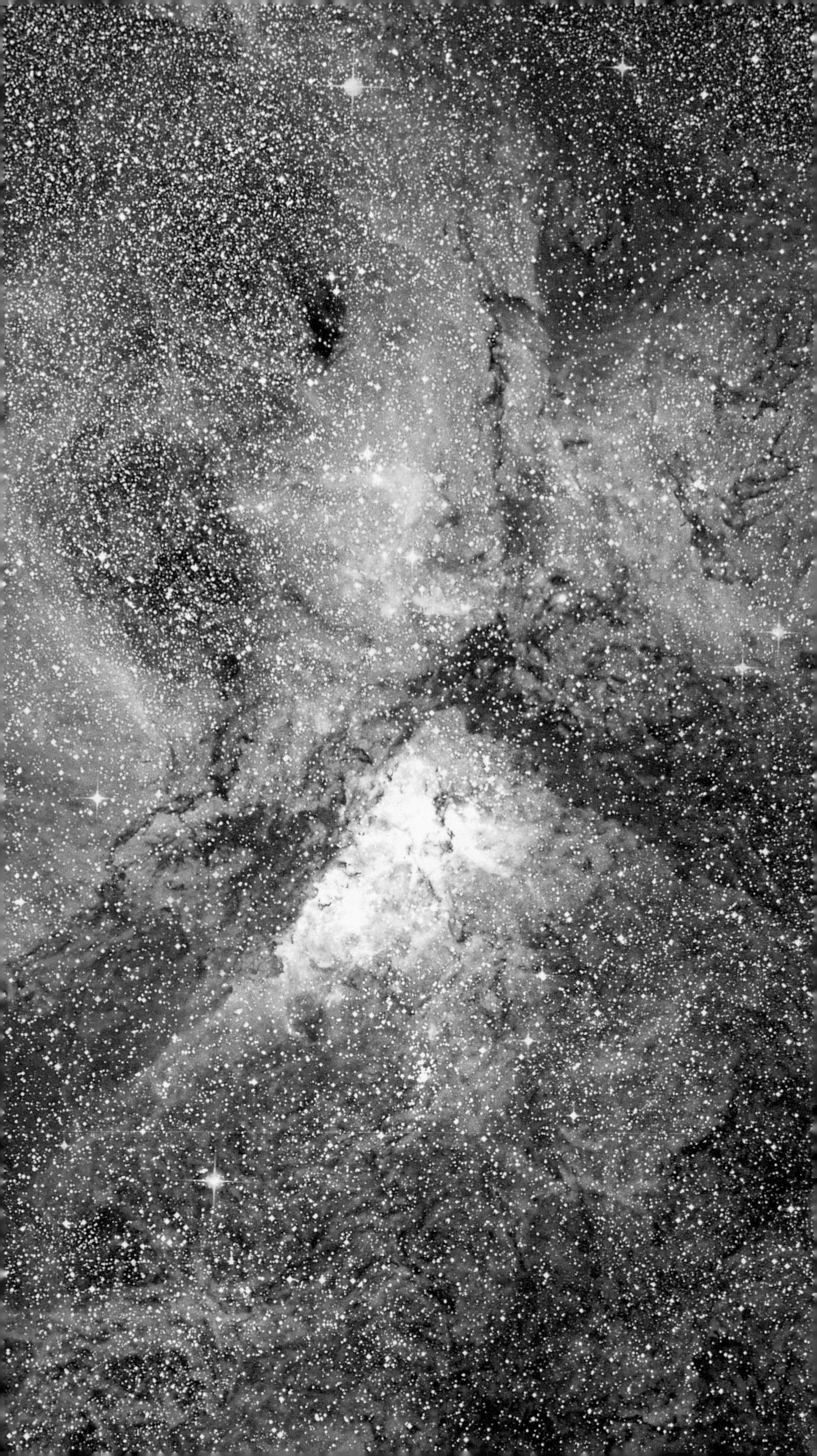

QUELQUES NÉBULEUSES À DÉCOUVRIR

Nom	Constellation	Type	Magn. (totale)	Taille approx. (' d'arc)	Distance approx. (al)
NGC 3372 (Êta [η] Carinae)	Carina	Émission	6	120 × 120	3 700
NGC 2070 (Tarantula)	Dorado	Émission	5	40 × 25	180 000
M 57 (Anneau)	Lyra	Planétaire	8,8	2 × 1	5 000
NGC 2237 (Rosette)	Monoceros	Émission	6	80 × 60	3 000
M 42 (Gr. Nébuleuse)	Orion	Émission	3,5	85 × 60	1 500
M 8 (Lagon)	Sagittarius	Émission	5	80 × 35	4 500
M 17 (Oméga)	Sagittarius	Émission	6,9	45 × 35	5 500
M 20 (Trifide)	Sagittarius	Émission, réflexion, obscure	7	29 × 27	3 500
M 1 (Crabe)	Taurus	Reste de supernova	8,5	8 × 6	4 000
M 27 (Dumbbell)	Vulpecula	Planétaire	7,3	8 × 4	3 500

RESTES DE SUPERNOVAE

Une étoile bien plus massive que le Soleil meurt de façon encore plus violente, dans une explosion de supernova. Le gaz éjecté balaie le gaz du milieu interstellaire et forme un reste de supernova. Le plus célèbre reste est celui de la nébuleuse du Crabe, dans la constellation du Taureau, qui apparaît comme un ovale incandescent dans un très petit télescope. L'explosion a eu lieu il y a mille ans. Des photographies prises sur une durée de quelques années montrent qu'il est toujours en expansion.

RESTES DE LA SUPERNOVA VELA *(ci-dessus), dont l'explosion a eu lieu il y a dix mille ans. Il est vraisemblable que la supernova qui a produit ces débris lumineux de gaz était visible en plein jour.*

ÊTA (η) CARINAE *(NGC 3372), à gauche, est l'une des gloires du ciel austral. C'est une énorme région d'étoiles en formation. Vingt fois plus grande que la nébuleuse d'Orion, elle couvre environ 2° dans le ciel.*

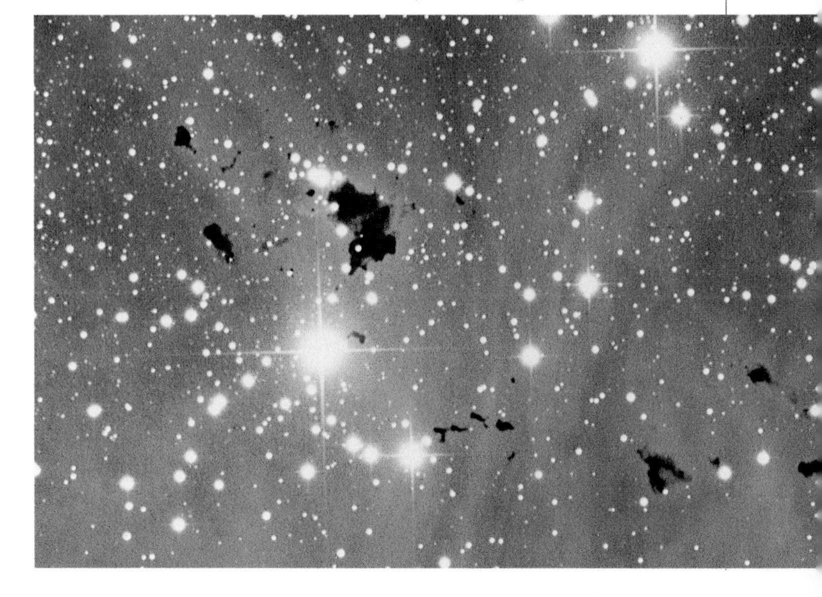

LES GLOBULES DE BOK *(à droite) sont des zones denses de poussières, vues sur un fond en émission, qui peuvent finir par s'effondrer pour donner naissance à des étoiles.*

LA VOIE LACTÉE

Presque toutes les étoiles, les amas d'étoiles et les nébuleuses visibles avec un petit télescope font partie de notre système local, la Galaxie, ou Voie lactée.

L'ORIGINE DE LA VOIE LACTÉE *d'après le Tintoret (1518-1594) : Junon allaitant Hercule enfant. D'après la légende, des gouttelettes de lait s'échappèrent pour former la Voie lactée.*

Pendant des milliers d'années, on a pensé que la Terre était le centre du monde jusqu'à ce que Copernic puis Galilée nous convainquent qu'elle tourne autour du Soleil. Au XVIIIe siècle, les astronomes se demandèrent si le Soleil lui-même était proche du centre d'un système d'étoiles appelé Galaxie, ou Voie lactée (*galaxias* signifie laiteux en grec). Et cette galaxie, était-elle unique ?
En 1917, Harlow Shapley, au mont Wilson en Californie, en se fondant sur les distances d'étoiles variables situées dans des amas globulaires très lointains, montra que le Soleil est, en fait, à quelque 50 000 années-lumière du centre de la Galaxie (la valeur actuellement reconnue est de 30 000 al). En 1924, Hubble montra que la Voie lactée n'est qu'une galaxie parmi d'autres.

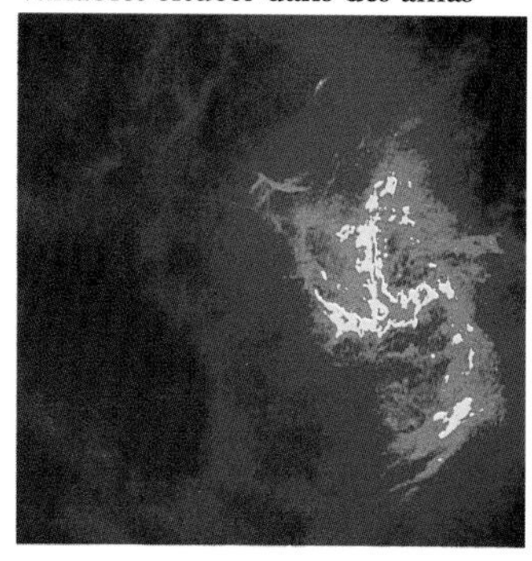

LE CENTRE DE LA GALAXIE *vu en ondes radio. La structure spirale est un nuage incandescent de gaz d'une largeur de quelque 10 années-lumière. Au centre, un point d'émission radio très intense.*

STRUCTURE SPIRALE

Depuis cette époque, les astronomes se sont acharnés à décrire la Voie lactée vue de l'extérieur. C'est un peu comme si vous vouliez faire une peinture de l'extérieur de votre maison, alors que vous n'en connaissez qu'une ou deux pièces. Cependant, en regardant de la fenêtre les immeubles voisins, vous pouvez vous faire une idée approximative de la maison. Quand Shapley eut montré que la Terre est située loin du centre de la Voie lactée, les astronomes se demandèrent si notre Galaxie ressemblait à une roue à rayons comme beaucoup de galaxies voisines – M 31 dans la constellation d'Andromède ou M 33 dans celle du Triangle, par exemple.
Nous savons à présent que notre Galaxie est bien une galaxie spirale plate, sauf au centre où se dessine un grand bulbe. Elle contient environ 200 milliards de soleils, dont la plupart ne sont pas visibles à cause des nuages de gaz et de poussières qui masquent la vue. Le disque de la Voie lactée a

environ 1 500 années-lumière d'épaisseur avec des bras spiraux qui se développent jusqu'à 150 000 années-lumière. Chaque étoile ou nébuleuse de cet ensemble tourne autour du centre de la Galaxie de façon plus ou moins indépendante. Le Soleil effectue un tour complet en 240 millions d'années environ. Autour du disque galactique s'étend le halo, formé d'étoiles vieilles, qui s'étend jusqu'à 150 000 années-lumière.

LA STRUCTURE SPIRALE *de la Voie lactée, la Galaxie, telle qu'on pourrait la voir de l'extérieur.*

BART BOK ET LA VOIE LACTÉE

À l'époque où Harlow Shapley nous replaçait dans la Galaxie, un jeune Néerlandais nommé Bart Bok avait hâte de lui emboîter le pas. Vers 1930, il traversa l'Atlantique et se rendit à Harvard pour étudier la nébuleuse Êta (η) Carinae dans la constellation de la Carène, l'une des plus riches régions du sud de la Voie lactée. En 1941, Bart et sa femme Priscilla, astronome réputée elle aussi, publièrent la première édition de *la Voie lactée*, devenu un classique du genre. Ils poursuivirent l'étude de la région d'Êta (η) Carinae et de la structure spirale de la galaxie à l'observatoire du mont Stromlo, en Australie, et plus tard à l'université d'Arizona. Heureux de communiquer avec le public, Bok adorait parler de celle qu'il appelait « la plus belle et la plus grande, la Voie lactée », une galaxie qui paraît de plus en plus intéressante au fur et à mesure qu'on l'explore.

LE CENTRE DE LA GALAXIE
La Galaxie, pleine de gaz et de poussières, cache bien ses secrets, notamment la nature de son centre. Les astronomes ont longtemps pensé que celui-ci était une source intense de rayonnement radio, Sagittarius A. Une source de rayonnement encore plus petite, Sagittarius A*, vient d'être identifiée dans cette région complexe. Ce pourrait être un vaste trou noir d'une masse équivalant à quelques millions de masses solaires. La matière, en tombant dans ce trou, libérerait d'énormes quantités d'énergie.

Voie lactée ô sœur lumineuse / Des blancs ruisseaux de Chanaan / Et des corps blancs des amoureuses / Nageurs morts suivrons-nous d'ahan / Ton cours vers d'autres nébuleuses

GUILLAUME APOLLINAIRE, *Alcools.*

LES GALAXIES

Au-delà des confins de la Voie lactée, l'espace est constellé de myriades de galaxies, la plupart groupées en amas comprenant des centaines, voire des milliers d'objets.

Les différents types de galaxies sont répertoriés suivant une classification mise au point par Hubble dans les années 1920.

DIFFÉRENTS TYPES DE GALAXIES

Les galaxies spirales, telle la Voie lactée, exhibent leurs bras spiraux bleutés que dessinent les jeunes étoiles brillantes entourant le bulbe central. Les spirales barrées ont une structure analogue avec, en outre, une barre qui traverse le noyau central et des bras spiraux se greffant sur les extrémités de la barre. Les galaxies elliptiques ne présentent pas de structure spirale, leurs formes vont du cigare aplati à la sphère.

Il existe enfin des galaxies irrégulières, qui ne semblent guère structurées et sont difficiles à classer, sans doute parce qu'elles ont subi des interactions.
Bien que les spirales semblent les galaxies les plus courantes, parce que les grandes galaxies spirales telles que la Voie lactée sont faciles à identifier, la majorité des galaxies sont en réalité des galaxies irrégulières de faible luminosité ou des naines elliptiques.

Galaxies spirales. La plus proche des grandes galaxies spirales, la galaxie d'Andromède (M 31), est l'objet visible à l'œil nu le plus éloigné de la Terre. Parce que nous la voyons sous un angle aigu, pratiquement par la tranche, elle ressemble plus à une tache brumeuse allongée qu'à une

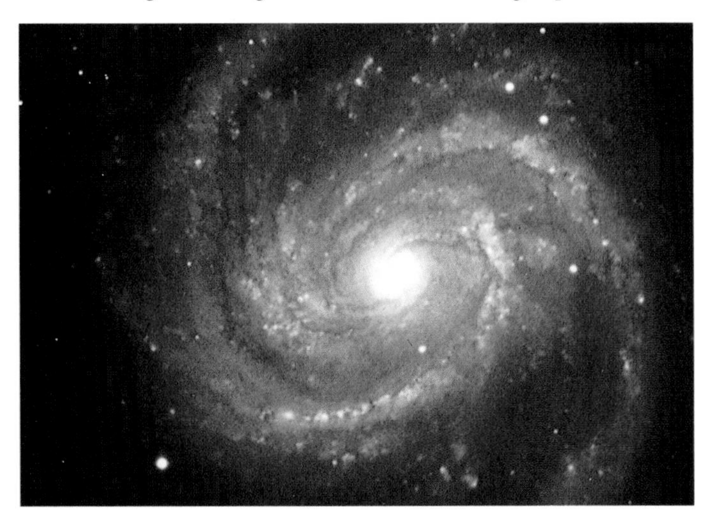

QUELQUES GALAXIES À DÉCOUVRIR					
Nom	Constellation	Type	Magn. (totale)	Taille approx. (' d'arc)	Distance approx. (millions d'al)
M 31	Andromeda	Spirale	3,4	180 × 60	2,3
NGC 5128	Centaurus	Elliptique	7	18 × 15	13
Gr. Nuage de Magellan	Dorado	Irrégulière	—	600	0,17
NGC 253	Sculptor	Spirale	7,1	25 × 7	10
M 33	Triangulum	Spirale	5,5	60 × 40	2,3
Pt Nuage de Magellan	Tucuna	Irrégulière	—	250	0,2
M 81	Ursa Major	Spirale	7,9	18 × 10	7
M 87	Virgo	Elliptique	8,6	7 × 7	40
M 104	Virgo	Spirale	8,3	9 × 4	40

PETIT NUAGE DE MAGELLAN *(en haut à gauche) : exemple proche d'une petite galaxie irrégulière, si proche qu'il occupe quelque 4° dans le sud de la constellation du Toucan.*

GALAXIE SPIRALE *(ci-dessus) : M 100 est un bel exemple de grande galaxie spirale dans l'amas Virgo. Ses bras spiraux soulignés d'étoiles chaudes blanc bleuté et de gaz incandescent de couleur rouge entourent un cœur jaune formé d'étoiles plus vieilles.*

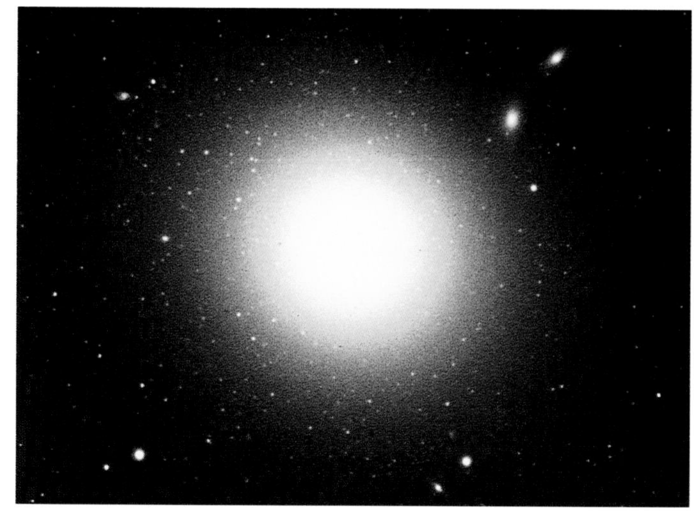

LA GALAXIE ELLIPTIQUE *M 87, dans la constellation de la Vierge, est une galaxie géante, entourée d'amas globulaires d'étoiles.*

QUASAR *(ci-dessous) Située à environ 2 milliards d'années-lumière, 3C273 est la plus proche de ces sources très lumineuses. L'image radio révèle un jet de matière (en bas, à droite) éjecté par le centre du quasar (en haut, à gauche).*

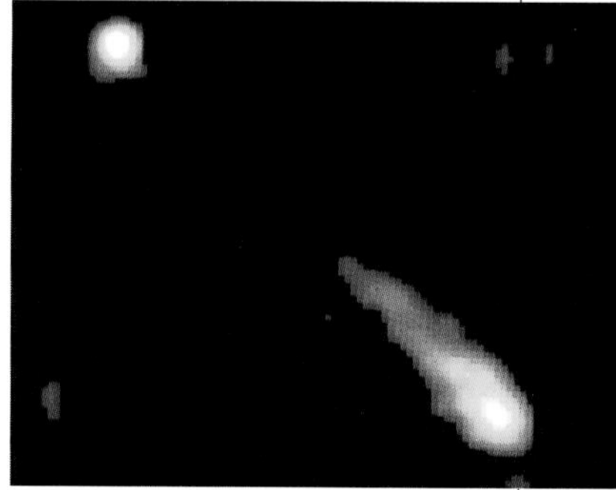

spirale. En revanche, la galaxie Tourbillon, M 51, dans la constellation des Chiens de Chasse, ou M 81 dans la Grande Ourse ont une forme typique de roue à rayons.

Galaxies spirales barrées. Elles sont beaucoup moins nombreuses que les spirales classiques, et l'origine de leur barre est très mal connue. M 83, une galaxie brillante dans la constellation de l'Hydre, est souvent classée comme galaxie barrée. NGC 1300, dans Éridan, est plutôt faible, mais présente une structure barrée classique.

Galaxies elliptiques. Elles varient des naines aux géantes. Les géantes, souvent situées au centre d'un amas, sont probablement nées de la collision de plusieurs galaxies spirales. Elles passent par un stade intermédiaire témoin de la collision, comme c'est le cas pour NGC 5128, dans le Centaure, et finalement se stabilisent en elliptiques géantes, comme M 87, dans la constellation de la Vierge.

Galaxies irrégulières. Ces galaxies, groupes d'étoiles sans forme, sont peu lumineuses, et bien plus petites que les galaxies spirales. Le Petit Nuage de Magellan, galaxie satellite de notre Voie lactée, situé bas dans le ciel austral, en est un exemple parfait.

Galaxies particulières. Toute galaxie qui semble avoir souffert d'une perturbation importante est appelée galaxie particulière. Par exemple, M 82, dans la Grande Ourse, est un tourbillon de régions d'étoiles brillantes traversées de lignes irrégulières de poussières. Son apparence est sans doute due à l'existence d'une immense flambée d'étoiles en formation.

Galaxies de Seyfert et quasars. Les galaxies de Seyfert, dont la plus connue est M 77, dans Cétée, sont d'immenses spirales avec des centres très brillants. Leur nom vient de Carl Seyfert, qui les découvrit en 1942. Elles font partie des galaxies dites actives, dont le cœur est le siège d'une activité parfois violente. Les quasars semblent être des noyaux de galaxies dans un stade d'activité très intense. Des milliers de fois plus lumineux que le reste de la galaxie dont ils font partie, ils sont détectables à des distances considérables. Si on plaçait une grande galaxie spirale, telle M 31, à la distance d'un quasar, elle serait invisible.

EDWIN HUBBLE (1889-1953)

En 1924, grâce au tout nouveau télescope de 2,50 m du mont Wilson, Edwin Hubble et Milton Humason furent les premiers à résoudre en étoiles la galaxie d'Andromède (M 31), mettant ainsi en évidence son statut de galaxie à l'égal de notre Voie lactée *(voir pp. 50-51)*.
En 1925, Edwin Hubble mit en place un système de classification des galaxies qui, légèrement modifié, est toujours d'actualité. Il est aussi connu pour la loi portant son nom, qui donne une mesure de distance et une échelle de temps dans le cadre de l'expansion de l'Univers. Sa contribution exceptionnelle à l'astronomie a été reconnue et célébrée : on a baptisé de son nom le dernier-né des télescopes spatiaux, lancé en 1989.

VUE PANORAMIQUE

Nous vivons sur la troisième planète du système planétaire d'une étoile de taille moyenne, située dans l'un des bras spiraux de la Galaxie, la Voie lactée, à environ 30 000 années-lumière du centre. Mais où sommes-nous exactement dans l'Univers ?

Au début de ce siècle, Vesto M. Slipher travaillait à l'observatoire Lowell (à Flagstaff, en Arizona), dont le directeur, Percival Lowell, s'intéressait à la recherche des systèmes planétaires autour des étoiles et pensait que la « nébuleuse » spirale qui venait d'être découverte était un ensemble d'étoiles entourées de systèmes planétaires en formation. Pour vérifier son hypothèse, Lowell demanda à Slipher d'étudier la composition de cette nébuleuse au spectrographe (appareil qui permet de décomposer la lumière en ses différentes couleurs). Avec un télescope de 600 mm, Slipher posa deux nuits entières pour obtenir le spectre d'une seule nébuleuse. Le résultat le déconcerta : toutes les raies du spectre montraient de grands décalages vers le rouge. Ce fut Edwin Hubble qui, au mont Wilson, en Californie, résolut le mystère de ces décalages vers le rouge. Avec le télescope de 2,50 m du mont Wilson, Hubble et Milton Humason obtinrent, vers 1924, des photographies si claires des nébuleuses spirales voisines qu'ils purent distinguer les étoiles individuelles.

LE GROUPE LOCAL *est un ensemble d'une trentaine de galaxies, dominé par les deux galaxies spirales géantes que sont la Voie lactée et Andromède (M 31). La plupart des autres membres sont de faibles galaxies naines elliptiques ou irrégulières, invisibles à plus grande distance.*

En 1929, Hubble montra que les décalages vers le rouge indiquent que les galaxies s'éloignent de nous à des vitesses de l'ordre de centaines ou de milliers de kilomètres par seconde. À de telles vitesses, les ondes lumineuses qu'elles émettent sont considérablement rougies. Hubble remarqua encore que ce sont les galaxies les plus faibles, et donc sans doute les plus lointaines, qui présentent le plus grand décalage vers le rouge.

C'est une sphère infinie dont le centre est partout, la circonférence nulle part.

BLAISE PASCAL, *Pensées.*

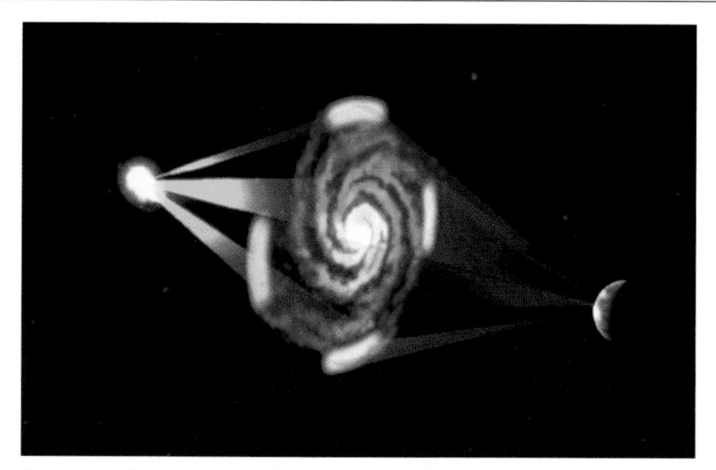

LA CROIX D'EINSTEIN, *vue par le télescope spatial Hubble (ci-dessous), est en réalité formée de quatre images d'un même quasar très lointain, images dues à la présence d'une galaxie (au centre) vingt fois plus proche agissant comme une lentille gravitationnelle (dessin de gauche).*

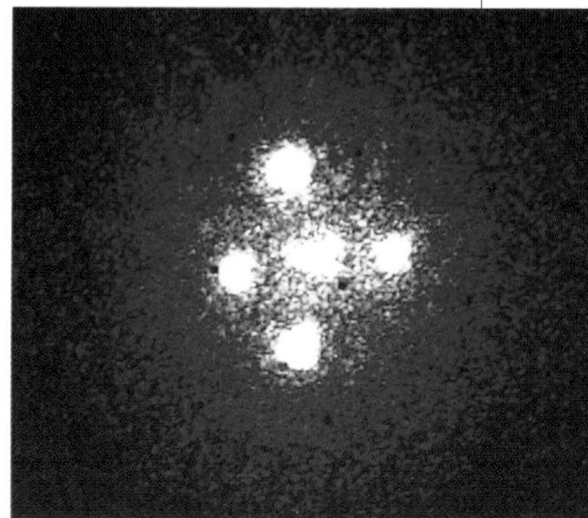

Il énonça alors sa fameuse loi : le décalage vers le rouge des galaxies augmente proportionnellement à leur distance. Mesurer le décalage vers le rouge de la lumière permet donc d'estimer les distances dans l'Univers.

La distribution des galaxies

Peu après avoir avancé l'idée de l'expansion de l'Univers, Hubble supposa que les galaxies sont distribuées uniformément dans l'espace. Pour prouver son hypothèse, il prit un grand nombre de photographies de petites régions du ciel sur le grand télescope du mont Wilson. À l'exception d'une seule région, qu'il baptisa « région d'absence », au voisinage du plan de la Voie lactée, où la poussière absorbe la lumière venant des galaxies situées sur la ligne de visée, il constata que le nombre de galaxies est à peu près le même dans toutes les directions.
Mais tout le monde n'était pas d'accord avec lui. À partir d'un balayage à grand champ du ciel de l'hémisphère Nord, Harlow Shapley et Adélaïde Ames trouvèrent de grandes différences dans la distribution des galaxies. Dans certaines régions, les galaxies étaient nombreuses ; dans d'autres, relativement rares. Clyde Tombaugh, qui découvrit Pluton en 1930, confirma les observations de Shapley et d'Ames et alla même plus loin dans cette voie en découvrant, en 1937, un amas de plusieurs centaines de galaxies dans les constellations d'Andromède et de Persée.
Le plus grand pas en avant fut accompli grâce au projet Palomar Observatory Sky Survey, réalisé au télescope de Schmidt de l'observatoire du mont Palomar. Grâce à toutes les photos prises à cette occasion, George Abell montra que les galaxies sont réparties de façon hétérogène en amas et superamas.

Le Groupe local

La Voie lactée et Andromède (M 31) sont les deux galaxies les plus grandes d'un groupe d'une trentaine de galaxies, le Groupe local. Cet amas fait lui-même partie d'un superamas de galaxies dont les autres membres sont visibles dans les constellations de la Chevelure de Bérénice et de la Vierge.
Nous connaissons maintenant d'autres superamas répartis dans l'Univers. S'agit-il d'amas de superamas ? D'après les observations récentes faites avec de grands télescopes, c'est peu probable. Les superamas semblent former de grandes structures en éponge, séparées par d'immenses régions vides. Ce type de structure participe à l'expansion générale de l'Univers. Les galaxies à l'intérieur des amas sont reliées par la gravitation, mais, à l'extérieur, l'expansion de l'Univers repousse inexorablement les amas loin les uns des autres.

Les lentilles gravitationnelles

À la fin des années 1970, on découvrit une paire de quasars identiques sur une plaque photographique du mont Palomar, séparés par une galaxie peu lumineuse mais très massive. La galaxie et le quasar confirment une partie de la théorie générale de la relativité d'Einstein, à savoir qu'une source gravitationnelle peut dévier la lumière. Le champ gravitationnel de la galaxie agit comme une lentille en déviant la lumière venant du quasar lointain, pour en donner une image double. Des cas encore plus extraordinaires ont été découverts depuis. Les galaxies concernées étaient disposées de telle façon que, pour des objets très lointains, elles donnaient des images en forme d'arc ou même d'anneau. C'est ainsi qu'il existe une galaxie dont la position fait qu'elle donne d'un quasar placé derrière elle quatre images formant la croix d'Einstein.

V. M. SLIPHER *(1875-1969) est connu pour ses observations de planètes, de nébuleuses et de galaxies lointaines.*

Chapitre III
Instruments & Techniques d'Observation

Le ciel offre un spectacle que tout le monde peut apprécier, mais quelques conseils pratiques et quelques instruments de base rendront l'observation plus fructueuse.

L'ASTRONOMIE À L'ŒIL NU

Pendant plusieurs milliers d'années, les hommes se sont contentés d'admirer le ciel sans jumelles ni télescope, tout simplement en levant la tête, dans l'obscurité.

OBERVATEURS À LA CAMPAGNE *Astronomes peints par Donato Creti (1671-1749).*

Sans aucun instrument, vous pouvez déjà observer une grande variété de phénomènes célestes. Vous pouvez, par exemple, distinguer les grandes taches sombres sur la Lune, résultat de l'écrasement d'énormes objets à sa surface, il y a quelque 4 milliards d'années. Vous y verrez peut-être la forme d'un lièvre ou d'un homme, origine de bien des légendes. Vous pouvez aussi suivre les promenades nocturnes de cinq des planètes, repérer quelques-unes des quatre-vingt-huit constellations, constater que certaines étoiles – les variables – changent d'éclat au fil des jours, des semaines ou des mois. Vous pouvez encore repérer des amas d'étoiles comme les Pléiades dans la constellation du Taureau, ou des nuages gazeux comme la grande nébuleuse d'Orion. Si la nuit est noire, la Voie lactée sera visible, serpentant à travers le ciel. Vous distinguerez aussi les trois galaxies voisines. Les satellites artificiels méritent aussi d'être observés, ainsi que les pluies de petits météores. Enfin, si vous êtes à une latitude élevée, au nord ou au sud, vous pourrez admirer de fabuleux feux d'artifice de lumière (les aurores boréales et les aurores australes).

LES MODIFICATIONS DU CIEL

Le ciel change continuellement. Chaque jour, la Lune se lève quarante minutes environ plus tard que la veille, et sa phase se modifie, de même que sa position par rapport aux étoiles voisines. Bien qu'elles se déplacent plus lentement que la Lune, les planètes tracent d'élégants chemins parmi les étoiles. En l'espace d'une saison, vous pourrez facilement suivre le mouvement des cinq planètes les plus proches. Les étoiles elles-mêmes se lèvent environ quatre minutes plus tôt chaque jour, ce qui peut sembler infime, mais correspond à une heure tous les quinze jours et à une journée au bout d'un an. Vous pourrez également voir le ciel évoluer au cours d'une seule nuit. En deux heures, les étoiles qui étaient proches de l'horizon seront haut dans le ciel, alors que d'autres auront disparu à l'ouest.

OBSERVER AVEC DES ENFANTS *apporte de grandes satisfactions. Vous n'avez pas besoin d'un télescope pour leur montrer les merveilles de l'Univers.*

UNE SOIRÉE D'OBSERVATION

Pour la plupart d'entre nous, le crépuscule annonce la fin de la journée ; pour les scrutateurs du ciel (à moins qu'ils n'observent le Soleil), il en marque le début. Si toutes les nuits claires sont une invitation à sortir et à regarder, certaines nuits offrent des événements exceptionnels telle une éclipse de Lune, quand la Lune passe dans l'ombre de la Terre. Les pluies de météores (qui peuvent être prédites, comme les éclipses) seront également une excellente occasion de se tourner vers le ciel.

VISIBLES À L'ŒIL NU (*ci-contre*) *Vénus (en haut) et Jupiter (au centre) accompagnent la Lune. Un observateur aux yeux de lynx peut apercevoir Mercure dans l'arbre, au-dessus des nuages.*

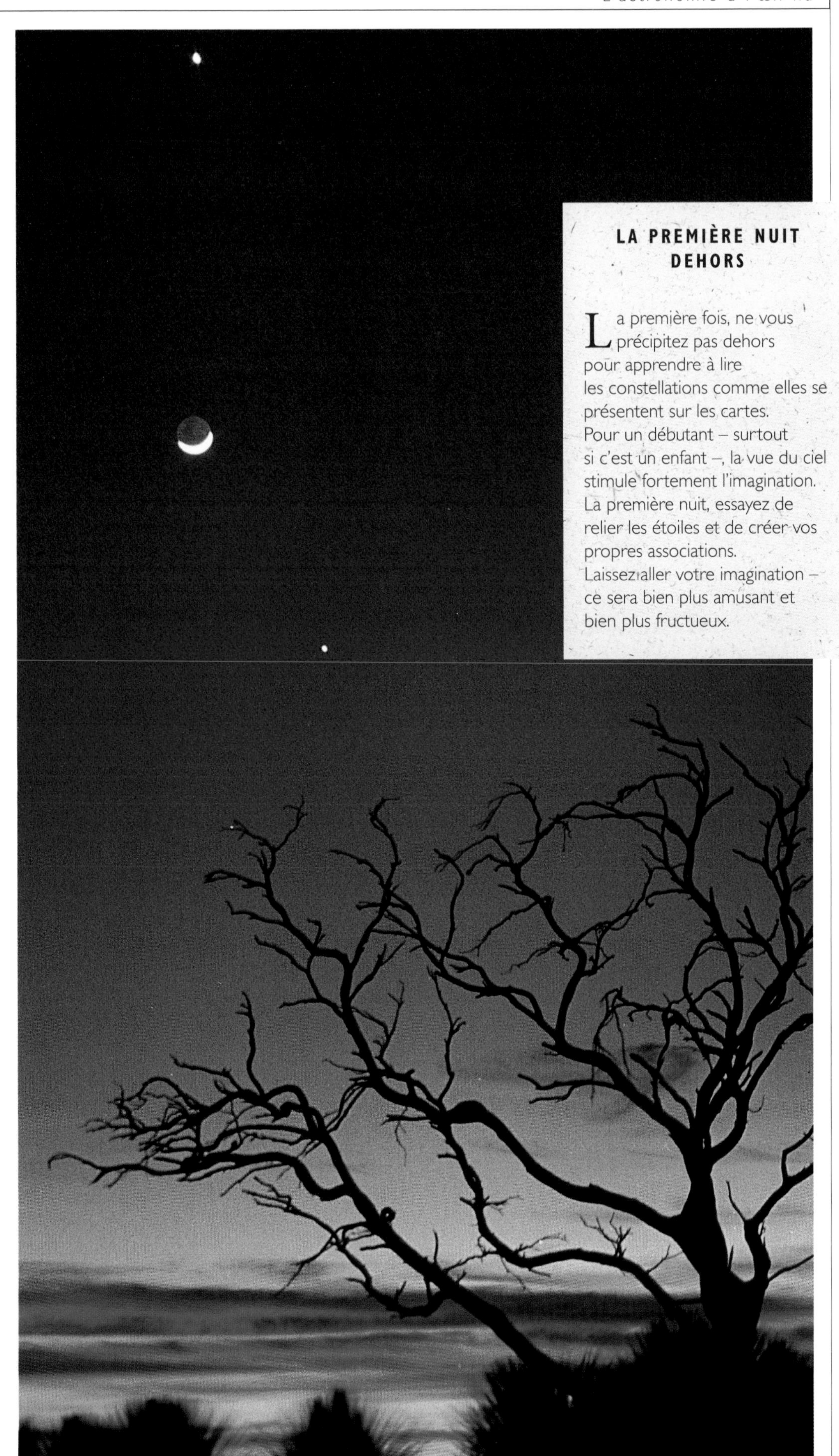

LA PREMIÈRE NUIT DEHORS

La première fois, ne vous précipitez pas dehors pour apprendre à lire les constellations comme elles se présentent sur les cartes. Pour un débutant – surtout si c'est un enfant –, la vue du ciel stimule fortement l'imagination. La première nuit, essayez de relier les étoiles et de créer vos propres associations. Laissez aller votre imagination – ce sera bien plus amusant et bien plus fructueux.

LE CIEL EN VILLE ET EN BANLIEUE

A-t-on réellement besoin d'un ciel noir et d'être à la campagne pour observer le ciel ? Pas forcément. Même en ville, vous pouvez localiser les constellations, repérer les planètes et admirer les étoiles doubles.

MAUVAIS ÉCLAIRAGE

Exemple classique : une affiche éclairée par le bas illuminant tout le ciel.

Le ciel des grandes villes, ou de leur banlieue, a-t-il un intérêt quelconque à côté du ciel obscur de nos campagnes ? Paradoxalement, pour un débutant, un ciel lumineux peut être plus facile à observer qu'un ciel noir, car il n'a pas besoin de se repérer parmi un fouillis de trois mille étoiles faibles ! Il est plus aisé de repérer les principales constellations quand quelques douzaines d'étoiles brillantes seulement sont visibles. La Lune et les planètes brillantes sont aussi aisées à observer à la ville qu'à la campagne.

À Paris, une association d'astronomes amateurs et professionnels, la Société astronomique de France (SAF), utilise l'observatoire situé à la Sorbonne, en plein centre du Quartier latin.

Si vous débutez, votre meilleur poste d'observation sera votre propre environnement : votre jardin, votre terrasse, voire votre balcon.

Tout endroit est propice à l'exploration pour peu qu'il soit éloigné de tout éclairage direct. Choisissez un endroit proche de chez vous, il vous sera alors facile d'aller observer quelques minutes, quand vous en aurez envie.

POLLUTION LUMINEUSE

L'astronome David Crawford, de l'observatoire de Kitt Peak aux États-Unis, a calculé que les Américains dépensaient plus de 2 millions de dollars par an rien que pour éclairer le ventre des oiseaux et le dessous des avions ! Pour un astronome, le problème n'est pas tant l'intensité de la lumière ambiante que sa direction.

Un éclairage efficace, nécessaire pour la sécurité dans les rues, n'est pas forcément contradictoire avec un ciel plongé dans l'obscurité.

Certaines rues sont mal éclairées, en particulier lorsque alternent des zones sombres et des zones claires.

Pour bien éclairer, mais conserver au ciel son obscurité, il faut recourir à des lampadaires qui dirigent leur faisceau lumineux vers le bas tout en masquant l'ampoule.

Un certain nombre de villes se sont équipées de lampes au sodium, qui présentent un double avantage.

D'une part, elles émettent une lumière colorée que les astronomes peuvent filtrer ; d'autre part, leur éclairage diffus n'éblouit pas.

LES LUMIÈRES DE LA VILLE

De telles situations, où maisons et ciel sont éclairés, ne sont pas rares.

ÉTOILES EN VILLE *Les étoiles brillantes d'Orion se voient facilement dans le ciel de Vancouver ; cette photographie permet cependant de distinguer plus d'étoiles que ne l'autorise l'observation à l'œil nu.*

L'Association internationale pour un ciel noir

Deux astronomes américains, D. Crawford et T. Hunter, ont fondé une association internationale, The International Dark Sky Association (Association internationale pour un ciel noir). Leur objectif est de mettre au point un éclairage urbain efficace et économique, tout en préservant la beauté du ciel nocturne.
Une association similaire est en train de se constituer en France sous l'égide de la SAF.

BON ÉCLAIRAGE
Cet éclairage à vapeur de sodium convient bien aux astronomes. En outre, il est économique. L'aire de stationnement (ci-contre) donne l'exemple d'un tel éclairage. Mais l'éclairage des portes de cette usine (au-dessus) est encore meilleur, grâce à la bonne conception des lampes, qui dirigent leur lumière vers le bas.

Techniques d'observation

Pour profiter pleinement de vos séances d'observation, apprenez quelques méthodes de mesure simples et prenez le temps de bien vous préparer.

Quand vous passez d'un lieu bien éclairé à un endroit obscur, il faut un certain temps pour que vos yeux s'accommodent à la réduction de lumière. Ce processus d'adaptation à l'obscurité exige une bonne vingtaine de minutes. Pendant ce temps, vos pupilles vont se dilater au maximum (5 mm pour un adulte, jusqu'à 7 mm pour un enfant) et laisser passer davantage de lumière en provenance des étoiles. Pendant cette période d'accoutumance, évitez de tourner le regard vers une lumière vive. Si vous êtes dans votre cour ou dans votre jardin, éteignez l'éclairage extérieur et fermez les rideaux des fenêtres. D'une manière générale, protégez toujours vos yeux d'une lumière excessive. Si, dans la journée, vous êtes resté longtemps au soleil sans lunettes noires, vos yeux mettront plus de temps à s'adapter à l'obscurité.

ADAPTATION À L'OBSCURITÉ

Si vous laissez vos yeux s'adapter à l'obscurité, vous distinguerez bien plus d'étoiles.

Éclairage rouge

De nombreux amateurs se servent de lampes rouges, ou mettent un filtre rouge sur leur lampe de poche pendant les séances d'observation. En effet, toute lumière vive, même de quelques secondes, obture les pupilles. Un film en plastique ou en Cellophane rouge sur la lampe torche est parfait. Il vous faut une lumière juste suffisante pour lire, pas plus.

Évaluation des dimensions et des distances

On mesure les dimensions et les distances dans le ciel en degrés, minutes et secondes. Par exemple, 90° est la distance entre l'horizon et le zénith, juste au-dessus de nous. La Lune et le Soleil apparaissent sous la forme d'un disque de 0,5° ou 30' (trente minutes d'arc).

UNE LUMIÈRE ROUGE

Une lampe de poche, dont la lumière est masquée par un film de plastique rouge, est un accessoire indispensable pour lire les cartes.

Alors que l'animal baisse la tête pour regarder le sol, l'homme, lui, de par la volonté divine, est amené à lever la tête pour regarder les étoiles de la voûte céleste.

Ovide, *les Métamorphoses.*

Une main tendue à bout de bras représente une largeur d'environ 20° (du pouce à l'extrémité du petit doigt), distance approximative entre la première et la dernière étoile du Grand Chariot dans la constellation de la Grande Ourse. Des distances plus petites peuvent être évaluées, toujours bras tendu, avec le poing (environ 10°) ou la largeur du pouce (environ 2°). Votre poing, bras tendu, couvrira la distance entre le Baudrier et Rigel dans Orion, et votre pouce apparaîtra quatre fois plus large que la Lune. Lorsque vous maîtriserez cette technique, vous saurez apprécier les distances entre les étoiles. Plus tard, vous pourrez utiliser ce moyen d'approche pour déterminer les tailles relatives des diverses constellations et trouver votre chemin dans des régions plus vastes du ciel. Sur les cartes des constellations du *chapitre 5*, un symbole indique leur taille en « mains ».

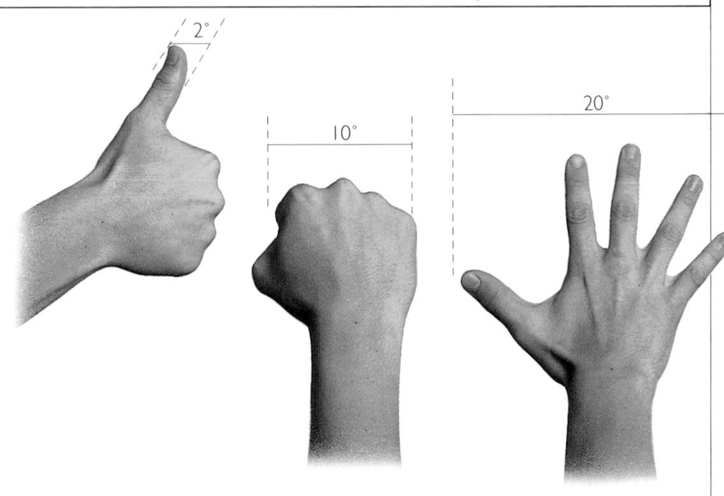

MESURER AVEC LA MAIN
Vous pouvez mesurer à la main la distance des étoiles.

ÉVALUER LES DISTANCES
Servez-vous de votre main tendue à bout de bras.

PRÊT POUR L'ACTION
Une capuche fixée sur le blouson serait un complément idéal à cette tenue hivernale.

COMMENT S'HABILLER ?

Pour profiter pleinement d'une séance d'observation, il faut s'habiller intelligemment. Comme vous resterez longtemps immobile, vous risquez de prendre froid, même en été. N'oubliez donc pas d'emporter une veste ou un gilet. En hiver, vous avez tout intérêt à porter un équipement de sports d'hiver. Protégez-vous la tête en mettant un bonnet bien isolant ou la capuche de votre anorak.

Si vous avez l'intention de rester longtemps dehors, prenez un tapis de sol pour vous asseoir ou vous allonger, sans oublier un sandwich, un sac de noix ou de fruits secs et une bouteille Thermos de soupe chaude ou de café. Attention aux insectes, surtout l'été : munissez-vous d'un bon insecticide. Enfin, soyez prudent. Si vous êtes près d'une habitation, assurez-vous qu'il n'y a aucun obstacle aux alentours – outils de jardinage, plates-bandes, point d'eau.

Si vous décidez de vous éloigner, indiquez à quelqu'un l'endroit où vous vous rendez, le chemin que vous avez l'intention d'emprunter et l'heure probable de votre retour.

CHOISIR ET UTILISER DES JUMELLES

Les jumelles sont l'instrument d'optique le plus universel. Elles peuvent servir à regarder les oiseaux, un match de tennis, un opéra, et, ce qui n'est pas le moindre, le ciel.

Les jumelles sont un ensemble de deux lunettes, de faible puissance, attachées entre elles de façon que l'on puisse regarder avec les deux yeux. Elles sont particulièrement adaptées à certains domaines de l'observation.
Pour le prix d'un petit télescope, vous pouvez vous procurer de bonnes jumelles, dont les qualités optiques sont inaltérables.
À travers des jumelles, vous pourrez voir les cratères de la Lune, les satellites de Jupiter et cinq ou dix fois plus d'étoiles qu'à l'œil nu.
Pour utiliser au mieux vos jumelles, installez-vous confortablement dans un fauteuil de jardin inclinable.

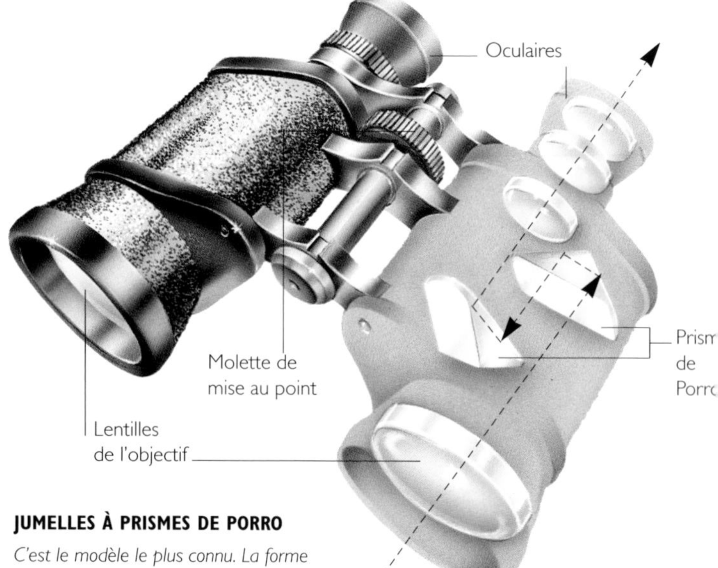

JUMELLES À PRISMES DE PORRO *C'est le modèle le plus connu. La forme de ces jumelles est due à la position des prismes, qui donne une image droite. Les jumelles à prisme en toit, plus petites, utilisent une autre disposition des prismes pour obtenir le même résultat.*

Si le fauteuil a des bras, c'est encore mieux : vous pourrez y appuyer les coudes pour tenir fermement vos jumelles, ce qui vous permettra de voir les étoiles comme des points fixes et non comme un bouquet dansant de lucioles.
Vous pouvez aussi prendre appui sur un muret ou une clôture pour gagner en stabilité et ne pas vous fatiguer.
De nombreux observateurs montent leurs jumelles sur un trépied photographique : c'est effectivement la solution indispensable lorsque les jumelles sont lourdes.

DIFFÉRENTS TYPES DE JUMELLES

Les jumelles comportent des prismes qui redressent l'image. Sans eux, on verrait le haut en bas et la droite à gauche, comme dans une lunette simple.
Il existe deux grands types de jumelles qui diffèrent principalement par la disposition de leurs prismes.
Le système de Porro, plus simple que le système en toit, est actuellement le plus utilisé.
Le prisme en forme de toit, plus onéreux, est plus léger et plus compact.

UN TRÉPIED *robuste maintiendra stable tout type de jumelles. Il est indispensable pour des jumelles de quelque importance (lentilles de 70 ou 80 mm).*

PETER COLLINS

Peter Collins, un astronome amateur américain, inspecte l'immensité de la Voie lactée à la recherche d'explosions d'étoiles, ou novae. Il a débuté avec une simple paire de jumelles. En mars 1992, il découvre sa quatrième nova – une étoile faible de la constellation du Cygne, qui se mit à briller jusqu'à devenir visible à l'œil nu. Comme beaucoup d'astronomes découvreurs de novae, Collins a commencé par essayer de mémoriser à la perfection les dessins que forment les étoiles de la Voie lactée, où presque toutes les novae apparaissent. Pour ce faire, il mit au point une méthode originale : il inventa ses propres miniconstellations sur une étendue de 2°. P. Collins se contente toujours d'une paire de jumelles. Elles lui fournissent tout ce dont il a besoin pour apprécier le ciel, définir ses propres constellations d'étoiles et admirer l'explosion des soleils. « Le ciel a sa propre personnalité », déclare-t-il.

ESSAYER AVANT D'ACHETER

De nombreuses jumelles bon marché sont pratiquement inutilisables, car les deux systèmes optiques étant mal alignés, les yeux reçoivent des images différentes. Vos yeux essayant de compenser ce défaut, l'observation devient très vite pénible. Pour tester la collimation (l'alignement) d'une paire de jumelles, demandez à un ami de couvrir la lentille de l'objectif avec un livre tandis que vous visez un objet au loin. Ouvrez les deux yeux et demandez à votre ami d'enlever le livre. Si vous voyez deux images, que votre cerveau fusionne ensuite, les jumelles sont mal alignées. Le mieux est d'acheter vos jumelles chez un bon marchand d'instruments d'optique qui pourra, par la suite, réajuster l'alignement, si jamais vos jumelles subissaient un choc important.

QUELLES DIMENSIONS CHOISIR ?

Les performances des jumelles dépendent du diamètre des lentilles de leur objectif, ainsi que de leur grossissement, déterminé par l'oculaire. De nombreuses combinaisons d'objectifs et d'oculaires fournissent une vaste gamme de possibilités. Pour la nuit, les observateurs chevronnés recommandent des jumelles 7 × 50, qui sont toujours équipées d'un prisme de Porro. Le chiffre 7 indique le grossissement et le nombre 50 le diamètre des lentilles de l'objectif (en millimètres). Plus grand est le diamètre des lentilles, plus vous collecterez de lumière pour la diriger vers vos yeux, et plus vous pourrez détecter d'objets faibles. Des jumelles 10 × 50 ou 8 × 40 peuvent être utilisées dans le noir, mais elles ne tirent pas vraiment parti de l'adaptation de l'œil à l'obscurité. Jusqu'à 80 mm de diamètre, les jumelles sont faciles à utiliser ; plus grandes, elles sont lourdes.

LES JUMELLES *sont des instruments d'optique très faciles à utiliser, ce qui est important pour des enfants.*

NE REGARDEZ JAMAIS LE SOLEIL À TRAVERS DES JUMELLES.

N'utilisez jamais de jumelles pour observer le Soleil, cela vous rendrait aveugle à vie. *(Pour observer le Soleil en toute sécurité, voir pp. 64-65).*

CHOISIR ET UTILISER UNE LUNETTE OU UN TÉLESCOPE

Depuis le jour où, il y a presque quatre siècles, Galilée pointa sa lunette vers la Lune et Jupiter, les télescopes et les lunettes ont pris une importance considérable pour les astronomes.

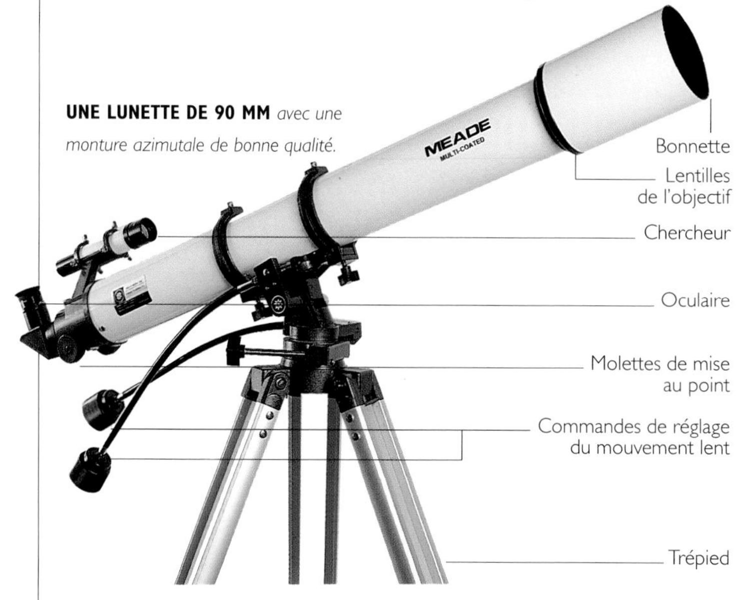

UNE LUNETTE DE 90 MM *avec une monture azimutale de bonne qualité.*

Lors de l'achat d'un télescope ou d'une lunette, les deux principaux critères de choix sont la taille et la stabilité. En règle générale, il faut acheter l'instrument avec le plus grand miroir (ou la plus grande lentille) possible, compte tenu de vos moyens financiers.
Généralement, à prix égal, les télescopes ont des optiques plus grandes que les lunettes, car les miroirs reviennent moins cher à fabriquer que les lentilles. En collectant plus de lumière, vous aurez des images plus lumineuses des étoiles et des galaxies faibles. Vérifiez que votre instrument a une bonne monture – un pied branlant rendrait vos séances d'observation très pénibles.
D'autres facteurs peuvent aussi influencer le choix. Ainsi, les lunettes donnent généralement des images plus contrastées et plus brillantes qu'un télescope de même ouverture, car les pièces optiques d'une lunette perdent moins facilement leur alignement que celles d'un télescope.
En revanche, les lunettes de plus de 100 mm d'ouverture sont bien plus volumineuses que les télescopes – considération qui a son importance si vous êtes amené à déplacer votre instrument.
Si votre budget est limité, optez, pour débuter, pour un télescope avec un miroir de 100 mm de diamètre. Plus tard, vous pourrez vous en procurer un de 200 mm de diamètre. Vous pouvez tout aussi bien choisir une bonne lunette de 60 ou 70 mm.
On estime en général que de telles lunettes sont trop petites pour être vraiment utiles, mais beaucoup d'astronomes amateurs – en particulier les enfants – s'en contentent.
Achetez votre télescope chez un vendeur sérieux, plutôt que dans une grande surface.
Vous bénéficierez ainsi de conseils

LA LUNETTE
*comprend une lentille convexe (l'objectif), d'un côté, pour capter la lumière, et un oculaire, de l'autre, pour agrandir l'image formée par la lentille.
C'est généralement ce type d'instrument que l'on voit pointer hors des coupoles des observatoires, dans les dessins animés et les bandes dessinées.*

LE TÉLESCOPE
fut inventé par Isaac Newton en 1671. Un miroir concave placé en bas du tube remplace les lentilles de l'objectif (situées en haut du tube) pour collecter la lumière. Ce miroir concave renvoie le faisceau lumineux dans le tube, où, dans la version de Newton, un petit miroir secondaire l'intercepte pour le diriger dans un oculaire, situé sur le côté.

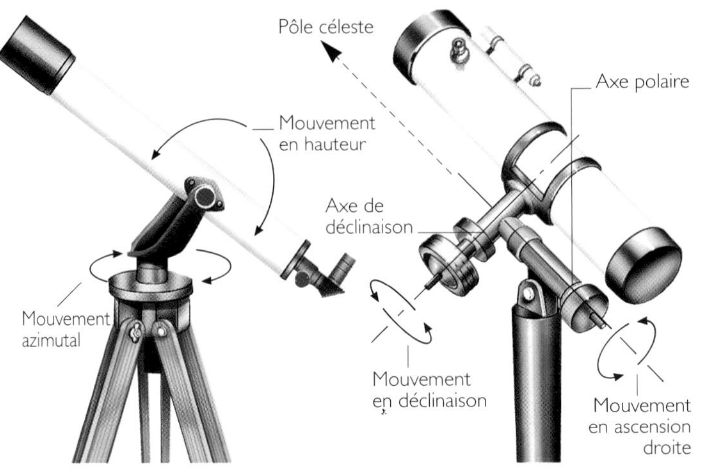

DIFFÉRENTS TYPES DE MONTURES
La monture azimutale est très employée pour les petites lunettes (à gauche) et les télescopes d'amateurs. La majorité des télescopes vendus dans le commerce ont une monture équatoriale, qui permet de motoriser le guidage des étoiles. Les montures équatoriales ont plusieurs formes possibles : monture de type allemand (ci-contre) ou forme de berceau, comme de nombreux télescopes de type Schmidt-Cassegrain.

pour faire votre choix et vous pourrez comparer une plus grande gamme d'instruments.

DIFFÉRENTS TYPES DE MONTURES

Un télescope sans une bonne monture est comme une voiture sans pneus : il ne sert à rien. La monture est destinée à vous aider à pointer le télescope, à le déplacer doucement et à le maintenir stable. La plupart des télescopes ont une monture azimutale ou équatoriale. La monture azimutale pivote autour de deux axes. L'un des axes permet le mouvement de haut en bas dans un plan vertical ; l'autre tourne le télescope dans le plan horizontal (mouvement en azimut, parallèle à l'horizon). Quand l'objet que vous regardez se déplace hors du champ de vision, à cause de la rotation de la Terre, vous pouvez l'y maintenir en faisant tourner le télescope sur ses deux axes. Avec une monture équatoriale, plus sophistiquée, vous pouvez suivre une étoile, d'un seul mouvement, correspondant au mouvement de rotation de la Terre sur elle-même. Cette monture est réglée de telle façon que son axe polaire pointe vers le pôle céleste Nord (ou Sud) – point du ciel autour duquel les étoiles semblent tourner. L'axe de rotation du télescope est ainsi aligné avec l'axe de la Terre. En ajoutant un moteur pour faire tourner le télescope à vitesse constante (15° par heure), vous compenserez le mouvement de la Terre et vous pourrez garder les objets qui vous intéressent suffisamment longtemps dans le champ.

CE TÉLESCOPE CASSEGRAIN
est muni d'une lentille correctrice pour améliorer l'image. La plupart de ces télescopes sont du type Schmidt-Cassegrain. Après être passée par la lentille correctrice, la lumière se réfléchit sur le miroir primaire, retourne sur le miroir secondaire concave, puis traverse le miroir principal par un trou, avant d'atteindre l'oculaire. Bien que ces télescopes soient assez chers, ils sont très populaires, car faciles à transporter.

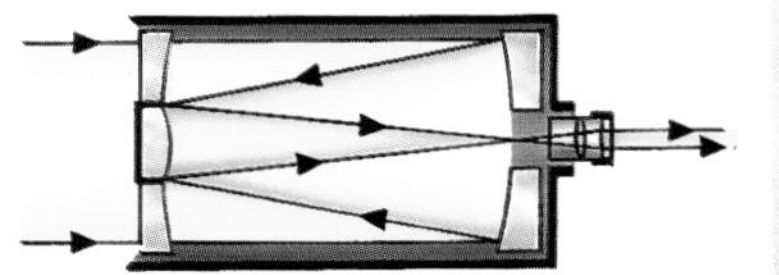

ISAAC NEWTON

Isaac Newton obtint son diplôme de mathématiques à l'université de Cambridge en 1665, année de la grande épidémie de peste en Angleterre. Forcé de retourner chez lui, car l'université fermait ses portes, il mena toutes sortes de recherches originales. Quand il revint à Cambridge, deux ans plus tard, il avait établi les lois décrivant le mouvement des planètes autour du Soleil et énoncé des théories sur la nature de la lumière, des couleurs et de l'arc-en-ciel. En 1671, il construisit un nouveau type de télescope qui utilisait un miroir, pour réfléchir la lumière collectée, au lieu d'une lentille, qui la réfractait. Il mit une vingtaine d'années, avec le soutien de son ami Halley, pour terminer et publier son travail sur la gravitation.

OBSERVATION D'UNE COMÈTE *en 1860, d'après un journal satirique parisien.*

COMMENT INSTALLER VOTRE TÉLESCOPE

1 Vérifiez d'abord que vous avez bien toutes les pièces. Montez votre télescope (ou votre lunette) chez vous, afin de vous familiariser avec ses vis et ses commandes. Assurez-vous que le télescope et le trépied sont solidement attachés à la monture.

2 Alignez le chercheur et le télescope. Le mieux est de procéder en plein jour, en visant la cime d'un arbre éloigné, ou la nuit, en visant un lampadaire au loin. On peut aussi régler l'alignement sur une étoile, mais c'est plus difficile à cause de son mouvement dans le ciel.

3 Si votre instrument a une monture azimutale, il vous suffit de le poser et de commencer l'observation.

S'il s'agit d'une monture équatoriale, il vous faut pointer son axe vers le pôle Nord céleste. Dans l'hémisphère Nord, il suffit, pour réaliser ce positionnement, de trouver l'étoile Polaire, située dans la constellation de la Petite Ourse. Dans l'hémisphère Sud, Sigma (σ) Octantis, étoile polaire sud, de magnitude 5, est beaucoup plus difficile à repérer. Commencez par vérifier que la base de votre monture est bien horizontale, que l'angle entre l'axe polaire et le plan horizontal est égal à la latitude de votre lieu d'observation et que cet axe est bien dirigé nord-sud, dans la direction de l'étoile Polaire (le nord vrai et non le nord magnétique).
Cela peut sembler compliqué, mais il suffit bien souvent d'un alignement approximatif pour pouvoir suivre les étoiles, sans difficulté, pendant plusieurs minutes.

4 Utilisez l'oculaire de plus grande distance focale. Vous obtiendrez ainsi le grossissement le plus faible et le plus grand champ, et vous aurez les meilleures chances de repérer quelque chose dans le ciel.

5 Choisissez un objet brillant, tel que la Lune, une planète ou une étoile. Centrez l'étoile dans le chercheur et regardez dans le télescope. Si le chercheur est mal aligné avec le télescope, vous devrez balayer lentement le ciel – de haut en bas et de gauche à droite. Cela peut prendre un certain temps, mais vous finirez par trouver l'étoile (et vous comprendrez que cela valait la peine d'aligner soigneusement le télescope et le chercheur). Quand vous aurez réussi, bloquez les axes de la monture.
Ce moment miraculeux a pour nom la « première lumière » – instant où le télescope voit pour la première fois un objet céleste.

6 Au début, l'étoile apparaîtra comme une tache de lumière, ou un anneau si vous avez un télescope, ce qui signifie que l'oculaire a besoin d'être mis au point. Déplacez la molette de mise au point dans un sens ; si la tache ou l'anneau grossit,

Ne regardez jamais le Soleil directement à travers votre télescope (ou votre lunette) sans protection ! Un simple coup d'œil d'une seconde, sans filtre, peut vous rendre définitivement aveugle. Prévenez également votre famille et vos amis de ce danger. Si votre télescope vous a été vendu avec un filtre pour l'oculaire, jetez-le. Ces filtres ne doivent jamais être utilisés. N'utilisez jamais le chercheur pour pointer le Soleil – le Soleil à travers un chercheur sans filtre est tout aussi dangereux. Mieux vaut tout simplement couvrir le chercheur.
Pour observer le Soleil sans danger, procédez de la façon suivante : regardez l'ombre du télescope sur le sol et déplacez votre télescope jusqu'à ce que

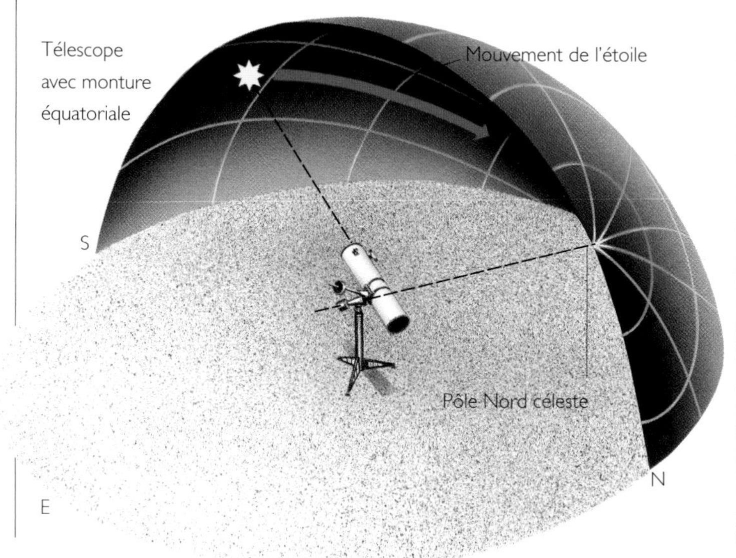

Télescope avec monture équatoriale

tournez dans l'autre sens jusqu'à ce que l'étoile devienne un point. C'est gagné !

Le mythe de la puissance

Pour bien observer le ciel, il n'est pas toujours besoin d'un fort grossissement. En général, les amateurs devraient se contenter d'un grossissement de 2,4 fois le diamètre du miroir en millimètres, ainsi un grossissement de 240 est le maximum pour un télescope de 100 mm.

Plus grande est la puissance de votre instrument, plus ardue est la recherche. De plus, les fortes puissances sont sujettes aux distorsions de l'image, dues à la turbulence de l'atmosphère terrestre.

Même par une nuit claire, une scintillation importante des étoiles est signe de mauvaise qualité de l'image. Les forts grossissements ne sont alors d'aucune utilité, puisque les images dansent et sont brouillées par les mouvements de l'air. Il devient alors impossible de détecter le moindre détail.

Apprendre à voir

Il faut une certaine pratique de l'observation pour apprécier les merveilles du ciel. Ainsi, par exemple, la première fois que vous regarderez Saturne, vous distinguerez à peine ses anneaux. Quand vous aurez plus d'expérience, vous remarquerez la zone sombre séparant l'anneau de la planète, et vous verrez peut-être la séparation entre

OBSERVATION DE LA LUNE *avec un télescope à monture équatoriale.*

les deux principaux anneaux. Ces détails ténus seront plus faciles à voir si vous regardez « du coin de l'œil », une technique bien connue des experts. Pour cela, détournez légèrement votre regard, pendant que vous vous concentrez sur l'objet. Des détails plus faibles vont apparaître, car vous utiliserez les bâtonnets de votre rétine plutôt que les cônes, qui sont au centre.

OBSERVER LE SOLEIL SANS DANGER

l'ombre soit la plus petite possible. La lumière du Soleil traverse alors le télescope et sort par l'oculaire vers le sol. Projetez cette image sur une feuille de papier. Protégez cet « écran » de la lumière directe du Soleil, qui pourrait interférer sur l'image, en fixant une autre feuille de papier autour de l'oculaire. Mettez au point avec l'oculaire jusqu'à ce que l'image soit bien nette.

Avantage supplémentaire de cette méthode : elle permet à plusieurs personnes

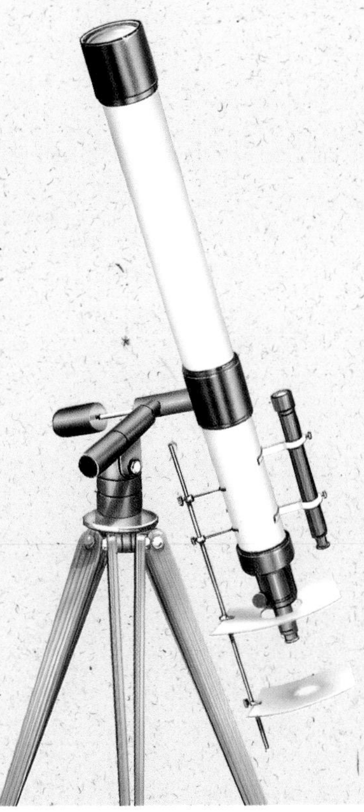

OBSERVATION SANS DANGER

Cette lunette est équipée d'un écran de projection de l'image solaire. L'image du Soleil est mise au point sur l'écran le plus bas, l'écran placé plus haut sert à protéger l'image du reste de la lumière solaire.

de regarder le Soleil, facilement et sans danger.

Si vous utilisez cette méthode avec des enfants, ne les laissez pas seuls, assurez-vous qu'un adulte reste à proximité pour les empêcher de regarder dans l'oculaire. Quand vous n'utilisez pas l'instrument, recouvrez-le pour éviter qu'il ne chauffe et ne se détériore. On peut aussi installer un filtre solaire à l'entrée de l'instrument. Les meilleurs filtres sont des lames de verre semi-réfléchissantes, ne laissant passer que 1/10 000 de la lumière solaire. On vous suggérera peut-être d'utiliser des films noircis, des lunettes de soudeur ou un filtre en Mylar, mais mieux vaut les éviter. Vos yeux sont trop précieux pour prendre un tel risque.

Comment trouver un objet dans le ciel

Au début, concentrez-vous sur des objets que vous pouvez voir facilement, comme la Lune ou les planètes brillantes. De loin, l'objet le plus facile à trouver, la Lune, vous révélera un aspect différent chaque nuit.
Vous pourrez vous promener sur le bord de ses cratères, grimper sur ses montagnes et explorer ses vallées.
Votre expérience grandissant, vous aurez probablement envie de vous mettre à scruter des objets plus faibles – consultez les cartes du *chapitre 5* pour les localiser. Passer des points dessinés sur une carte aux étoiles est un exercice qui demande de l'entraînement, aussi procédez par étapes. Commencez par choisir un petit groupe d'étoiles brillantes sur la carte et cherchez-les dans le ciel. Procédez étoile par étoile, de la carte au ciel, jusqu'à ce que vous trouviez l'endroit que vous cherchez. En utilisant le chercheur, centrez-vous sur une étoile voisine de cet objet – de préférence à moins de 1° (l'extrémité d'un doigt, bras tendu). Généralement, le chercheur a un champ de 6°. Puis déplacez lentement l'instrument, muni de l'oculaire de plus faible puissance, vers l'objet choisi. Pour le trouver, vous aurez besoin de faire plusieurs essais, mais une distance d'un doigt à l'œil nu ne représente pas plus d'un champ ou deux à travers le télescope.

UNE MÉTHODE POUR AUGMENTER LE GROSSISSEMENT ! *Observation de la comète de Halley en 1909.*

Accessoires

Les oculaires

L'oculaire du télescope (ou de la lunette) sert au grossissement de l'image.
Il en existe une grande variété, donnant une importante gamme de grossissements et de champs de vision.
Très souvent, les télescopes sont vendus avec un oculaire bon marché, si bien que vous serez amené à en acheter d'autres.
Ils ne sont pas vendus selon la puissance, car le grossissement dépend également de l'instrument avec lequel ils sont utilisés, mais selon la distance focale, mesurée en millimètres. Plus petite est la distance focale, plus grand est le grossissement. La plupart des débutants utiliseront un 25 mm, ou un 12 mm. Avec une lunette de 60 mm de diamètre (et de distance focale de 720 mm), ils grossiront respectivement 28 fois (28×) et 60 fois (60×). Les mêmes oculaires, sur un télescope de 100 mm (et de distance focale de 1 000 mm), procureront des grossissements 40× et 85×.
La Lune ne sera généralement pas entièrement dans le champ avec un 85×.
Quelques précisions sur les différents types d'oculaires.
On trouve, par exemple, des oculaires de 25 mm avec différents diamètres (et différents prix). La principale différence entre eux réside dans la qualité de l'optique et dans le champ. Les oculaires montés dans un barillet de plus grand diamètre sont généralement supérieurs dans ces deux domaines ; ils donnent de meilleures images, mais ils sont chers et ne conviennent guère pour les petits instruments.

CHAMP DES INSTRUMENTS *À l'œil nu (à droite), le disque lunaire de 0,5° paraît étonnamment petit – plus petit que la largeur d'un doigt, bras tendu. Avec des jumelles (au centre), on discerne plus de détails quoique le grossissement ne soit que 7x ou 10x. Avec un télescope (ou une lunette) de grossissement 50x ou plus, la Lune remplit le champ et révèle sa surface semée de cratères.*

ACCESSOIRES

Oculaires (à l'arrière) et filtres colorés pour oculaires. La lentille de Barlow (en bas, à gauche) est utilisée avec un oculaire pour doubler son grandissement. La bague d'adaptation pour appareil photo (à droite) permet de coupler l'appareil photo et le télescope.

Filtres solaires

De nombreux petits télescopes sont vendus avec des filtres solaires à fixer dans l'oculaire. Ne les utilisez pas, ils peuvent être dangereux.
Si vous voulez utiliser un filtre solaire, achetez-en un, plus grand, qui peut être installé devant l'instrument. Ce type de filtre est plus sûr.
Mieux vaut encore projeter l'image solaire.

Chercheur ou Telrad

La plupart des instruments astronomiques sont livrés avec un chercheur. Comme son nom l'indique, il sert à chercher un objet, dans une grande surface du ciel et à centrer le télescope sur cet objet. Les chercheurs ont un grand champ, de l'ordre de 5°, leur grandissement est seulement de 5× ou 10×.
Une autre solution, relativement récente, se développe actuellement, le Telrad. Plusieurs cercles rouges sont projetés sur l'image du ciel, et leur alignement permet de centrer votre objet.
Il s'adapte sur n'importe quel type d'instrument.

Commandes de mouvement lent

Les commandes de mouvement lent vous permettent de déplacer votre télescope, lentement et régulièrement, autour de ses axes.
Ces commandes sont particulièrement utiles pour les ajustements fins nécessaires au pointer de l'objet et pour le maintenir centré au milieu du champ.
Avec une monture équatoriale, un seul mouvement lent, autour de l'axe polaire, maintiendra l'objet dans le champ, alors que la rotation de la Terre tend à l'en écarter.

Entraînement automatique

L'entraînement automatique permet à l'instrument de suivre une étoile dans ses déplacements. Si votre monture équatoriale est munie d'un moteur, vous pourrez observer un objet plusieurs minutes sans avoir à toucher au télescope, car l'entraînement fait tourner l'instrument autour de l'axe polaire. Cependant, pour que l'entraînement soit efficace, il faut que l'axe polaire du télescope soit dirigé vers le pôle Nord ou le pôle Sud avec une grande précision.

Pilotage par ordinateur

La plupart des télescopes de prix sont aujourd'hui pilotés par ordinateur. Avec un tel système, on tape sur un clavier une série d'instructions et le télescope pointe ce que l'on désire observer *(voir p. 70)*. Cependant, si on laisse tout le travail à l'ordinateur, on perd l'occasion d'apprendre bien des choses.

ENTRETIEN ET NETTOYAGE

Si vous êtes soigneux et si vous protégez bien vos instruments, vous n'aurez pas besoin de les nettoyer souvent. Généralement, un peu de poussière ou une petite tache sur les lentilles d'une lunette affectent à peine l'image. Essayez d'abord de faire partir la poussière à l'aide d'un pinceau soufflant. Si la tache persiste, nettoyez la lentille avec un chiffon humide, non pelucheux, d'un mouvement circulaire très doux, comme pour une lentille d'appareil photo. Les taches tenaces nécessitent de l'éthanol pur. Il faut alors nettoyer et essuyer avec deux chiffons différents. N'enlevez jamais une lentille pour la nettoyer.
Nettoyer un miroir de télescope est une opération importante, qui ne doit être entreprise que rarement. En premier lieu, enlevez le miroir du télescope, en suivant les instructions du manuel. Rappelez-vous que ce miroir a un revêtement en aluminium sur le dessus, ce qui signifie que vous pouvez l'érafler très facilement. Mettez votre miroir dans une bassine d'eau savonneuse, puis rincez-le à l'eau claire et enlevez toutes les gouttes par petites touches, avec un chiffon non pelucheux ; ne frottez surtout pas.
Puis repositionnez votre miroir en l'alignant de façon qu'il dirige la lumière correctement vers l'oculaire.
Les oculaires doivent être nettoyés plus souvent que les lentilles de la lunette ou que le miroir du télescope, car ils attirent la poussière et gardent les traces de doigt. Procédez comme pour les lentilles des lunettes.

L'ASTROPHOTOGRAPHIE

Fixer le ciel sur une pellicule est un peu plus compliqué que de réussir un instantané – patience et savoir-faire sont les clés de la réussite.

Les pellicules photographiques sont si sensibles qu'à l'éclairage du jour un temps de pose d'un centième de seconde, voire moins, suffit pour capter la lumière. Pour des photographies de nuit, des expositions de plusieurs secondes à une heure sont nécessaires.
Pour commencer, vous aurez besoin d'un petit équipement : un appareil photographique permettant les expositions longues (pose B ou T), un câble de commande de l'obturateur (ou déclencheur), et de la pellicule.

TRACES D'ÉTOILES

Prendre des photographies du ciel est une opération malaisée, car la Terre tourne vers l'est, si bien que tout le ciel semble se déplacer vers l'ouest. Une photographie conventionnelle fera ressortir les étoiles comme des lignes courbes, sauf si vous arrivez à compenser la rotation de la Terre.
Pourquoi ne pas commencer par photographier la trace des étoiles ? Le résultat sera particulièrement spectaculaire si vous utilisez une pellicule couleur. Les traces apparaîtront alors comme des arcs de couleur. Essayez une pellicule lumière du jour rapide, ou des diapositives de 200 ASA. Pour votre première photo, choisissez un paysage en plein jour, ce qui permettra aux techniciens, en chambre noire, de couper tout le film correctement. Autrement, vous risquez de trouver vos images de ciel nocturne coupées au beau milieu ! Installez fermement votre appareil sur un trépied. Montez le déclencheur, réglez sur l'infini avec une pose B ou T, et choisissez la plus grande ouverture possible (par exemple, f/1,8). Ouvrez l'obturateur avec le déclencheur et essayez une pose de trente secondes, puis relâchez l'obturateur. Avancez le film et faites une exposition de cinq puis de dix minutes.
Si vous avez un appareil standard de 50 mm de focale, la première exposition ne présentera pas de trace ; les expositions plus longues représenteront des arcs de longueurs croissantes.

TRACES D'ÉTOILES *Ces deux photographies d'étoiles au voisinage des pointeurs de la Croix du Sud ont été prises du même endroit : l'entrée d'une caverne au sud de l'Australie. Une exposition courte (50 s) montre l'aspect habituel des étoiles – des points de lumière (ci-dessus). Une exposition de longue durée (2 h) donne des arcs lumineux (à droite).*

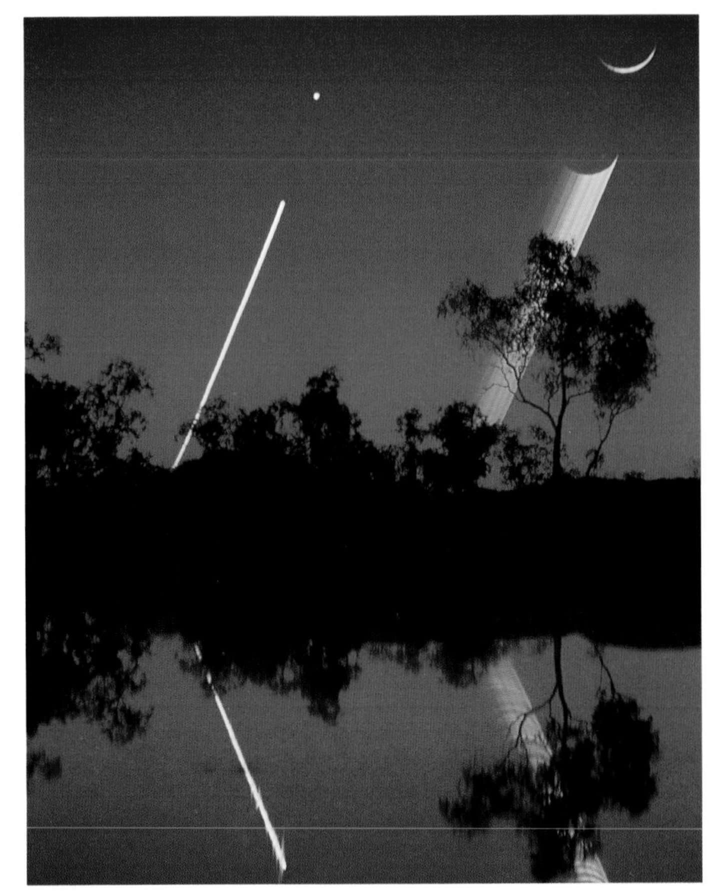

VÉNUS ET LA LUNE *Pose de 10 s, suivie de 3 min avec l'appareil couvert, puis nouvelle pose de 15 min, permettant d'obtenir un trajet lumineux.*

PHOTOGRAPHIE AVEC GUIDAGE

Photographier le ciel avec guidage demande de la pratique et un équipement particulier. Commencez par fixer l'appareil photographique à votre télescope, soit au sommet, pour photographier une grande partie du ciel, soit à la place de l'oculaire, pour des photographies agrandies des étoiles ou des planètes. Pour ce dernier usage, vous aurez besoin d'un adaptateur spécial et d'une caméra dont on peut retirer l'objectif. Il vous faudra également une monture équatoriale motorisée. Enfin, le meilleur moteur ne guidant pas parfaitement, vous devrez surveiller le pointage du télescope, à l'aide soit d'une lunette guide (petite lunette montée sur l'instrument principal), soit d'un diviseur optique, qui permet de voir une partie de champ de l'instrument. Un correcteur de guidage sera utile pour garder l'étoile parfaitement centrée. Pour de longues poses, l'astrophotographie demande un très bon alignement de l'axe de la monture. Cela vous évitera bien des migraines. Pour réaliser une bonne mise en station, certains fabricants proposent des lunettes d'alignement (viseurs polaires) à attacher à l'axe polaire de la monture.

LES PLANÈTES

Dans le cas des planètes, l'oculaire de l'instrument adapté à l'appareil de prise de vues transmet l'image du télescope au film et fournit l'agrandissement nécessaire. Le temps d'exposition varie avec la luminosité de la cible, le grossissement et le type de pellicule. Une excellente mise au point est essentielle. Notons qu'il est plus facile de faire cette mise au point sur la Lune ou sur une étoile que sur la planète elle-même.

AMAS ET GALAXIES

Obtenir des photographies d'amas stellaires et de galaxies est un véritable défi. Il faut en général poser pendant un bon quart d'heure et tester des pellicules de différentes sensibilités.

DAVID MALIN

La signature de David Malin, de l'observatoire anglo-australien (situé en Australie), figure sur quelques-unes des plus belles photographies du ciel jamais prises.

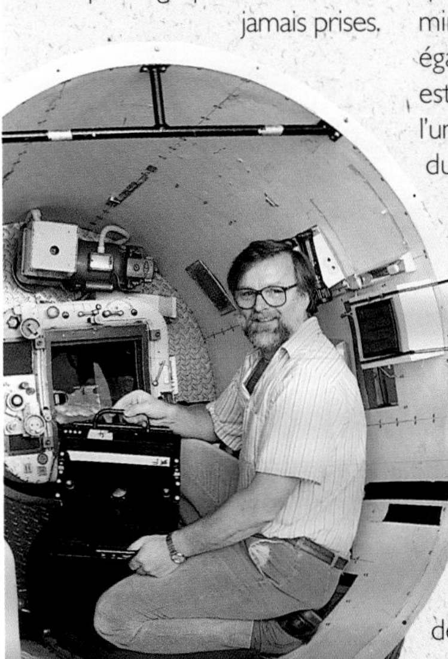

En astrophotographie, comme pour tout autre type de photographies, le choix du sujet et la composition ne représentent que la moitié du travail. Des miracles en chambre noire sont également nécessaires, et Malin est orfèvre en la matière. C'est l'un des pionniers de la technique du « masque flou ». Une copie positive, à peine défocalisée, est alignée avec précision avec le négatif. Il en résulte que les endroits les moins lumineux sont visibles, sans que les parties brillantes soient surexposées.

Les très beaux travaux de D. Malin, reproduits à travers tout ce livre, mettent en valeur les différences les plus subtiles de couleurs et de formes.

MICRO-ORDINATEURS ET ÉTOILES

Il fut un temps où les scrutateurs du ciel trouvaient les objets par eux-mêmes. Aujourd'hui, les ordinateurs peuvent le faire à leur place.

De nos jours, on peut coupler directement un ordinateur à un télescope. Une fois les instructions entrées, l'ordinateur oriente le télescope vers la cible choisie, émet un signal sonore quand il l'a atteinte, puis affiche des informations sur l'objet observé.

CARTES STELLAIRES

Parmi les logiciels destinés aux astronomes amateurs, les plus populaires sont les cartes du ciel combinées à des catalogues. Les meilleurs d'entre eux fournissent une carte pour toutes les régions du ciel et toute une gamme d'informations annexes. Ainsi, par exemple, si vous sélectionnez la constellation d'Orion et que vous cliquiez sur Rigel, vous obtenez des détails sur sa brillance, sa distance, l'heure de son lever, etc. Le programme vous montrera également l'emplacement de Rigel dans le ciel à tout instant de la journée ou de la nuit, de n'importe quel endroit sur la Terre, et ce sur des centaines d'années dans le passé ou le futur.

CARTES DU SYSTÈME SOLAIRE

D'autres programmes vous indiqueront les positions de

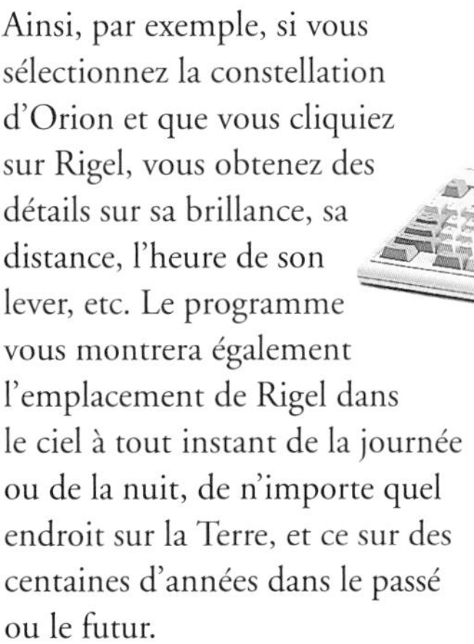

ÉCRASEMENT D'UNE COMÈTE
Un moniteur d'ordinateur représente l'impact de la comète Shoemaker-Levy sur la face nocturne de Jupiter, comme s'il était vu de près.

toutes les planètes vues de divers endroits. Pour votre site d'observation terrestre, vous obtiendrez un dessin du ciel nocturne avec la position de la Lune et des planètes. Vous pourrez également choisir de quitter la Terre et de planer hors du système solaire pour contempler les différentes orbites des planètes, des comètes et des astéroïdes.

PROGRAMMES DE TRAITEMENT D'IMAGES

La mise à disposition des données satellites de la NASA offre un vaste ensemble d'images qui peuvent être obtenues sur un ordinateur associé à un écran de visualisation. D'importantes archives d'images et de programmes astronomiques peuvent être obtenues dans le monde entier, par toute personne reliée à un réseau informatique tel Internet.

CAMÉRAS CCD

Un détecteur à transfert de charges (*Charge Coupled Device*

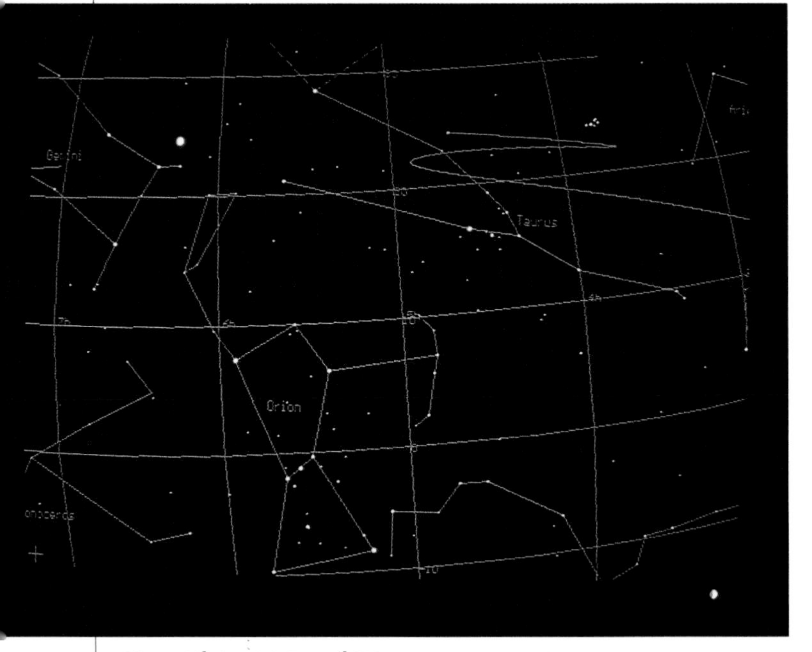

CARTE D'ÉTOILES SUR UN ÉCRAN
Cette carte d'Orion et de son voisinage ne représente que les étoiles les plus brillantes. Notez les figures des constellations, la grille de coordonnées et la trajectoire bouclée d'une planète dans le Taureau.

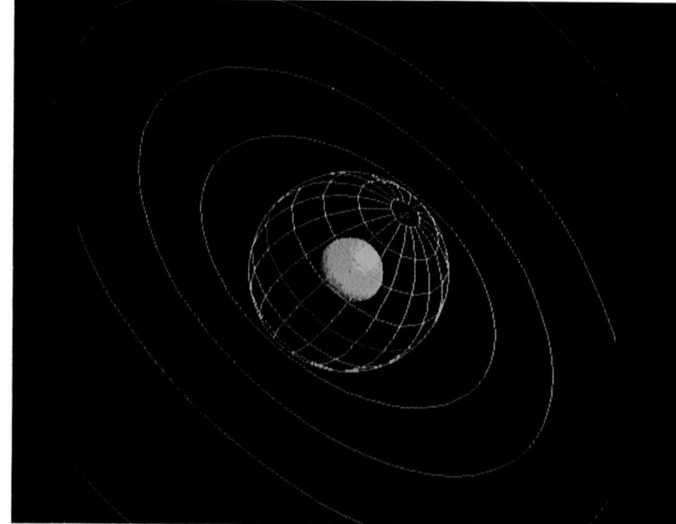

LE VOISINAGE D'URANUS

Quelques programmes donnent des détails des sphères planétaires. Uranus est représentée ici avec une grille de coordonnées qui vous aidera à trouver les pôles et à contempler leurs « jours » de quarante-deux ans (voir p. 252).

ou CCD) est un composant électronique sensible à la lumière ; c'est le cœur des caméras vidéo modernes. Certaines de ces caméras sont particulièrement adaptées à l'enregistrement des objets astronomiques faibles. Elles sont si efficaces qu'elles peuvent enregistrer une nébuleuse ou une galaxie trente fois plus rapidement qu'une plaque photographique. Comme il est possible d'adapter une caméra CCD simple à un télescope pour moins de 8 000 F, une véritable révolution dans l'astronomie d'amateur est en train de voir le jour.

Comment fonctionnent les caméras CCD ?

Quand vous ouvrez l'obturateur d'une telle caméra, la lumière arrive sur une puce électronique, divisée en minuscules éléments, ou pixels. Chaque pixel collecte la lumière provenant d'une partie de l'image. Quand l'exposition est terminée, la puce transmet l'information qu'elle contient à un ordinateur, et le moniteur vous présente ensuite le résultat. Les différents pixels ayant chacun une réponse spécifique à la lumière, vous devrez faire un *flat field,* autrement dit un « champ plat ». L'ordinateur compare point par point l'image et une image antérieure d'un champ uniforme – par exemple, le ciel crépusculaire. Les CCD ont un certain niveau de bruit de fond. Ce signal parasite peut être réduit par refroidissement de la caméra. On peut aussi l'éliminer, en soustrayant, grâce à l'ordinateur, un « champ obscur » obtenu en obturant toute lumière arrivant sur la caméra.

Étude de l'image

On peut faire apparaître les détails cachés, sur l'image CCD, en recourant à un programme de traitement d'images modifiant les brillances ou les contrastes. Ainsi, dans le cas de l'image d'une galaxie avec des détails au centre, les bras, plus faibles, sont peu visibles.
Si vous faites apparaître sur l'écran les nuages de gaz des bras, le centre de la galaxie sera trop brillant. Des programmes sophistiqués peuvent traiter l'image pour montrer à la fois les détails des bras et du centre de la galaxie.

M 51 SUR FILM ET SUR CCD

La galaxie M 51 dans les Chiens de Chasse, prise sur une pellicule photographique (à gauche) et vue par un programme de traitement d'images CCD (ci-dessus). L'image CCD montre plus de détails du cœur de la galaxie et de son compagnon. Le programme vous permet de vous concentrer sur les détails de la galaxie et d'ajuster la luminosité et le contraste.

LA CONTRIBUTION DES AMATEURS

Quelques astronomes amateurs pratiquent leur violon d'Ingres avec tant d'habileté qu'ils obtiennent des résultats d'un niveau professionnel.

La plus grande partie des découvertes actuelles, en astronomie, sont faites par des astronomes professionnels, équipés de télescopes moyens ou grands. Les amateurs jouent cependant encore un rôle important, car ils assurent la continuité du suivi et la couverture complète du ciel, que les professionnels ne peuvent assurer.
Les amateurs surveillent systématiquement des milliers d'étoiles variables et découvrent ainsi les éruptions des variables les plus irrégulières.
De nombreuses comètes, novae ou supernovae ont été découvertes par des amateurs qui consacrent une bonne partie de leur temps et de leur expérience à surveiller le ciel, de manière systématique et précise.

LE BUREAU CENTRAL DES TÉLÉGRAMMES ASTRONOMIQUES

Si vous découvrez un objet nouveau, nova ou comète, informez-en le Bureau central des télégrammes astronomiques (BCTA). Le BCTA annonce les découvertes des amateurs et des professionnels, publie des prévisions sur la position des comètes et des astéroïdes et discute toutes les observations, depuis les météores jusqu'aux étoiles sources X. Cet organisme est une commission de l'Union astronomique internationale, la commission 6. Il émet environ trois cents circulaires par an et les transmet à ses abonnés par la poste ou par courrier électronique. La SAF diffuse également les informations du BCTA, en français, soit par courrier, soit par Minicom, service de messagerie de France Télécom. Les astronomes amateurs doivent impérativement vérifier leurs découvertes avant de les communiquer *(suite p. 74)*

TÉLESCOPE D'AMATEUR *Un 200 mm Schmidt-Cassegrain avec la Lune, Vénus, Saturne et Jupiter.*

LESLIE C. PELTIER ET LES ÉTOILES VARIABLES

Par un beau soir de mai 1915, Leslie Peltier, un jeune fermier américain, parcourait la campagne. « Quelque chose, peut-être un météore, m'amena à lever la tête et à regarder un certain temps », écrit-il. Il se demanda alors pourquoi il ne s'était jamais intéressé aux étoiles.
Décidé à s'acheter un télescope, il entreprit de se faire un peu d'argent en récoltant des fraises. Trois ans plus tard, émerveillé par les facéties des étoiles variables, il consacra ses nuits à les observer, activité qu'il poursuivit toute sa vie.
La réputation de Peltier s'étendit si bien que Henry Norris Russell, de l'observatoire de Princeton, lui offrit la possibilité d'utiliser une lunette de 150 mm.
Trois ans plus tard, le 13 novembre 1925, Peltier découvrit sa première comète, l'une des dix à porter son nom.

À LA DÉCOUVERTE D'UNE COMÈTE

RÉCIT DE L'AUTEUR, D. H. LEVY : « En me promenant dans mon jardin très tôt le matin (vers 3 heures), je remarquai que le ciel, partiellement nuageux, était quand même noir. Je retirai le toit de mon abri de jardin-observatoire. Bien que la comète Austin ait été visible aux jumelles un peu plus tôt dans la nuit, elle avait décliné. Mais je n'avais pas l'intention de regarder d'anciennes comètes, j'en cherchais de nouvelles. J'ouvris mon télescope de 400 mm et le pointai vers l'est. Puis, l'œil à l'oculaire et la main sur le télescope, je commençai à balayer lentement le ciel, vers l'est, déplaçant le télescope champ après champ, à la recherche d'un objet flou qui pourrait être une comète. Trouver de petits objets flous est assez facile, mais la plupart d'entre eux sont des galaxies, des nébuleuses ou des amas stellaires. Une heure après le début de ma recherche, le croissant de lune à son déclin apparut à l'est. Lorsque la lumière lunaire illumine suffisamment le ciel et fait disparaître les comètes, j'ai l'habitude d'arrêter la chasse, mais, ce jour-là, je n'avais pas envie d'arrêter. Je tournai le télescope de l'autre côté d'Alpha (α) Andromedae, l'une des quatre étoiles du Carré de Pégase, et visai l'intérieur du carré. Quelques minutes plus tard, je cessai de déplacer le télescope et examinai le champ. Il y avait une tache floue ! Je connaissais si bien cette partie du ciel que je suspectai cette tache d'être quelque chose de bien réel ; je contactai alors le BCTA par courrier électronique, l'informant de l'emplacement de l'objet et de sa brillance. Un jour plus tard, quand la comète me donna raison, le BCTA annonça ma découverte, sous le nom de comète Levy (1990 c). J'avais contemplé ce que jamais personne n'avait vu auparavant. J'eus l'impression que le ciel m'avait dit : "D'accord, David, puisque tu observes fidèlement depuis si longtemps, voici un cadeau." Pendant une semaine, plusieurs observateurs ont déterminé les positions précises de la comète, ce qui permit de calculer son orbite. Les nouvelles étaient bonnes : la comète serait suffisamment brillante pour être visible à l'œil nu. À la fin de juin, la comète Levy était une cible facile pour des jumelles et elle continua à augmenter régulièrement durant l'été. Elle atteignit son maximum au début d'août. Je me revois installant mon télescope au bord d'une route, dans un endroit sombre. J'allais pointer mon instrument vers la comète, quand je levai la tête et vis le Triangle de l'Été, formé de Véga, de Deneb et d'Altaïr, haut dans le ciel. J'avais vu ces mêmes trois étoiles, pour la première fois, trente ans auparavant. Mais cette nuit d'août, la vue était différente, car, au milieu de ce triangle brillait la comète Levy. Je n'oublierai jamais cette nuit. »

LA COMÈTE LEVY 1990 C *s'est déplacée par rapport aux étoiles durant l'exposition, si bien que les étoiles apparaissent comme des traces. Le télescope traquait le noyau de la comète, qui, sur cette photographie, disparaît dans la chevelure.*

UN CAHIER *où consigner ses observations est indispensable. Ici, le cahier de Levy, où sont notées les observations de comètes et les séances d'observation.*

LA COMÈTE IKEYA SEKI, *qui porte le nom de deux astronomes japonais, offrit un spectacle extraordinaire dans le ciel diurne en 1965. Elle passa si près du Soleil qu'elle est connue comme la « comète qui a rasé le Soleil ».*

car une majorité des rapports sur les nouvelles comètes sont des fausses nouvelles. Demandez à un amateur expérimenté de recommencer vos observations ou répétez-les vous-même, la nuit suivante, pour voir si la variation ou le mouvement se confirme.

Observation des étoiles variables

L'observation d'étoiles variables est probablement le travail le plus facile et le plus productif que puisse entreprendre un amateur, car il suffit d'une bonne paire de jumelles. Pour apprendre cet art, le mieux est de suivre l'exemple du fameux observateur d'étoiles variables Leslie Peltier *(voir p. 72)*. Pour chacune des 132 000 observations d'étoiles variables qu'il effectua durant sa vie, Leslie Peltier suivit la même procédure. Après avoir repéré la variable qui l'intéressait avec l'un de ses télescopes, il choisissait deux étoiles voisines, l'une un peu plus brillante que la variable, l'autre un peu plus faible. Notons que toute bonne carte des étoiles destinée à l'étude des variables doit comporter ces étoiles de comparaison avec leur magnitude ; par exemple, prenons 8,2 et 8,8. En interpolant, on trouve la brillance de la variable, soit 8,6. Pendant plus de soixante ans, Peltier fit parvenir ses observations à l'American Association of Variable Stars Observers (AAVSO) dans le Massachusetts, aux États-Unis. Depuis 1991, l'AAVSO a suivi plus de mille étoiles, en utilisant les données fournies par les amateurs du monde entier. Des sociétés analogues existent en France et en Belgique *(voir p. 279)*. Des programmes sont mis au point par la British Astronomical Association (BAA) en association avec la Royal Astronomical Society of New Zealand (RASNZ). Ces associations fournissent des cartes détaillées et aident les amateurs désireux de se consacrer à l'étude des étoiles variables. D'un autre côté, les astronomes amateurs de la SAF se sont spécialisés dans l'observation des étoiles doubles et dans la détermination précise de leurs orbites.

Comment noter vos observations

Le meilleur moyen de garder une trace de vos expériences est de tenir un cahier d'observations. Si vous avez l'intention d'étudier sérieusement les variables, de

ENSEIGNER L'ASTRONOMIE AUX ENSEIGNANTS

En France, le Comité de liaison enseignants astronomes (CLEA) est une association, fondée en 1977, qui réunit des enseignants et des astronomes professionnels pour promouvoir l'enseignement de l'astronomie à tous les niveaux de l'enseignement public et dans les associations culturelles. Le CLEA organise des stages nationaux (universités d'été) et régionaux pour les enseignants de l'école primaire, des collèges et des lycées, désireux d'approfondir leurs connaissances en astronomie. Il publie une revue trimestrielle, *les Cahiers Clairaut*, des numéros hors-série, des fiches d'études, des diapositives, etc. L'Union astronomique internationale (UAI) s'intéresse également à la promotion de l'enseignement de l'astronomie à tous niveaux et dans un grand nombre de pays. La commission 46 (Enseignement de l'astronomie), qui groupe des astronomes professionnels, généralement enseignants, de tous pays, organise des rencontres et des colloques pour travailler sur ce thème.

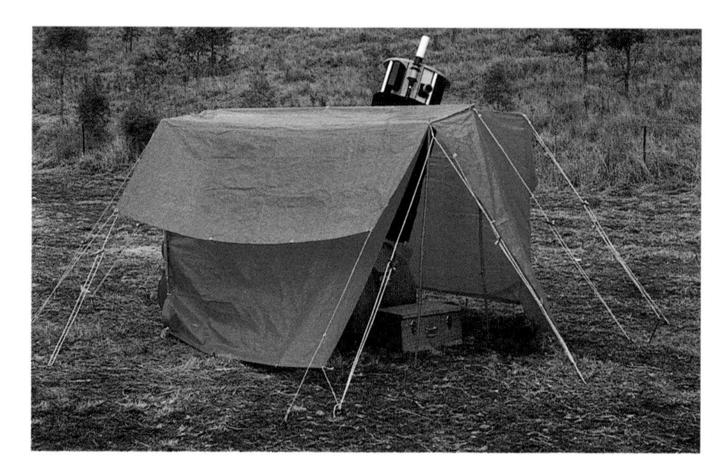

OBSERVATOIRES POUR AMATEURS
On en trouve de toutes formes, de toutes tailles et de toutes couleurs.

rechercher les comètes ou simplement de prendre des clichés, vous en verrez vite l'utilité.

OBSERVATOIRES DE JARDIN

Si vous prenez vos observations au sérieux, vous avez tout intérêt à construire un observatoire dans votre jardin – quelque part où vous pourrez laisser votre télescope monté, prêt à l'emploi.On trouve dans le commerce des observatoires munis de coupoles en composite polyester ou en fibre de verre. Il existe même un modèle sur camion avec une coupole de 2,40 m de diamètre. Vous pouvez construire un observatoire à toit coulissant sur un abri de jardin, à condition de savoir vous servir d'un marteau et d'un tournevis. Si vous avez un emplacement réservé exclusivement à l'observation, vous serez dans de bonnes conditions pour travailler sérieusement.

LES CLUBS D'AMATEURS

Quand vous aurez travaillé seul un certain temps, il vous semblera peut-être utile de rejoindre un groupe de personnes qui partagent votre passion. Il existe des clubs dans la majorité des grandes villes. Pour obtenir leur adresse, en France, en Belgique et en Suisse, consultez le Minitel (3615 Big-Bang). Ces clubs sont affiliés à des associations d'amateurs, comme l'Association française d'astronomie et la Société française d'astronomie. Appartenir à un club vous apportera toute l'aide dont vous pouvez avoir besoin pour utiliser au mieux votre télescope. Si vous avez l'intention d'acheter un télescope, vous pourrez assister à une séance d'observation nocturne et essayer des instruments. Vous trouverez également auprès de personnes compétentes des conseils pour mettre en place un programme de surveillance d'étoiles variables ou de recherche de novae. Les associations publient des revues (*Ciel et Espace, l'Astronomie,* par exemple) avec des articles sur l'actualité astronomique et des conseils d'amateurs.

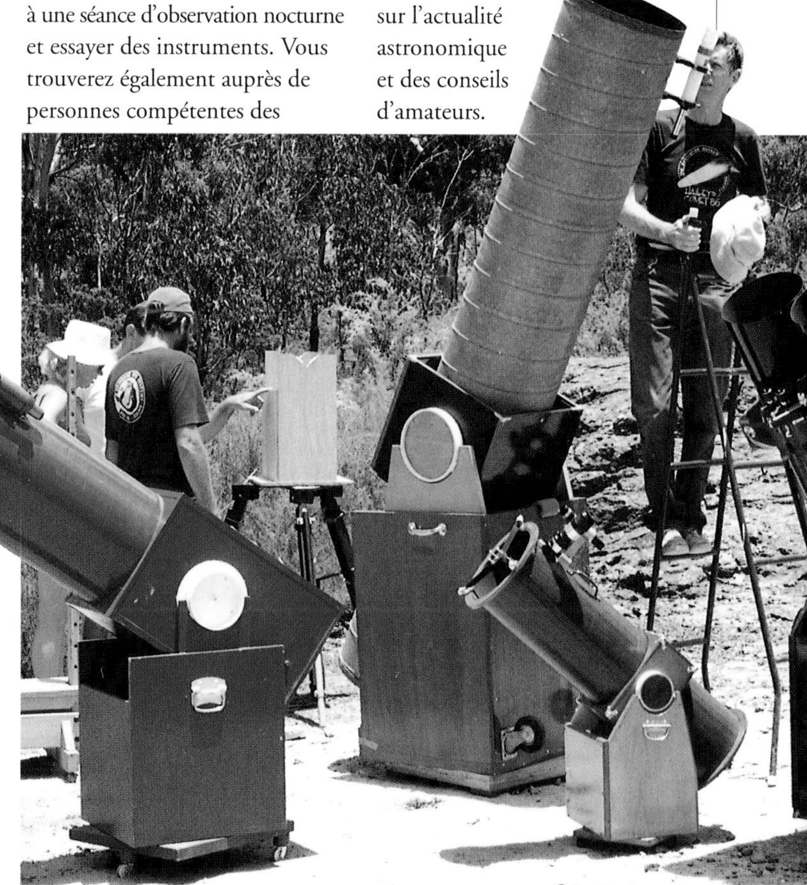

VEILLÉE AUX ÉTOILES *Certaines associations ont leurs propres instruments et proposent des nuits d'observation (Aniane pour l'AFA, la Sorbonne pour la SAF). Quelques observatoires, tel celui du pic du Midi, mettent des instruments à la disposition des amateurs.*

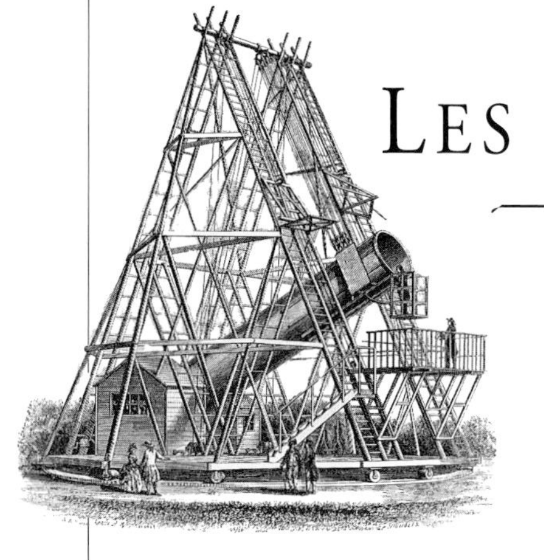

LES GRANDS TÉLESCOPES

La plus grande partie des photographies qui illustrent ce livre ont été prises sur de gigantesques télescopes professionnels.

Plus grand est le télescope, plus importante est la quantité de lumière qu'il collecte et plus loin il peut explorer l'espace. George Ellery Hale, né à Chicago en 1868, en était très conscient : « Plus de lumière », réclamait-il. Astronome de talent, Hale est au centre de l'histoire des télescopes de la première moitié du XXe siècle. Au début du siècle, il persuada Charles Yerkes, un homme d'affaires de Chicago, d'installer une lunette de 1 m sur la côte de William Bay, dans le Wisconsin, aux États-Unis. La lunette de Yerkes, l'une des plus belles du monde, est toujours en service. Hale collecta ensuite des fonds pour construire les télescopes de 1,50 m et de 2,50 m du mont Wilson, en Californie. Cependant, il est surtout connu pour le télescope de 5 m du mont Palomar, en Californie ; mis en service en 1948, il porte aujourd'hui son nom. On construisit des télescopes de 4 m en Australie, au Chili et en Arizona au début des années 1970, mais une nouvelle génération de télescopes est en train de voir le jour. L'un des deux télescopes Keck, de 10 m, vient d'être achevé ; il est installé sur le sommet de Mauna Kea, à Hawaii, avec tout un ensemble d'autres télescopes de 8 ou 10 m. Tous utilisent des miroirs construits selon une technologie de pointe, des montures azimutales (plutôt qu'équatoriales) et des commandes entièrement contrôlées par ordinateur.

LE TÉLESCOPE DE WILLIAM HERSCHEL, *(ci-dessus), qui date de 1789 a un miroir de 1,20 m.*

MAUNA KEA, *à Hawaii, abrite le télescope Keck, de 10 m.*

AUTRES REGARDS SUR LE CIEL

Bien que quelques amateurs se soient aventurés dans le domaine de la radioastronomie, la plupart d'entre eux, faute de moyens techniques, doivent se contenter d'observer dans le visible, pour scruter l'Univers. Il faut toutefois reconnaître l'importance grandissante de l'observation d'autres rayonnements que celui de la lumière visible, qui sont, pour la plus grande partie, absorbés par l'atmosphère terrestre.

LE TÉLESCOPE ANGLO-AUSTRALIEN *est l'un des nombreux télescopes à monture équatoriale construits dans les années 1970.*

LES CARTES RADIO *sont les « images » produites par les radiotélescopes. Ici, la carte des contours de l'Anneau d'Einstein.*

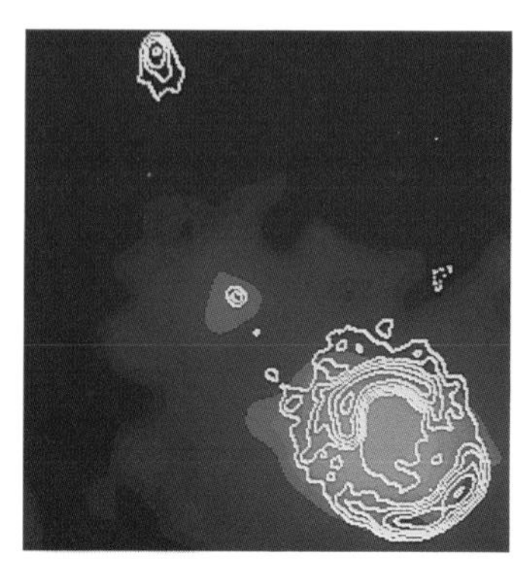

Radioastronomie

La radioastronomie est l'étude des corps célestes au moyen des ondes radio qu'ils émettent et absorbent naturellement. C'est grâce à la radioastronomie que nous connaissons la nature et la forme de la Voie lactée et des autres galaxies.
La plus grande partie des radiotélescopes ressemblent à celui que construisit Grote Reber, dans son jardin, en 1940, en utilisant de grandes antennes paraboliques de métal – miroirs qui focalisent le faible signal radio perçu. Souvent, des réseaux de miroirs jouent le rôle d'un grand télescope.

Le ciel infrarouge

Entre le domaine visible et le domaine radio se trouve le domaine de l'infrarouge (IR), dont une partie est accessible du sol.
Grâce à l'infrarouge, les astronomes sondent l'épaisseur des nuages de gaz et le centre des galaxies, en utilisant des télescopes d'allure plus ou moins conventionnelle.

Ultraviolet, rayons X, rayons gamma

Le rayonnement plus énergétique que le rayonnement visible est observé à partir des fusées ou des satellites.
Le rayonnement ultraviolet (UV) et les rayons X de faible énergie s'observent avec des télescopes conventionnels, alors que les sources exotiques et énergétiques de rayons X haute énergie et des rayons gamma demandent des dispositifs d'imagerie moins raffinés.

LE VERY LARGE ARRAY *(très grande base), au Nouveau-Mexique (É-U) utilise un réseau d'antennes de 25 m de diamètre, équivalent à un radiotélescope de 42 km de diamètre.*

TÉLESCOPES DANS L'ESPACE

Utiliser un télescope optique sur la Terre, c'est essayer de regarder le cosmos depuis le fond d'un lac. Les effets déformants produits par la turbulence de l'atmosphère terrestre brouillent l'image et empêchent les plus grands télescopes d'atteindre leur résolution limite.
Des techniques modernes d'optique adaptative réduisent cet inconvénient, en mesurant et en soustrayant les effets dus à la turbulence, mais, depuis les premiers vols spatiaux, les astronomes rêvent d'envoyer un très grand télescope dans l'espace au-dessus de l'atmosphère. Quelques petits télescopes envoyés dans l'espace ont aiguisé leur appétit, satisfait au moment du lancement du télescope spatial de Hubble (TSH), en orbite autour de la Terre depuis 1990. Depuis une spectaculaire mission de réparation en décembre 1993, le TSH semble destiné à une longue vie productive grâce à l'exploitation de son excellente résolution et à ses observations coordonnées avec celles des plus grands télescopes au sol.

LE TSH *déployé, lancé par la navette Discovery en 1990.*

CHAPITRE IV

COMPRENDRE LE CIEL

*Si le ciel peut sembler déroutant,
ses merveilles et ses mouvements élégants
sont pourtant bien à notre portée.*

Le repérage des étoiles

Imaginer que la Terre est au centre de l'Univers – ce que plus personne ne croit aujourd'hui – peut nous aider à comprendre pourquoi l'aspect du ciel change d'heure en heure, nuit après nuit.

AU-DELÀ DE LA SPHÈRE CÉLESTE *Cette gravure sur bois, montage de Camille Flammarion, montre la Terre surmontée d'un dôme constellé d'étoiles.*

On a longtemps pensé que les étoiles étaient fixées sur une immense sphère qui tournait en un jour autour de la Terre.
Aujourd'hui, nous savons que les étoiles et tous les objets célestes sont à différentes distances et que leur mouvement apparent (d'est en ouest) est dû au mouvement de rotation de la Terre autour de son axe (d'ouest en est). Néanmoins, pour décrire la position des étoiles et l'endroit où elles se lèvent ou se couchent dans le ciel, il est plus commode d'imaginer que la Terre est entourée d'une sphère céleste.

La Terre et la sphère céleste

Pour décrire la position des astres, les astronomes ont un système de référence analogue à celui que l'on utilise pour se repérer sur la Terre. Imaginez que la Terre est un ballon que l'on gonfle jusqu'à ce qu'il remplisse une sphère céleste imaginaire.
Les points et les lignes de repérage sur Terre vont se projeter sur le ciel.
Ainsi, l'équateur et les pôles terrestres vont donner l'équateur et les pôles célestes ; aux méridiens et aux parallèles – qui permettent de déterminer la longitude et la latitude – vont correspondre les lignes de déclinaison et d'ascension droite. Incliné sur l'équateur, on ajoute l'écliptique, trajectoire apparente du Soleil sur la sphère céleste.

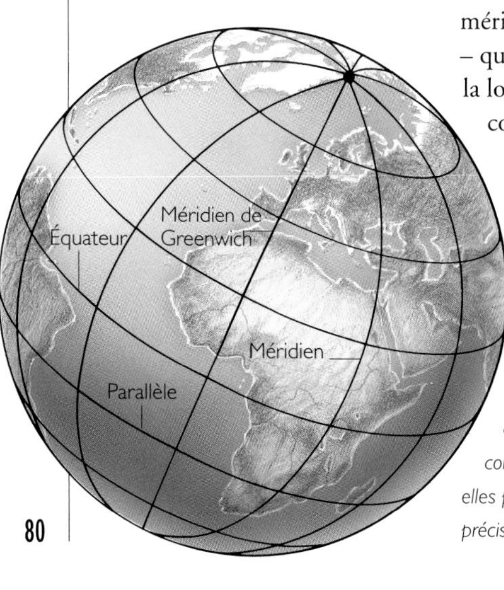

LATITUDE ET LONGITUDE *sont définies à partir d'une sorte de grille conventionnelle dessinée sur la Terre ; elles permettent de localiser avec précision n'importe quel lieu.*

Le système de coordonnées équatoriales

La déclinaison dans le ciel correspond à la latitude sur la Terre. Elle est mesurée en degrés, minutes et secondes nord ou sud par rapport à l'équateur céleste. Elle varie de 0° à 90°, avec un signe + (au nord) ou – (au sud). L'étoile Polaire, par exemple, a une déclinaison $\delta = +89°$ et pour Rigel (dans Orion) $\delta = -8°15'$.
L'équivalent céleste de la longitude est l'ascension droite (désignée par α), qui se mesure non pas en degrés comme la longitude, mais en unités de temps : heures, minutes et secondes (24 h = 360°, donc

LE MÉRIDIEN DE GREENWICH, *le méridien origine international, est matérialisé par une ligne tracée sur le sol, à l'Observatoire royal de Greenwich, près de Londres.*

LA SPHÈRE CÉLESTE *et son système de coordonnées équatoriales qui « copie » le repérage terrestre. L'écliptique est la projection de la trajectoire apparente du Soleil sur le ciel.*

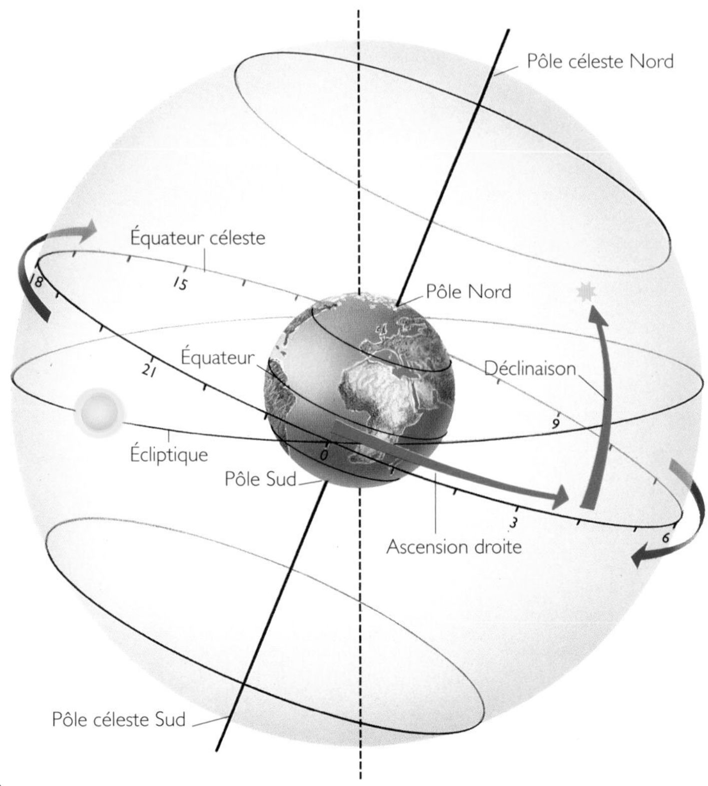

La méridienne était déterminée au petit observatoire [...] sur cette ligne, nous avons cherché avec un quart de cercle les deux points d'où partaient deux perpendiculaires [...].

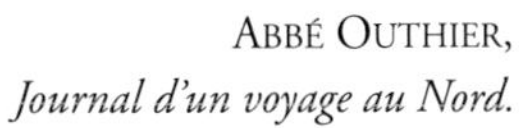

ABBÉ OUTHIER,
Journal d'un voyage au Nord.

1 h = 15° d'arc). Ainsi, pour l'étoile Polaire, α = 1 h 49 min et pour Rigel, α = 5 h 12 min. La ligne 0 en ascension droite passe par le point où le Soleil traverse l'équateur céleste au moment de l'équinoxe de printemps. Ce point, dit point vernal, est désigné par la lettre γ. Les heures en ascension droite sont mesurées vers l'est à partir de ce point.

REPÉRAGES DANS LE CIEL

De même qu'à la surface du globe terrestre on peut localiser un point quelconque grâce à sa longitude et à sa latitude, un astre peut se repérer dans le ciel grâce à ses coordonnées. Le système de coordonnées horizontales est particulièrement utile quand vous tentez d'expliquer à quelqu'un comment repérer un objet dans le ciel, par rapport à l'horizon et à un instant donné. Ce système était couramment utilisé par les marins avant l'apparition des instruments de radionavigation. Chaque étoile est définie par sa hauteur et par son azimut, coordonnées qui dépendent du lieu et de l'heure d'observation.

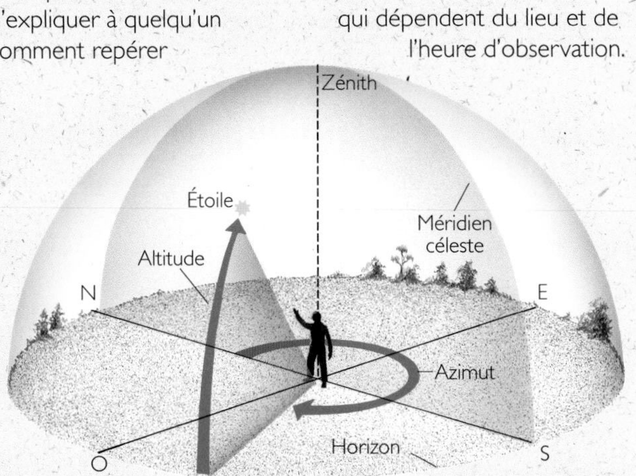

HAUTEUR C'est l'angle de l'étoile par rapport à l'horizon. Le point juste au-dessus de votre tête, le zénith, est à 90°.

AZIMUT C'est l'angle horaire mesuré dans le plan de l'horizon, par rapport à la ligne nord-sud. Le nord est à 0° ou 0 h, l'est à 90° ou 3 h, le sud à 180° ou 6 h et l'ouest à 270° ou 9 h. Les azimuts sont toujours comptés dans le sens des aiguilles d'une montre.

LE MÉRIDIEN LOCAL C'est un cercle imaginaire qui passe par le zénith et les deux pôles. Cette ligne est très importante, car c'est au moment où un astre la traverse qu'il est le plus haut dans le ciel. On dit que le Soleil, ou un astre, culmine lorsqu'il traverse le méridien.

LA ROTATION DE LA TERRE SUR ELLE-MÊME

Jour et nuit, si le ciel déploie un panorama changeant au-dessus de nos têtes, c'est que la Terre tourne sur elle-même.

Notre planète est un globe à peu près sphérique, qui tourne autour d'un axe, ligne imaginaire traversant la Terre du pôle Nord au pôle Sud.
Sans la présence des étoiles, il serait impossible de prouver la réalité de ce mouvement, puisque, sur Terre, tout tourne en même temps : le sol, l'air, les océans…

UN HORIZON MOBILE

Comme la Terre tourne d'ouest en est, on a l'impression que le Soleil, les étoiles et tous les objets célestes tournent dans l'autre sens, d'est en ouest. Ce mouvement apparent dépend en outre de l'endroit où l'on se situe.
Une fois encore, la notion de sphère céleste *(voir p. 80)* permet de comprendre quelles sont les étoiles visibles et comment elles se déplacent par rapport à l'observateur. C'est la latitude du lieu d'observation qui est déterminante : le ciel a la même apparence au Canada, en Europe centrale ou à l'extrême nord du Japon, situés à la même latitude moyenne.
Vous verrez le même ciel à San Francisco, Madrid ou Istanbul.

Au pôle nord, 90° N
Le pôle Nord céleste coïncide avec le zénith, juste au-dessus de votre tête, et l'équateur céleste avec votre ligne d'horizon.
Comme les étoiles se déplacent sur des trajectoires parallèles à l'horizon, seules celles situées dans l'hémisphère Nord seront toujours visibles.

À l'équateur, 0°
À cette latitude, vous pouvez voir toutes les étoiles du ciel. L'équateur céleste est perpendiculaire à l'horizon, juste au zénith.
Le pôle Nord et le pôle Sud sont couchés sur l'horizon.
Toutes les étoiles se lèvent à la verticale à l'est et se couchent à l'ouest, toujours à la verticale.

PHOTOGRAPHIE DE TRACES D'ÉTOILES *montrant la rotation apparente des étoiles autour du pôle Nord céleste.*

À 40° S
Pour tous les endroits situés entre ces latitudes extrêmes, il y a une partie du ciel qui reste toujours invisible, celle qui entoure le pôle céleste de l'hémisphère opposé.
D'autre part, les étoiles de la région qui entoure le pôle visible sont toujours au-dessus de l'horizon, elles ne se lèvent ni ne se couchent, elles sont dites circumpolaires.
Plus on est près du pôle, plus il y a d'étoiles circumpolaires, et moins il y a d'étoiles qui se lèvent et se couchent.

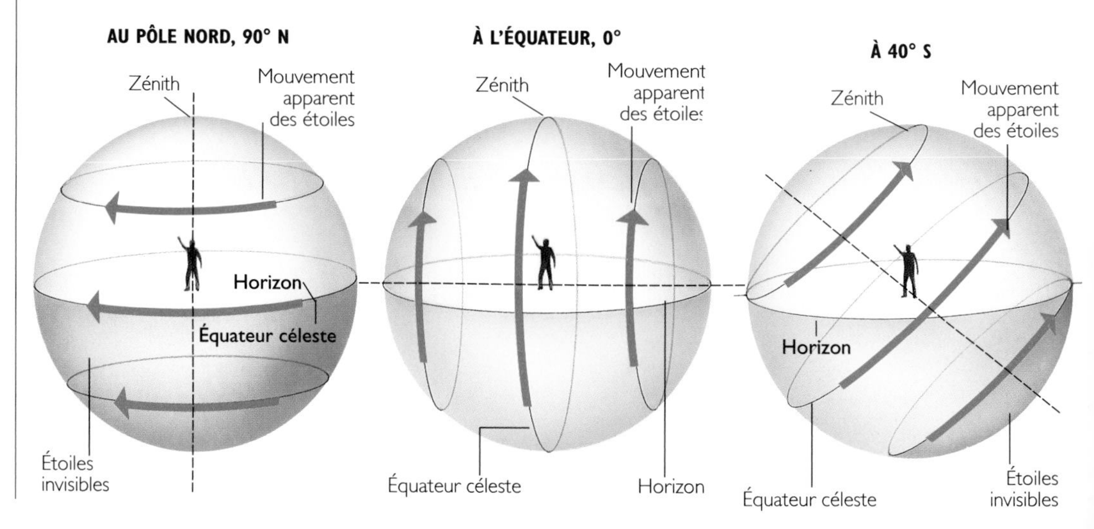

Plus blanche que la neige
et les cristaux de sel
La flore de la nuit
épanouit ses pétales [...]

ROBERT DESNOS, *Le Bel Après-Minuit.*

LE TEMPS ET LES SAISONS

Si la Terre tourne sur elle-même, elle tourne également autour du Soleil. Ces deux mouvements déterminent l'aspect du ciel à un endroit et à un instant donnés.

LES SAISONS, *personnifiées par Walter Crane (1845-1915).*

« Pourquoi fait-il plus chaud l'été que l'hiver ? » Si l'on vous pose cette question, banale en apparence, vous aurez immédiatement tendance à répondre que c'est parce que la Terre est plus proche du Soleil en été. Et vous vous tromperiez.

LES SAISONS *sont dues à l'inclinaison de l'axe de rotation de la Terre, et non aux variations de la distance Terre-Soleil.*

LES SAISONS

La Terre tourne autour du Soleil à une distance moyenne de 150 millions de kilomètres. Comme son orbite est légèrement elliptique, la Terre est parfois plus proche du Soleil, parfois moins. Cependant, les saisons ne dépendent pas de la distance au Soleil, mais de l'inclinaison de l'axe de rotation de la Terre sur son orbite autour du Soleil. Vu de la Terre, le Soleil, tout au long de l'année, suit une trajectoire qui se projette sur l'écliptique (dans les cartes du *chapitre 5,* l'écliptique est représenté en pointillé). Toutes les planètes tournent autour du Soleil et les plans de leurs orbites sont très voisins. Vues de la Terre, les trajectoires des planètes sont donc très proches de l'écliptique. C'est pourquoi les Anciens attachaient une telle importance aux constellations du zodiaque, car elles sont situées près de l'écliptique.
Cependant, l'axe de rotation de la Terre n'est pas perpendiculaire au plan de l'écliptique. Il est incliné d'un angle de 23,5°. L'écliptique est donc incliné sur l'équateur céleste. C'est pour cela que les deux hémisphères ont des saisons alternées. En juin, c'est l'été dans l'hémisphère Nord

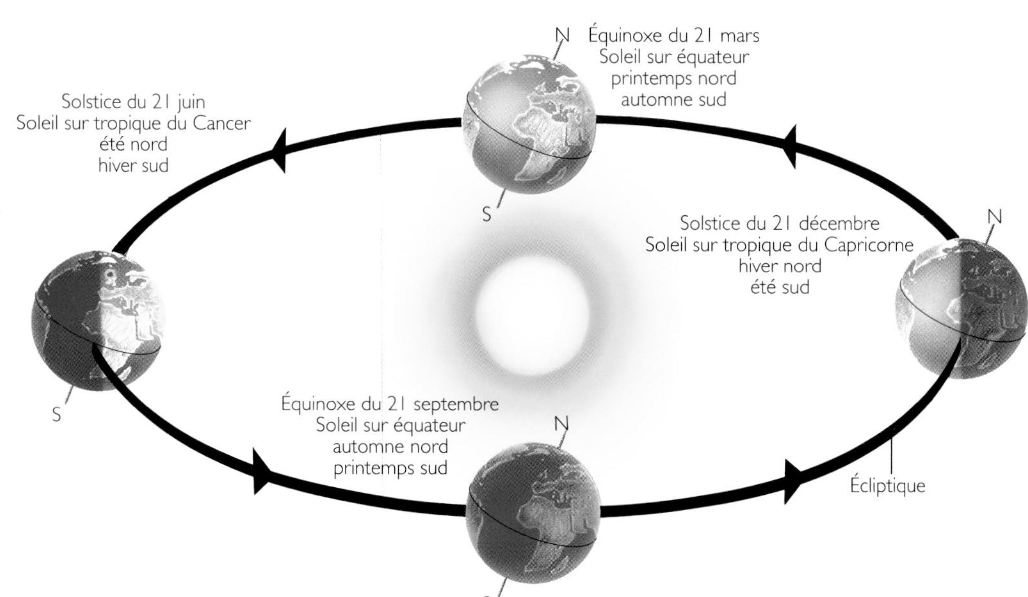

MAPPEMONDE ANCIENNE *montrant l'Inde et les pays voisins, entourés par la sphère céleste et la ceinture des constellations.*

LE SOLEIL DE MINUIT, *photographié de la base de Mowson, dans l'Antarctique. Sur la photo, on peut voir que le Soleil ne se couche jamais, au milieu de l'été arctique ou antarctique.*

et l'hiver dans l'hémisphère Sud. Les rayons du Soleil ne peuvent atteindre le pôle Sud – il y fait nuit pendant six mois. En revanche, au pôle Nord, le Soleil ne se couche jamais (c'est le soleil de minuit) – il y fait jour pendant six mois. En décembre, la Terre a parcouru la moitié de son orbite : c'est l'hiver dans l'hémisphère Nord et l'été dans l'hémisphère Sud. En mars et en septembre, le jour et la nuit ont la même durée dans les deux hémisphères.

Le jour et la nuit

Plus la latitude est élevée, plus l'écart entre la longueur des jours d'été et la brièveté des jours d'hiver est important. L'hiver, le Soleil est bas sur l'horizon – les jours sont plus courts que les nuits. Ses rayons traversent en outre une plus grande épaisseur d'atmosphère. Une partie de l'énergie solaire est absorbée et les rayons arrivant sous une faible incidence sont fortement diffusés. Il fait donc froid. En été, au contraire, le Soleil passe haut dans le ciel – les jours sont plus longs que les nuits. En outre, ses rayons, moins diffusés, chauffent plus directement la Terre. Il fait donc plus chaud.

Le mouvement du Soleil à travers le ciel

À mi-chemin entre son lever et son coucher, le Soleil culmine dans le ciel à midi. En observant tout au long de l'année l'ombre que projette sur le sol un bâton vertical, vous pourrez en déduire la variation de hauteur du Soleil à midi, au cours des saisons *(voir le dessin ci dessous).* C'est au solstice d'été que l'ombre est la plus courte, que le Soleil monte le plus haut dans le ciel et que le jour est le plus long. Au solstice d'hiver, l'ombre est la plus longue, le jour le plus court de l'année et le Soleil culmine le moins haut. À midi, aux premiers jours du printemps et de l'automne, la longueur de l'ombre est à mi-chemin entre le minimum de l'été et le maximum de l'hiver. Ces jours correspondent aux équinoxes de printemps et d'automne (respectivement, autour du 21 mars et du 21 septembre pour l'hémisphère Nord) ; le jour et la nuit ont alors la même durée.

Jour solaire et jour sidéral

Notre jour de 24 heures correspond à la durée nécessaire à la Terre pour faire un tour complet sur elle-même par rapport au Soleil. L'heure que donnent nos horloges est fondée sur ce jour solaire moyen. On pourrait supposer que la sphère céleste tourne avec la même période, or ce n'est pas le cas, car la Terre a aussi un mouvement de révolution

TRAJECTOIRE DU SOLEIL *dans le ciel à différentes époques de l'année, vue de l'hémisphère Nord. Pour l'hémisphère Sud, il suffit d'inverser les positions nord et sud.*

Solstice d'été

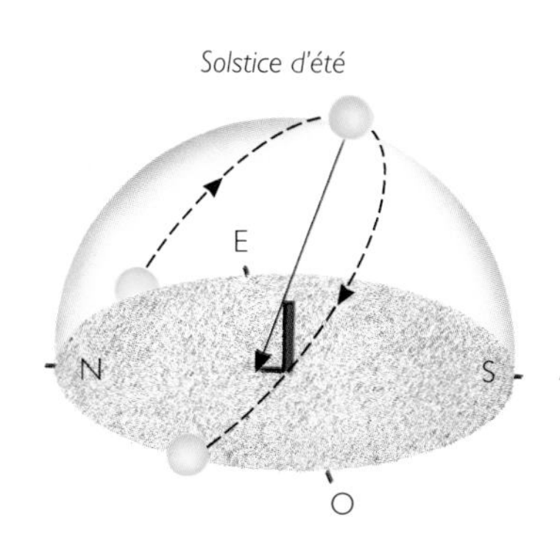

Équinoxe

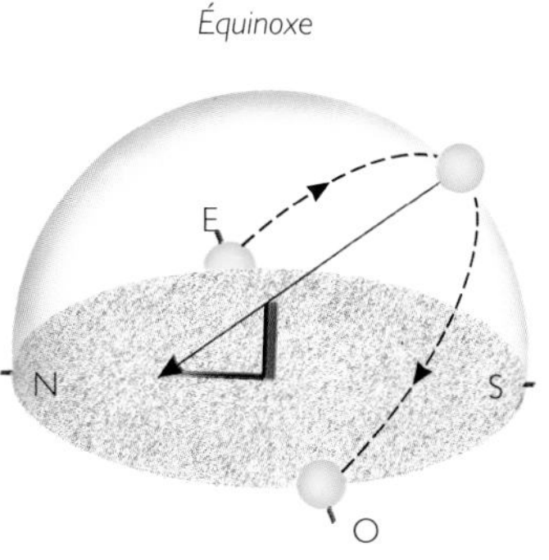

Solstice d'hiver

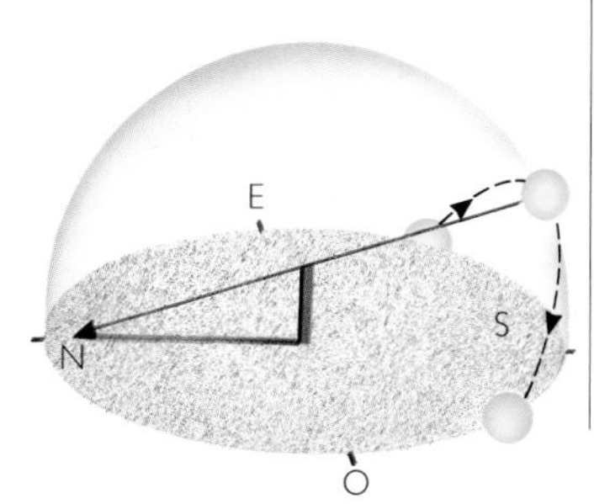

UN ANALEMME, *figure en forme de huit, que l'on trouve sur les cadrans solaires perfectionnés. Cette photo a été obtenue en notant tous les dix jours la position du Soleil à 8 h 30. Sa forme est due à l'inclinaison de l'écliptique par rapport à l'équateur céleste, à laquelle s'ajoutent de petites variations de la vitesse de déplacement du Soleil dans le ciel, d'un jour à l'autre.*

autour du Soleil – au cours de l'année, les étoiles se lèvent 4 minutes plus tôt chaque nuit. La sphère céleste tourne autour de la Terre avec une période de 23 heures et 56 minutes. C'est la période de rotation de la Terre non plus par rapport au Soleil, mais par rapport aux étoiles lointaines considérées comme fixes. C'est sur cette base qu'est défini le temps sidéral, utilisé par les astronomes pour déterminer la position des astres.

FUSEAUX HORAIRES

Toutes les heures données dans ce livre sont des heures solaires locales moyennes. Le système standard divise les 360° de longitude sur Terre en vingt-quatre zones de 15° de large. La différence entre l'heure civile et l'heure locale est faible. Les effets de longitude ne modifient donc guère notre vision du ciel. La latitude, en revanche, est importante. Quand on dit, par exemple, qu'Orion passe au méridien à 22 h le 10 janvier, c'est vrai en tout point du globe, car 22 h correspond à l'heure locale. Mais qu'arrive-t-il lorsqu'un observateur à Meudon, par exemple, veut comparer ses observations d'éclipse dans un système variable d'étoiles doubles dans Orion avec celles d'un observateur installé à Édimbourg ? Ils font tous deux leurs observations à 22 h, heure locale, mais ce n'est pas au même instant. S'ils veulent faire une observation simultanée, ils doivent tenir compte du décalage horaire – quand il est 22 h à Meudon, il est 21 h à Édimbourg.

Il existe un temps de référence valable pour tous : le temps universel (TU) – c'est le temps civil de Greenwich.
Ce n'est donc pas le temps moyen de ce méridien, comme on continue trop souvent à le dire et à l'écrire.
Aussi l'Union astronomique internationale a-t-elle condamné comme fautif l'usage des initiales GMT.
En effet le temps civil d'un lieu est le temps solaire moyen de ce lieu, augmenté de 12 heures (midi correspond à 0 heure du temps solaire).
Il faut également rappeler qu'il existe en France une heure d'été et une heure d'hiver : l'heure civile est l'heure TU + 1 h en hiver, et + 2 h en été.

ORION, *dans le ciel d'hiver d'Édimbourg (Écosse). Les deux photos prises à deux semaines d'intervalle illustrent le mouvement apparent du ciel au cours de l'année.*

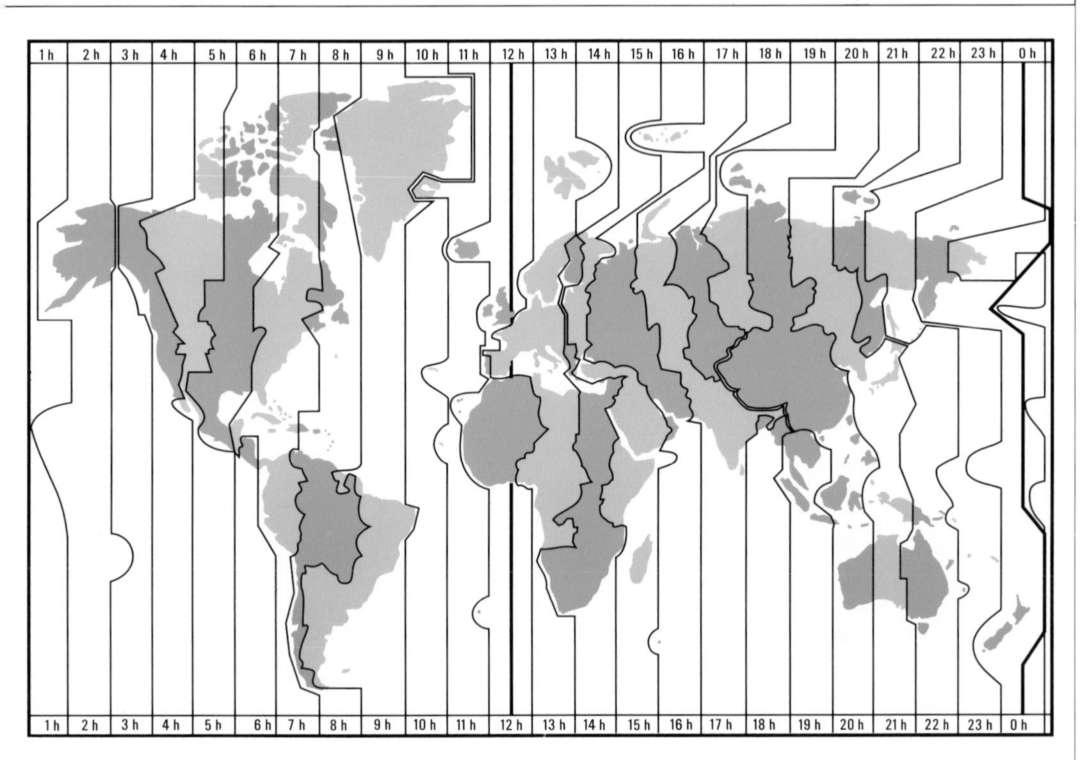

Il est important de noter que, même corrigé des inégalités du mouvement des pôles et des inégalités saisonnières de la vitesse de rotation de la Terre, le temps universel ne peut constituer une échelle de temps uniforme au sens de la mécanique céleste, car il est encore affecté des inégalités du mouvement de la Terre qui sont imprévisibles, ainsi que du ralentissement progressif de cette rotation. Aussi a-t-on été amené à introduire le temps des éphémérides, dont la définition est fondée sur le mouvement de translation de la Terre autour du Soleil.

D'autre part, en 1955, le premier étalon atomique à jet de césium, considéré comme étalon de temps, a été mis en service régulier au National Physical Laboratory (Royaume-Uni).

On construit maintenant, à partir d'une centaine d'horloges atomiques réparties dans le monde entier, une troisième échelle de temps, le temps atomique universel. Échelle de temps bien plus uniforme que l'échelle de temps universel, pourtant, lorsque la mauvaise horloge (la Terre) dérive d'une seconde par rapport à la bonne (l'atomique), on corrige la bonne des caprices de la mauvaise, parce que nous vivons sur la mauvaise.

LA PRÉCESSION

En réalité, l'axe de la Terre ne pointe pas toujours dans la même direction. À cause des effets conjugués du Soleil et de la Lune, la Terre oscille comme une toupie, provoquant le déplacement du point vernal dans le ciel. Ce phénomène d'oscillation s'appelle précession (des équinoxes). Le point vernal effectue un tour complet en vingt-six mille ans. Aussi, lorsque vous donnez les coordonnées équatoriales d'un astre, il faut citer l'année de référence, par exemple l'année 2000, que l'on appelle époque. Le point vernal est actuellement dans la constellation des Poissons. Au fil des ans, il traversera toutes les constellations du zodiaque. Les pôles célestes bougent aussi, et l'étoile Polaire ne nous indiquera pas plus le pôle Nord céleste dans mille ans qu'elle ne l'indiquait aux anciens Égyptiens.

étoile Polaire
pôle céleste en 15000 apr. J.-C.
Soleil
N
bourrelet équatorial
S

LES FUSEAUX HORAIRES *(ci-dessus) permettent de définir pour chaque région, province ou État, une heure commune. C'est pourquoi, à un endroit donné, il peut exister une certaine différence entre l'heure locale (solaire) et l'heure civile standard.*

LE NOM DES ÉTOILES

Depuis la nuit des temps, les hommes de toutes cultures ont projeté leurs rêves sur les étoiles et les ont baptisées.

PTOLÉMÉE *(à gauche) observe le ciel en compagnie d'Uranie, la muse de l'astronomie.*

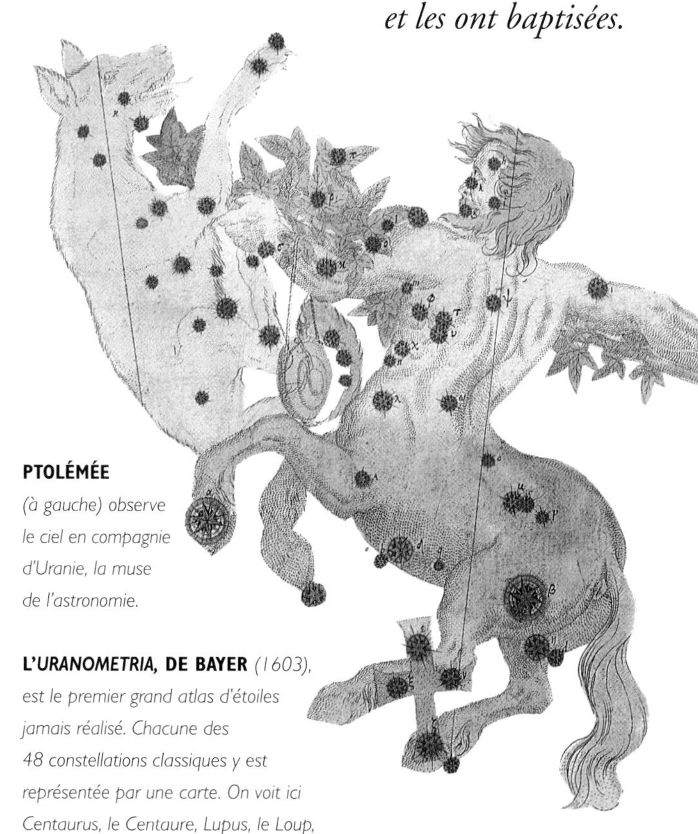

L'*URANOMETRIA*, DE BAYER *(1603), est le premier grand atlas d'étoiles jamais réalisé. Chacune des 48 constellations classiques y est représentée par une carte. On voit ici Centaurus, le Centaure, Lupus, le Loup, et la Croix du Sud.*

Les noms des étoiles, essentiellement d'origine arabe ou grecque, sont souvent étranges ou amusants. L'un des plus connus est le nom de Zuben El Genubi, qui signifie « pince sud du scorpion », donné par les Arabes à l'étoile la plus brillante de la constellation de la Balance, située près de la pince sud du Scorpion. L'étoile de la pince nord s'appelle Zuben Eschamali. Bételgeuse est un nom d'origine arabe qui signifie la « maison des jumeaux », parce que les Arabes la considéraient comme une étoile de la constellation des Gémeaux. Elle marque l'épaule d'Orion.

LES LETTRES DE BAYER ET LES NUMÉROS DE FLAMSTEED

Au début du XVIIe siècle, l'astronome allemand Johann Bayer classa les étoiles connues de façon systématique en magnitude et en position. Dans son atlas *Uranometria,* publié en 1603, les étoiles visibles à l'œil nu sont désignées par les lettres de l'alphabet grec : dans une constellation, l'étoile la plus brillante est désignée par α, la deuxième par β, etc. Bételgeuse est ainsi désignée par (α) Orionis (Orionis est la forme génitive du nom latin de la constellation).
Au début du XVIIIe siècle, le révérend John Flamsteed, astronome à la cour du roi Charles II d'Angleterre, prolonge la liste des étoiles déjà répertoriées en ajoutant des nombres arabes.
Dans son système, les étoiles sont numérotées d'ouest en est dans une constellation : Bételgeuse est ainsi 58 Orionis.

JOHN FLAMSTEED *fut le premier astronome royal d'Angleterre et le premier directeur de l'Observatoire royal de Greenwich. Son grand catalogue d'étoiles,* Historia Coelestis Britannica *(1725), fut publié après sa mort.*

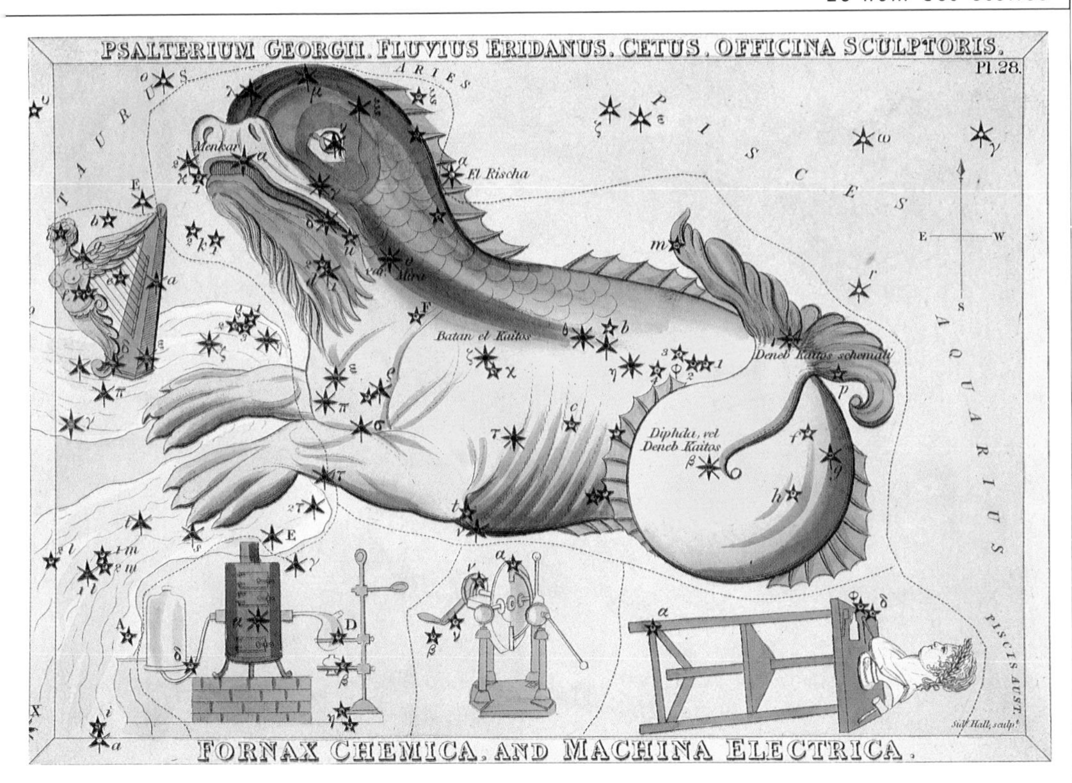

LE MIROIR D'URANIE *(1825)*
est un recueil d'images représentant les constellations. Cetus, le monstre de la mer, est représenté entouré des constellations voisines, Psalterium Georgii et la Machine électrique, qui ne sont plus répertoriées.

Plus une étoile est faible, moins sa dénomination est intéressante, puisqu'on ne lui accorde pas de nom mais un numéro d'ordre. Par exemple, près de Zuben El Genubi, on trouve 5 Librae, parfaitement visible avec des jumelles, et l'étoile SAO 158846, cataloguée par le Smithionan Astrophysical Observatory, une étoile de magnitude 9,2, invisible sans télescope.
Le catalogue SAO répertorie 258 997 étoiles.
Le plus récent et le plus grand des catalogues d'étoiles est le catalogue du télescope spatial Hubble, qui contient plus de 19 millions d'étoiles !
Il existe aussi de nombreux catalogues d'amas d'étoiles, de nébuleuses et de galaxies.
Le catalogue de Messier a été le premier catalogue de nébuleuses *(voir ci-contre).*
Puis les recherches systématiques d'objets nébuleux par William Herschel et par son fils John ont débouché sur le *General Catalogue (GC),* publié en 1864, qui contient 5 000 objets, parmi lesquels environ 4 000 nébuleuses extragalactiques.
Puis vint le catalogue de J. L. E. Dreyer, le *New General Catalogue,* complété par deux *Index Catalogues,* réalisés également par Dreyer.

Il existe aussi des catalogues plus spécifiques, comme le *New General Catalogue of Stellar Parallaxes,* publié à Yales en 1953, qui donne les parallaxes de 10 000 étoiles.

LE CATALOGUE DE MESSIER

Au fur et à mesure que les télescopes gagnent en performance, les astronomes découvrent des astres de plus en plus faibles.
Aux environs de 1759, Charles Messier (1730-1817), un astronome français, se mit à dresser la liste de tous les objets flous qu'il découvrait dans sa quête de nouvelles comètes. Il publia en 1781 un premier catalogue de 103 objets, qui devait être repris et complété. La version actuelle contient 110 objets, essentiellement des amas, nébuleuses et galaxies répartis dans tout le ciel.

Il existe un certain nombre de catalogues du ciel « profond », dont le plus connu est le *New General Catalogue (NGC)* de 1888. Avec ses deux *Index Catalogues (IC),* il répertorie actuellement plus de 13 000 objets. C'est ainsi que la Grande Nébuleuse d'Orion s'appelle M 42 et NGC 1976.

L'ÉCLAT ET LA COULEUR DES ÉTOILES

Comme les lampadaires le long d'une rue, plus les étoiles sont lointaines, plus faible est leur éclat. D'autre part, certaines étoiles comme les supergéantes sont en elles-mêmes plus lumineuses que les naines comme le Soleil.

La première chose que vous remarquez en observant le ciel par une belle nuit claire est la multitude d'étoiles d'éclats différents. Comment décrire cette variété ?

LA MAGNITUDE APPARENTE

Le système de magnitude actuel vient de l'astronome grec Hipparque, qui, deux siècles avant J.-C., classa les étoiles en six groupes : celles dont l'éclat est le plus grand sont de magnitude 1, les plus faibles de magnitude 6.
Vers 1856, Norman Podgson quantifie cette relation : une étoile de magnitude 1 est 2,5 fois plus brillante qu'une étoile de magnitude 2, elle-même 2,5 fois plus brillante qu'une étoile de magnitude 3. Une étoile de magnitude 1 est environ 100 fois plus brillante que la plus faible étoile visible à l'œil nu. Pour ce faire, il prit comme référence l'étoile Polaire et lui attribua la magnitude 2.
La majorité des étoiles du Grand Chariot ont aussi une magnitude proche de 2. Véga, l'étoile la plus brillante du Triangle de l'Été, est de magnitude 0. L'étoile la plus brillante du ciel, Sirius, a une magnitude négative de –1,4. La Lune et le Soleil, encore plus brillants, ont pour magnitudes respectives –12,6 (pour la pleine lune) et –26,8.

L'ÉCLAT APPARENT *des étoiles, comme celui des lampadaires dans une rue (ci-dessous), dépend en partie de leur distance. La cellule photoélectrique (à droite) située à 2 m de la lampe ne recueille que 1/4 de la lumière reçue à 1 m; celle placée à 3 m n'en recueille que 1/9.*

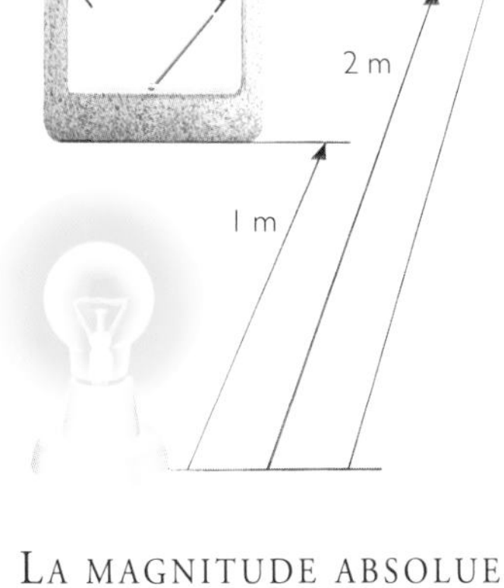

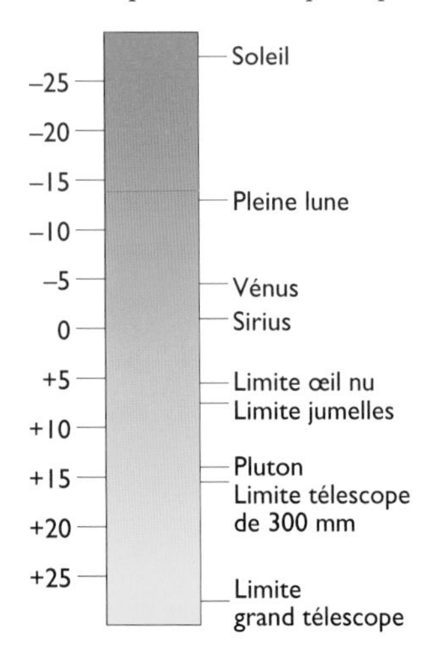

ÉCHELLE DE MAGNITUDE APPARENTE
Elle permet de couvrir un domaine d'éclat variant de 1 à 100 milliards, allant de l'étoile la plus brillante à la galaxie la plus faible, vue à travers un grand télescope.

LA MAGNITUDE ABSOLUE

Les étoiles ont des magnitudes apparentes différentes pour deux raisons : leur distance et leur luminosité intrinsèque.
Pour caractériser la luminosité intrinsèque des étoiles, les astronomes utilisent la magnitude absolue, qui est la magnitude apparente d'une étoile située à une distance standard de 10 parsecs (33 années-lumière) de la Terre.

ILLUSION ET RÉALITÉ

Comparer les magnitudes apparente et absolue est un peu comme comparer l'éclat des lumières dans une rue. Tous les lampadaires ont des ampoules de même intensité, mais les plus proches nous semblent plus brillants.
Les lumières d'un magasin situé

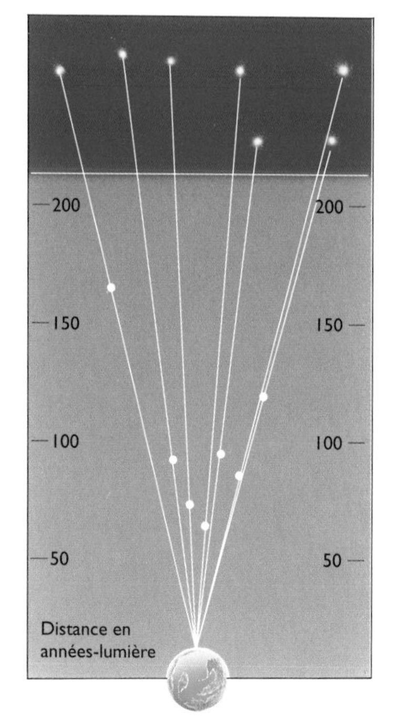

ILLUSION D'OPTIQUE *Les étoiles qui forment le Grand Chariot dans la constellation de la Grande Ourse ne sont pas « proches » les unes des autres. En réalité, elles sont situées à des distances très différentes.*

au bout de la rue sont plus brillantes, bien que plus lointaines, parce qu'elles sont intrinsèquement plus puissantes.
Dans ce livre, les étoiles sont caractérisées par leur magnitude apparente, c'est-à-dire par leur éclat vu de la Terre.
La magnitude absolue n'est utilisée que pour montrer la luminosité réelle de l'étoile.

La couleur des étoiles

Les étoiles diffèrent par leur éclat et par leur couleur. Antarès, dans le Scorpion, Aldébaran, dans le Taureau, ou Bételgeuse, dans Orion, sont rougeâtres ; Véga, dans la Lyre, et Rigel, dans Orion, sont d'un bleu subtil. La couleur d'une étoile est liée à sa température. Une étoile bleue est plus chaude que le Soleil, une étoile rouge plus froide. Les couleurs des étoiles, peu sensibles à l'œil nu, apparaissent plus tranchées sur les photographies à cause de la sensibilité de la pellicule. L'œil a sa propre sensibilité des couleurs : il perçoit bien le jaune et le vert, mais ne voit ni l'infrarouge ni l'ultraviolet. Les magnitudes visuelles, notées V, correspondent à l'éclat des étoiles vu par l'œil humain. Un certain nombre d'étoiles, faibles dans le visible, sont brillantes dans l'infrarouge, que l'œil ne peut distinguer.
Les magnitudes visuelles ne reflètent donc pas la véritable luminosité des étoiles. Si l'on reçoit le rayonnement d'une étoile sur un bolomètre, thermomètre de luxe constitué d'un couple thermoélectrique, on mesure l'énergie lumineuse totale reçue grâce à sa transformation en chaleur sur la couche réceptrice du bolomètre. On définit ainsi la magnitude bolométrique.

LA COULEUR DES ÉTOILES *donne une idée de la température de leur surface. Pour un grand nombre d'étoiles, celles de la séquence principale, la température croît avec la taille.*

20 000 °C Blanc bleuté	10 000 °C Blanc	6 000 °C Jaune	4 500 °C Orange	3 000 °C Rouge

LES VINGT ÉTOILES LES PLUS PROCHES

Nom **étoile avec compagnon*	Constellation	Magnitude apparente	Distance (al)
Proxima Centauri	Centaurus	+ 11,1	4,24
Alpha Centauri*	Centaurus	– 0,27	4,37
Étoile de Barnard	Ophiuchus	+ 9,5	6,0
Wolf 359	Leo	+ 13,6	7,8
Lalande 21185	Ursa Major	+ 7,6	8,2
Luyten 726-8*	Cetus	+ 12,3	8,5
Sirius*	Canis Major	– 1,46	8,6
Ross 154	Sagittarius	+ 10,5	9,6
Ross 248	Andromeda	+ 12,2	10,3
Epsilon Eridani	Eridanus	+ 3,7	10,6
Ross 128	Virgo	+ 11,1	10,8
Luyten 789-6	Aquarius	+ 12,2	11,1
Groombridge 34*	Andromeda	+ 8,0	11,2
Epsilon Indi	Indus	+ 4,7	11,3
61 Cygni*	Cygnus	+ 5,2	11,3
Sigma 2398*	Draco	+ 8,8	11,4
Tau Ceti	Cetus	+ 3,5	11,4
Procyon*	Canis Minor	+ 0,35	11,4
Lacaille 9352	Piscis Austrinus	+ 7,3	11,5
G 51-15	Cancer	+ 14,9	11,8

Source : Pasachoff, *Voyage à travers l'Univers* (1992)

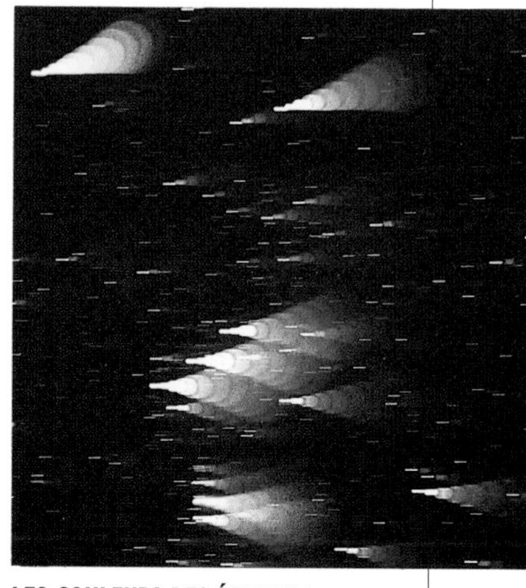

LES COULEURS DES ÉTOILES *Les photographies ne reproduisent pas les vraies couleurs des étoiles, car les étoiles les plus brillantes saturent la pellicule et paraissent blanchâtres. Changer la focale de l'appareil pendant une longue pose permet d'étaler la lumière et d'obtenir des dégradés de couleur.*

LE MOUVEMENT DE LA LUNE ET DES PLANÈTES

Contrairement aux étoiles, la Lune et les planètes sont suffisamment proches de la Terre pour qu'on puisse observer leurs déplacements dans le ciel, au cours d'une même nuit.

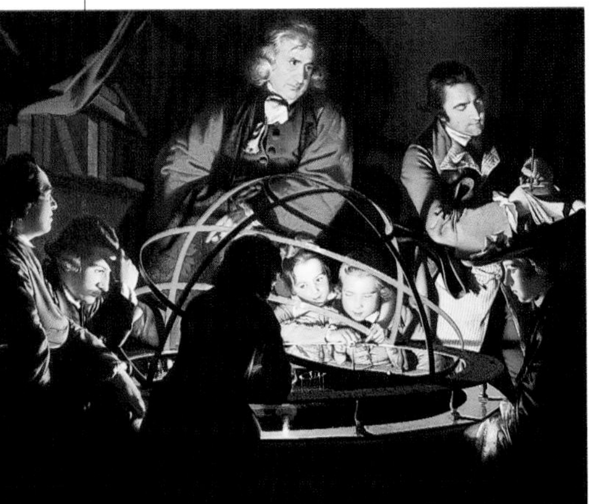

UN PLANÉTAIRE est *un dispositif qui permet de figurer le mouvement des planètes autour du Soleil. Sur ce tableau peint par Joseph Wright (1734-1797), le planétaire indique la position des planètes en novembre 1757.*

La période de révolution de la Lune autour de la Terre est d'un mois (un mois lunaire). L'attraction gravitationnelle exercée par la Terre sur la Lune fait que sa période de rotation sur elle-même est la même que sa période de révolution. La Lune présente donc toujours la même face vers la Terre. Par ailleurs, la Lune, qui bouge à cause de son mouvement orbital autour de la Terre, apparaît cinquante minutes plus tard chaque nuit. Au cours de son mouvement, elle nous présente sa face éclairée sous des formes variables, fonction de sa position par rapport au Soleil et à la Terre : ce sont les phases de la Lune. Lorsque la Lune est à l'opposé du Soleil, la face qu'elle nous présente est totalement éclairée : c'est la pleine lune. Au contraire, lorsque la Lune est dans la même direction que le Soleil, cette face est totalement obscure : c'est la nouvelle lune. Entre les deux, nous en voyons les différentes phases, mais c'est toujours la même face plus ou moins éclairée. Sur Terre, le flux et le reflux des marées nous rappellent l'influence gravitationnelle de la Lune et du Soleil.

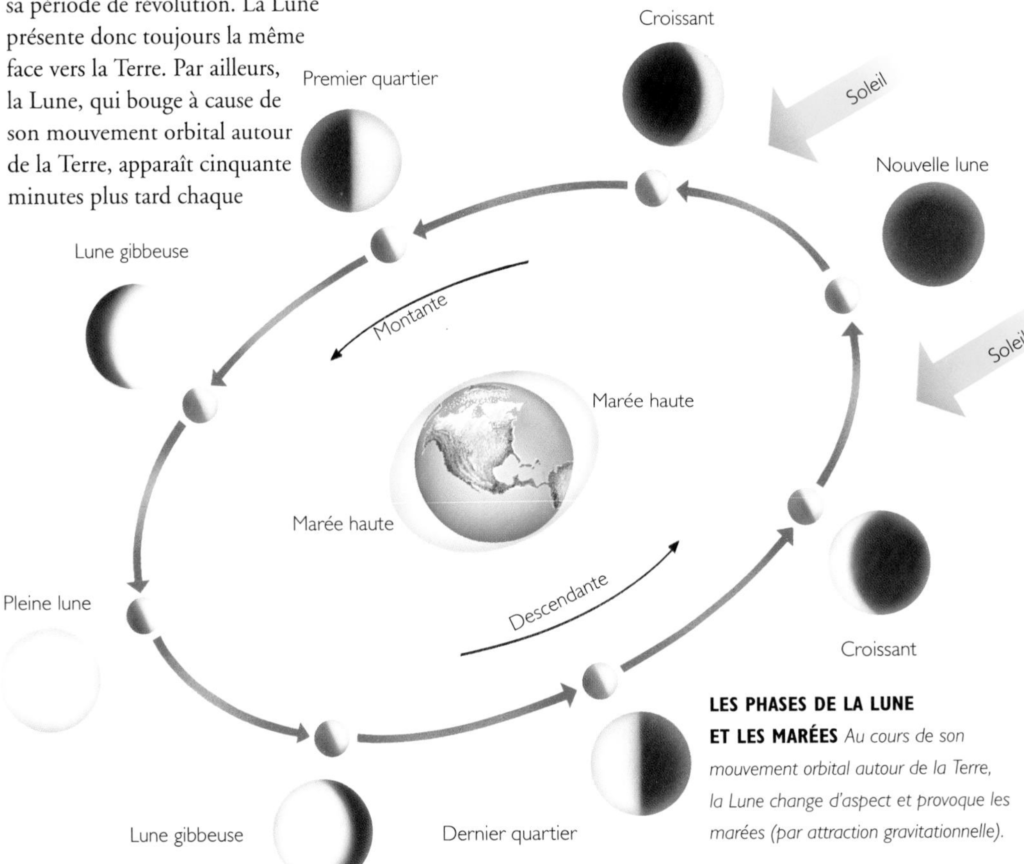

LES PHASES DE LA LUNE ET LES MARÉES *Au cours de son mouvement orbital autour de la Terre, la Lune change d'aspect et provoque les marées (par attraction gravitationnelle).*

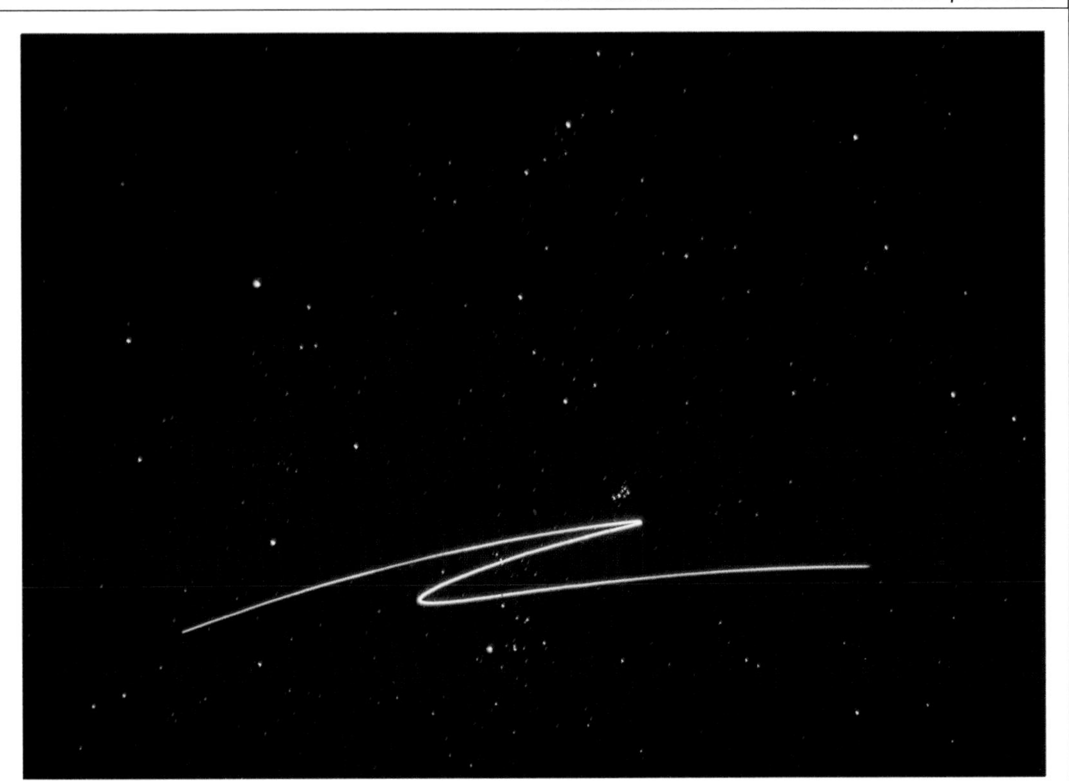

La valse des planètes

Bien que les planètes se déplacent dans le ciel bien plus lentement que la Lune (plus elles sont lointaines, plus elles se déplacent lentement), elles y tracent de magnifiques courbes que l'on peut suivre facilement au cours d'une saison d'observation. En quelques mois, vous verrez une planète « doublée » par la Terre, comme lorsque l'on double une voiture sur l'autoroute. Lorsque vous la doublez, elle semble ralentir, puis reculer et enfin avancer normalement. Mars, Jupiter et Saturne, qui tournent moins vite que la Terre autour du Soleil, ont ce type de mouvement apparent ou rétrograde : marche vers l'est, marche arrière, marche vers l'est à nouveau.

Les planètes inférieures et supérieures

Les planètes plus proches que nous du Soleil, dites planètes inférieures, et celles plus loin que nous du Soleil, dites supérieures, n'ont pas la même marche apparente dans le ciel. Mercure et Vénus sont plus près du Soleil que la Terre et parcourent leur orbite plus rapidement. Vénus, par exemple, est visible le soir tout près du soleil couchant. Au fil des semaines, elle semble s'en écarter rapidement, puis plus lentement, avant de rester plusieurs jours presque au même endroit : elle se trouve alors à son élongation maximale du Soleil (47°). Puis elle se rapproche à nouveau. Lorsqu'elle est le plus près du Soleil, sur la ligne de visée, on dit qu'elle est en conjonction. Elle apparaît ensuite tôt le matin, et reprend sa ronde. Mercure se déplace dans le ciel de la même façon, mais avec une élongation maximale de 28° seulement. Les orbites des planètes inférieures, étant à l'intérieur de l'orbite terrestre, n'ont que des conjonctions avec le Soleil : conjonction inférieure, lorsqu'elles sont entre le Soleil et nous, conjonction supérieure lorsque le Soleil est entre elles et nous. On ne les voit que le matin ou le soir, toujours proches du Soleil. Les orbites des planètes supérieures englobant l'orbite de la Terre, elles ont des oppositions, lorsque nous sommes entre elles et le Soleil, et des conjonctions, lorsque le Soleil est entre elles et nous. On peut les voir à n'importe quelle heure de la nuit et à n'importe quelle distance du Soleil.

LE MOUVEMENT RÉTROGRADE *est une caractéristique de la trajectoire des planètes supérieures, vues de la Terre. Ici, le mouvement rétrograde de Mars se superpose aux étoiles de la constellation du Taureau.*

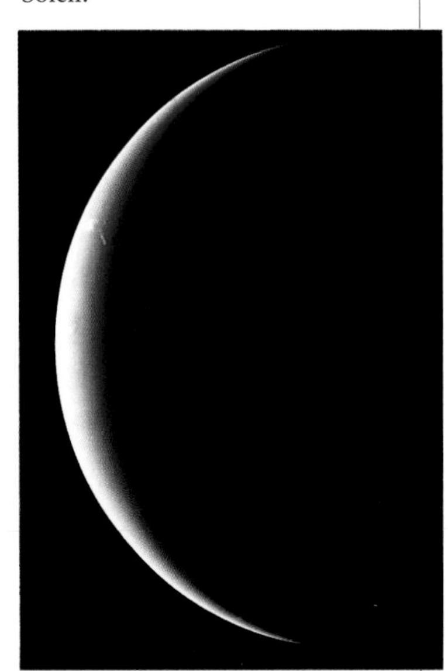

CROISSANT DE NEPTUNE, *vu par Voyager 2. On observe cette forme lorsque la planète est plus proche, angulairement, du Soleil que l'observateur.*

Les éclipses de Soleil et de Lune

Si les Sept Merveilles du ciel existaient, une éclipse totale de Soleil en ferait certainement partie.

L'ÉCLIPSE DE 1688 *observée par projection à travers une lunette, par des jésuites à la cour du roi du Siam.*

Tout le monde devrait assister au moins une fois dans sa vie à une éclipse de Soleil. Voir la Lune arriver juste entre la Terre et le Soleil et dévorer lentement le disque solaire est l'une des plus grandes merveilles de la nature. Pour la plupart d'entre nous, il faudra se déplacer en un lieu où le cône d'ombre de la Lune touche la Terre. Ce cône, de 300 km de large et de plusieurs milliers de kilomètres de long, n'est visible que pendant quelques minutes, compte tenu de la rotation de la Terre. Dès l'instant où la Lune commence à mordre le disque solaire, l'étreinte fatale débute. L'obscurité se fait imperceptiblement, comme si un léger nuage passait devant le Soleil. À travers un filtre, vous voyez le croissant solaire apparaître, puis l'obscurité augmente brusquement. Plus un souffle de vent, la température chute brutalement, et toute vie animale se suspend dans cet étrange crépuscule. Si vous vous tournez vers l'horizon, vous distinguez une ombre noire pointant sur vous. Lorsque vous vous tournez à nouveau vers le Soleil, il n'en subsiste qu'une couronne étincelante comme un joyau. Après un court laps de temps, un éclat de Soleil brille, un éclair de lumière jaillit, et le spectacle prend fin. Le Soleil est de retour.

Un anneau de feu

Lorsque la Lune se trouve près du point le plus éloigné de son orbite autour de la Terre, elle ne peut plus cacher complètement le Soleil. On observe alors une éclipse annulaire : un anneau très lumineux, tel un cercle

L'ÉCLIPSE TOTALE DE SOLEIL *du 11 juillet 1991, observée à La Paz, une petite ville du Mexique.*

UNE ÉCLIPSE ! *Sur cette photo particulièrement spectaculaire, on voit le dernier fragment lumineux du Soleil disparaître derrière le bord lunaire.*

ÉCLIPSE ANNULAIRE DE SOLEIL *photographiée au coucher du Soleil. Le disque lunaire est trop petit pour cacher entièrement le disque solaire.*

de feu, enserre la Lune lorsque celle-ci est centrée sur le Soleil.

Observer une éclipse de Soleil

Il ne faut jamais regarder directement une éclipse partielle de Soleil. Si vous regardez à la lunette ou au télescope, n'oubliez surtout pas le filtre. Le risque de cécité est important pendant l'éclipse partielle, car la lumière étant relativement faible, on peut regarder le Soleil sans cligner des yeux. Il n'y a aucun risque à regarder lorsque l'éclipse est totale, car toute la surface du Soleil est alors cachée.
Une éclipse totale de Soleil est la seule occasion d'observer la couronne solaire, la couche la plus externe du Soleil, très chaude mais peu intense, noyée dans la lumière photosphérique beaucoup plus intense. On peut aussi observer les protubérances, énormes jets de matière qui jaillissent de la surface du Soleil.

VÉNUS DISPARAISSANT *derrière la Lune. Cet événement où la Lune passe devant un objet plus lointain s'appelle une occultation.*

Éclipses de Lune

Quand la Terre passe entre le Soleil et la Lune, il y a éclipse de Lune du côté nuit de la Terre. La Terre projette généralement sur la Lune, non pas une ombre noire, mais une faible lumière cuivrée. Il arrive quelquefois, après de fortes éruptions volcaniques, que les poussières présentes dans l'atmosphère donnent à l'éclipse des couleurs plus sombres.
Une éclipse totale – toute la Lune est alors dans l'ombre de la Terre – peut durer plus d'une heure. Lors d'une éclipse partielle, seule une partie du disque lunaire est dans l'ombre. Le mot éclipse s'applique aussi bien à la disparition du Soleil qu'à celle de la Lune. Les deux phénomènes sont pourtant différents.
Dans une éclipse de Soleil, il y a occultation, c'est un phénomène relatif vu uniquement par ceux qui sont dans l'alignement de l'occultation. Une éclipse de Lune est vue par tous ceux qui sont du côté nuit.

ÉCLIPSE PARTIELLE DE LUNE *Cette photo a été prise avec une pose de 1/60 de seconde toutes les vingt minutes pendant l'éclipse.*

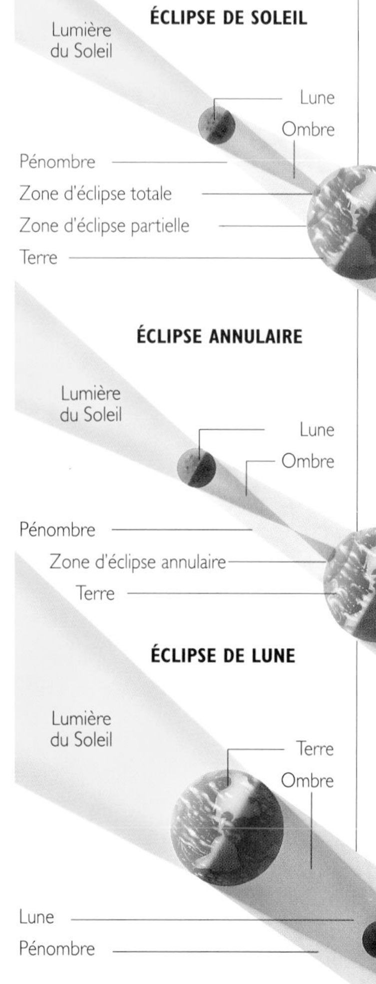

ÉCLIPSES *Lorsque le cône d'ombre de la Lune coupe la surface de la Terre, il y a éclipse totale (en haut) ou annulaire (au centre), pour les observateurs situés dans la zone d'ombre. Dans le cas d'une éclipse de Lune (en bas), l'ombre de la Terre recouvre entièrement la Lune.*

LES ÉTOILES FILANTES

Contrairement à ce que l'on pourrait croire, les étoiles filantes ne sont pas des étoiles, mais de minuscules particules qui viennent de l'espace et traversent l'atmosphère.

CETTE MÉTÉORITE *(ci-dessus, à gauche) d'environ 25 cm de diamètre et pesant 8 kg, découverte dans l'Antarctique, pourrait provenir de Mars.*

MÉTÉORES LÉONIDES *(ci-dessus) Image en fausses couleurs d'une tempête de météores observée en 1966.*

Les météoroïdes sont de fines particules de la taille d'un grain de sable, débris des comètes qui gravitent autour du Soleil sur des orbites elliptiques. Lorsqu'un météoroïde entre dans l'atmosphère, il se vaporise et le phénomène lumineux qu'il engendre est un météore. Lorsque le météoroïde est assez gros pour traverser l'atmosphère et heurter le sol, c'est une météorite.

LES PLUIES DE MÉTÉORES

Vous pouvez observer environ une douzaine de météores chaque nuit de l'année. Lorsque la Terre traverse un courant de météoroïdes, comme ce fut le cas en 1966 (pluie des Léonides), on peut observer jusqu'à quarante météores par seconde. Lorsque vous observez une pluie de météores, vous avez l'impression, par effet de perspective, qu'ils viennent tous du même point du ciel, appelé radiant (comme les deux rails des chemins de fer qui semblent se rejoindre au loin, ou comme les flocons de neige frappant un pare-brise). La plupart des pluies de météores portent le nom de la constellation où se trouve le radiant.

PRINCIPALES PLUIES DE MÉTÉORES

Pluie	Date	Nombre par heure	Comète d'origine
Quadrantides	3 janvier	40	
Lyrides	22 avril	15	Comète de Thatcher
Êta Aquarides	5 mai	20	Comète de Halley
Delta Aquarides	28 juillet	20	
Perséides	12 août	50	Comète de Swift-Tuttle
Orionides	22 octobre	25	Comète de Halley
Taurides	3 novembre	15	Comète de Encke
Léonides	17 novembre	15	Comète de Temple-Tuttle
Géminides	14 décembre	50	Astéroïde 3200 Phaethon
Ursides	23 décembre	20	Comète de Tuttle

Les dates sont approximatives. Le nombre par heure est le nombre moyen lorsque le radiant est au zénith. Il peut être plus petit ou plus grand.

LES MÉTÉORITES

Les météorites sont parfois spectaculaires. Le 26 avril 1803, une pluie de milliers de pierres est tombée sur un village du nord-ouest de la France, L'Aigle, terrifiant la population. Au mois de juillet 1908, en Sibérie centrale, un formidable bolide a dévasté la forêt sur 60 km de diamètre. Il devait s'agir d'une météorite pierreuse, dont on a estimé la masse à 40 000 tonnes,

qui a été littéralement pulvérisée par la chaleur due à son entrée dans l'atmosphère terrestre. Un météore ferreux aurait, sous l'effet de la même quantité de chaleur, commencé à fondre, mais, étant donné son importance, serait arrivé jusqu'au sol et y aurait laissé un vaste cratère, comme le fameux Meteor Crater de l'Arizona. La plus ancienne chute connue d'une météorite qui ait donné lieu à des observations attentives et précises est celle du 7 novembre 1492 à Ensisheim, en Alsace. En 1954, en Alabama, une femme fut touchée par une météorite qui traversa le toit de sa maison ! En 1992, dans l'ouest des États-Unis, une boule de feu de la taille d'un quartier de lune éclaira le ciel pendant une quinzaine de secondes et disparut au nord-est. Quelques minutes après, la voiture d'une New-Yorkaise fut touchée par une pierre de la taille d'un ballon de football. Elle le signala aux autorités, qui pensèrent qu'il s'agissait bien d'une météorite, car la « pierre » était très lourde et encore chaude.

Différents types de météorites

Bien qu'il soit difficile pour tout un chacun de distinguer une simple pierre d'une météorite, il existe quelques critères simples pour les différencier : si la surface de la pierre est plate, si la pierre présente des angles aigus ou si elle est d'aspect cristallin, ce n'est pas une météorite. En revanche, si sa couche extérieure semble fondue, cela peut signifier qu'elle vient de traverser l'atmosphère. Une météorite riche en fer sera, par ailleurs, attirée par un aimant.

PLUIE DE MÉTÉORES *sur une photo de traces d'étoiles de la constellation d'Orion.*

Aujourd'hui, les météorites sont systématiquement recherchées par les scientifiques. Les régions où l'on a le plus de chance de trouver des météorites sont des lieux inhospitaliers : les glaces de l'Antarctique et les grandes plaines désertiques. Non pas que les météorites choisissent de tomber dans ces régions plutôt qu'ailleurs, mais parce qu'elles y sont beaucoup plus facilement repérables.

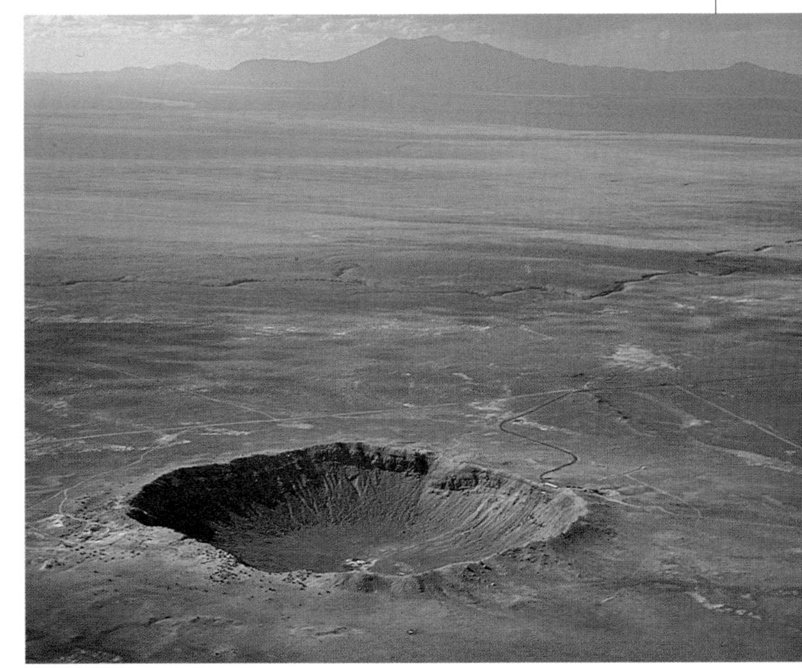

CE CRATÈRE, *situé en Arizona, a 1,2 km de large et 200 m de profondeur. Il est dû à l'impact d'un météore tombé sur Terre il y a environ 50 000 ans.*

Autres phénomènes lumineux dans le ciel

Quelques-uns des spectacles les plus merveilleux – aurores, halos ou arcs-en-ciel – se produisent tout près de nous, dans l'atmosphère.

ARC-EN-CIEL *au-dessus d'un vignoble bordelais.*

Lorsque les particules chargées émises par les éruptions solaires rencontrent l'atmosphère terrestre, elles produisent des aurores, observées surtout autour des pôles magnétiques : aurores boréales au nord, aurores australes au sud.
Ces phénomènes lumineux prennent des formes variées, la plus courante étant une lueur verdâtre qui scintille au-dessus de l'horizon. La lueur s'intensifie parfois pour former un grand arc avec des rais lumineux qui clignotent et dansent. Ces rayons de lumière peuvent aussi former comme de grands rideaux.
Il arrive encore qu'ils forment une véritable couronne de lumière.

Arcs-en-ciel

Les arcs-en-ciel sont les plus connus des phénomènes lumineux qui resplendissent dans le ciel. Ils sont dus à la réfraction de la lumière solaire sur les gouttes d'eau. Chaque goutte se comporte comme un prisme et décompose la lumière en ses différentes couleurs.

En réalité, un arc-en-ciel n'est pas un arc, mais un cercle centré sur un point situé à l'opposé du Soleil. On ne peut donc pas voir d'arc-en-ciel lorsque le Soleil est au zénith. Il arrive qu'il se forme un deuxième arc-en-ciel, mais il est plus pâle que le premier et les couleurs y sont inversées. Newton sera le premier à donner une explication de la décomposition de la lumière blanche du soleil en différentes lumières colorées et à proposer une théorie satisfaisante de l'arc-en-ciel.

Halos

Les cirrus qui se déplacent à haute altitude donnent parfois des halos autour du Soleil ou de la Lune. Ce phénomène est dû à la réfraction de la lumière

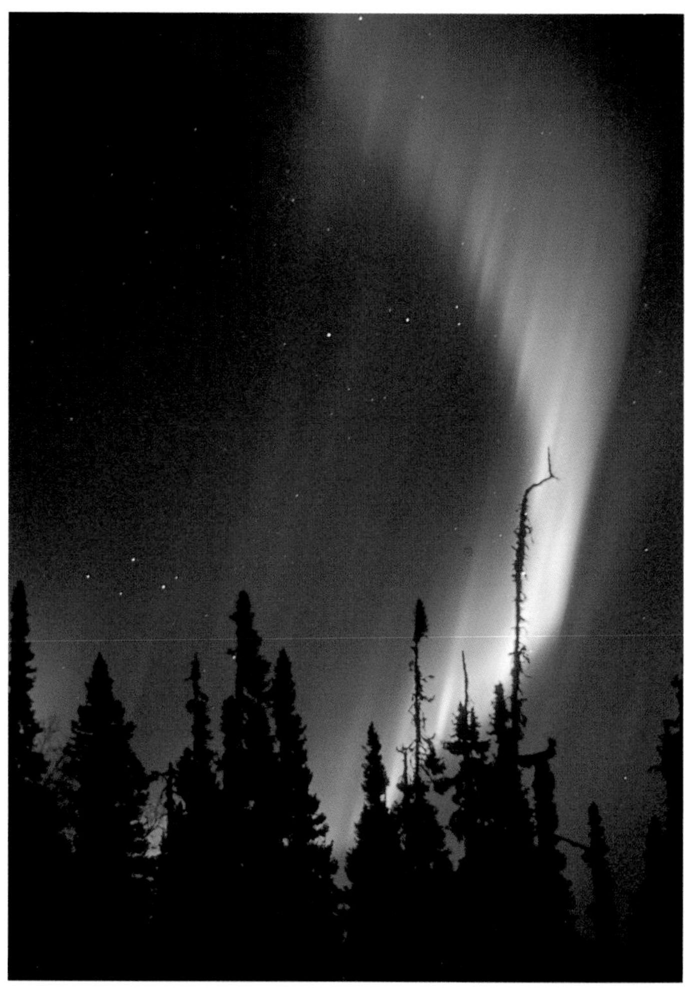

VOILE AURORAL *sur une forêt d'épicéas en Alaska. Au-dessus des arbres, les étoiles de la constellation du Dauphin.*

solaire par les cristaux de glace du nuage. Parfois, plusieurs halos se superposent. Lorsque le cirrus est épais, on voit apparaître des taches de lumière, ou parhélies, aussi brillantes que le Soleil.

Satellites artificiels

Si un observateur du siècle dernier revenait sur la Terre, il serait étonné de découvrir des centaines de points lumineux mobiles sur la voûte céleste. Ces lunes artificielles mises en orbite par de nombreux pays sont bien visibles dans l'heure qui suit le crépuscule ou qui précède l'aube – la lumière du Soleil les éclaire alors que le ciel est encore noir. Cependant, vous n'avez aucune chance de voir un jour un satellite de télécommunication. Ces satellites sont en effet situés sur une orbite géostationnaire à 35 700 km de la Terre ; leur période de rotation étant synchronisée avec celle de la Terre, ils sont toujours à la même place. En outre, ils sont beaucoup trop loin pour qu'on puisse les voir.

CE TYPE DE HALO *d'un rayon de 22° est le plus courant et le plus brillant. Il est dû à la présence de cristaux de glace dans les nuages. L'anneau intérieur rougeâtre est également un phénomène courant.*

LES PARHÉLIES *(à droite), apparaissent souvent à l'extérieur des halos de 22°.*

Objets volants non identifiés (OVNI)

Tout ce qui se promène dans le ciel et que l'on ne peut identifier est désigné par le sigle OVNI. Bien que quelques experts en aient réellement « vu », leur découverte est souvent le fait d'astronomes amateurs peu expérimentés. Vénus dans le soleil couchant ou un éclair très lumineux sont souvent pris pour des ovnis. En fait, plus vous observerez le ciel, moins vous en verrez ! Et surtout ne les prenez pas pour une manifestation d'un autre monde. S'il est hautement probable que la vie existe ailleurs que sur terre, il est hautement improbable que des messages nous en parviennent sous ces formes.

TRAÎNÉE DE FUSÉE, *dispersée par les vents à haute altitude. Les couleurs de l'arc-en-ciel sont dues aux cristaux de glace.*

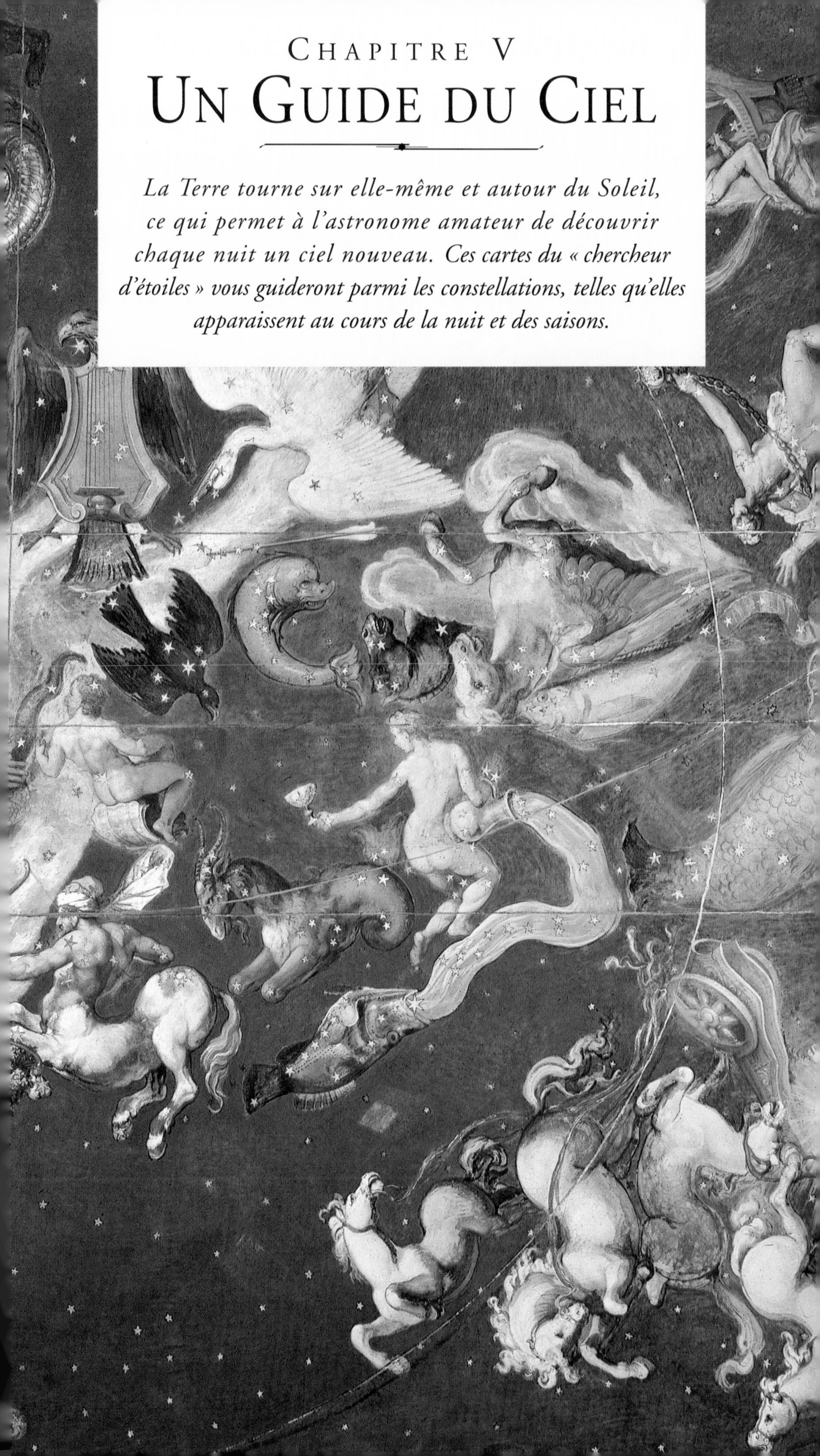

Chapitre V
Un Guide du Ciel

La Terre tourne sur elle-même et autour du Soleil, ce qui permet à l'astronome amateur de découvrir chaque nuit un ciel nouveau. Ces cartes du « chercheur d'étoiles » vous guideront parmi les constellations, telles qu'elles apparaissent au cours de la nuit et des saisons.

COMMENT VOUS REPÉRER DANS LE CIEL ?

Repérer les constellations dans le ciel est un réel défi pour le débutant. L'astuce consiste à commencer par identifier deux étoiles brillantes, puis de passer de l'une à l'autre en jouant à saute-mouton.

L'ASTRONOMIE AU SERVICE *des navigateurs, détail d'une œuvre de Cornelis de Baeilleur (1607-1671).*

Si, à première vue, trouver son chemin dans la voûte céleste peut paraître une gageure, ce n'est pourtant guère plus difficile que lire une carte routière, et c'est bien plus reposant. Lorsque vous conduisez sur une autoroute, vous n'avez que quelques brefs instants pour repérer votre trajet sur la carte avant de prendre le bon virage. Les étoiles, elles, ne font pas la course, elles se promènent gracieusement dans le ciel. Et le lendemain, à la même heure, vous les retrouverez à peu près à la même place. Mais comment se diriger vers un endroit précis dans un ciel à la fois si vaste et si encombré ? En utilisant chaque étoile que vous repérez comme un relais, et en sautant de l'une à l'autre.

COMMENT TROUVER LE NORD ?

Aux habitants de l'hémisphère Nord le ciel offre une étoile brillante près du pôle céleste septentrional. Pour la repérer, il suffit de localiser le Grand Chariot (ou la Casserole) de la Grande Ourse, de joindre les deux étoiles du bord du Chariot, appelées les deux gardes, et de prolonger cette distance cinq fois pour atteindre Polaris, l'étoile Polaire. Tout cela est d'une grande simplicité si la Grande Ourse est visible – ce qui est le cas tout au long de l'année pour les latitudes moyennes de l'hémisphère Nord. Ailleurs, si la Grande Ourse est trop bas sur l'horizon ou au-dessous de l'horizon comme c'est le cas certaines nuits d'hiver, on trouve haut dans le ciel, de l'autre côté du pôle, le W de Cassiopée. Même s'il ne pointe pas exactement sur l'étoile Polaire, il donne une idée approximative de sa direction.

CASSIOPEIA
CEPHEUS
Polaris
URSA MINOR
PÔLE NORD CÉLESTE
URSA MAJOR

TROUVER LE NORD *est chose aisée pour les observateurs de l'hémisphère Nord, puisque l'étoile Polaire en est très proche.*

TROUVER LE SUD *est plus difficile, car il n'y a pas d'étoile brillante près du pôle, mais d'autres étoiles permettent de le localiser.*

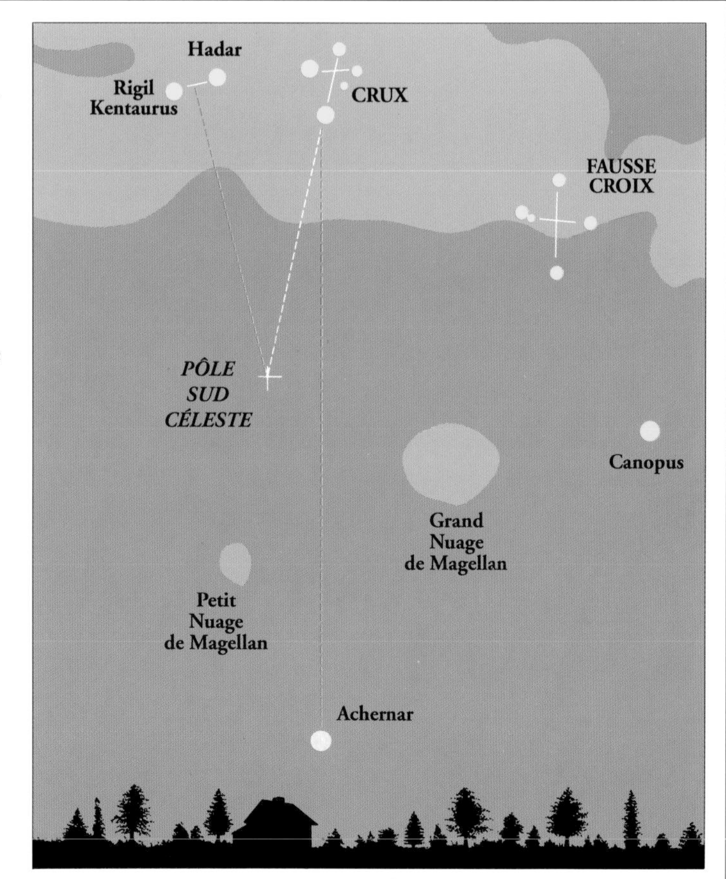

COMMENT TROUVER LE SUD ?

Pour les observateurs de l'hémisphère Sud, repérer le sud n'est pas si facile. Bien que le pôle Sud ne coïncide pas avec une étoile brillante, il existe plusieurs méthodes bien connues pour le repérer. La plus simple est de prolonger de quatre fois et demi la grande branche de la Croix du Sud pour arriver près du pôle. Le pôle est en fait très près d'une étoile, Sigma (σ) Octantis, mais celle-ci est trop faible pour être repérable.

AUTRES PROMENADES FACILES

La Grande Ourse peut vous conduire à d'autres étoiles ou à d'autres constellations. En joignant les trois étoiles de la queue de la Casserole par une ligne courbe et en prolongeant cette courbe, vous atteignez Arcturus, l'étoile la plus brillante du Bouvier, pour plonger ensuite sur Spica (l'Épi), l'étoile brillante de la constellation de la Vierge.

Vous pouvez ainsi concevoir vos propres itinéraires d'étoile en étoile. Partez d'une étoile brillante, regardez aux alentours, repérez une autre étoile, et ainsi de suite jusqu'à destination. Les constellations abritant une étoile brillante sont indiquées par un symbole spécial sur les cartes.

CONSTELLATIONS BRILLANTES

En vous promenant dans le ciel, il apparaît très vite qu'il existe quelques constellations brillantes faciles à trouver. Sur les cartes, elles sont cotées 1 sur l'échelle de visibilité et servent de jalons ou de points de repère.
Par exemple, Orion est bien visible de la plupart des endroits pendant les premiers mois de l'année. Presque à l'opposé se trouve Alpha (α) Scorpii (Antarès), l'étoile la plus visible du ciel d'été dans l'hémisphère Nord ou du ciel d'hiver dans l'hémisphère Sud. Il y a d'autres repères bien connus comme le Grand Chariot, dans la Grande Ourse, le W de Cassiopée, Leo et sa faucille, le Grand Carré de Pégase et Crux, dans la Croix du Sud.

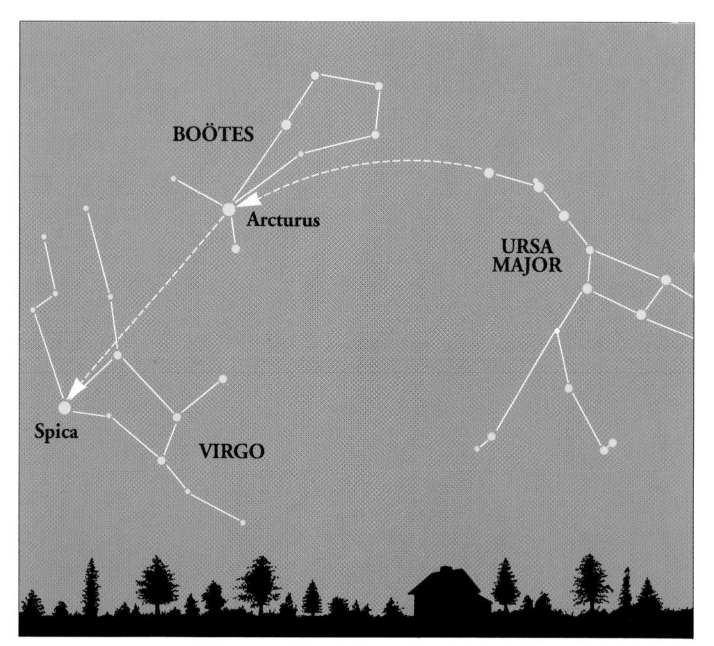

« TOURNER VERS ARCTURUS *et foncer droit sur Spica » est une expression bien connue des observateurs de l'hémisphère Nord, qui cherchent leur route parmi les étoiles.*

LES CARTES DU CHERCHEUR D'ÉTOILES

Commencez votre recherche à l'aide de ces cartes « routières » du ciel nocturne, puis localisez l'étoile sur la carte de la constellation adéquate. On peut certes utiliser les cartes du ciel n'importe où dans le monde, mais rappelez-vous que toute constellation n'est pas forcément visible d'un endroit donné ; par exemple, les constellations de la région polaire sud restent toujours au-dessous de l'horizon pour un observateur situé dans les hautes latitudes de l'hémisphère Nord, et vice versa *(voir pp. 80-81).* Sur les cartes, les traits pleins relient un certain nombre d'étoiles brillantes d'une même constellation. À l'heure actuelle, quatre-vingt-huit constellations ont été définies dont les contours ont été précisés en 1930 par une commission de l'Union astronomique internationale (UAI).
Ces contours dessinent des figures qui sont à la base des légendes associées aux constellations.

LES CARTES DU CIEL

Les cartes du ciel bimensuelles vous aideront à vous repérer parmi les étoiles.
Vous choisirez la carte correspondant au jour et à l'heure de votre observation grâce aux tables de cartes du ciel de la *page 105*.
Il y a en tout douze cartes du ciel : six pour chaque hémisphère. Chaque carte couvre deux pages, la page de gauche pour regarder vers le nord, la page de droite pour regarder vers le sud, avec une partie importante de recouvrement.
Elles se lisent à l'endroit, de gauche à droite. La taille des points est proportionnelle à l'éclat de l'étoile (plus l'étoile est brillante, plus le point est gros). La signification des symboles utilisés est indiquée sur chaque carte en échelle de magnitude.
La plupart des étoiles sont des étoiles de magnitude 4,5 ou plus brillantes, c'est-à-dire visibles à l'œil nu, à la campagne, loin des lumières des villes.

LE CHOIX DE LA CARTE

Une constellation visible en un point donné sur la Terre semble se déplacer dans le ciel de 60° tous les deux mois (360° en un an) ; autrement dit, tous les deux mois, vous voyez 60° de ciel en plus vers l'est et 60° de ciel en moins vers l'ouest (sauf aux pôles !). Chaque carte est donc valable pour un ensemble d'heures associées à une série de jours dans l'année. Par exemple, la carte du ciel 1 est utilisable (dans l'hémisphère Nord) : le 1er janvier à 24 h, le 15 janvier à 23 h, le 1er février à 22 h... La carte du ciel 2 est décalée de quatre heures. Sur chaque carte, les flèches jaunes indiquent le sens de rotation apparente du ciel. Chaque carte du ciel est également valable pour d'autres mois, mais à des heures différentes de la nuit (ou du jour). Choisissez ainsi sur la table la carte du ciel qui se rapproche le plus de l'heure et du jour de votre observation. Sur ces tables, le coucher et le lever du Soleil correspondent à la lisière des

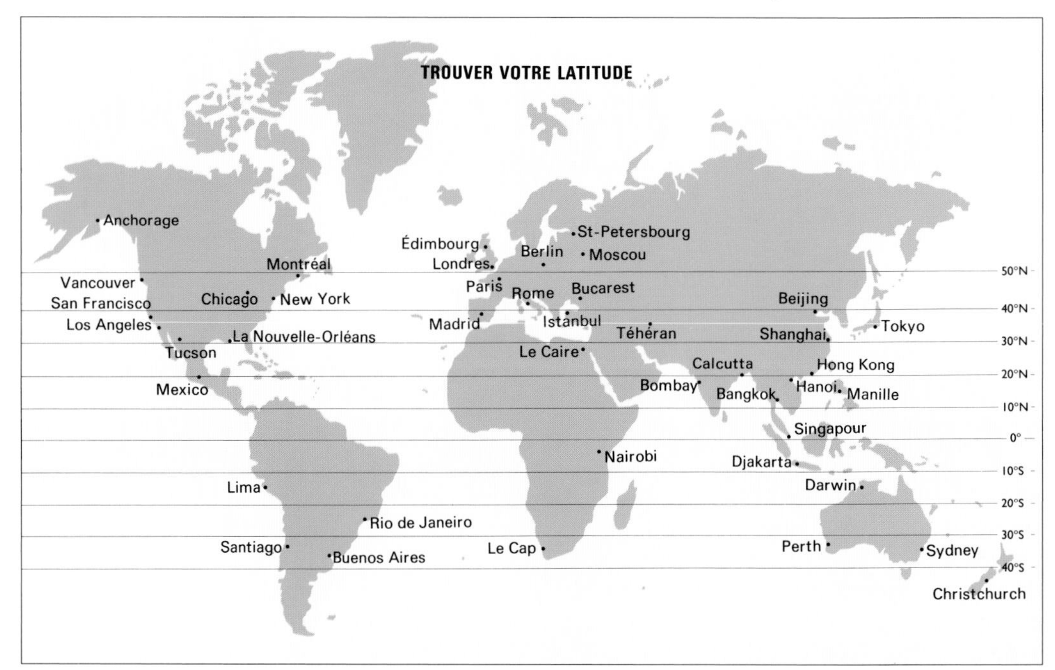

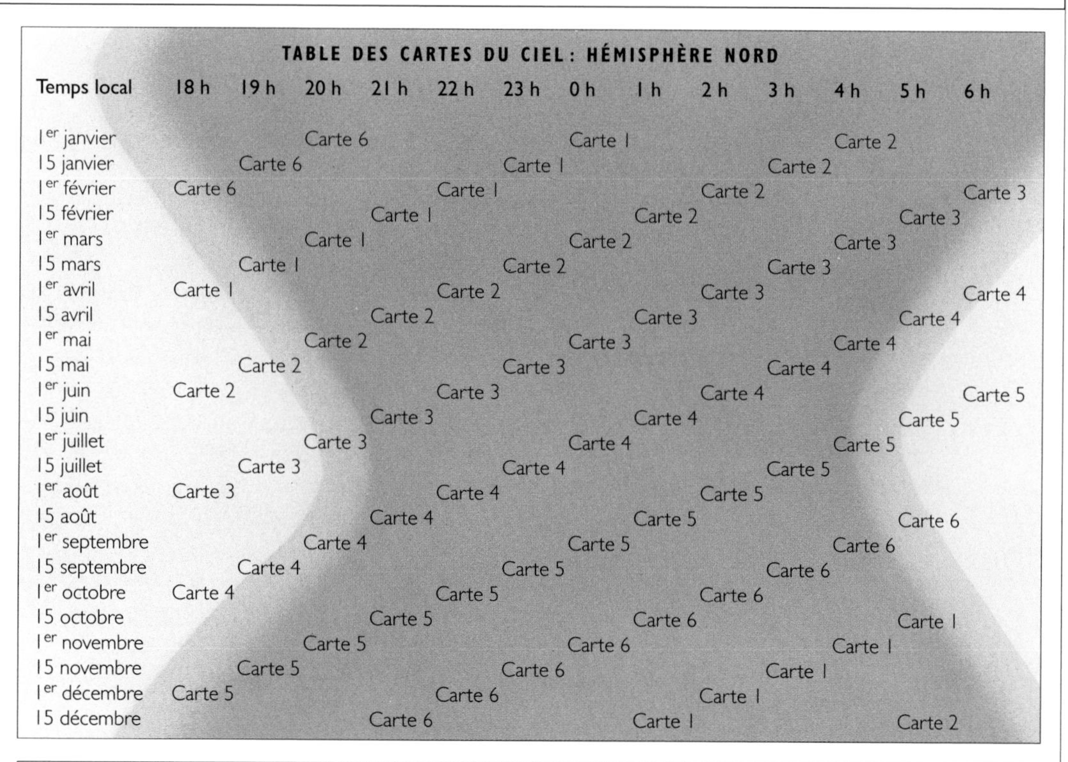

TABLE DES CARTES DU CIEL : HÉMISPHÈRE NORD

Temps local	18 h	19 h	20 h	21 h	22 h	23 h	0 h	1 h	2 h	3 h	4 h	5 h	6 h
1er janvier			Carte 6				Carte 1				Carte 2		
15 janvier		Carte 6				Carte 1				Carte 2			
1er février	Carte 6				Carte 1				Carte 2				Carte 3
15 février				Carte 1				Carte 2				Carte 3	
1er mars			Carte 1				Carte 2				Carte 3		
15 mars		Carte 1				Carte 2				Carte 3			
1er avril	Carte 1				Carte 2				Carte 3				Carte 4
15 avril				Carte 2				Carte 3				Carte 4	
1er mai			Carte 2				Carte 3				Carte 4		
15 mai		Carte 2				Carte 3				Carte 4			
1er juin	Carte 2				Carte 3				Carte 4				Carte 5
15 juin				Carte 3				Carte 4				Carte 5	
1er juillet			Carte 3				Carte 4				Carte 5		
15 juillet		Carte 3				Carte 4				Carte 5			
1er août	Carte 3				Carte 4				Carte 5				
15 août				Carte 4				Carte 5				Carte 6	
1er septembre			Carte 4				Carte 5				Carte 6		
15 septembre		Carte 4				Carte 5				Carte 6			
1er octobre	Carte 4				Carte 5				Carte 6				
15 octobre				Carte 5				Carte 6				Carte 1	
1er novembre			Carte 5				Carte 6				Carte 1		
15 novembre		Carte 5				Carte 6				Carte 1			
1er décembre	Carte 5				Carte 6				Carte 1				
15 décembre				Carte 6				Carte 1				Carte 2	

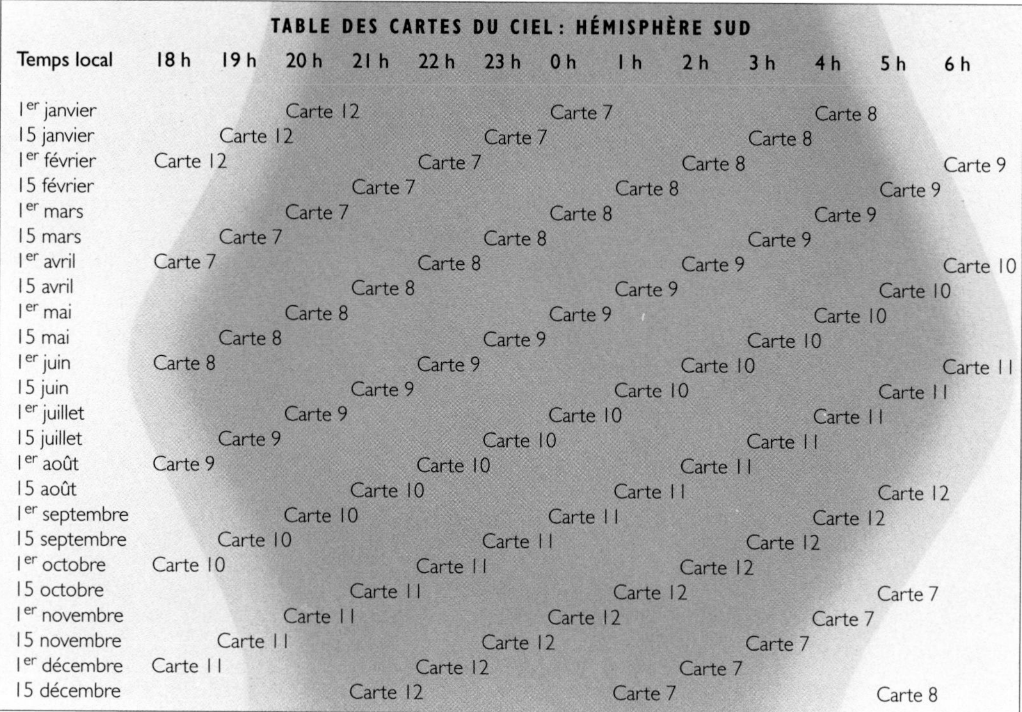

TABLE DES CARTES DU CIEL : HÉMISPHÈRE SUD

Temps local	18 h	19 h	20 h	21 h	22 h	23 h	0 h	1 h	2 h	3 h	4 h	5 h	6 h
1er janvier			Carte 12				Carte 7				Carte 8		
15 janvier		Carte 12				Carte 7				Carte 8			
1er février	Carte 12				Carte 7				Carte 8				Carte 9
15 février				Carte 7				Carte 8				Carte 9	
1er mars			Carte 7				Carte 8				Carte 9		
15 mars		Carte 7				Carte 8				Carte 9			
1er avril	Carte 7				Carte 8				Carte 9				Carte 10
15 avril				Carte 8				Carte 9				Carte 10	
1er mai			Carte 8				Carte 9				Carte 10		
15 mai		Carte 8				Carte 9				Carte 10			
1er juin	Carte 8				Carte 9				Carte 10				Carte 11
15 juin				Carte 9				Carte 10				Carte 11	
1er juillet			Carte 9				Carte 10				Carte 11		
15 juillet		Carte 9				Carte 10				Carte 11			
1er août	Carte 9				Carte 10				Carte 11				
15 août				Carte 10				Carte 11				Carte 12	
1er septembre			Carte 10				Carte 11				Carte 12		
15 septembre		Carte 10				Carte 11				Carte 12			
1er octobre	Carte 10				Carte 11				Carte 12				
15 octobre				Carte 11				Carte 12				Carte 7	
1er novembre			Carte 11				Carte 12				Carte 7		
15 novembre		Carte 11				Carte 12				Carte 7			
1er décembre	Carte 11				Carte 12				Carte 7				
15 décembre				Carte 12				Carte 7				Carte 8	

zones les plus claires, mais le ciel n'est réellement sombre qu'environ une heure et demie après ou avant l'heure correspondant à cette lisière, ce qui est indiqué en bleu plus sombre sur le schéma. Notez également que les heures sont données en temps local et sont différentes des heures correspondant au temps civil. En France, le temps local correspond approximativement au temps universel, mais le temps civil diffère d'une ou deux heures par rapport au temps universel : TC = TU +1 en hiver, +2 en été.

Sur chaque carte du ciel, vous trouverez :

– une série d'arcs de cercle représentant l'horizon à différentes latitudes. Pour déterminer votre latitude, utilisez la carte ci-contre (Paris est à environ 50° de latitude nord). Toute étoile située en dessous de la ligne d'horizon ne sera pas visible de votre lieu d'observation ;

– le zénith correspondant à votre latitude (le point du ciel juste au-dessus de vous), représenté par une croix noire ;

– l'écliptique, ligne en pointillé, correspondant au plan du système solaire.

LES 25 ÉTOILES LES PLUS BRILLANTES ☆

Nom	Constellation	Mag. app.
Sirius (d)	α Canis Majoris	–1,46
Canopus	α Carinae	–0,72
Alpha du Centaure (d)	α Centauri	–0,27
Arcturus	α Boôtis	–0,04
Véga	α Lyrae	0,03
Capella	α Aurigae	0,08
Rigel	β Orionis	0,12
Procyon	α Canis Minoris	0,8
Achernar	α Eridani	0,46
Hadar (v)	β Centauri	0,66
Bételgeuse (v)	α Orionis	0,70
Altaïr	α Aquilae	0,77
Aldébaran	α Tauri	0,85
Acrux (v)	α Crucis	0,87
Antarès (v)	α Scorpii	0,92
Spica (v)	α Virginis	1,00
Pollux	β Geminorum	1,14
Fomalhaut	α Piscis Austrini	1,16
Deneb	α Cygni	1,25
Bêta Crucis (v)	β Crucis	1,28
Regulus	α Leonis	1,35
Adhara	ε Canis Majoris	1,50
Castor (d)	α Geminorum	1,59
Shaula (v)	λ Scorpi	1,62
Bellatrix	χ Orionis	1,64

(d) = étoile double (v) = étoile variable

La Lune et les planètes, lorsqu'elles sont au-dessus de l'horizon, sont toujours situées au voisinage de cette ligne. Si, près de cette ligne, vous observez une étoile brillante non cataloguée, c'est très certainement une planète ;
– la Voie lactée, représentée par une bande sinueuse de couleur bleu pâle.

Longitude du lieu d'observation

Contrairement à ce que l'on pourrait croire, la longitude n'a pas vraiment d'importance. Ainsi, à Montréal comme à Paris (ou encore à New York, Chicago et Rome), vous verrez sensiblement le même ciel, à la même heure locale vraie (attention aux différences entre heures locales et heures civiles).

Guide d'utilisation d'une carte du ciel

1. Avant de consulter les cartes du ciel, commencez, dans un premier temps, par déterminer votre hémisphère et repérer votre latitude en utilisant la carte du monde de la *page 104*.
2. À partir de la table de la *page 105*, choisissez la carte correspondant à l'heure et au jour de votre observation.
3. Choisissez alors votre direction d'observation : côté nord, page de gauche, ou côté sud, page de droite.
4. Repérez sur la carte votre ligne d'horizon et votre zénith (le point du ciel juste au-dessus de vous).
5. Choisissez sur la carte deux ou trois étoiles brillantes et essayez de les repérer dans le ciel. Repérez-les par rapport à l'horizon et au zénith.
6. Essayez ensuite de voir l'ensemble de la constellation et de suivre ses contours.

Exemple

Vous êtes à Meudon, dans le parc de l'Observatoire, et vous décidez d'observer le ciel à 22 h le 1er avril : voici ce que vous allez faire.
1. À la *page 104*, vous trouvez la latitude de Meudon (tout près de Paris), approximativement égale à 48° nord. Votre ligne d'horizon et votre zénith correspondent à 50° nord sur les cartes.
2. D'après la table des cartes de la *page 105*, vous choisissez la carte du ciel 2, que vous trouvez *p. 110-111.*
3. Vous pouvez alors observer, sur la carte 2, horizon sud, page de droite, Orion, une constellation très facile à repérer à l'ouest grâce à Sirius, une étoile très brillante.
4. Si vous voulez en savoir plus sur Orion, reportez-vous à la carte de la constellation, *p. 194.*

Les cartes des constellations

Une fois que vous aurez choisi votre constellation, vous allez chercher dans les cartes des constellations celle qui vous convient. Les constellations sont présentées par ordre alphabétique, avec le nord (N) en haut mais l'est à gauche et l'ouest à droite, contrairement à ce qui se pratique sur les cartes terrestres mais telles qu'on les repère dans le ciel.
À l'intérieur des constellations, on a représenté toutes les étoiles jusqu'à la magnitude 6,5 ; à l'extérieur, on n'a que les étoiles jusqu'à la magnitude 5,5.
Dans leur grande majorité, elles sont visibles à l'œil nu par nuit sombre. Les plus faibles nécessitent cependant des jumelles, du moins si l'on opère en ville.
En effet, selon le lieu où l'on se trouve, les limites en magnitude diffèrent : elles sont de 2 ou 3 en ville, 4 en proche banlieue, 4,5 à 5 en grande banlieue et 5 à 6,5 à la campagne.
Les cartes donnent en outre la position d'autres objets célestes importants : amas d'étoiles, nébuleuses, galaxies. Pour les distinguer, il faut bien souvent des instruments optiques plus puissants que l'œil. Enfin, quelques objets beaucoup plus lointains du ciel profond sont signalés jusqu'à la magnitude 11. Vous trouverez ci-dessous l'explication des symboles utilisés. Remarquez que l'on utilise l'alphabet grec pour désigner les étoiles sur les cartes.

CLÉ DES SYMBOLES

Magnitudes –1 0 1 2 3 4 5 6 et plus
Étoiles doubles — Étoiles variables — Amas ouverts
Amas globulaires — Nébuleuses planétaires
Nébuleuses diffuses — Galaxies — Quasar

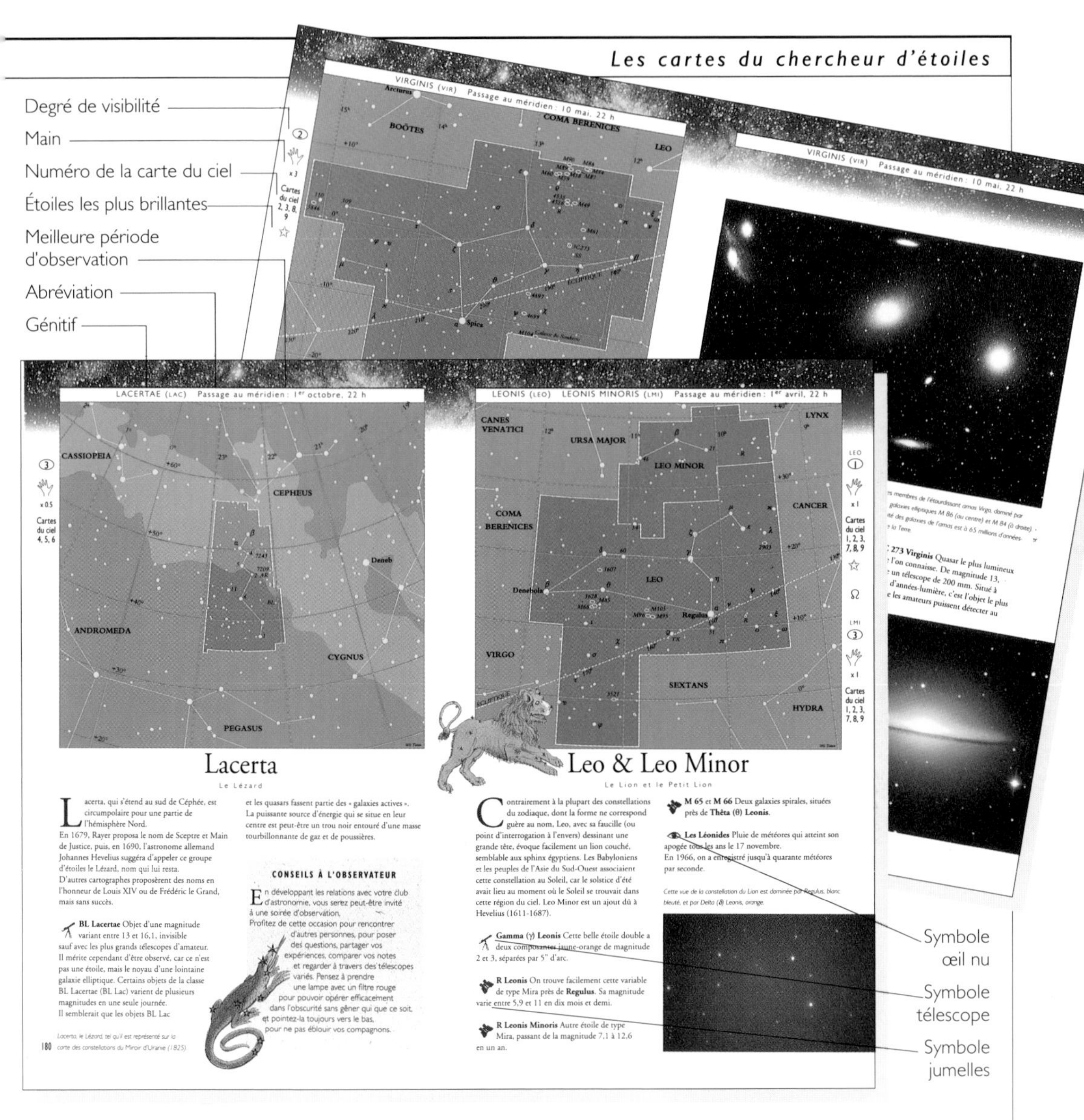

Pour chaque carte, vous trouverez une description des principaux objets intéressants, et l'indication du genre d'instrument nécessaire pour les observer. Il suffit bien souvent de jumelles, d'une lunette ou d'un petit télescope de 60 mm.
Bien évidemment, on distinguera mieux les détails avec des télescopes de plus grande focale.

Mode d'emploi des cartes des constellations

Chacune des cartes vous donne les indications suivantes :
– le nom latin de la constellation ;
– le nom français usuel de la constellation ;
– la forme génitive du nom latin de la constellation ;
– l'abréviation standard en trois lettres du nom latin ;
– la meilleure période d'observation, qui correspond au passage de la constellation au méridien (c'est-à-dire sa position la plus haute dans le ciel) à 22 h, heure locale ;
– un degré de visibilité, de 1 à 4, lié à la difficulté d'observation, dans le sens croissant ;
– une main (ou plusieurs), qui indique l'étendue de la constellation d'est en ouest (de gauche à droite sur la carte) ; chaque main correspond approximativement à une dimension angulaire de 20° (voir *p. 59* comment mesurer les distances dans le ciel avec la main) ;
– une référence aux numéros des cartes du ciel où la constellation est bien visible ;
– un symbole (☆) indiquant si l'une des étoiles de la constellation fait partie des vingt-cinq étoiles des plus brillantes du ciel (en référence à la table de la *page 106*) ;
– des symboles indiquant la façon la plus simple d'observer l'objet (à l'œil nu, avec des jumelles, avec un petit télescope).

Le mot de la fin

Les cartes du ciel bimensuelles et les cartes des constellations sont, en principe, d'utilisation simple. Cependant, il vaut mieux prendre votre temps, surtout la première nuit, et vous assurer que vous démarrez bien avec la bonne carte du ciel. Commencez par une constellation simple comme Orion ou Pégase, de degré de visibilité 1, pour aller ensuite, avec plus d'assurance, vers des constellations d'approche plus difficile.
Bonne chance !

La partie nord du ciel est constellée d'étoiles brillantes. Juste au-dessus de votre tête, vous apercevez les constellations du Cocher (Auriga) et des Gémeaux (Gemini) avec les fameuses étoiles Capella, Castor et Pollux. Le Grand Chariot, sur son timon, monte à l'est avec la constellation du Lion (Leo), un peu plus haut, à droite, parfaitement visible. À l'ouest, vous voyez parfaitement Persée (Perseus) et Andromède (Andromeda), ainsi que les Pléiades, un amas d'étoiles que l'on confond souvent avec la Petite Ourse. Celle-ci, comme suspendue à l'étoile Polaire, est en fait bien plus grande et plus difficile à discerner.

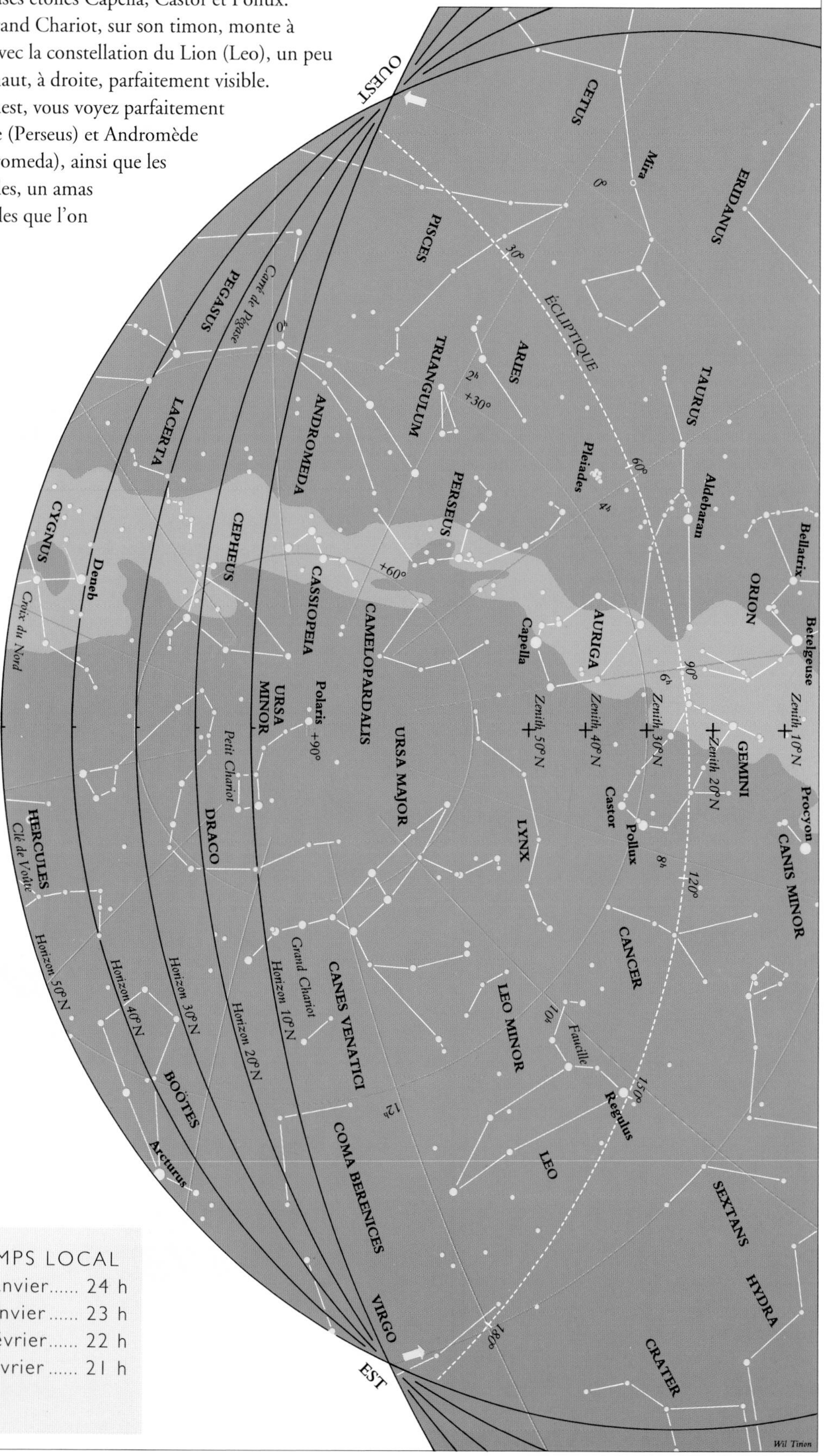

TEMPS LOCAL
1er janvier...... 24 h
15 janvier...... 23 h
1er février...... 22 h
15 février...... 21 h
etc.

Orion est l'attraction principale de ce ciel d'hiver. Haut dans le ciel, on peut voir ses trois étoiles centrales nettement alignées entre Rigel et Bételgeuse. À cette époque, parmi toutes les étoiles visibles, il est facile de distinguer des figures remarquables. L'une d'entre elles, très connue, est désignée sous le nom de « Grand G de l'hiver » : on la trace en joignant Aldébaran, étoile rouge dans le Taureau (Taurus), Castor et Pollux dans les Gémeaux (Gemini), Procyon dans le Petit Chien (Canis Minor), Sirius dans le Grand Chien (Canis Major) et en fermant le G sur Rigel, puis Bételgeuse.

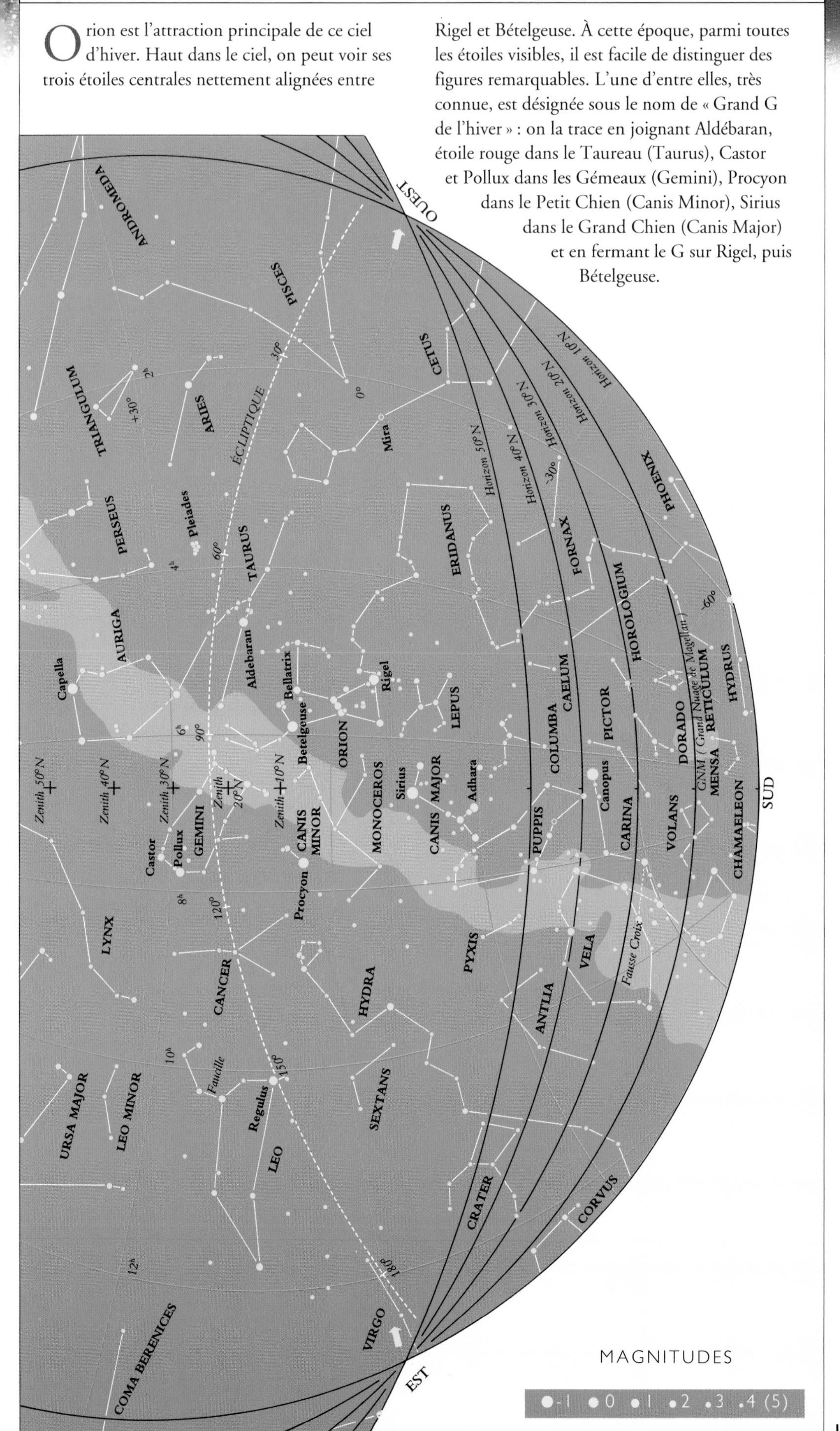

La Grande Ourse, clef de voûte de ce ciel boréal, est très utile pour découvrir d'autres étoiles. Ainsi, les deux étoiles du bord de la coupe pointent vers l'étoile Polaire (Polaris), alors que le timon se penche vers Arcturus, l'étoile centrale du Bouvier (Boötes), figure dominante de l'est du ciel, qui ressemble d'ailleurs plutôt à un cerf-volant. Un peu plus au nord, on trouve Corona Borealis, demi-cercle d'étoiles en forme de diadème. Hercule est plus bas, à l'est. Dans la partie ouest du ciel, on voit Castor et Pollux, les Gémeaux (Gemini), et aussi Capella dans la constellation du Cocher (Auriga), juste au nord.

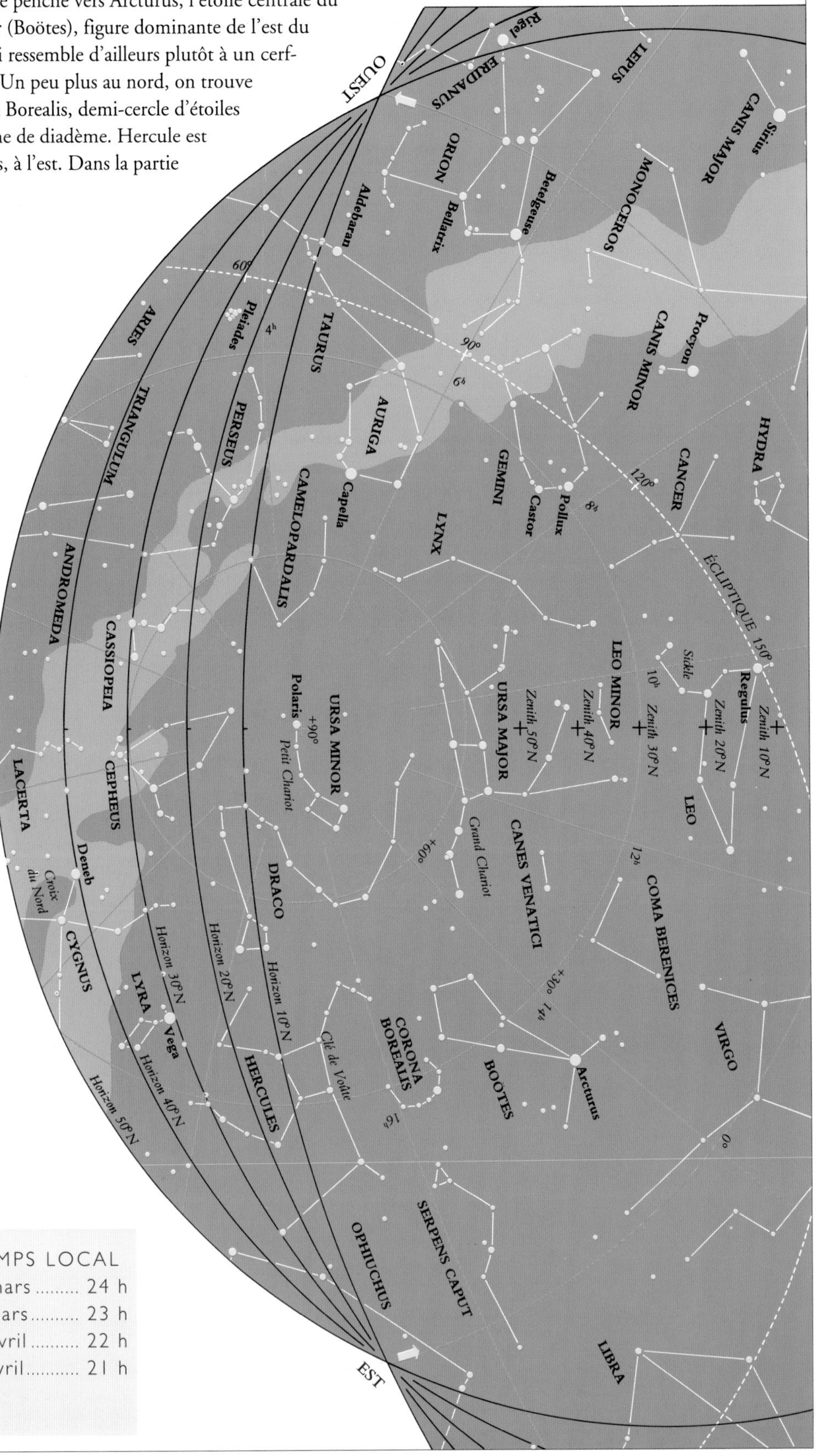

OUEST
NORD
EST
ORION
TAURUS
AURIGA
GEMINI
CANCER
LEO
URSA MAJOR
URSA MINOR
CASSIOPEIA
CYGNUS
LYRA
HERCULES
BOÖTES
VIRGO

TEMPS LOCAL
1er mars .... 24 h
15 mars.......... 23 h
1er avril.......... 22 h
15 avril.......... 21 h
etc.

Haut dans le ciel, on voit la constellation du Lion (Leo), qui ressemble à un point d'interrogation renversé. Pour la trouver, il suffit de remplir le bol de la Grande Ourse, après avoir percé quelques trous au fond. L'eau tombera en douche sur le Lion.

L'ouest est dominé par les étoiles brillantes d'Orion, en particulier les trois étoiles du baudrier. À l'est, un groupe de quatre étoiles relativement espacées forment le Diamant de Virgo : Spica, Arcturus, Denebola et Cor Caroli (dans les Chiens de Chasse) sont situées au sommet de cette fantastique pierre précieuse.

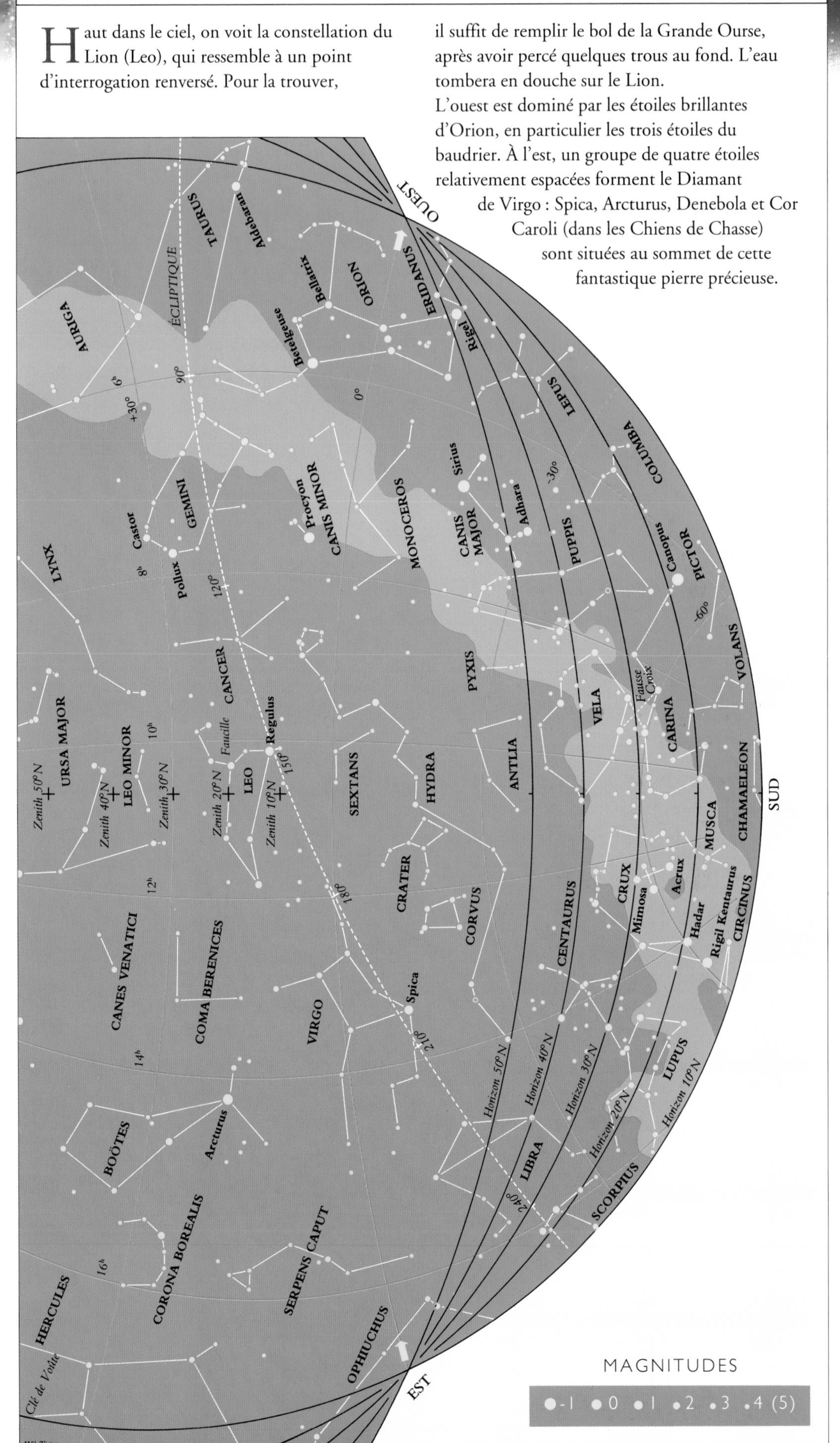

« Vire sur Arcturus » est le sésame de cette carte. La Grande Ourse est la constellation la plus évidente, les autres sont beaucoup plus faibles. Le Dragon (Draco) occupe un vaste espace entre la Grande Ourse (Ursa Major) et la Petite Ourse (Ursa Minor), mais ses étoiles sont peu lumineuses. À l'ouest, seul le Lion (Leo) est bien visible. Au nord-est, Hercule et le diadème de la Couronne boréale (Corona Borealis) sont parfaitement visibles. Le Triangle de l'Été, formé par Véga (dans la Lyre), Deneb (dans Cygnus) et Altaïr (dans Aquila), commence à monter dans le ciel, et la Voie lactée se distingue par nuit sombre.

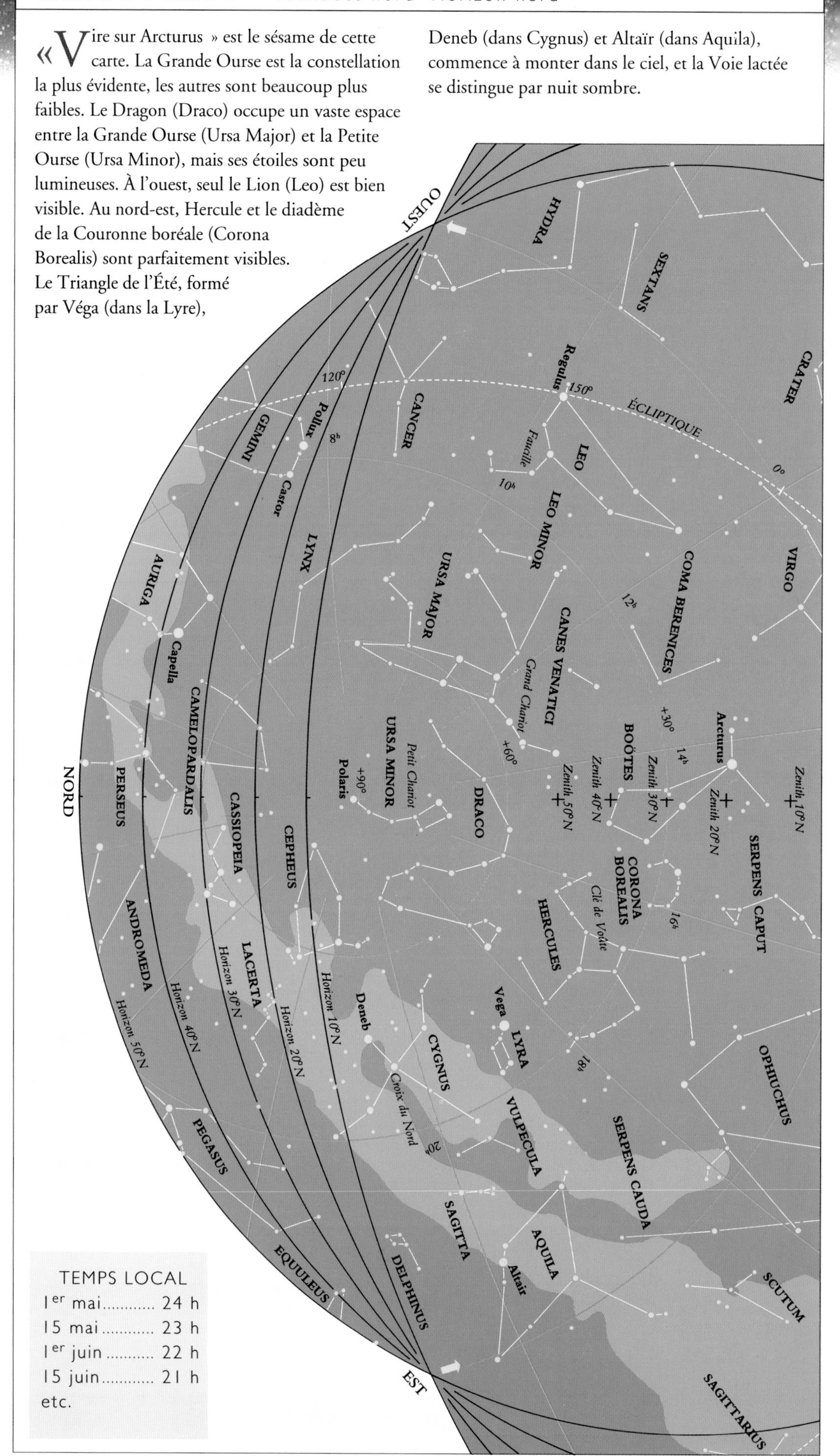

TEMPS LOCAL

1er mai	24 h
15 mai	23 h
1er juin	22 h
15 juin	21 h
etc.	

Bien que la Grande Ourse ne soit plus complètement du même côté, on utilise toujours la phrase magique « Vire sur Arcturus, et fonce droit sur Spica », l'étoile phare d'une autre constellation peu lumineuse, la Vierge (Virgo). Au sud-ouest, on discerne la forme carrée du Corbeau (Corvus), bien visible mais souvent ignorée, et, un peu plus loin, la faucille du Lion (Leo).

Au sud-est commencent à apparaître les très belles constellations du Scorpion (Scorpius) et du Sagittaire (Sagittarius), juste dans la direction du centre de la Galaxie. Par nuit sombre, vous pourrez voir la Voie lactée.

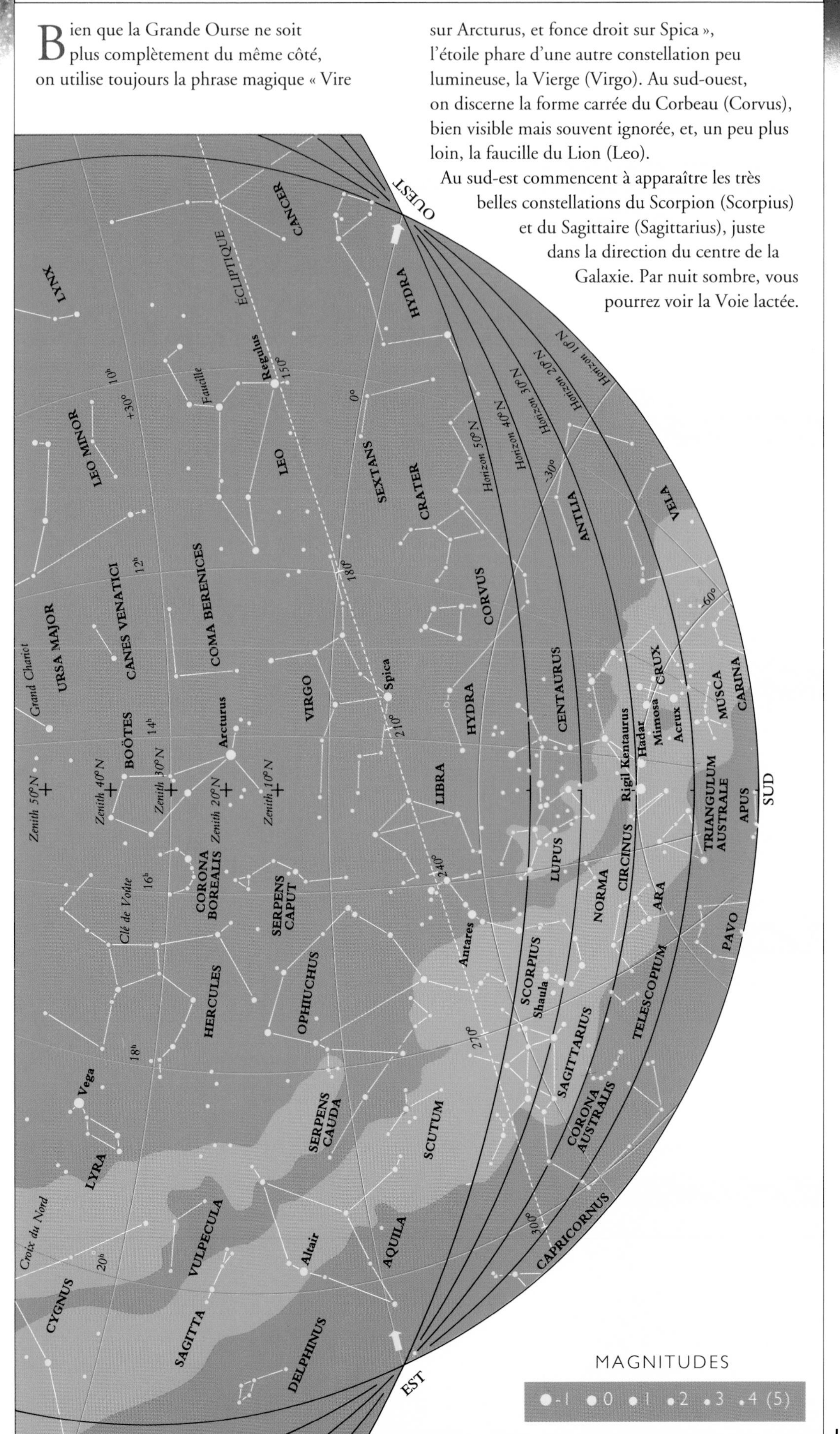

Véga, l'étoile bleue, illumine le ciel, en compagnie des deux autres étoiles du Triangle de l'Été, Deneb et Altaïr, plus à l'est. La Voie lactée est assez haut pour être facilement visible par ciel clair. À l'est, le Grand Carré de Pégase fait son apparition avec quatre étoiles bien visibles. Plus bas, on distingue le cercle des Poissons (Pisces).

À l'ouest, le ciel est constellé d'étranges figures : la clef de voûte d'Hercule, le diadème de la Couronne boréale (Corona Borealis), le cerf-volant du Bouvier (Boötes), avec la Grande Ourse, bas sur l'horizon.

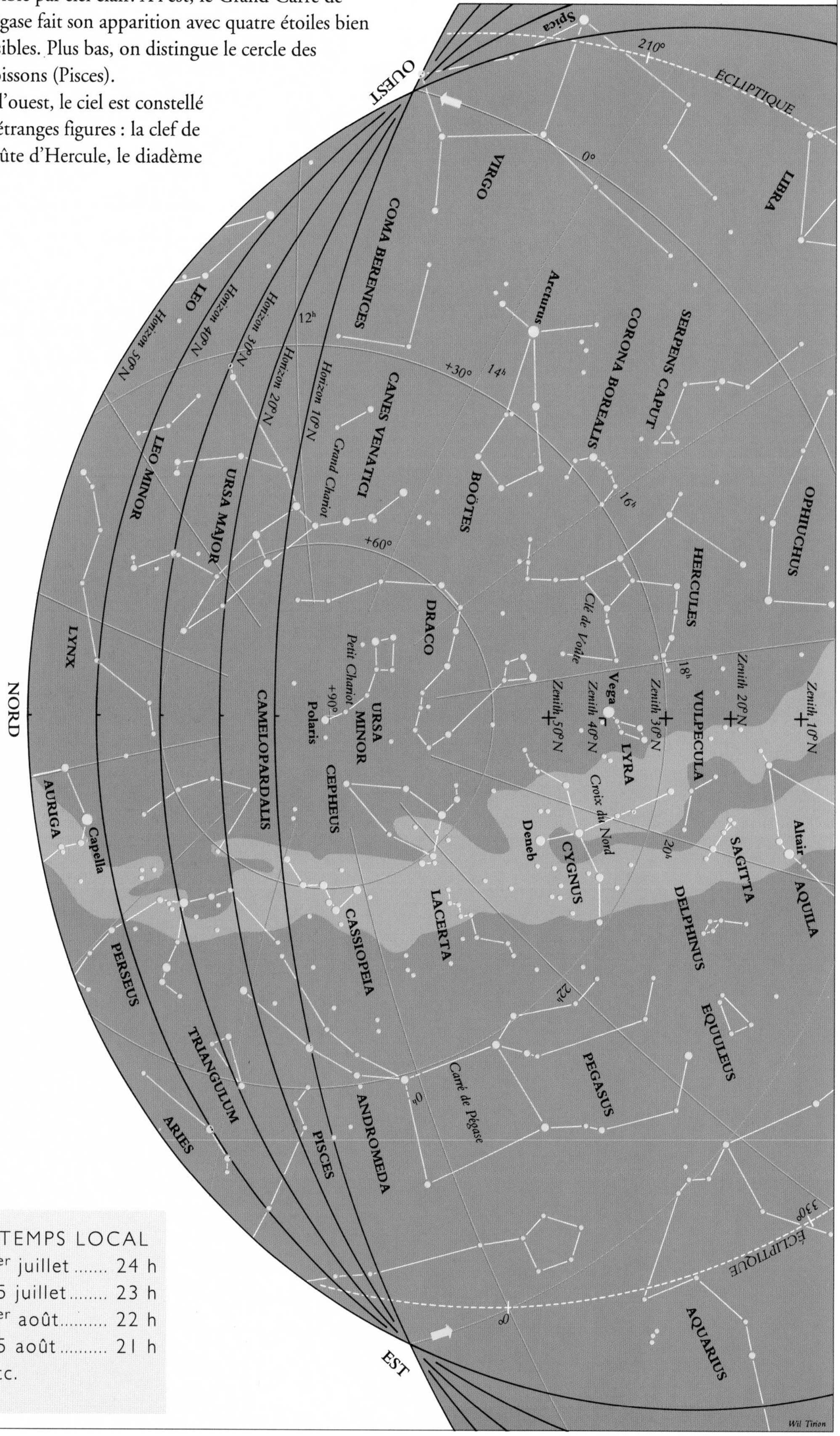

TEMPS LOCAL

1er juillet .... 24 h

15 juillet .... 23 h

1er août.......... 22 h

15 août .... 21 h

etc.

Le Triangle de l'Été – Véga, Deneb et Altaïr – resplendit dans ce ciel estival. Bien que la constellation du Serpentaire (Ophiucus) occupe une grande place au milieu de ciel, elle est difficile à cerner, car ses étoiles sont peu lumineuses. À côté d'elle, le Serpent (Serpens) remonte vers la Couronne boréale. Arcturus est à ses côtés dans le cerf-volant du Bouvier (Boötes).
Les constellations du Sagittaire (Sagittarius) et du Scorpion (Scorpius), dans la direction du centre galactique, dominent le ciel sur l'horizon sud. La Balance (Libra) est juste à l'ouest. À l'est, le Capricorne, le Verseau (Aquarius) et, plus haut, le Grand Carré de Pégase.

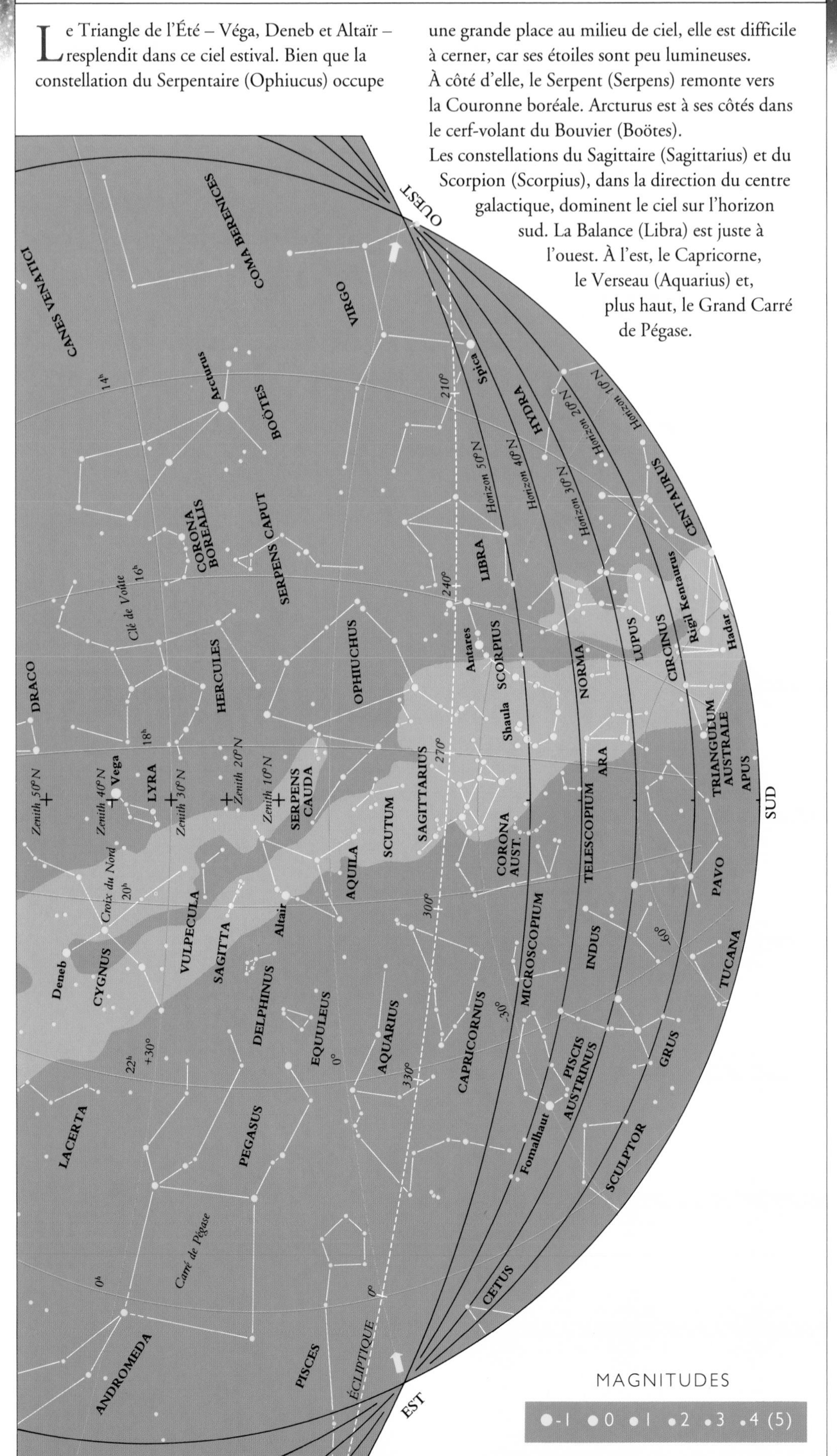

CARTE DU CIEL 5 Latitudes nord Horizon nord

Le W de Cassiopée, la Reine, est situé haut dans le ciel, à l'ouest ; Céphée, le Roi, évoque le toit pointu d'une maison dirigée vers l'étoile Polaire (Polaris). À l'est, on trouve Andromède, leur fille, enchaînée à son rocher. Son sauveur, Persée, est légèrement au nord-est, avec son cheval ailé Pégase, au sud d'Andromède.
Au milieu du ciel, on distingue encore la Girafe (Camelopardalis), mais cette constellation, peu visible, vous échappera facilement.

On prétend que, lorsque Capella apparaît le soir sur l'horizon (comme sur cette carte), la tempête n'est pas loin.

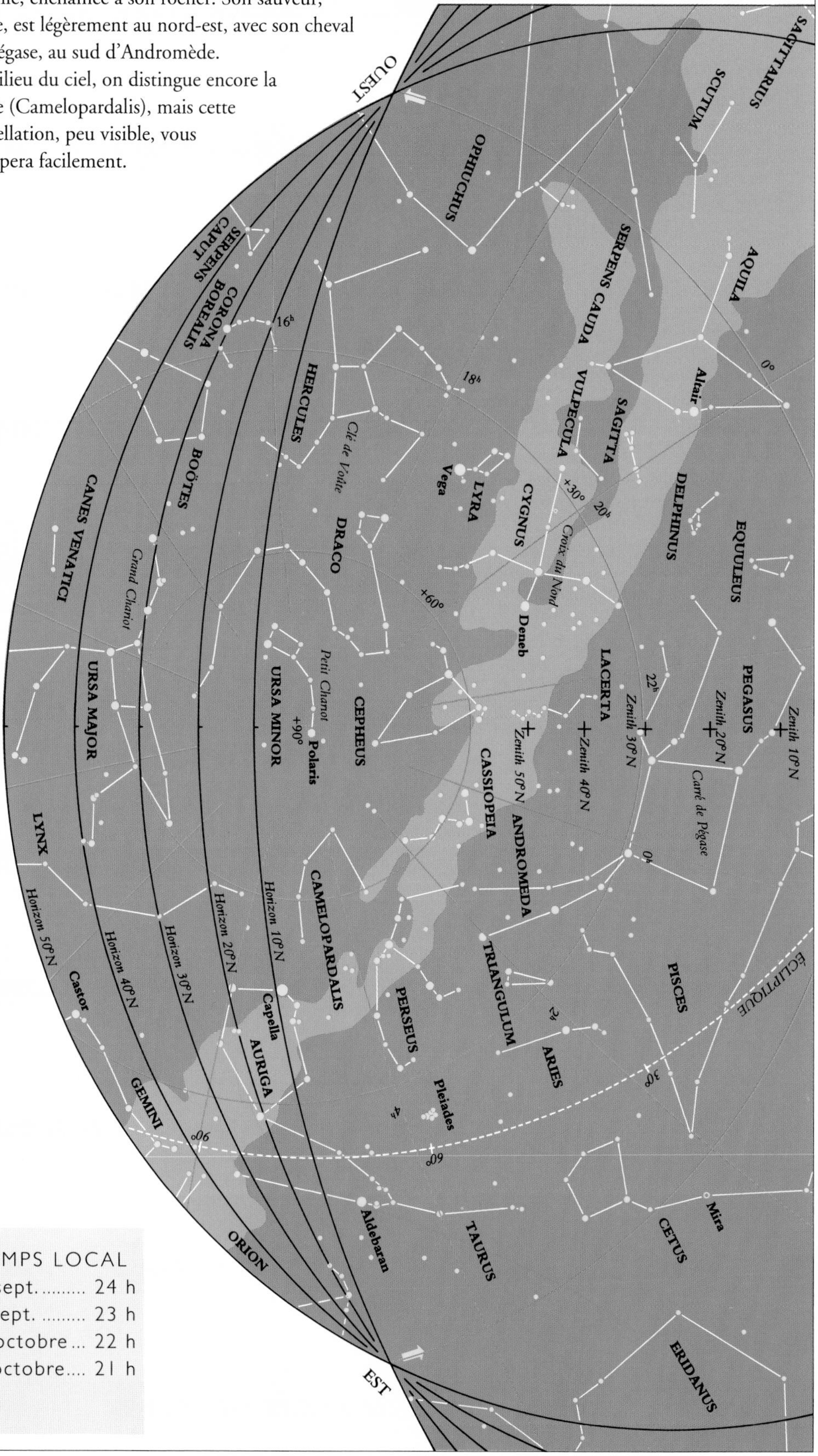

TEMPS LOCAL
1er sept.......... 24 h
15 sept. .... 23 h
1er octobre ... 22 h
15 octobre.... 21 h
etc.

Avec le Triangle de l'Été plus à l'ouest, c'est à présent le Grand Carré de Pégase qui domine le ciel. Le petit cercle d'étoiles qui forment la tête des Poissons (Pisces) est juste au sud. Bien plus au sud, après le Verseau (Aquarius), on trouve la seule étoile brillante du Poisson austral (Piscis Austrinus), Fomalhaut.

Dans le ciel est, on aperçoit quelques étoiles brillantes parmi des constellations faciles à reconnaître : les Poissons (Pisces), la Baleine (Cetus), Éridan (Eridanus). Aldébaran, l'œil rouge du Taureau (Taurus), se lève à l'horizon avec les Pléiades au-dessus, légèrement au nord-est.

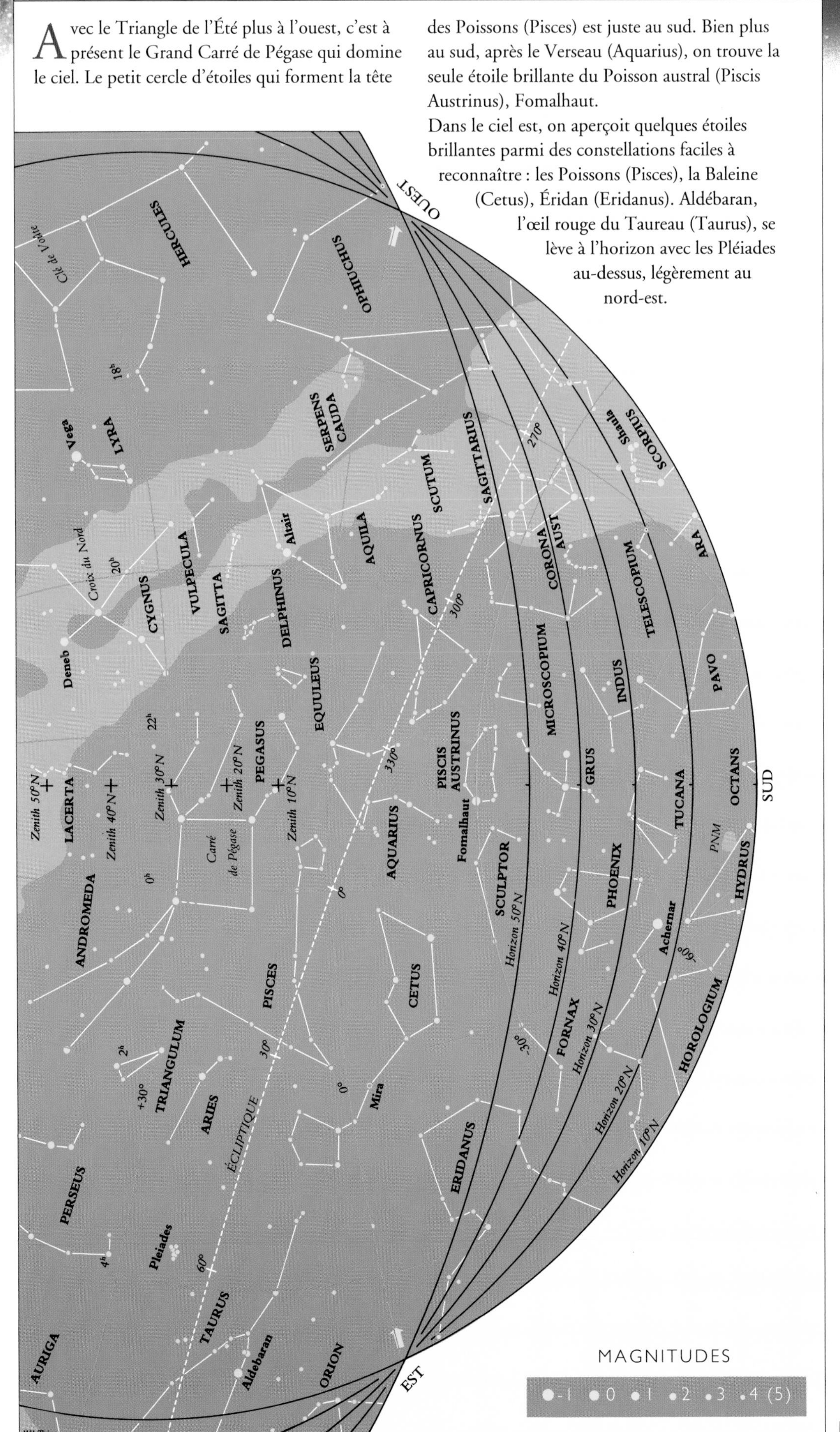

Partant du centre vers l'est, on découvre de nombreuses étoiles brillantes : Capella, Castor et Pollux, Procyon et Sirius, avec, en arrière-plan, la Voie lactée, visible par ciel clair. Celle-ci est bien large vers l'ouest, dans la direction du Cygne (Cygnus), mais se rétrécit vers l'est. Loin du centre galactique, c'est la partie la plus faible de la Voie lactée. Cassiopée, avec son W transformé en M, chevauche le haut du ciel. La Grande Ourse étant trop bas sur l'horizon pour indiquer le pôle, on peut utiliser Céphée, dont le toit pointe vers l'étoile Polaire (Polaris).

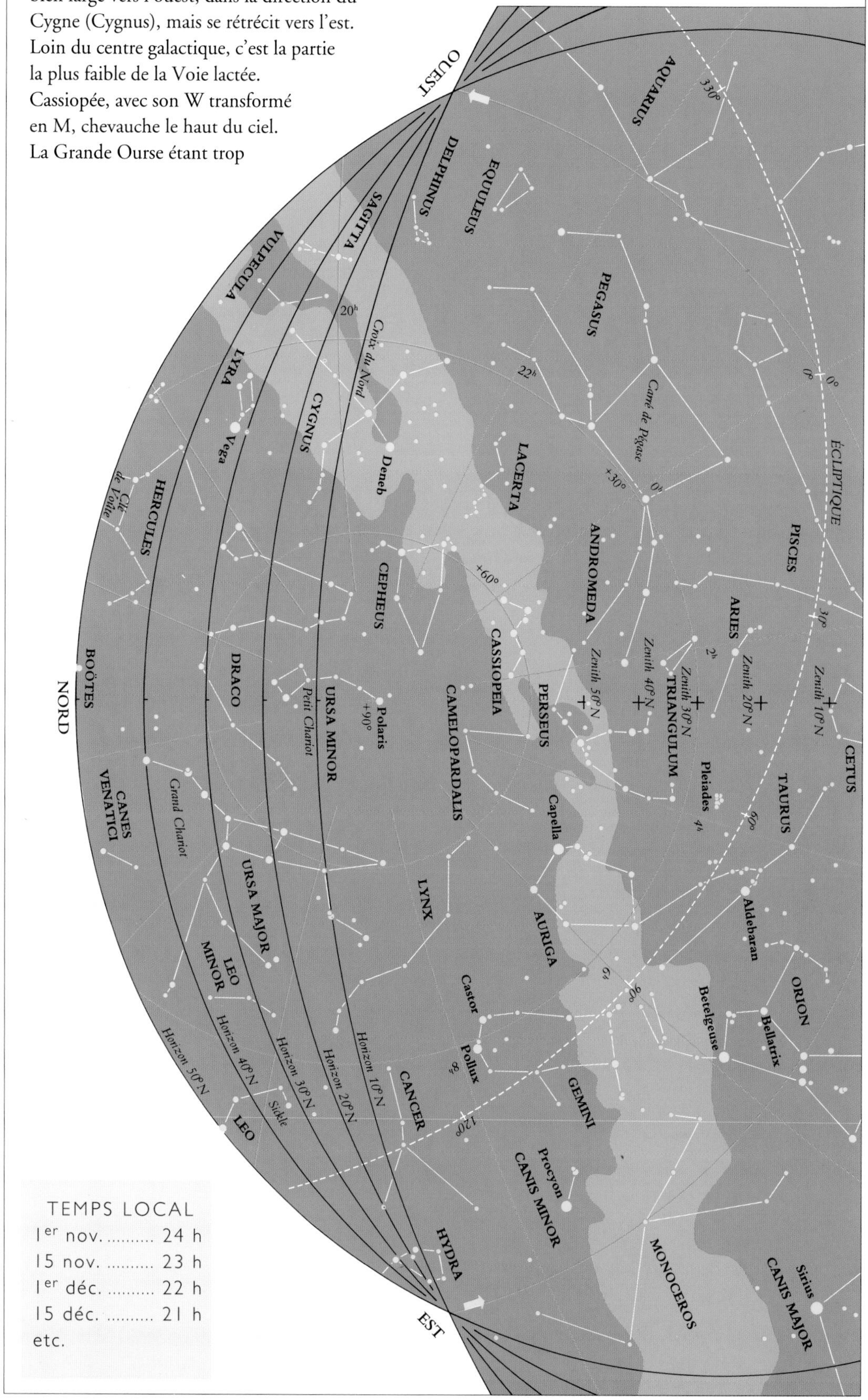
OUEST
NORD
EST
AQUARIUS
DELPHINUS
EQUULEUS
SAGITTA
VULPECULA
PEGASUS
Carré de Pégase
LYRA
Vega
CYGNUS
Croix du Nord
Deneb
LACERTA
HERCULES
Clé de Voûte
ANDROMEDA
PISCES
ÉCLIPTIQUE
CEPHEUS
CASSIOPEIA
ARIES
BOÖTES
DRACO
URSA MINOR
Petit Chariot
Polaris
+90°
CAMELOPARDALIS
PERSEUS
TRIANGULUM
Zenith 50° N
Zenith 40° N
Zenith 30° N
Zenith 20° N
Zenith 10° N
CETUS
Pleiades
TAURUS
CANES VENATICI
Grand Chariot
Capella
URSA MAJOR
LYNX
AURIGA
Aldebaran
LEO MINOR
ORION
Betelgeuse
Bellatrix
Castor
Pollux
GEMINI
CANCER
Horizon 50° N
Horizon 40° N
Horizon 30° N
Horizon 20° N
Horizon 10° N
Sickle
LEO
Procyon
CANIS MINOR
MONOCEROS
HYDRA
Sirius
CANIS MAJOR
330°
0°
30°
60°
90°
120°
20h
22h
0h
2h
4h
6h
8h
+30°
+60°

TEMPS LOCAL
1er nov. .... 24 h
15 nov. .... 23 h
1er déc. .... 22 h
15 déc. .... 21 h
etc.

Le ciel se partage en deux camps. À l'ouest domine le Grand Carré de Pégase. Plus au sud, on trouve le Verseau (Aquarius) et Fomalhaut dans le Poisson austral (Piscis Austrinus). À l'est, c'est Orion qui prédomine avec les trois étoiles de son baudrier encadrées par Aldébaran, au nord dans le Taureau (Taurus), et Sirius, au sud-est. Une frontière formée d'Éridan et de la Baleine (Cetus) sépare les deux régions. Au nord, deux petites constellations : le Bélier (Aries) et le Triangle (Triangulum), bien évidemment formé de trois étoiles.

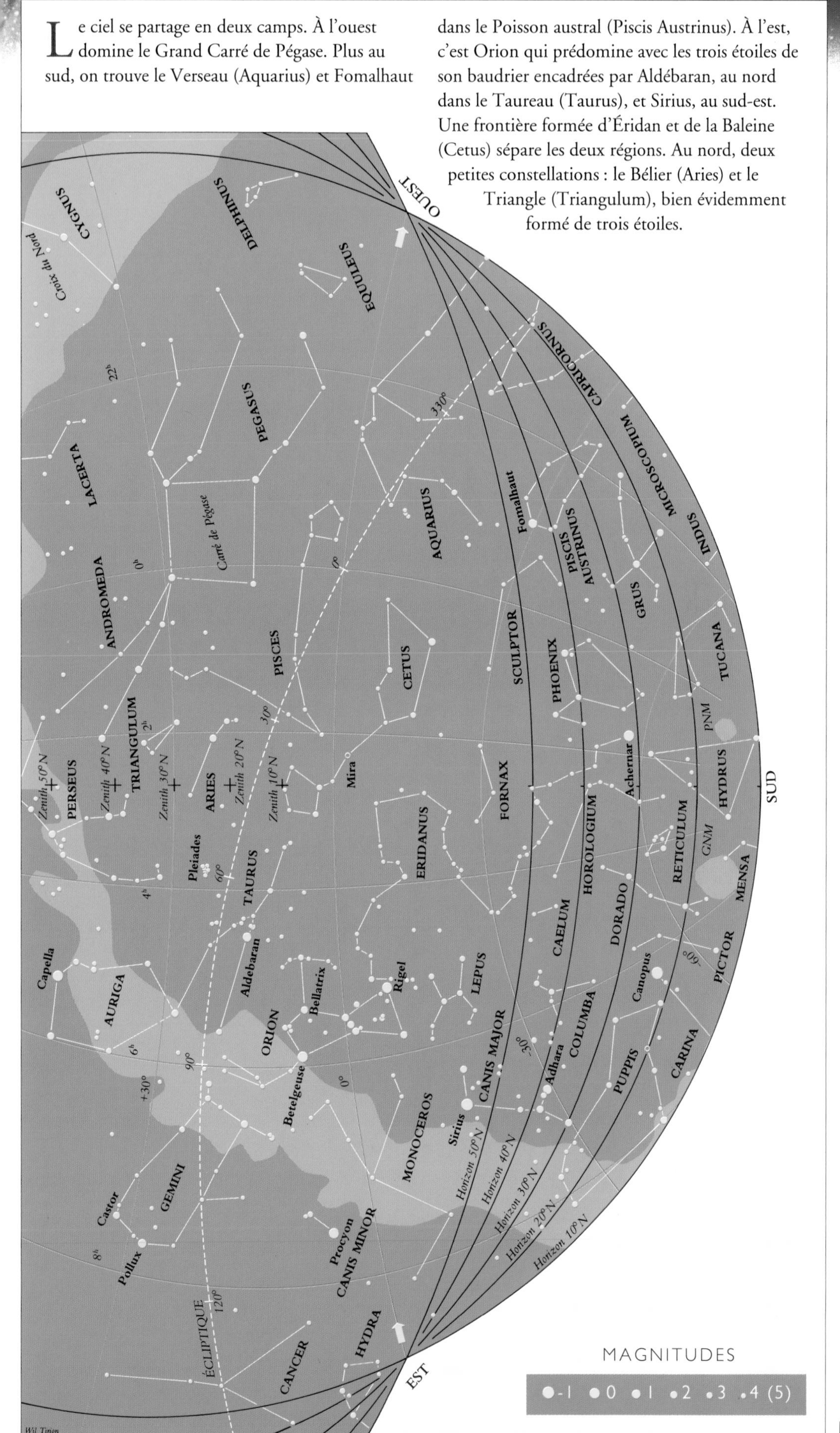

Comme le Grand Chariot dans l'hémisphère Nord, Orion est d'une grande utilité pour repérer d'autres étoiles ou groupes d'étoiles. Ainsi, une ligne droite partant de Rigel vers Bételgeuse vous mène vers les Gémeaux (Gemini). À partir des trois étoiles du baudrier, vous trouvez Sirius l'étoile la plus brillante de tout le ciel, au sud-est, ou Aldébaran au nord-ouest. Juste à l'est d'Orion, on découvre la Licorne (Monoceros), un animal mythique des plus fabuleux. Malheureusement, la constellation, composée d'étoiles faibles, est peu visible. Loin vers l'est s'étend l'Hydre et, presque aussi loin vers l'ouest, Éridan.

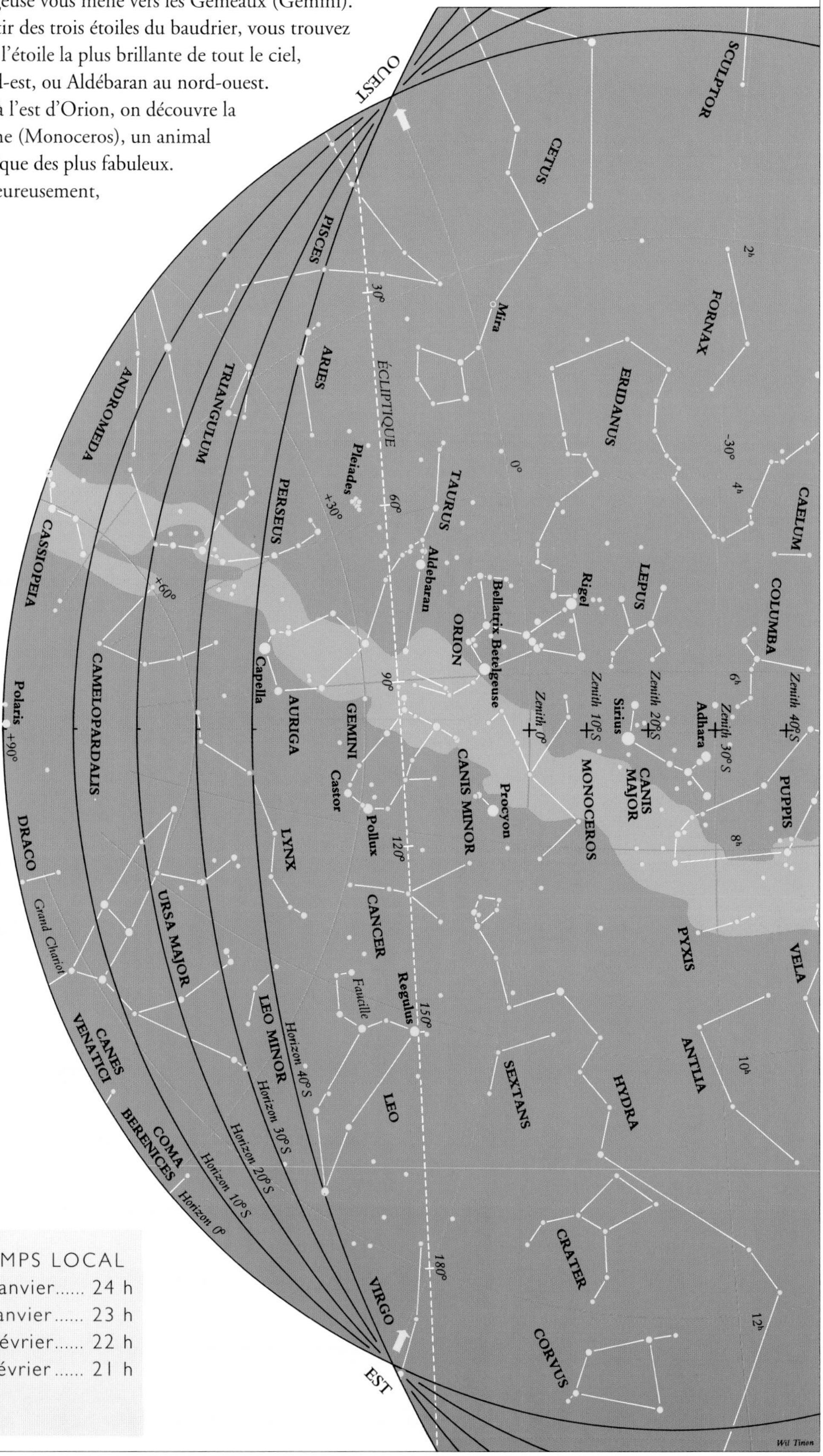

TEMPS LOCAL
1er janvier...... 24 h
15 janvier...... 23 h
1er février...... 22 h
15 février...... 21 h
etc.

Sirius et Canopus, les deux étoiles les plus brillantes du ciel, illuminent la voûte céleste et forment avec Rigel et Achernar un large demi-cercle au-dessus de votre tête. Le ciel, avec la Voie lactée qui traverse les constellations de la Poupe (Puppis), des Voiles (Vela), de la Carène (Carina) ou de la Croix du Sud (Crux), ressemble à une étroite oasis de lumière. Légèrement vers l'ouest, on aperçoit la tache claire du Grand Nuage de Magellan (GNM), en haut de sa trajectoire autour du pôle céleste. Bas sur l'horizon, la constellation du Centaure encercle la Croix du Sud.

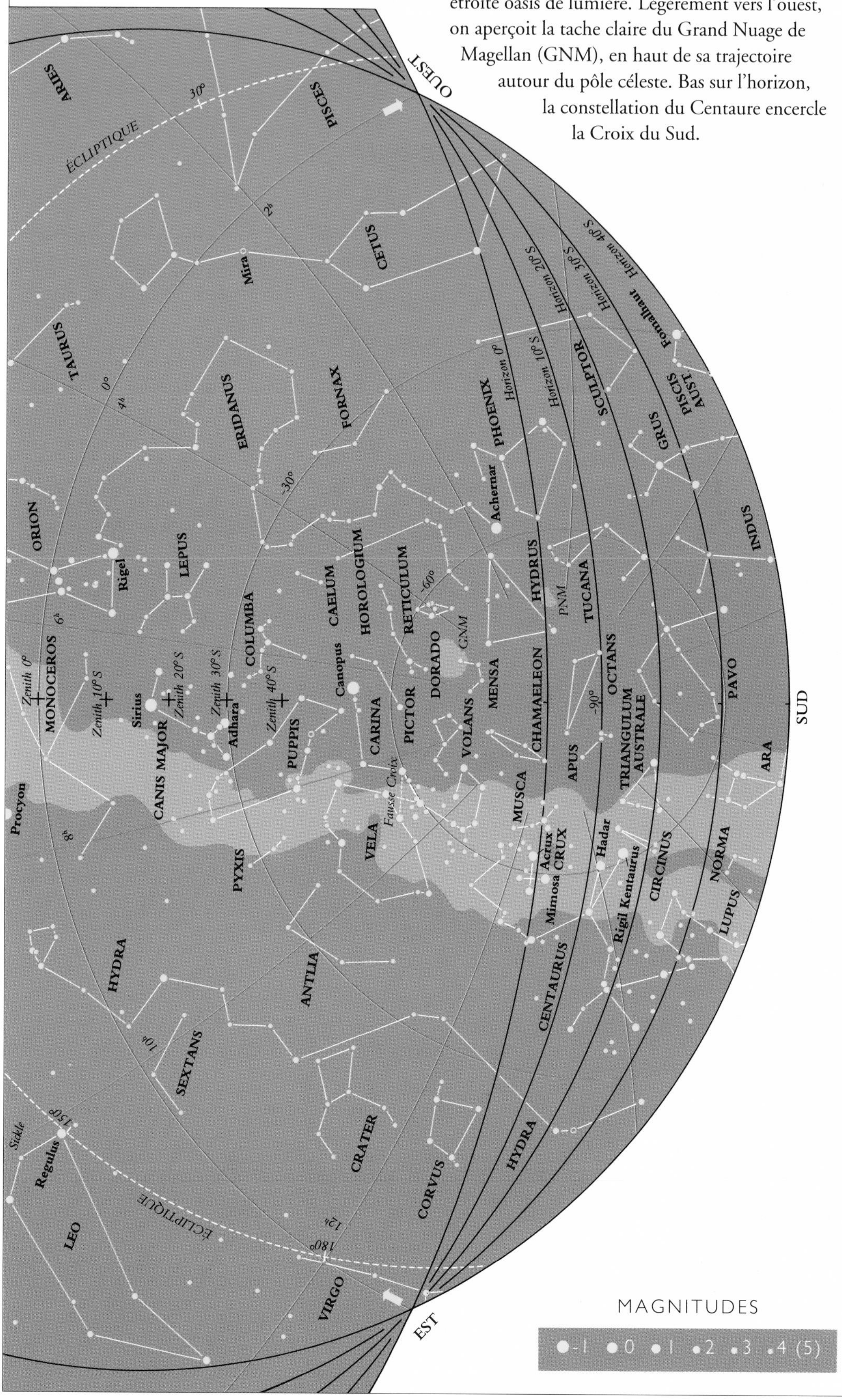

MAGNITUDES

-1 0 1 2 3 4 (5)

C'est Regulus, dans la constellation du Lion (Leo), qui domine le ciel, et c'est un étrange spectacle pour un observateur venant de l'hémisphère Nord. La faucille du Lion a la tête en bas. C'est ainsi qu'elle apparaît à tous les habitants de l'hémisphère Sud. De même, Orion, à l'ouest, se présente avec Rigel en haut et Bételgeuse en bas.
À l'est du ciel, Spica et Arcturus éclipsent toutes les autres étoiles, alors que les constellations de la Vierge (Virgo) et du Bouvier (Boötes) sont peu lumineuses.
Plus haut, on peut voir la Coupe (Crater) et le Corbeau (Corvus). Le Corbeau est assez aisément repérable grâce à sa forme rhomboïdale et à ses étoiles relativement brillantes.

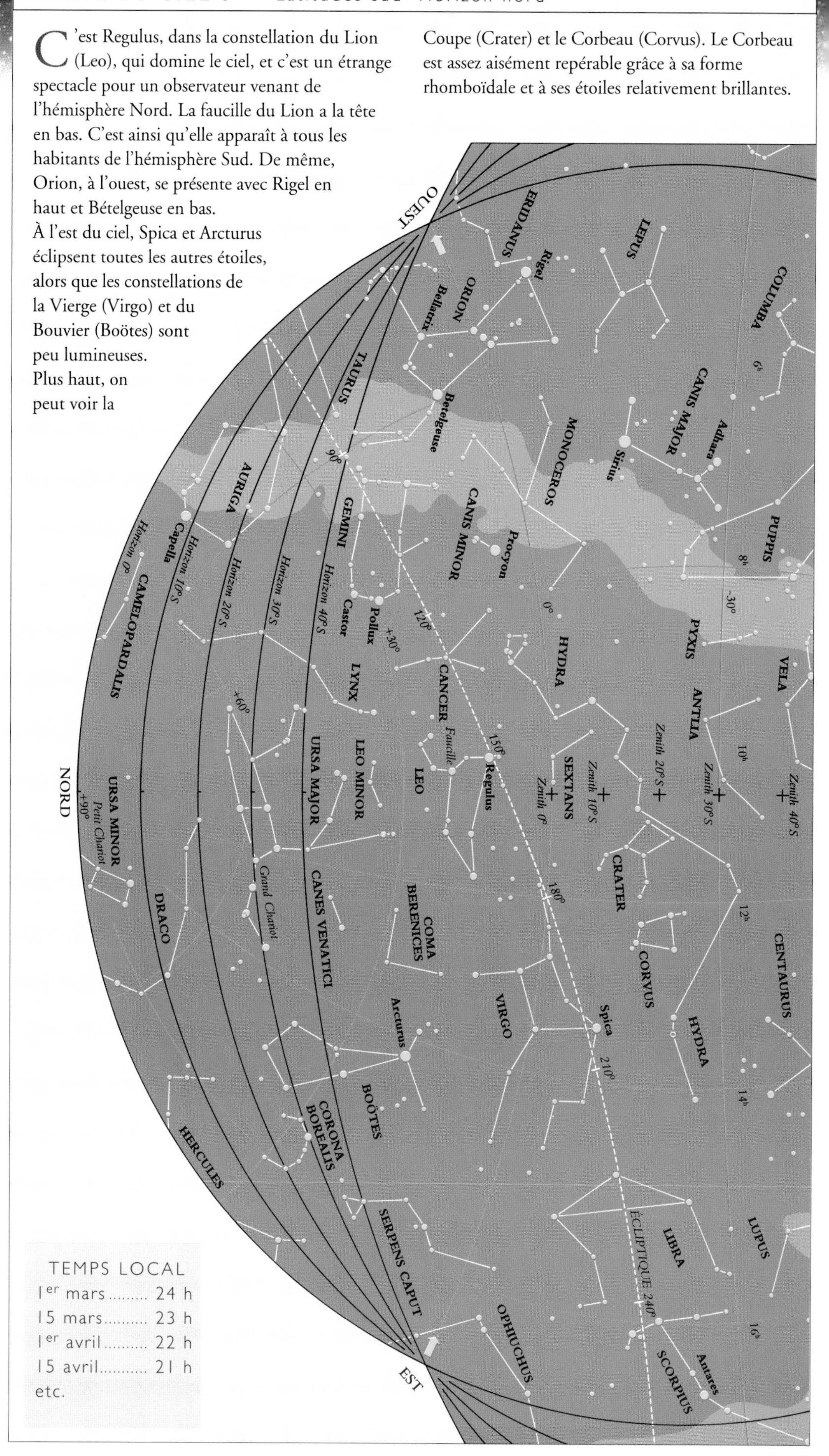

TEMPS LOCAL
1er mars......... 24 h
15 mars.......... 23 h
1er avril.......... 22 h
15 avril........... 21 h
etc.

La Voie lactée s'étale ici dans toute sa splendeur. Un élégant groupe d'étoiles prend naissance avec Alpha (α) Centauri (ou Rigil Kentaurus) et Bêta (β) Centauri, les « pointeurs » de la Croix du Sud, se poursuit dans la constellation de la Carène (Carina), l'un des amas les plus denses, où brille l'étoile Canopus, pour se terminer avec Sirius. Vers le sud, quelques constellations faibles sont disséminées autour du pôle, vers lequel pointe la Croix du Sud : Octant (Octans), le Toucan (Tucuna), le Réticule et le Phénix. C'est une région quasi désertique où l'on peut distinguer par nuit sombre les deux Nuages de Magellan.

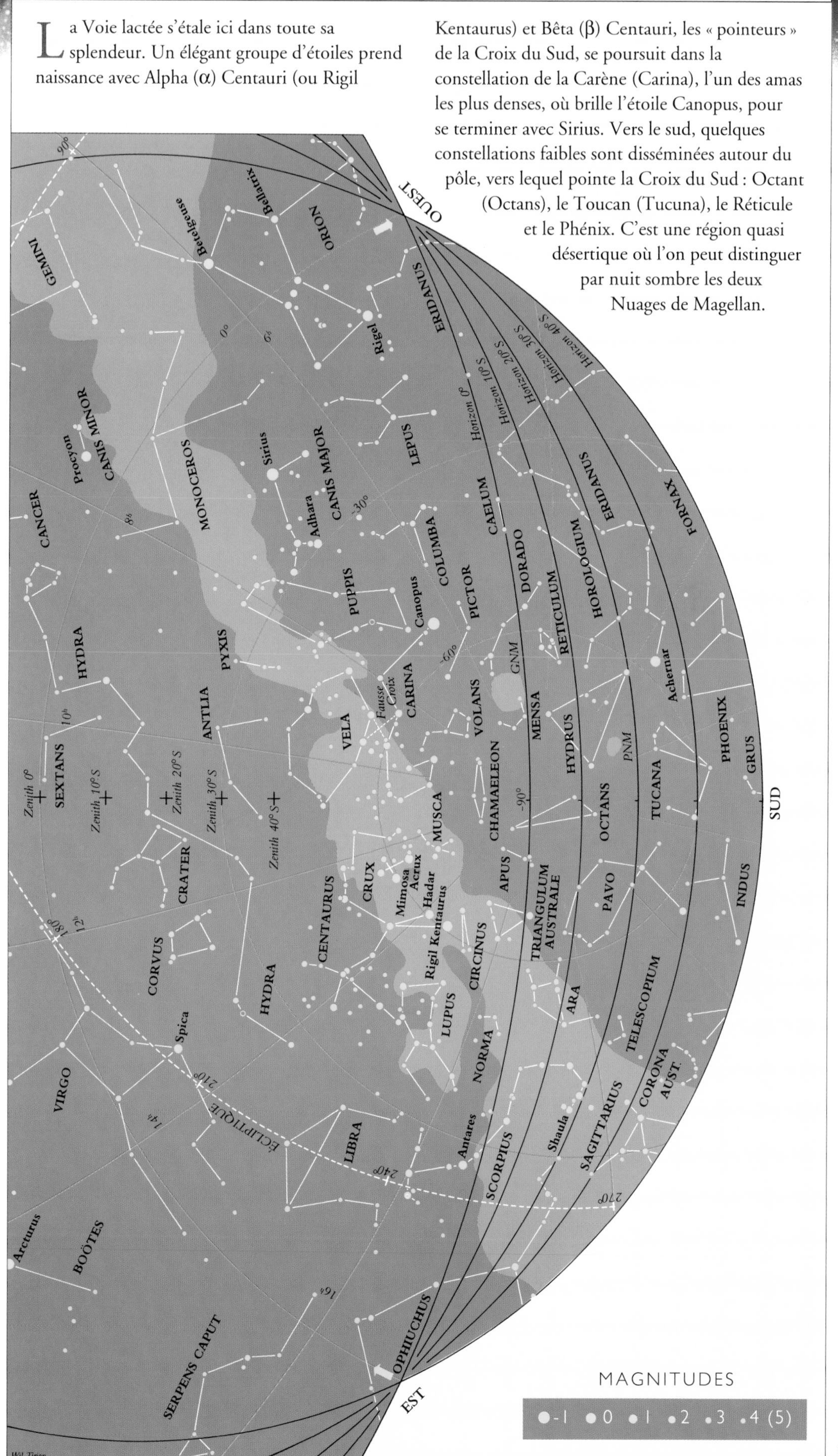

Ce ciel, centré sur Arcturus, présente une grande variété de constellations. Le centre galactique est haut, au milieu de deux constellations qui se détachent nettement. Bas sur l'horizon apparaît la Lyre (Lyra), guidée par la brillante Véga, et l'Aigle (Aquila) avec son étoile phare, Altaïr. Ophiuchus est la pièce centrale du ciel oriental, où le manque d'étoiles brillantes est compensé par la taille de la constellation. À l'ouest, le Lion (Leo), la Vierge (Virgo), le Corbeau (Corvus) et la Coupe (Crater) se partagent le ciel, mais seules deux étoiles brillantes, Regulus (dans Leo) et Spica (dans Virgo), illuminent l'immensité.

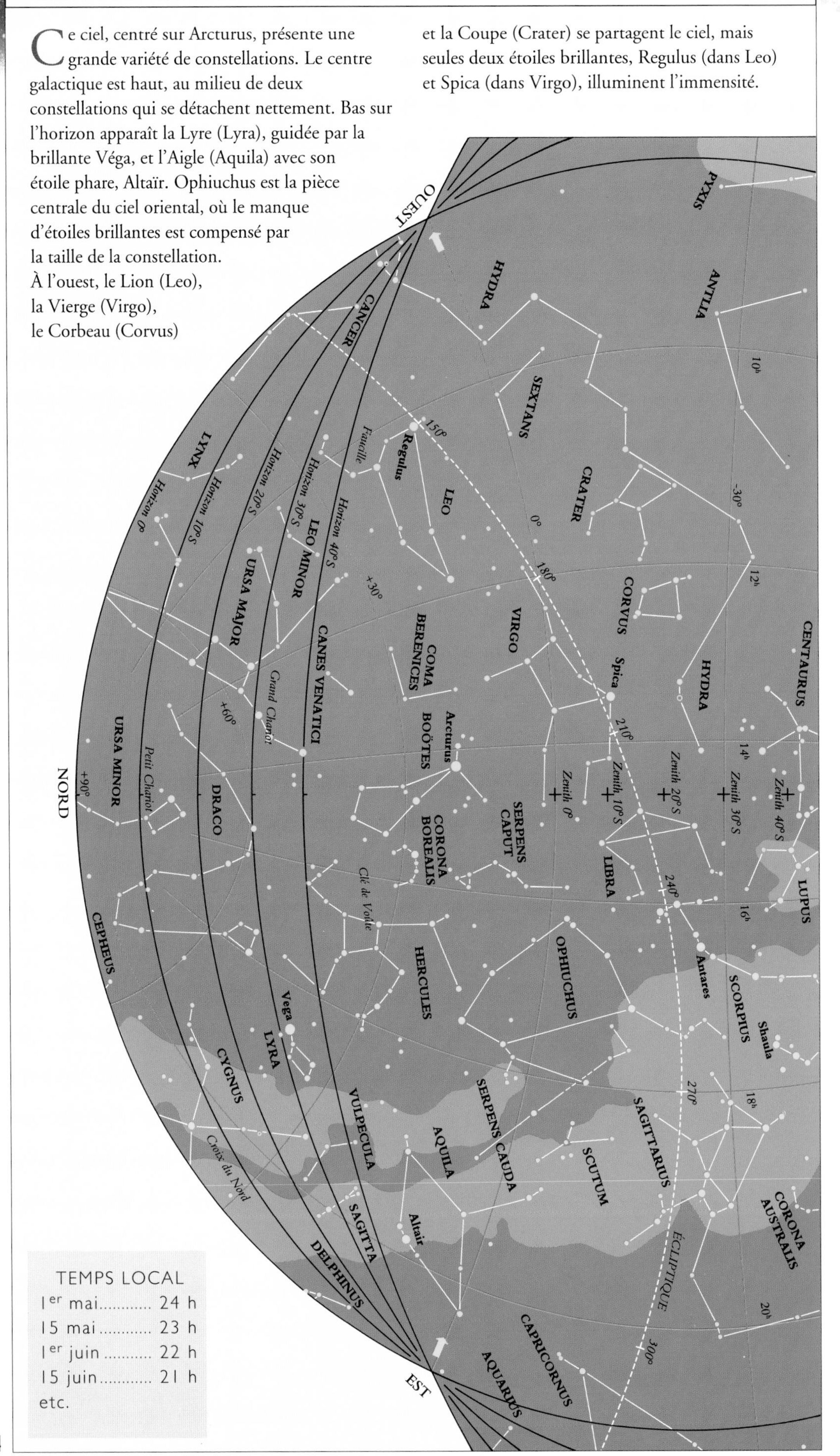

TEMPS LOCAL
1er mai........... 24 h
15 mai........... 23 h
1er juin.......... 22 h
15 juin........... 21 h
etc.

Par nuit sombre, vous pourrez admirer la Voie lactée, qui traverse toute la voûte céleste depuis l'Aigle (Aquila) et l'Écu (Scutum), en passant par le Sagittaire et le Scorpion, le Centaure et ses deux étoiles Alpha (α) Centauri (ou Rigil Kentaurus) et Bêta (β) Centauri, les pointeurs de la Croix du Sud, et finit dans les Voiles (Vela) et la Poupe (Puppis). Plus au sud brillent les deux Nuages de Magellan.

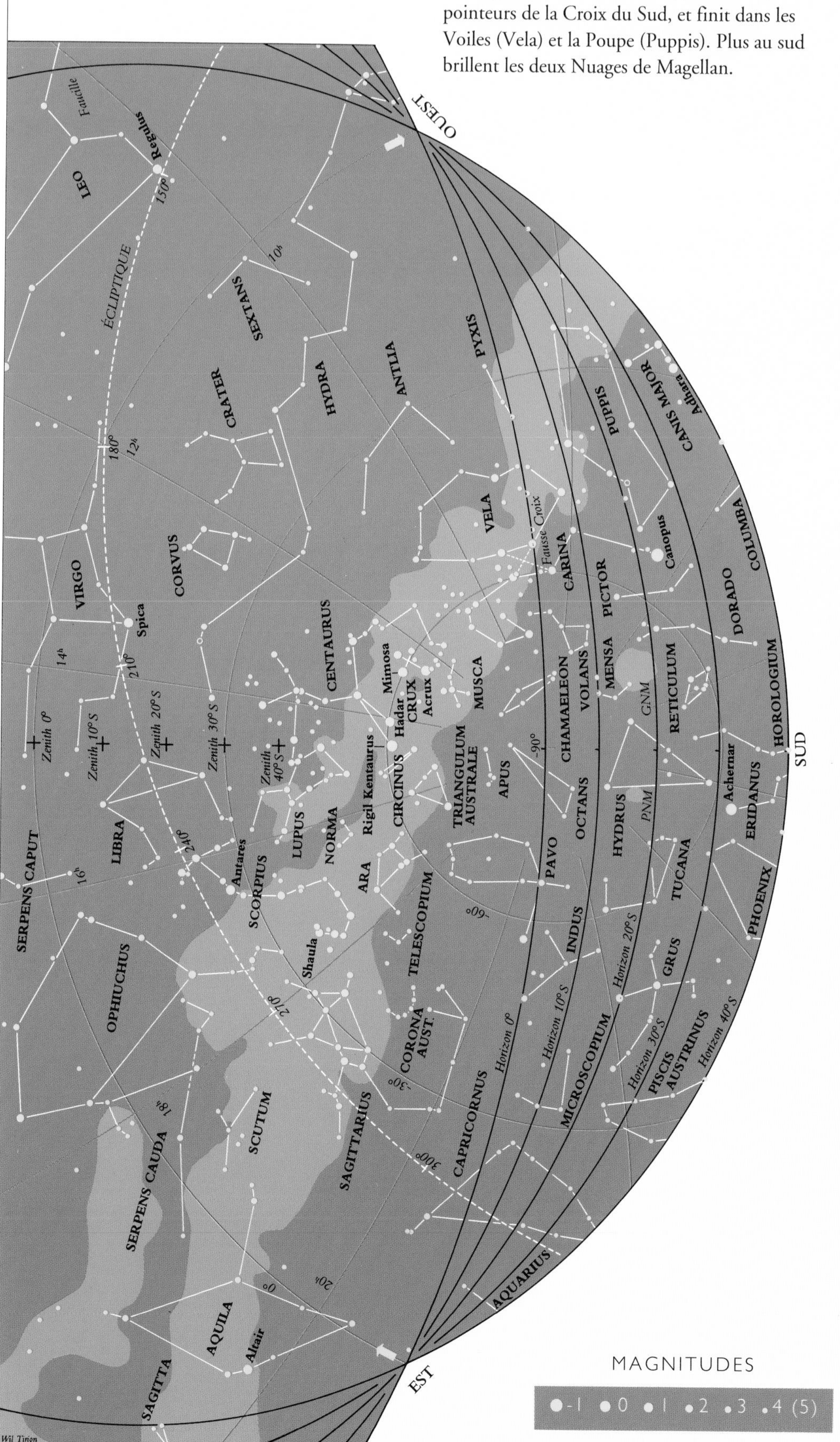

Deux oiseaux s'ébattent dans la partie septentrionale de ce ciel : le Cygne (Cygnus), et l'Aigle (Aquila), avec son étoile la plus brillante, Altaïr. Tout près, une autre étoile très brillante, Véga. Au-dessus de votre tête, la Voie lactée, dont le cœur se situe dans le Sagittaire, est visible, sauf en ville. Les constellations du Dauphin (Delphinus) et de la Flèche (Sagitta) sont petites, mais visibles. À l'est, deux grandes constellations assez faibles : le Capricorne et le Verseau (Aquarius). Plus au sud, le Poisson austral (Piscis Austrinus) se repère aisément grâce à Fomalhaut, seule étoile brillante de la constellation.

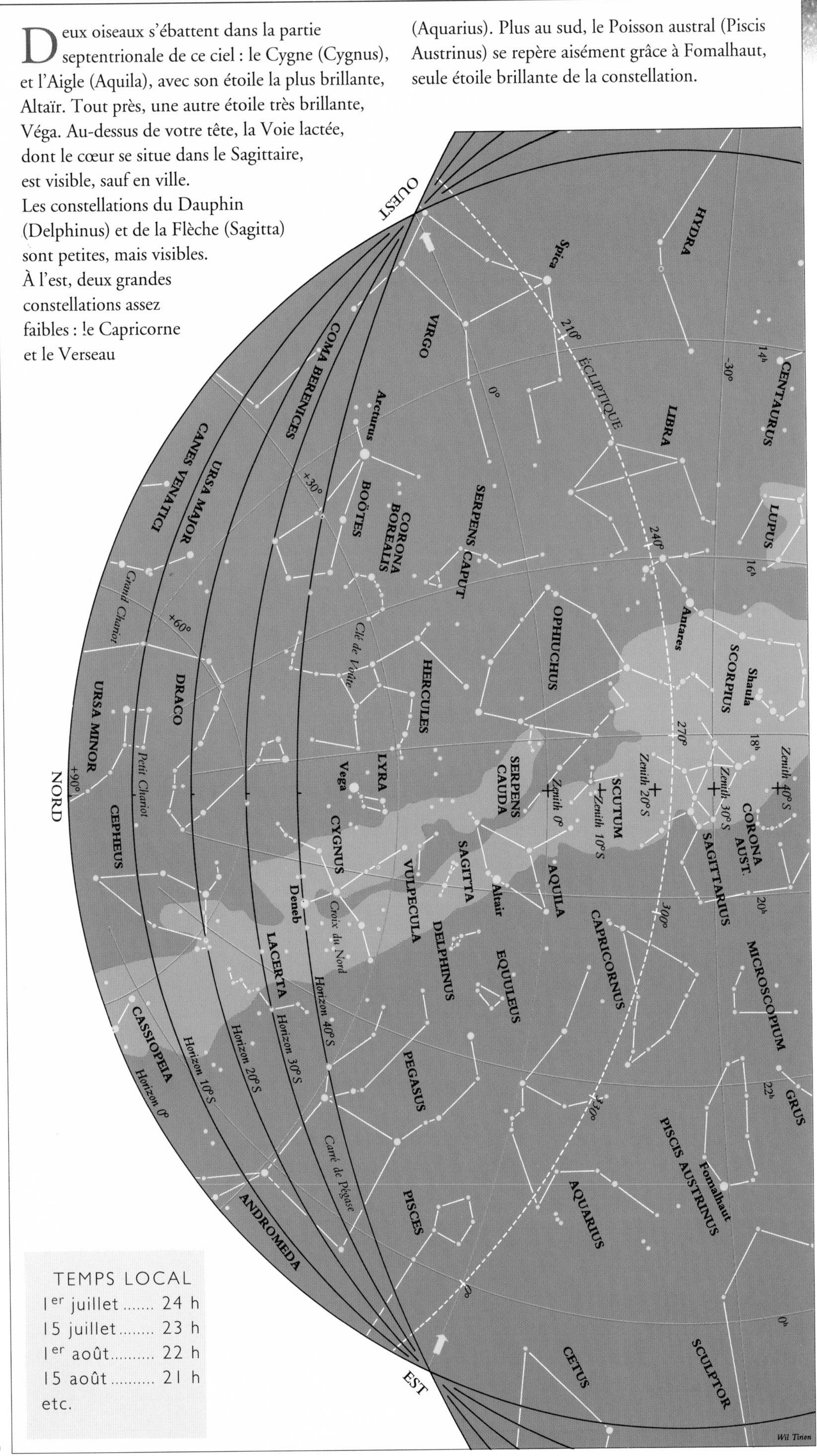

TEMPS LOCAL
1er juillet .... 24 h
15 juillet .... 23 h
1er août .... 22 h
15 août .... 21 h
etc.

Au centre du ciel, juste au-dessus de vous, dans le Sagittaire, se trouve le cœur incandescent de la Galaxie. De là s'écoule une rivière d'étoiles, à travers la queue du Scorpion, vers la Croix du Sud (Crux) et la Carène (Carina).

Déployés entre Fomalhaut et Achernar, au sud-est, et la Voie lactée, vous trouvez plusieurs oiseaux : la Grue (Grus), le Paon (Pavo), le Toucan (Tucuna) et le fabuleux Phénix.

Plus près de la Croix du Sud, l'Oiseau de Paradis (Apus). Ces oiseaux rivalisent d'éclat avec la Mouche (Musca), et le Poisson volant (Volans).

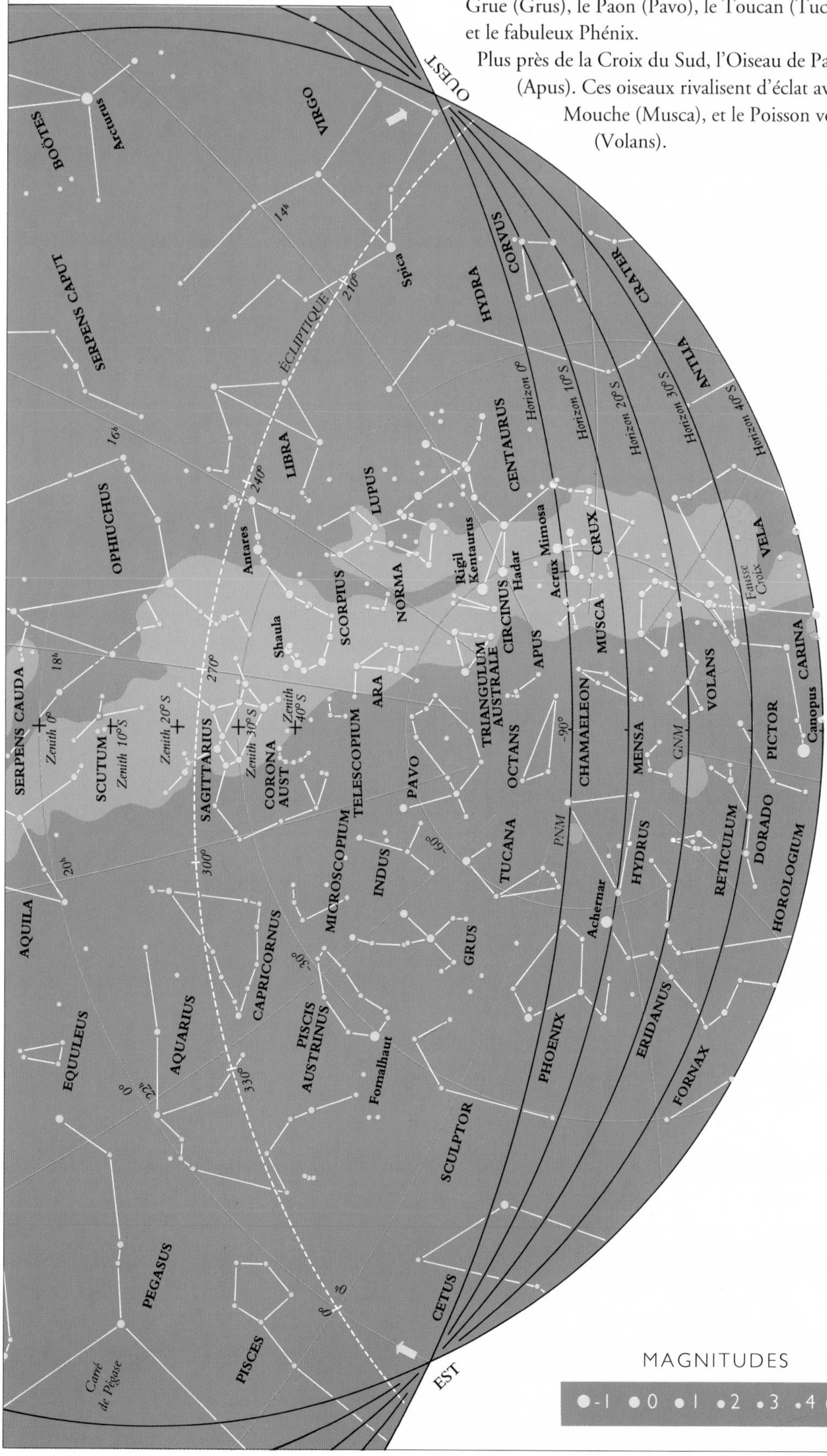

MAGNITUDES

●-1 ●0 ●1 •2 •3 •4 (5)

Dominé par Fomalhaut, ce ciel présente un aspect assez inhabituel : toute sa portion orientale est dépourvue d'étoiles visibles. La plupart des constellations – Éridan, la Baleine (Cetus) et les Poissons (Pisces) – ont peu d'éclat, et seul le Carré de Pégase est discernable. Les constellations de la Voie lactée enrichissent le ciel vers le nord et l'ouest. Plus à l'ouest, la Voie lactée s'élargit dans la direction du Sagittaire.

Le Capricorne, le Microscope et la Couronne australe (Corona Australis) complètent ce panorama.

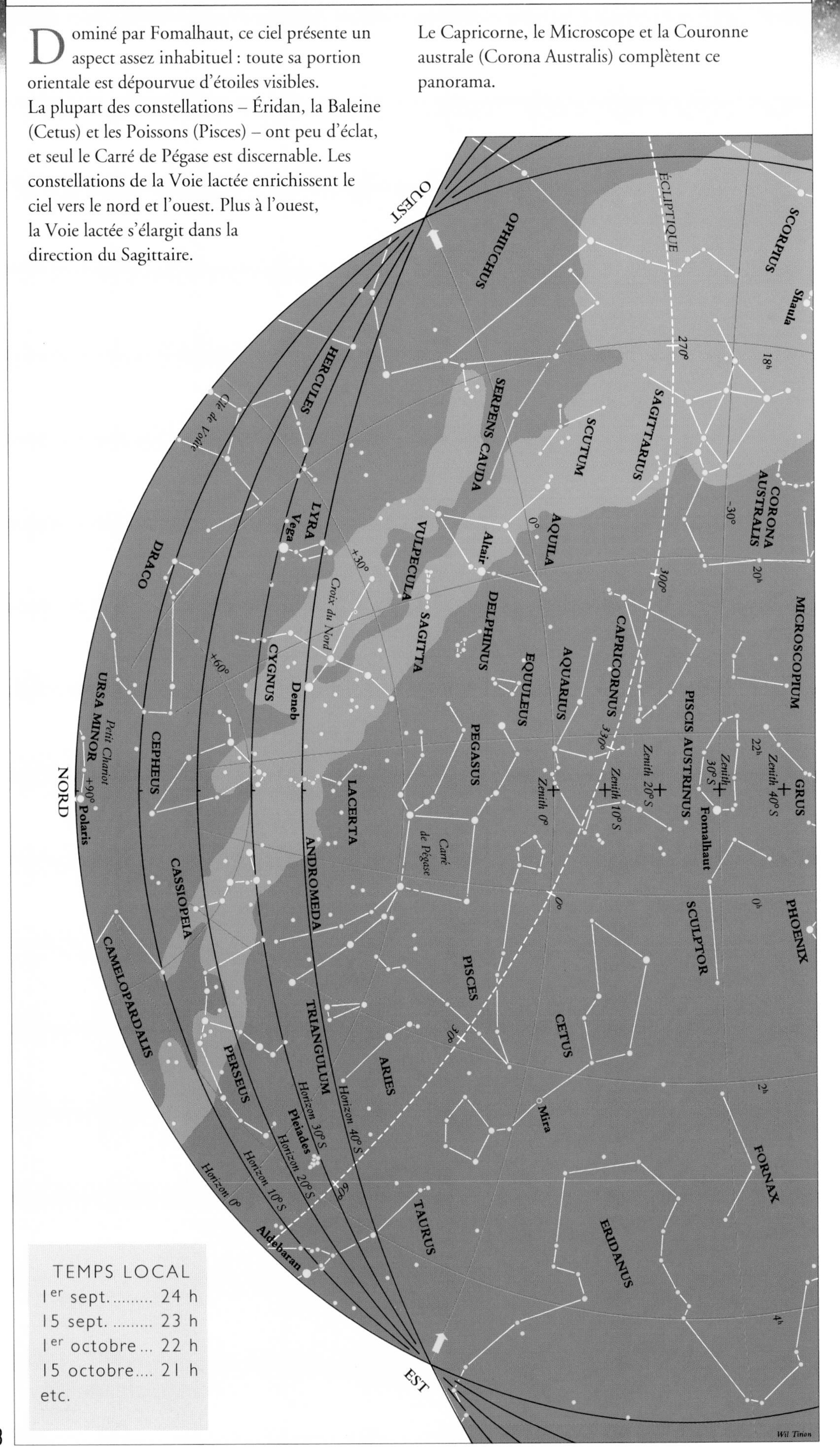

TEMPS LOCAL
1er sept. .... 24 h
15 sept. .... 23 h
1er octobre ... 22 h
15 octobre .... 21 h
etc.

Un ruban d'étoiles brillantes dévalant vers le sud anime cette région du ciel. Fomalhaut, dans le Poisson austral (Piscis Austrinus), est l'étoile la plus septentrionale. Ce ruban d'étoiles se déroule à travers la constellation du Phénix, en passant par Achernar, dans Éridan, pour s'éteindre avec Canopus, l'étoile la plus brillante de la Carène (Carina). Plus à l'ouest, le ciel s'enrichit des constellations de la Voie lactée, dont le centre, assez haut, est situé dans le Sagittaire. La partie est, où la Baleine (Cetus) et Éridan occupent presque tout l'espace, manque cruellement d'étoiles lumineuses. Les Nuages de Magellan sont toujours là, montant vers le sud.

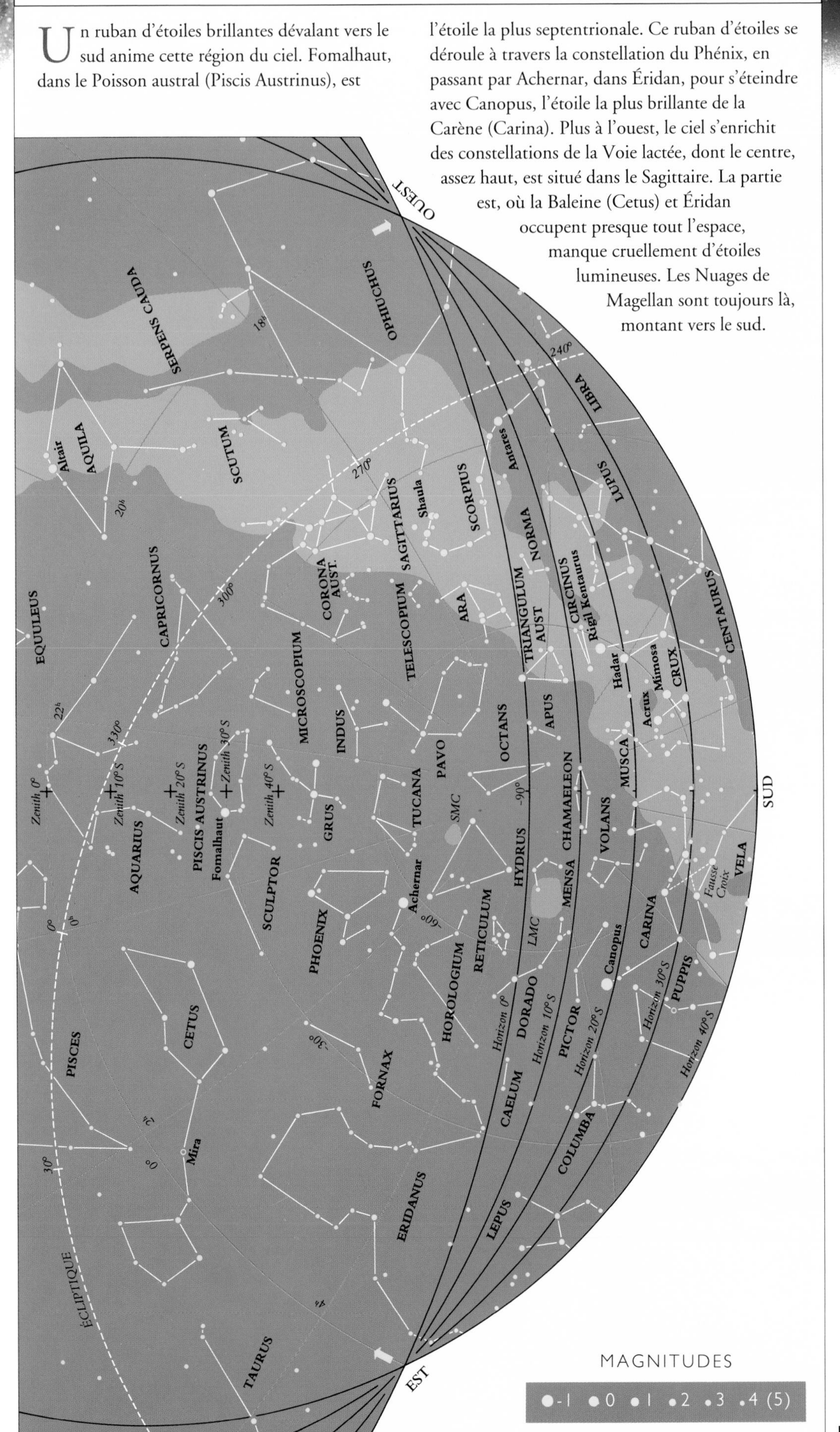

Orion réapparaît dans le ciel, éclipsant toutes les constellations voisines. À l'est, on trouve Sirius et le Grand Chien (Canis Major). Le Lièvre (Lepus) détale vers le sud sous l'œil vigilant de la Colombe (Columba). Au nord brillent Aldébaran et Capella, plus près de l'horizon. Persée traverse le méridien local, bas vers le nord, en compagnie de la Baleine (Cetus), d'Éridan et du Fourneau (Fornax), plus haut dans le ciel. La partie ouest du ciel forme un contraste surprenant : elle n'abrite que des constellations peu lumineuses où seule Fomalhaut brille d'un éclat notable.

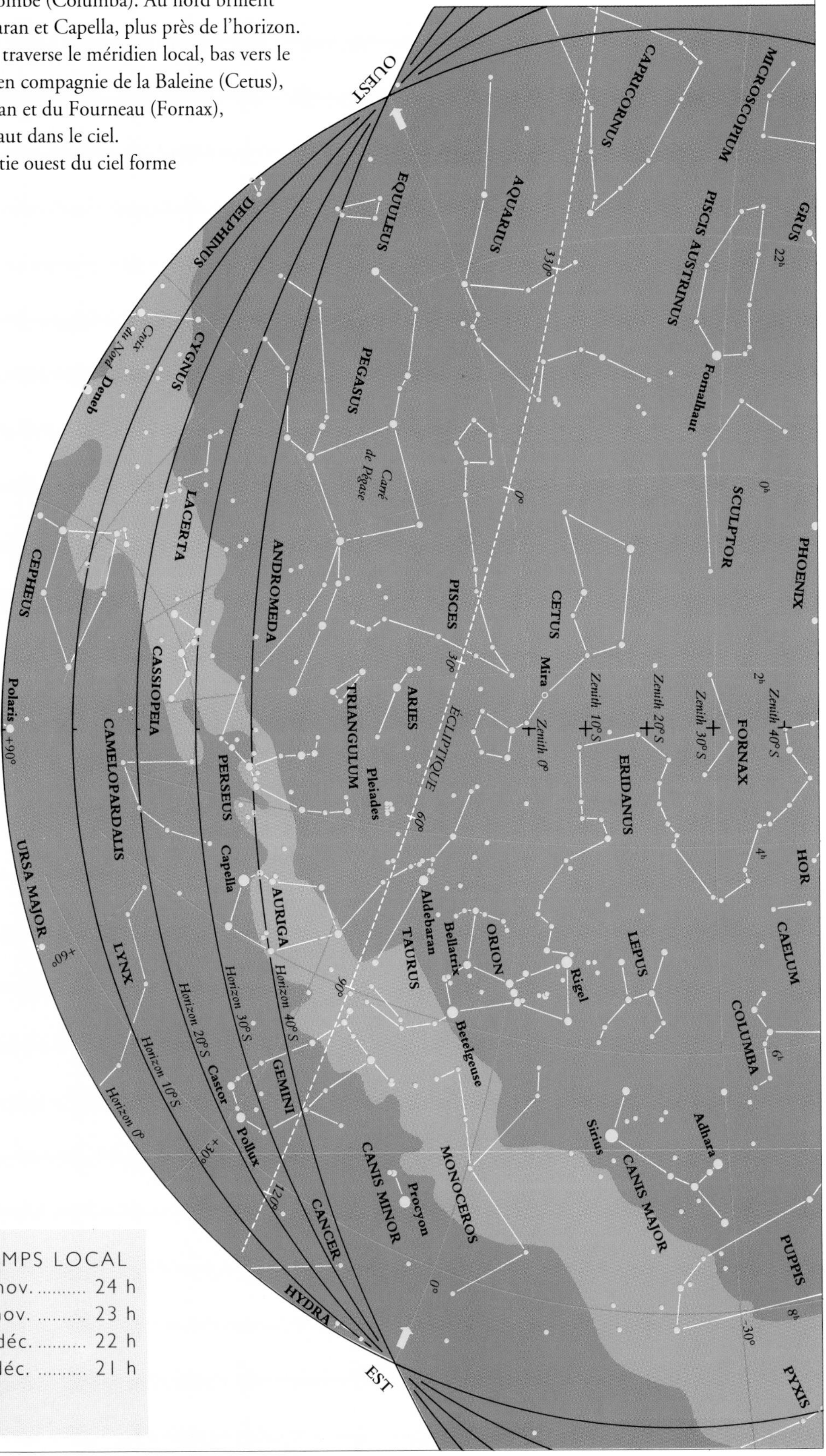

TEMPS LOCAL

1er nov. .... 24 h
15 nov. .... 23 h
1er déc. .... 22 h
15 déc. .... 21 h
etc.

Quatre étoiles dominent le paysage : Bételgeuse, Rigel, Sirius et Canopus. Une cinquième étoile, Procyon, se lève à l'est. Au sud-est, l'ancienne constellation du Navire Argo (Argo Navis), sorte de grand bateau désossé qui a guidé bien des marins sillonnant les mers du Sud, est aujourd'hui découpée en quatre constellations : la Poupe (Puppis), la Carène (Carina), les Voiles (Vela) et le Compas (Pyxis). Des oiseaux volent aux alentours : la Colombe (Columba), le Toucan (Tucuna), le Paon (Pavo), l'Oiseau de Paradis (Apus), la Grue (Grus) et le Phénix. Disséminées, quelques petites constellations : le Microscope (Microscopium), l'Indien (Indus), le Télescope (Telescopium), l'Autel (Ara) et le Triangle austral (Triangulum australe).

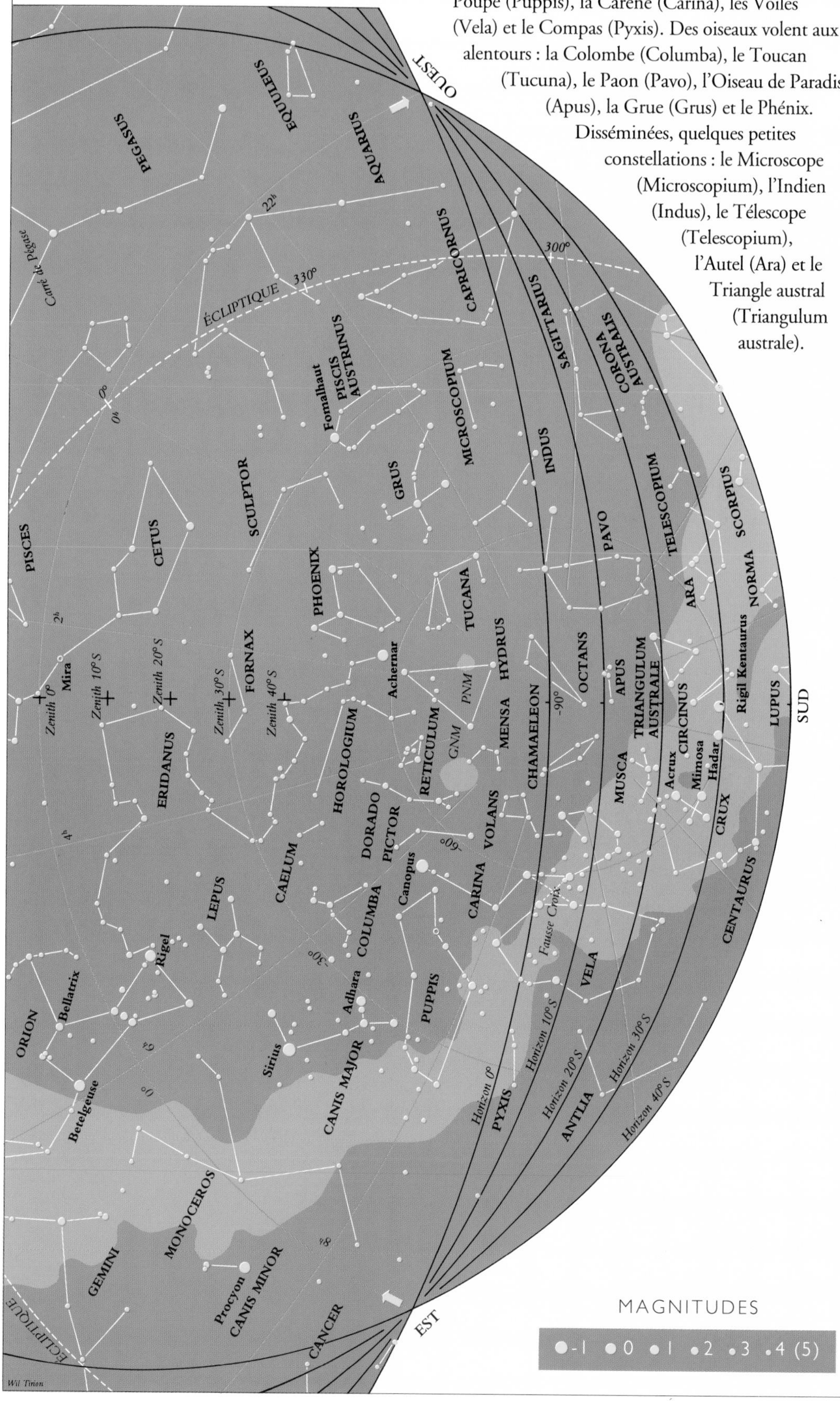

MAGNITUDES

-1 0 1 2 3 4 (5)

Wil Tirion

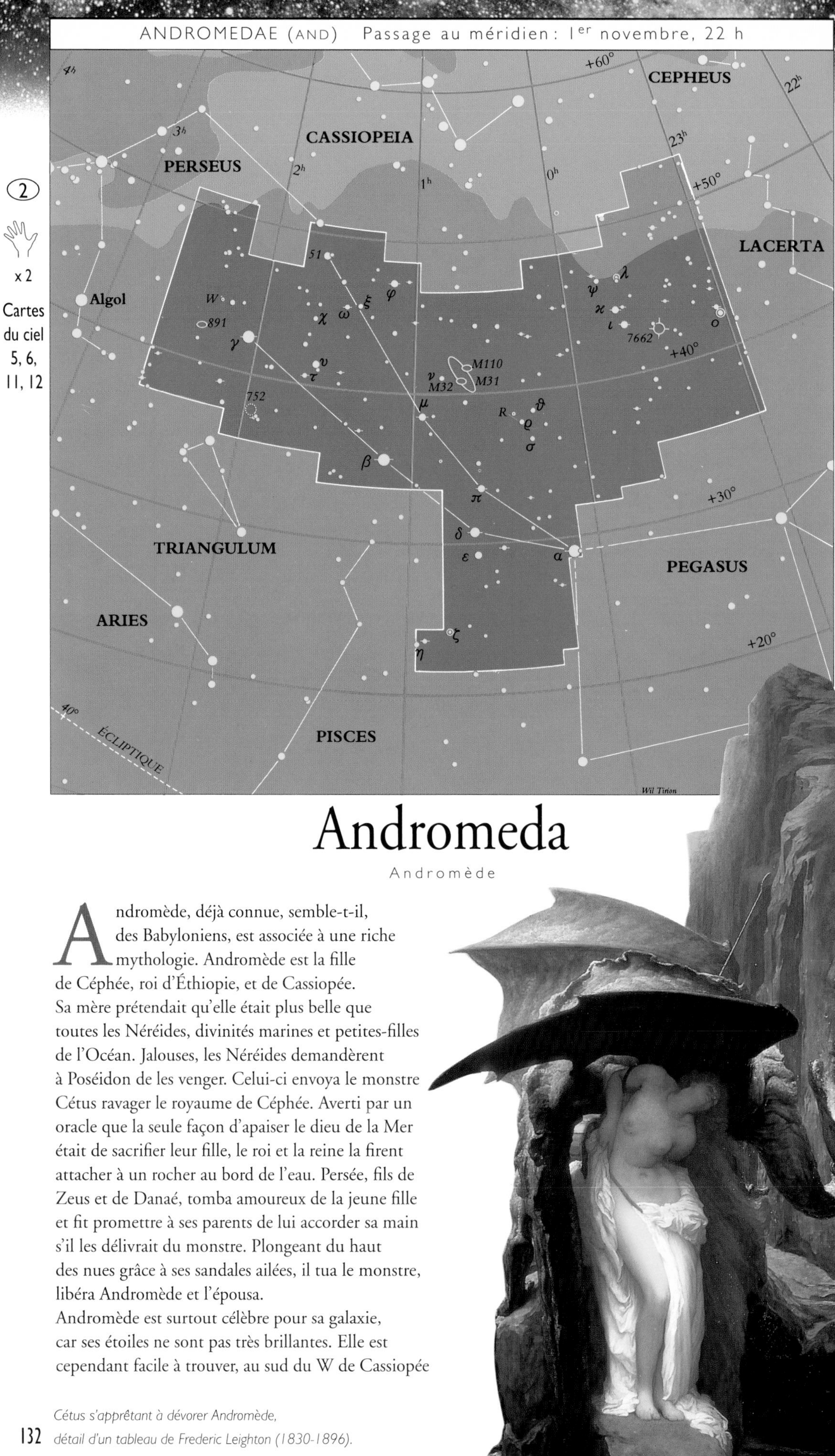

2

x 2

Cartes du ciel 5, 6, 11, 12

Andromeda

Andromède

Andromède, déjà connue, semble-t-il, des Babyloniens, est associée à une riche mythologie. Andromède est la fille de Céphée, roi d'Éthiopie, et de Cassiopée. Sa mère prétendait qu'elle était plus belle que toutes les Néréides, divinités marines et petites-filles de l'Océan. Jalouses, les Néréides demandèrent à Poséidon de les venger. Celui-ci envoya le monstre Cétus ravager le royaume de Céphée. Averti par un oracle que la seule façon d'apaiser le dieu de la Mer était de sacrifier leur fille, le roi et la reine la firent attacher à un rocher au bord de l'eau. Persée, fils de Zeus et de Danaé, tomba amoureux de la jeune fille et fit promettre à ses parents de lui accorder sa main s'il les délivrait du monstre. Plongeant du haut des nues grâce à ses sandales ailées, il tua le monstre, libéra Andromède et l'épousa.
Andromède est surtout célèbre pour sa galaxie, car ses étoiles ne sont pas très brillantes. Elle est cependant facile à trouver, au sud du W de Cassiopée

Cétus s'apprêtant à dévorer Andromède, détail d'un tableau de Frederic Leighton (1830-1896).

Les étoiles d'Andromède entourant la galaxie d'Andromède, galaxie la plus proche de la Terre.

et juste à l'extérieur de l'un des coins du Carré de Pégase. En fait, Alpheratz, l'étoile située au coin nord-est de ce carré, appartient à Andromède.

La galaxie d'Andromède (M 31)
Cette galaxie, la plus proche de nous, a d'abord été considérée comme une nébuleuse et classée comme telle dans le catalogue des nébuleuses établi au XIXe siècle par Charles Messier. C'est une galaxie spirale, très semblable à la nôtre, composée de 200 milliards d'étoiles, de nuages de poussières et de gaz. Elle est suffisamment brillante pour être visible à l'œil nu, ou avec la moindre paire de jumelles ; c'est l'un des objets les plus lointains visibles à l'œil nu. Avec des jumelles plus fortes ou un petit télescope, on peut voir ses deux compagnes, deux galaxies elliptiques voisines : **M 32,** petite et compacte ; **M 110,** plus grande et plus diffuse, donc plus difficile à repérer.

Gamma (γ) Andromedae
Magnifique étoile double. La plus brillante est jaune d'or, l'autre bleu-vert.

R Andromedae
L'éclat de cette étoile de type Mira varie de 9 magnitudes, ce qui est considérable.

NGC 752
Amas globulaire qui s'étend sur environ 5° d'arc au sud de Gamma (γ) Andromedae. Il est facile à repérer, car il contient des étoiles brillantes. Du fait de sa taille, on peut facilement l'observer à l'aide de jumelles ou d'un petit télescope.

NGC 7662
Nébuleuse planétaire très brillante. Vu à travers un petit télescope, cet objet bleu-vert ressemble plutôt à une étoile ; avec un télescope de 150 mm de diamètre et de puissance moyenne, il devient une tache brillante de 30" d'arc.

NGC 891
Galaxie difficile à observer, même avec un télescope de 150 mm. Cependant, avec de bons yeux et par une nuit très sombre, on découvrira un exemple parfait de galaxie spirale vue par la tranche.

Andromède ! [...] Pourquoi tarder si timidement à venir parmi les étoiles : viens ! Rejoins cette foule brillante, et va prestement où toutes se dirigent.

JONH KEATS, *Endymion.*

La galaxie d'Andromède, avec M 32 (à gauche) et M 110 (à droite). Seul le centre, coloré en jaune, est visible avec un petit télescope.

4

x 1

Cartes du ciel 2, 7, 8, 9

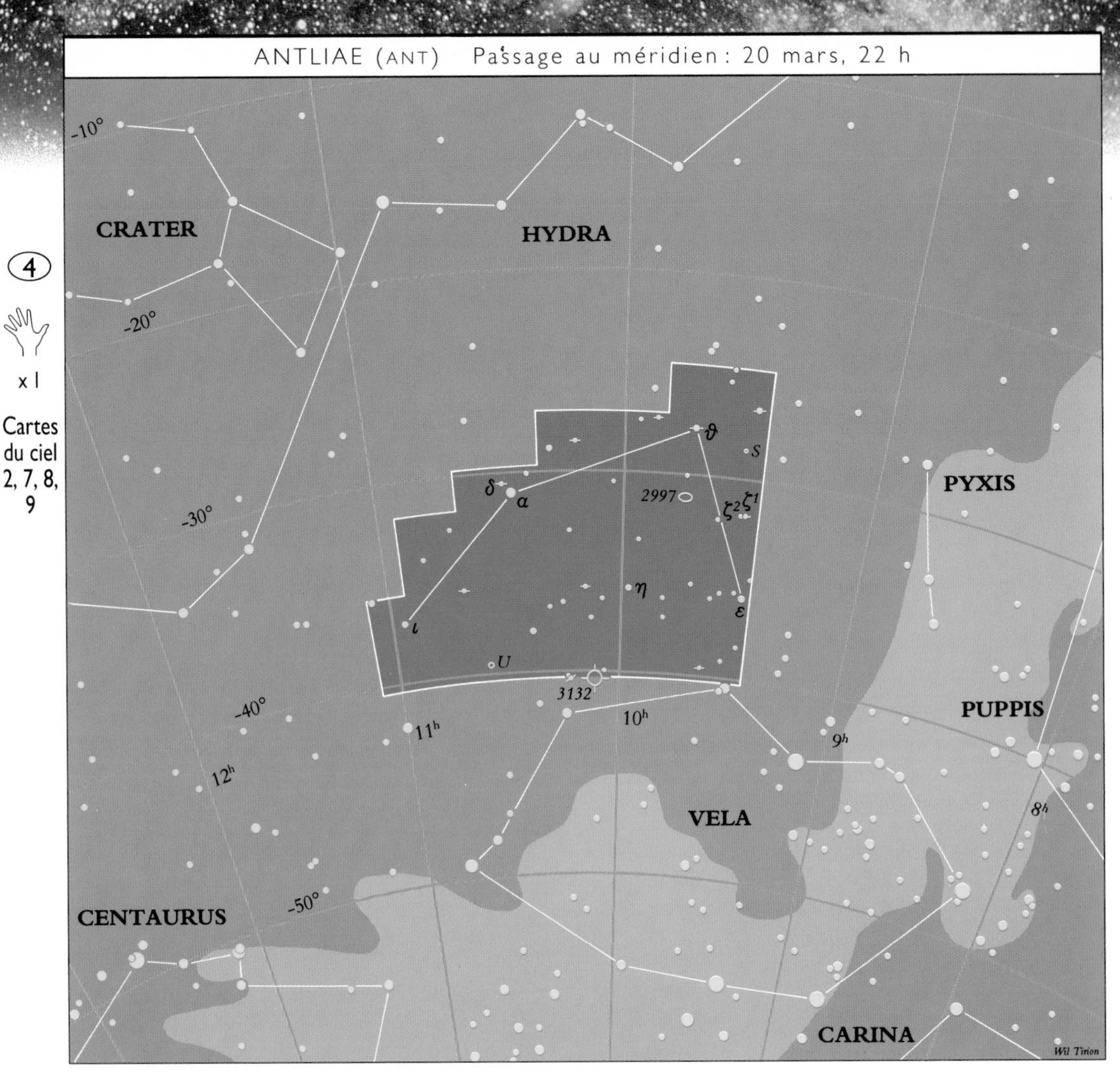

Antlia

La Machine pneumatique

Antlia Pneumatica doit son nom à l'invention de Robert Boyle, physicien et chimiste irlandais (1627-1691). Ce nom lui fut donné par Nicolas Louis de La Caille, astronome et géodésien français (1713-1762), qui se livra à une étude approfondie du ciel au cap de Bonne-Espérance entre 1750 et 1754.
Il releva les positions d'environ dix mille étoiles et définit quatorze constellations australes, dont Antlia.
Antlia est une petite constellation assez faible, située juste à côté de la Voie lactée australe, non loin de Vela (les Voiles) et de Puppis (la Poupe).
Son étoile la plus brillante (α), une étoile rouge dont la magnitude varie légèrement, n'a même pas de nom propre.

NGC 2997
Grande galaxie spirale de faible éclat, difficile à observer avec un petit télescope.

NGC 2997. Une galaxie impressionnante avec les bras spiraux tracés par les étoiles bleues, les nuages roses d'hydrogène et la poussière.

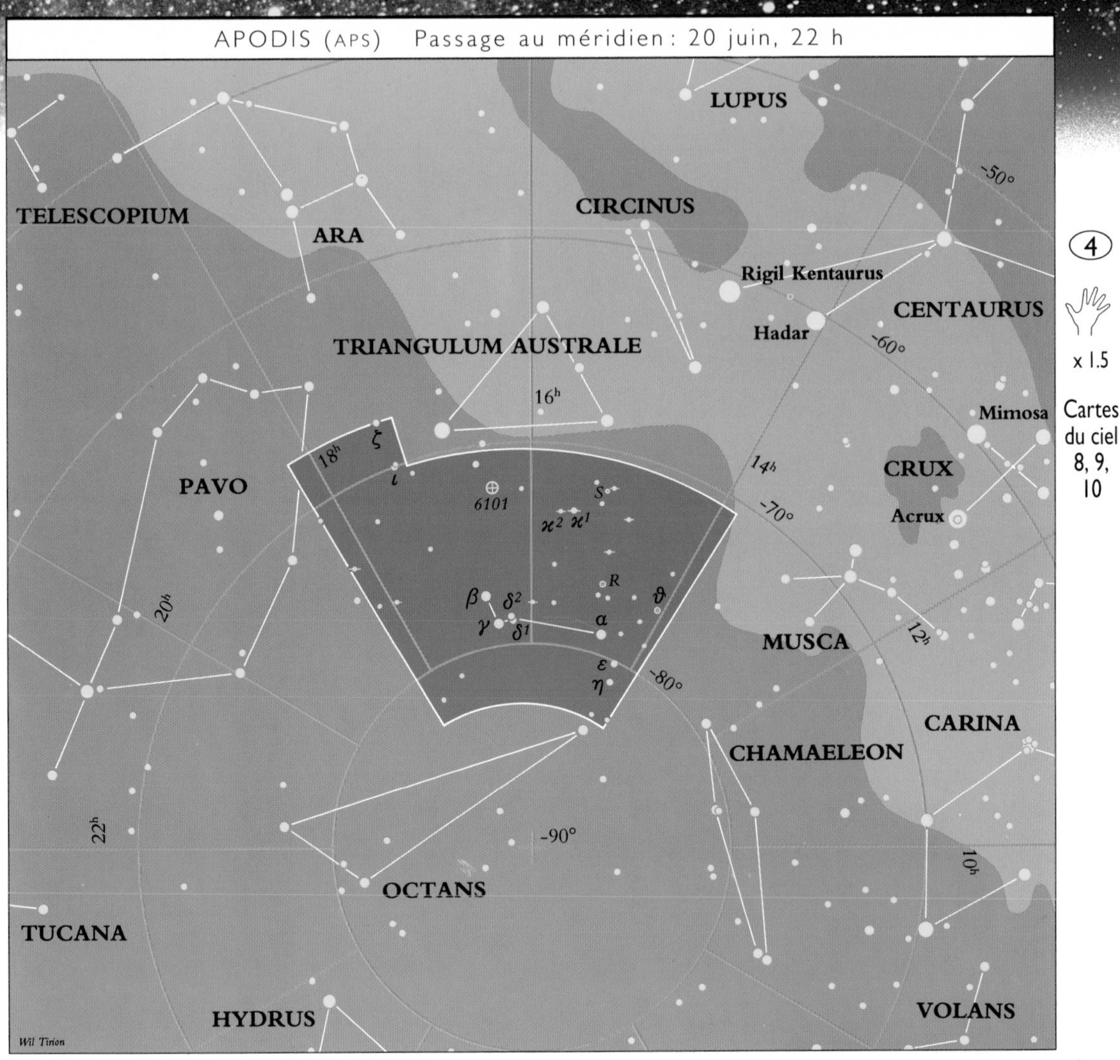

Apus

L'Oiseau de Paradis

Cette constellation de faible éclat est située entre Triangulum Australe (le Triangle austral) et le pôle Sud.
Proche du pôle Sud, elle est invisible de la plupart des latitudes boréales. *Apus,* qui signifie « sans pieds » en grec ancien, vient du nom indien de l'oiseau de paradis, *Apus Indica.*
On offrait, en effet, ce magnifique oiseau après lui avoir coupé les pattes, par trop disgracieuses.

Apus, d'après un dessin d'Uranographia, de Johann Bode.

Un cliché de NGC 6101 pris avec un télescope de 300 mm de diamètre.

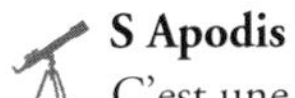

S Apodis
C'est une étoile relativement brillante de magnitude 10, visible à travers un petit télescope. De temps en temps, elle explose en éjectant de la matière sombre comme de la suie. Son éclat diminue énormément (par un facteur 100) – jusqu'à une magnitude de 15 –, puis, au bout de quelques semaines, retrouve sa valeur initiale.

Thêta (θ) Apodis Étoile variable dont la magnitude passe de 6,4 à 8 sur un cycle de cent jours.

NGC 6101 Amas globulaire peu lumineux, étendu et assez irrégulier, qui apparaît comme une tache floue dans un petit télescope.

AQUARII (AQR) Passage au méridien : 20 septembre, 22 h

3

x 2.5

Cartes du ciel 5, 10, 12

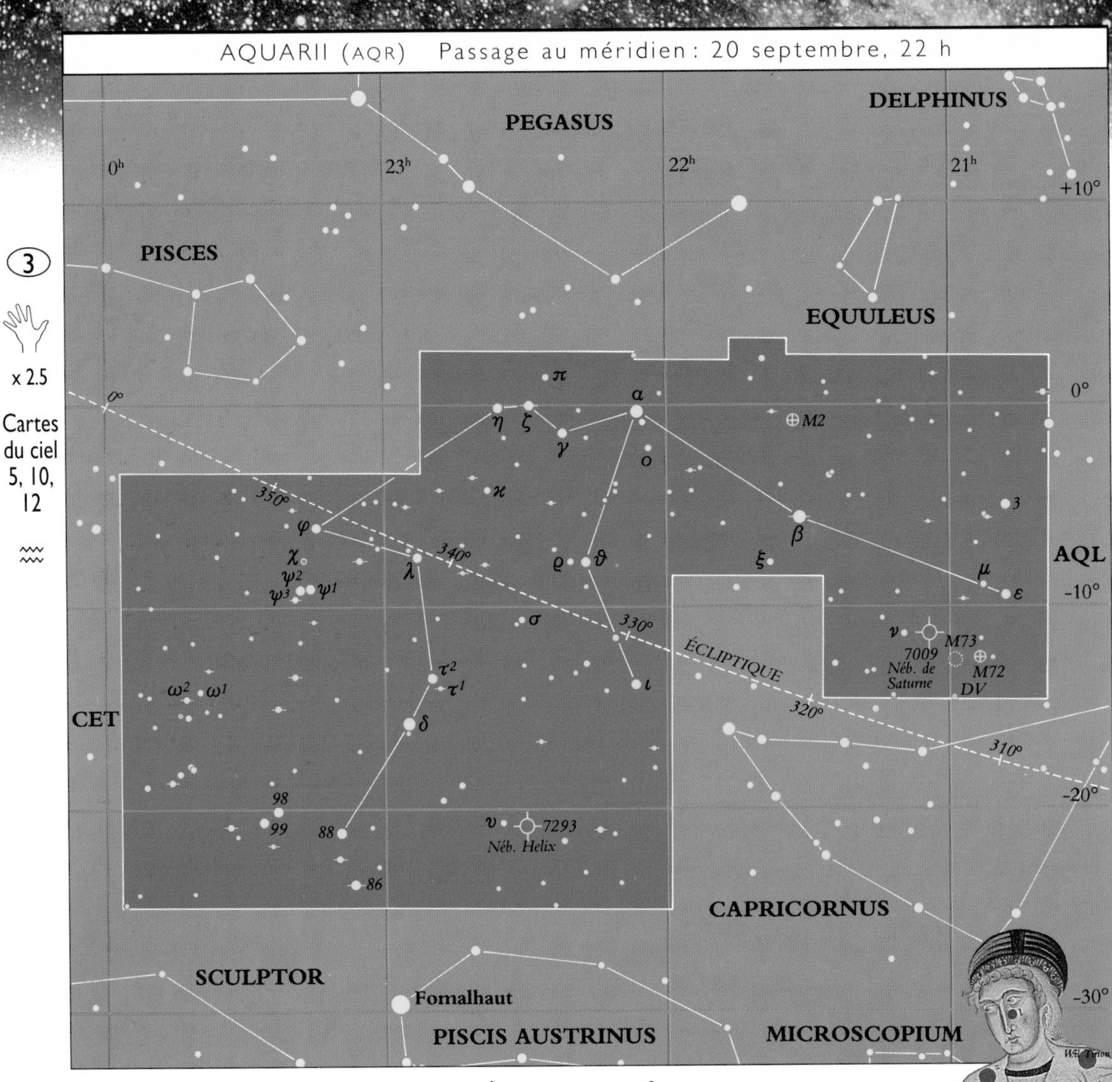

Aquarius

Le Verseau

Cette constellation, dont le nom remonte à l'époque babylonienne, a une place tout à fait appropriée dans le ciel, près d'un dauphin, d'un serpent de mer, d'un poisson et d'une rivière.

M 2 Amas globulaire qui se détecte avec de simples jumelles ou un petit télescope. Avec un télescope de 100 mm, on peut discerner son aspect moucheté, qui se résout en étoiles avec un télescope de 150 mm.

La nébuleuse Hélix, à 450 années-lumière, est la nébuleuse planétaire la plus proche de nous.

La nébuleuse Saturne (NGC 7009) Petite nébuleuse planétaire baptisée par lord Rosse (1800-1867).

Aquarius, le Porteur d'eau, d'après un manuscrit italien du XIIIe siècle.

C'est lui qui, le premier, grâce à son grand télescope, découvrit sa forme qui se rapproche de celle de Saturne. Elle apparaît comme un point verdâtre dans un télescope.

La nébuleuse Hélix (NGC 7293) La plus grande et la plus proche des nébuleuses planétaires. Elle couvre dans le ciel un demi-diamètre lunaire. On la voit très bien, du fait de sa taille et de sa luminosité, avec de simples jumelles par nuit sombre ou à l'aide d'un télescope à grand champ et de faible puissance.

Delta (δ) Aquarids Essaim de météores qui apparaît chaque année, le 28 juillet.

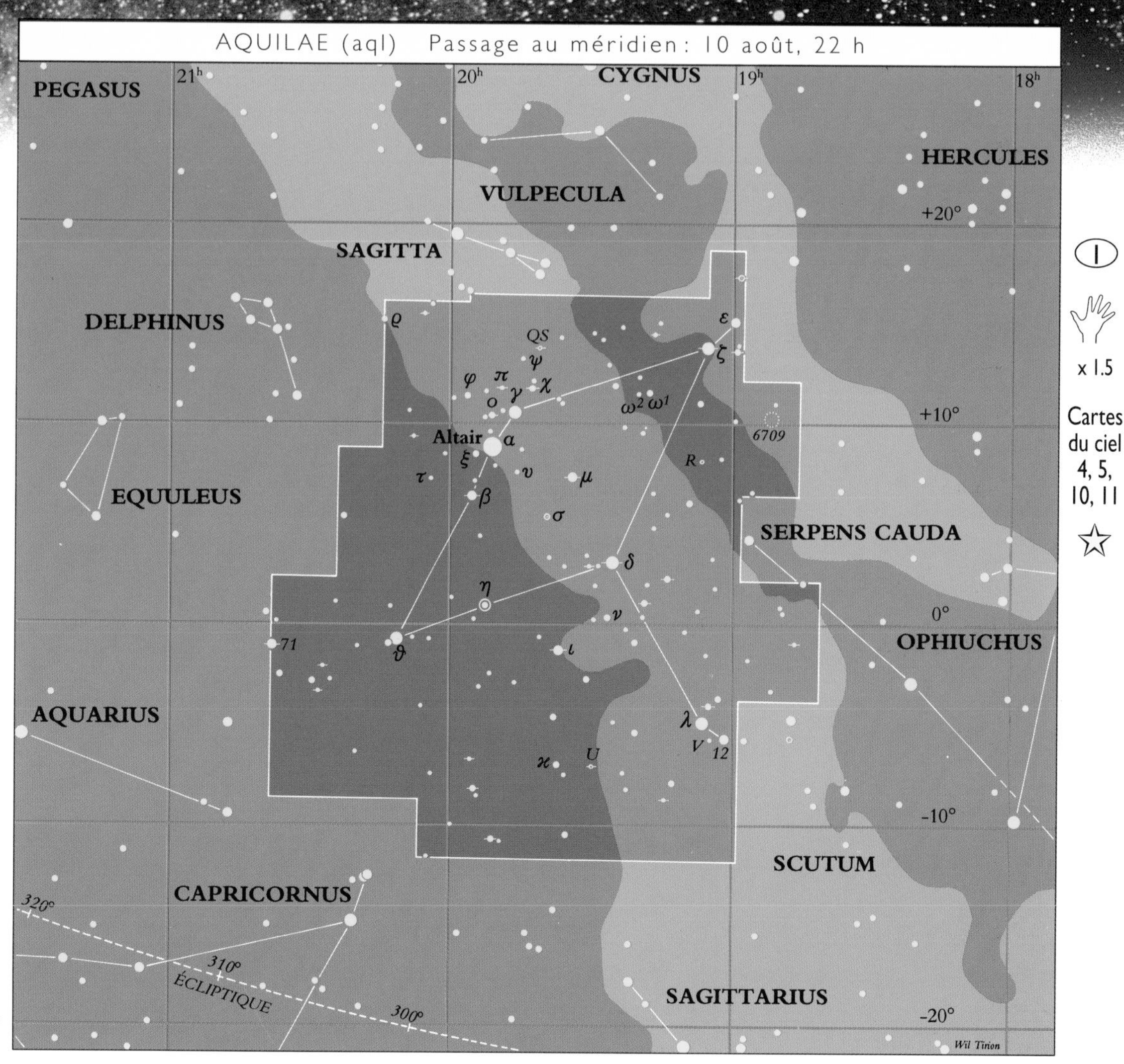

Aquila

L'Aigle

Les astronomes du bassin de l'Euphrate voyaient dans cette constellation un oiseau aux ailes déployées. Elle doit son nom à l'aigle, oiseau favori de Zeus, qui enleva Ganymède, « le plus beau des mortels », et l'emporta dans ses serres pour le ramener à son maître.
Deux importantes novae sont apparues dans la constellation de l'Aigle. La première, en 389 avant J.-C., brilla autant que Vénus, la seconde, en 1918, plus qu'**Altaïr,** l'étoile la plus brillante de la constellation, véritable phare dans la Voie lactée entre le Sagittaire et le Cygne.

Êta (η) Aquilae Cette étoile supergéante est une céphéide brillante dont la magnitude varie de 3,5 à 4,4 sur une période d'un peu moins d'une semaine. Quand elle brille le plus, elle rivalise avec **Delta (δ) Aquilae ;** quand elle brille le moins, elle n'est pas plus lumineuse que **Iota (ι) Aquilae.**

R Aquilae Étoile de type Mira dont la magnitude varie de 6 à 11,5 sur une période de 284 jours.

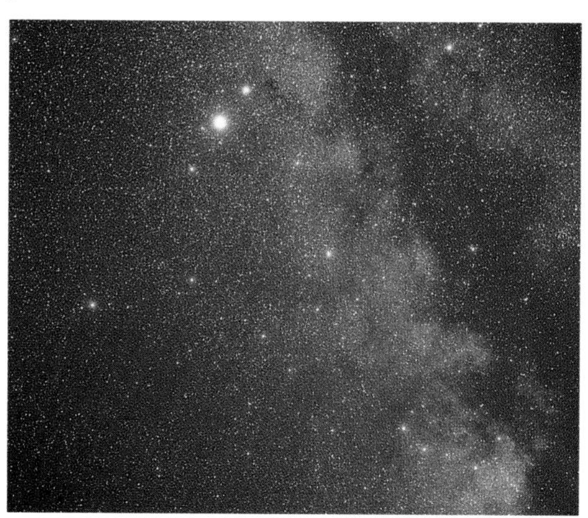

Altaïr, étoile brillante de la constellation de l'Aigle, dans la Voie lactée.

NGC 6709 Très bel amas ouvert qui se compose d'un groupe serré d'étoiles bien piquées se superposant sur une région de la Voie lactée déjà riche en étoiles. C'est dans cette région que D. H. Levy découvrit, le 13 novembre 1984, la comète Levy-Rudenko.

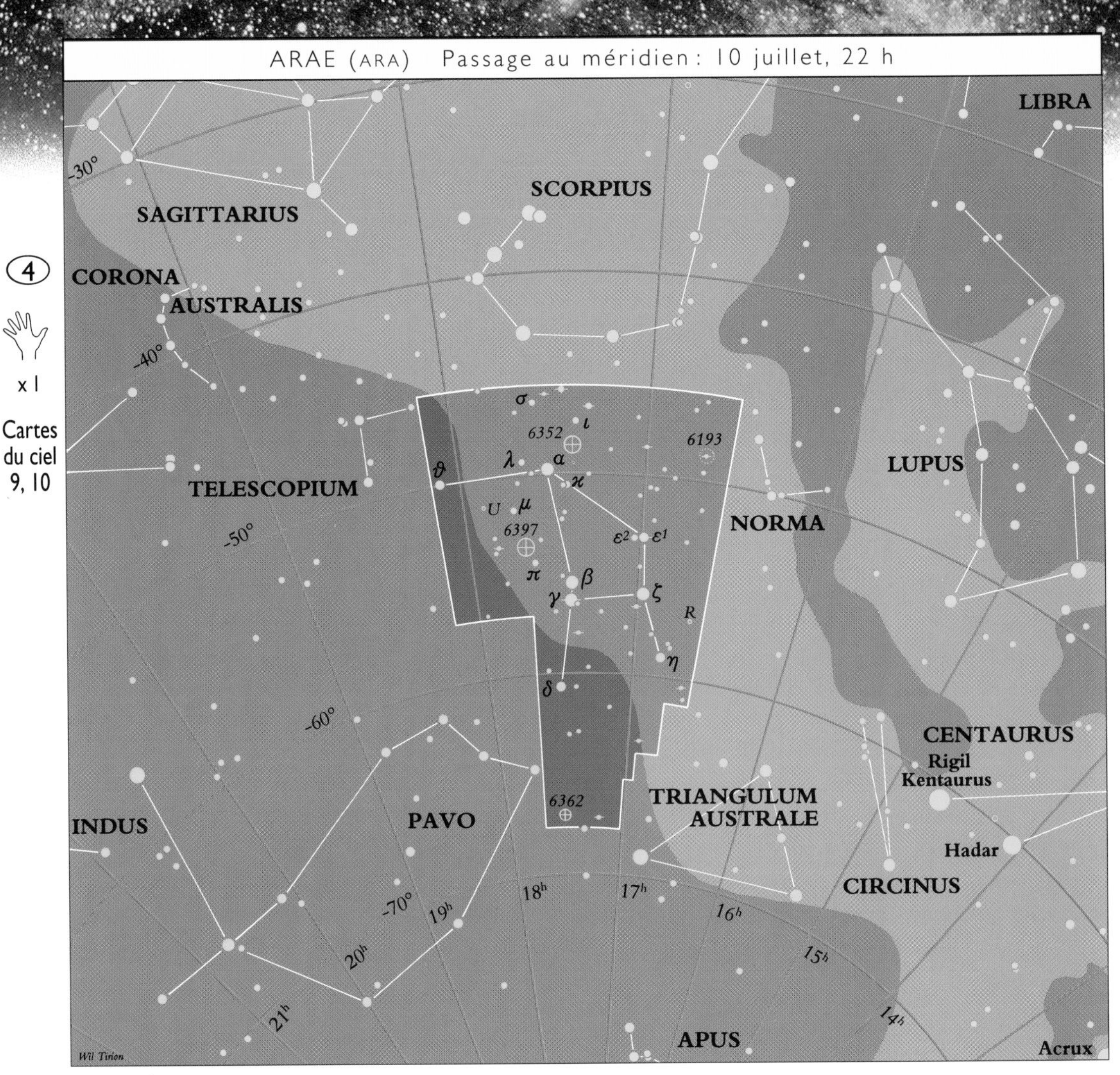

Ara

L'Autel

Son nom latin originel était Ara Centauri, c'est-à-dire l'autel du centaure Chiron, créature moitié homme, moitié cheval, la plus sage des créatures terrestres.

Dans d'autres mythologies, Ara représente l'autel de Dionysos, celui du Temple de Salomon, ou encore la table de sacrifice édifiée par Moïse, ou celle érigée par Noé après le Déluge.

U Arae Étoile variable de type Mira, visible dans un petit télescope à son maximum d'intensité (magnitude 8).
Elle varie ensuite de cinq magnitudes sur une période d'un peu plus de sept mois, avant de croître à nouveau.

Ci-dessus : Ara, l'Autel, d'après l'Uranometria de Johann Bayer (1723).

NGC 6397 Sans doute l'amas globulaire le plus proche de nous. Il est situé entre **Bêta (β) Arae** et **Thêta (θ) Arae.**
C'est un amas relativement étalé sur 50 années-lumière, visible avec des jumelles puissantes.

Ara, au bord de la Voie lactée, avec NGC 6397 clairement visible entre Bêta (β) Arae et Thêta (θ) Arae.

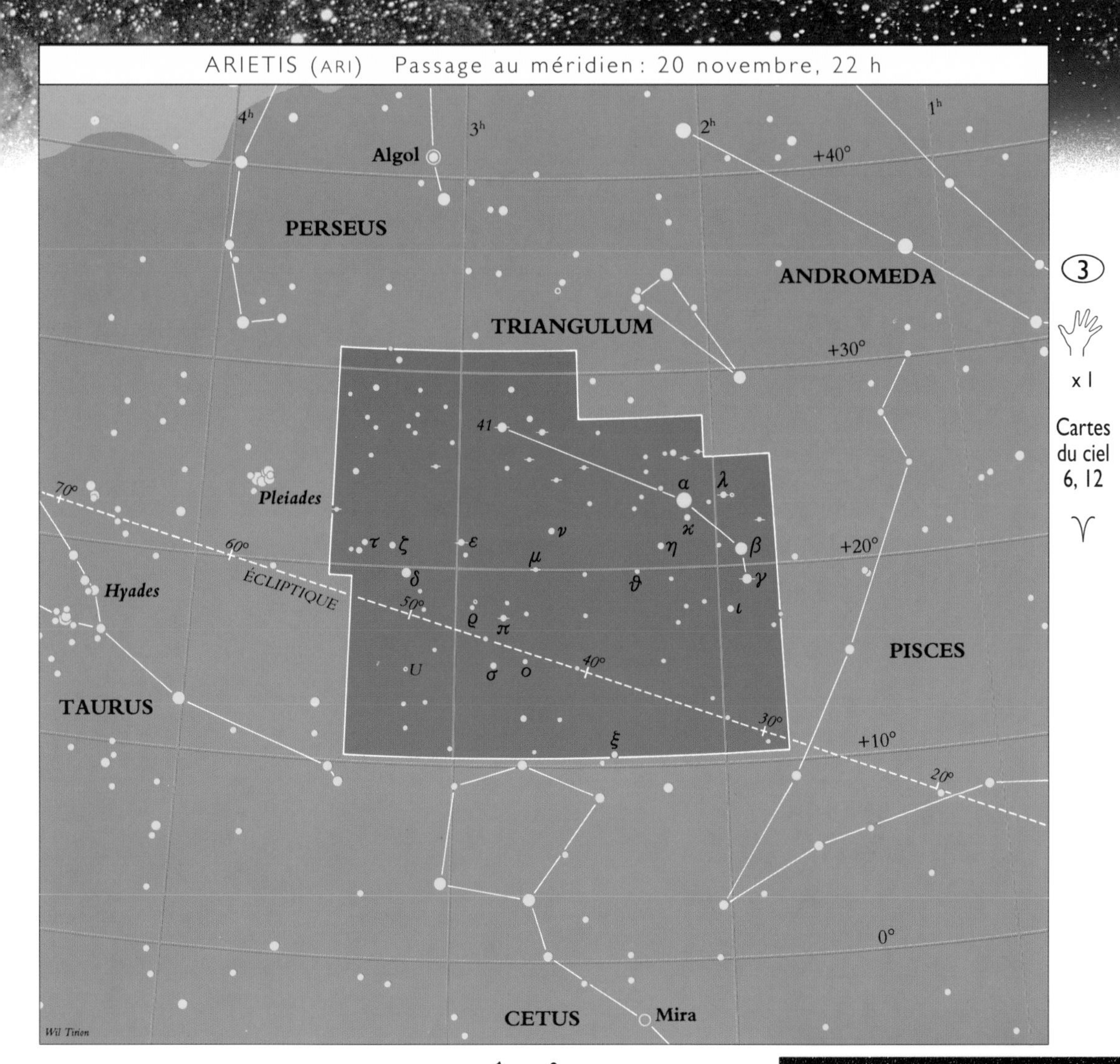

3

x 1

Cartes du ciel 6, 12

♈

Aries

Le Bélier

Une légende grecque raconte qu'Athamas, roi de Béotie, sur les conseils de sa seconde femme, Ino, voulut sacrifier ses deux enfants, Phrixos et Hellé. Pour les sauver, Zeus leur envoya un bélier ailé à la toison d'or. Les deux enfants montèrent sur son échine et s'envolèrent vers l'Orient. En chemin, Hellé tomba dans la mer et se noya à la frontière de l'Europe et de l'Asie, en un lieu appelé Hellespont, ou mer de Hellé, aujourd'hui les Dardanelles. Son frère parvint sain et sauf sur les rives de la mer Noire, où il sacrifia le bélier, dont la toison d'or devint l'enjeu de l'expédition des Argonautes. Aries est la première constellation du zodiaque, depuis le jour où le Soleil entra dans cette constellation

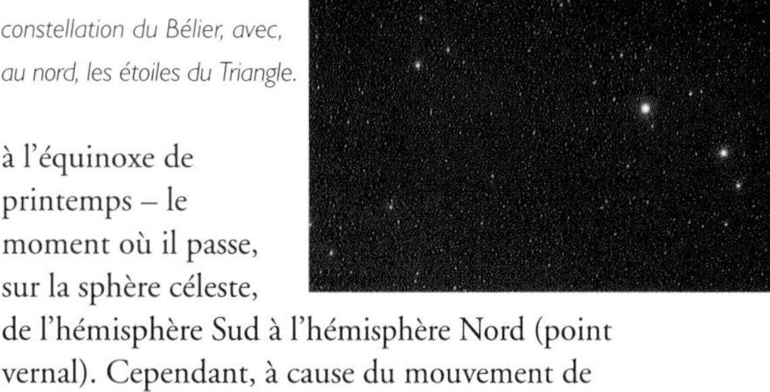

Les étoiles brillantes de la constellation du Bélier, avec, au nord, les étoiles du Triangle.

à l'équinoxe de printemps – le moment où il passe, sur la sphère céleste, de l'hémisphère Sud à l'hémisphère Nord (point vernal). Cependant, à cause du mouvement de précession de la Terre, le Soleil est maintenant dans la constellation des Poissons le jour de l'équinoxe de printemps. Aries est très facile à repérer dans le ciel, mais présente peu d'objets intéressants.

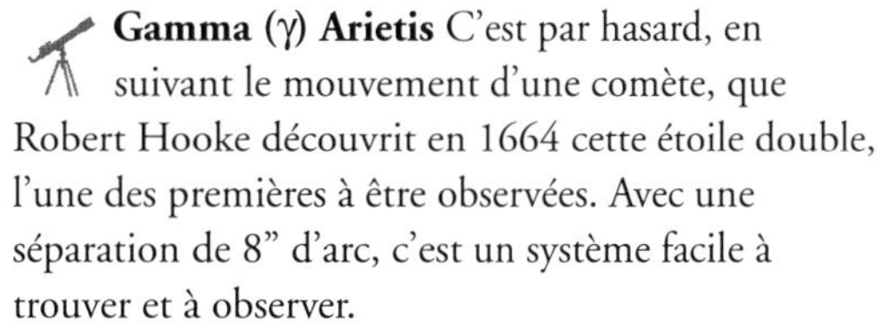

Gamma (γ) Arietis C'est par hasard, en suivant le mouvement d'une comète, que Robert Hooke découvrit en 1664 cette étoile double, l'une des premières à être observées. Avec une séparation de 8" d'arc, c'est un système facile à trouver et à observer.

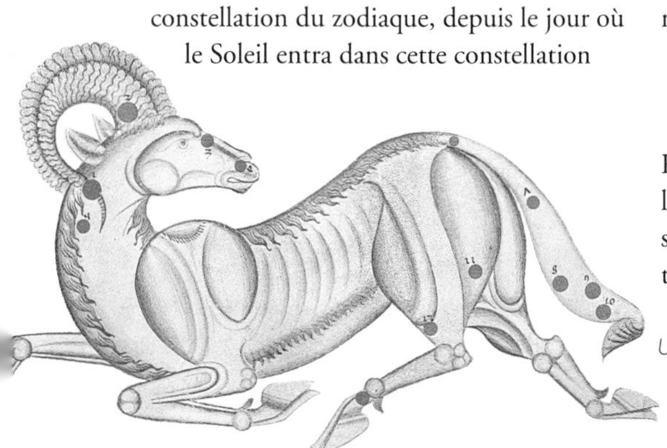

Une représentation du Bélier dans un manuscrit italien du XIIIe siècle.

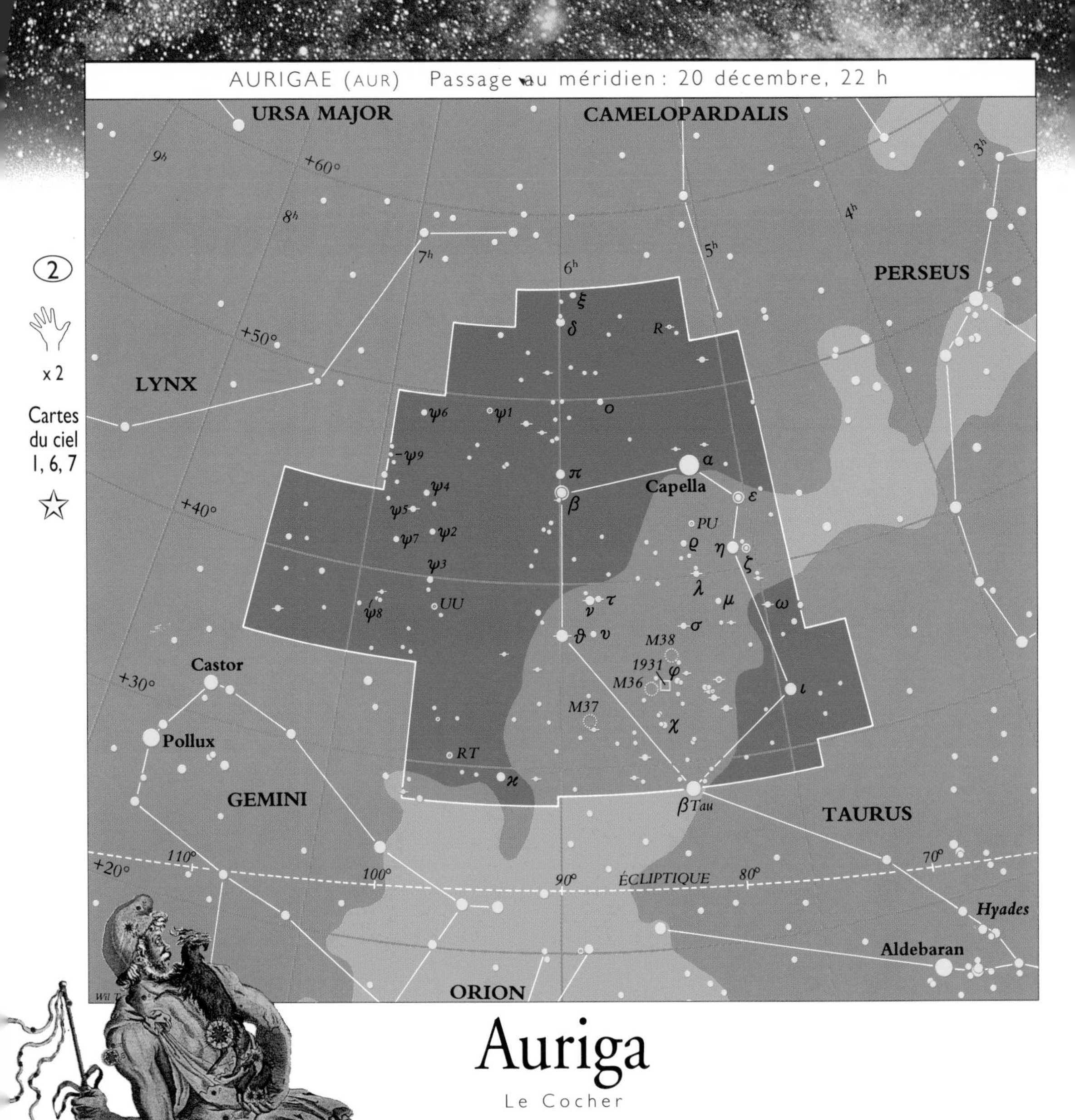

Auriga

Le Cocher

Cette charmante constellation est facile à identifier grâce à l'étoile Capella, la Chèvre, et à ses trois enfants. La légende représente Auriga en cocher, transportant une chèvre sur ses épaules et deux ou trois chevreaux sur ses bras. Le cocher peut aussi représenter Erichthonios, fils d'Héphaïstos, le dieu du Feu, qui inventa le chariot pour transporter son corps estropié. Capella, la Chèvre, dont le nom vient des Romains, est une étoile située à 50 années-lumière et comparable au Soleil.

Epsilon (ε) Aurigae Extraordinaire système variable composé d'une étoile supergéante qui diminue d'éclat lorsque son compagnon invisible passe devant elle, tous les vingt-sept ans. Au cours de l'éclipse, l'éclat du système varie de deux tiers. La phase la plus longue de l'éclipse dure une année entière, ce qui indiquerait que le compagnon d'Epsilon (ε) Aurigae est entouré d'un énorme nuage de gaz et de poussières.

Ci-dessus : Auriga avec, dans son dos, la brillante Capella, d'après un atlas du XVIIe siècle.

M 36 Amas ouvert brillant, à 5° au sud-ouest de **Thêta (θ) Aurigae,** contenant une soixantaine d'étoiles de magnitude 8 ou de plus faible éclat.

M 37 Amas ouvert exceptionnel de même diamètre apparent que la Lune. Avec des jumelles, il apparaît comme une tache diffuse qui peut se résoudre en un grand nombre d'étoiles avec un petit télescope.

M 38 Vu dans un télescope, ce petit amas d'étoiles ressemble à la lettre π.

M 37, amas globulaire à 4 600 années-lumière.

BOOTIS (BOO) Passage au méridien : 1er juin, 22 h

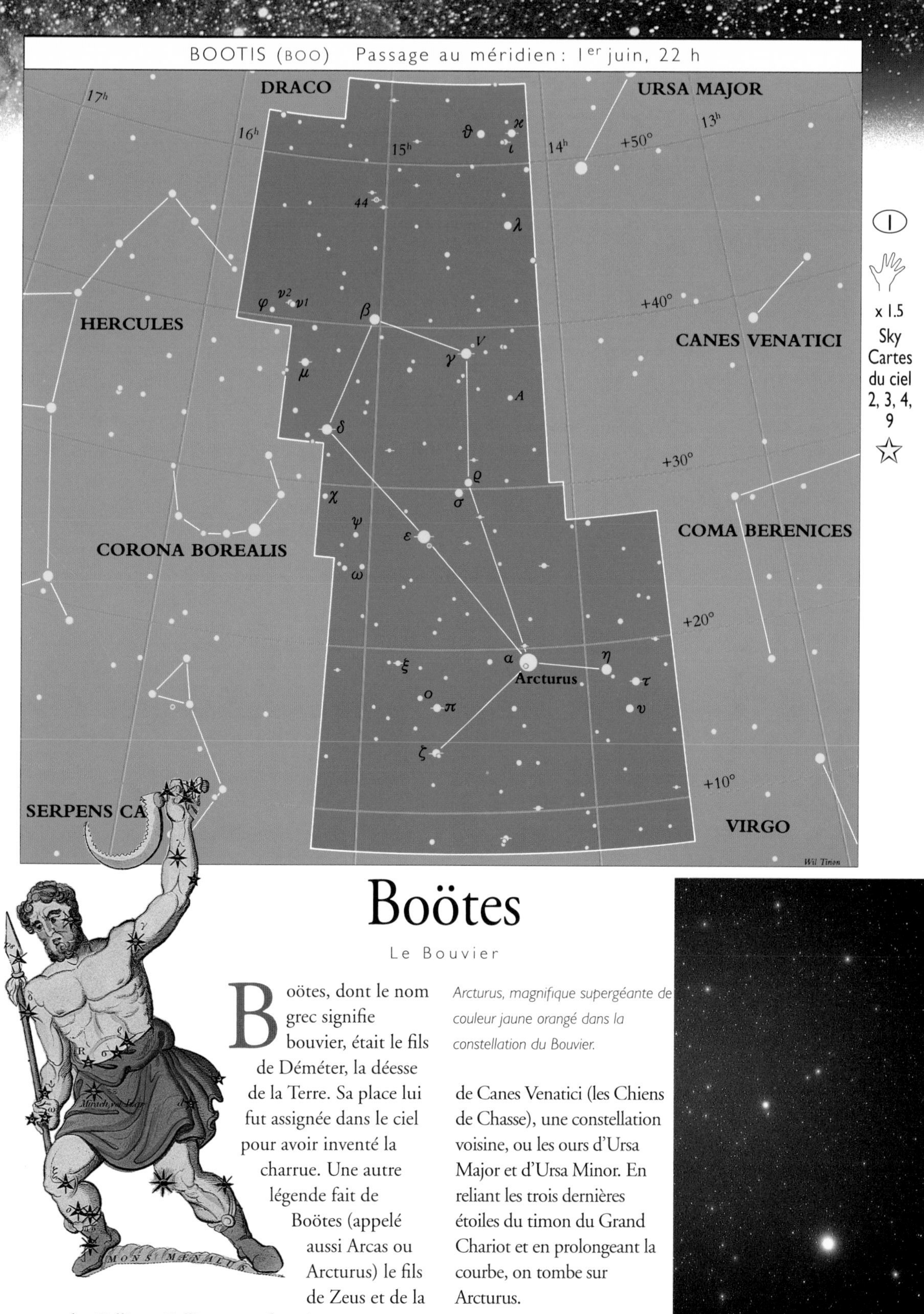

x 1.5 Sky

Cartes du ciel 2, 3, 4, 9

Boötes

Le Bouvier

Boötes, dont le nom grec signifie bouvier, était le fils de Déméter, la déesse de la Terre. Sa place lui fut assignée dans le ciel pour avoir inventé la charrue. Une autre légende fait de Boötes (appelé aussi Arcas ou Arcturus) le fils de Zeus et de la nymphe Callisto. Callisto, transformée en ourse par Héra, la femme de Zeus, faillit être tuée par son fils un jour où il était à la chasse. Zeus la sauva et lui fit une place dans le ciel où elle devint Ursa Major, la Grande Ourse.

Arcturus est un mot grec qui signifie gardien d'ours. On représente parfois Arcturus conduisant les chiens de Canes Venatici (les Chiens de Chasse), une constellation voisine, ou les ours d'Ursa Major et d'Ursa Minor. En reliant les trois dernières étoiles du timon du Grand Chariot et en prolongeant la courbe, on tombe sur Arcturus.

Ci-dessus : le Bouvier avec Arcturus sur le genou gauche, d'après le Miroir d'Uranie *(1825).*

Arcturus, magnifique supergéante de couleur jaune orangé dans la constellation du Bouvier.

Arcturus : Alpha (α) Boötis, l'une des plus proches étoiles brillantes, est située à 37 années-lumière.
C'est une étoile orange qui possède un mouvement propre important : au cours des deux derniers millénaires, elle s'est déplacée de presque deux fois le diamètre apparent de la Lune. D. H. Levy a découvert la comète Levy (1987y) près d'Arcturus en septembre 1987.

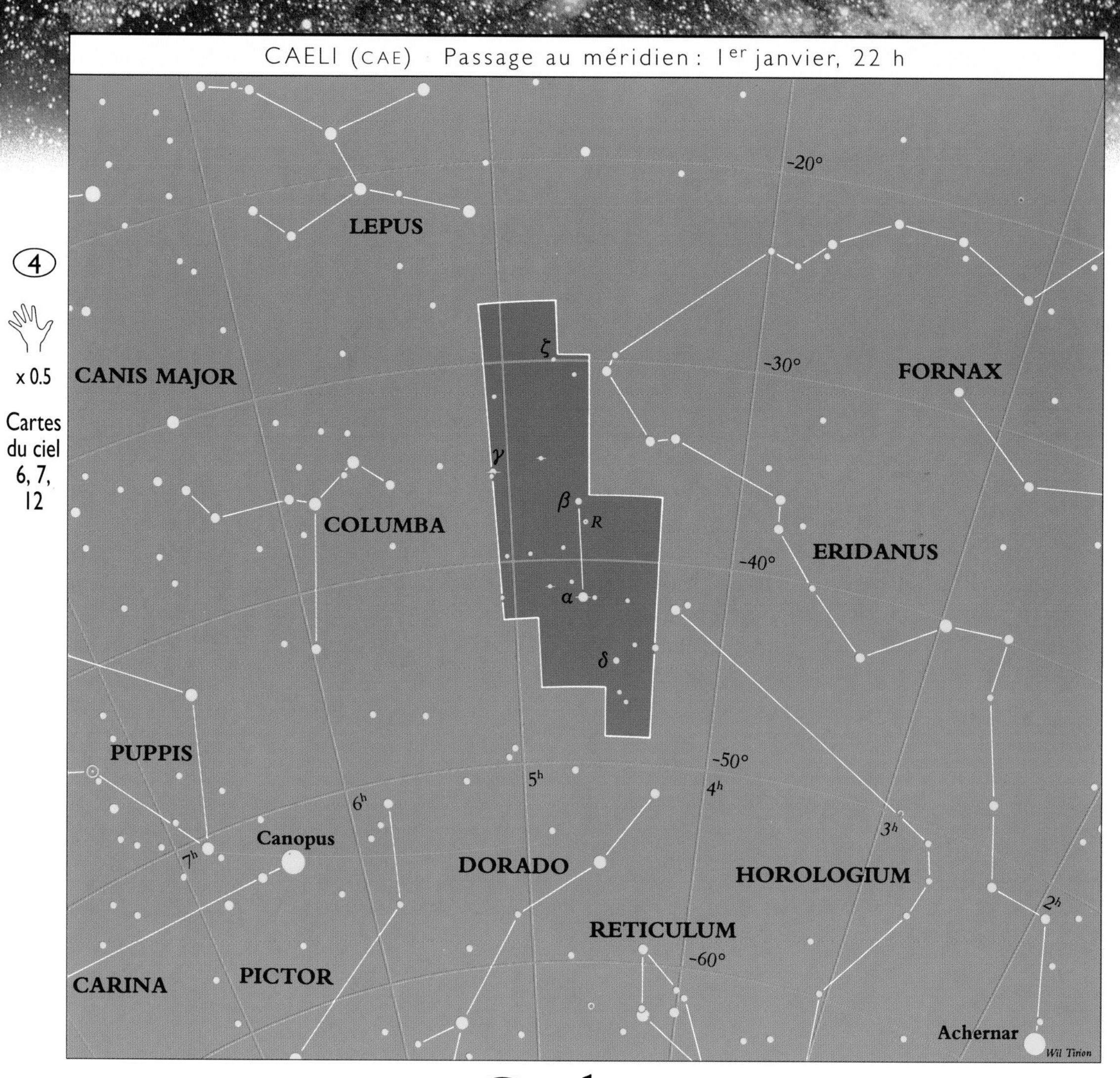

4

x 0.5

Cartes du ciel 6, 7, 12

Caelum

Le Burin

Caelum est l'une des nombreuses constellations assez banales relevées dans l'hémisphère Sud par Nicolas Louis de La Caille au XVIIIe siècle. Elle occupe une grande région vide du ciel entre Colomba (la Colombe) et Eridanus (Éridan).

R Caeli Étoile variable de type Mira dont la magnitude varie de 6,7 à 13,7 sur une période de treize mois.

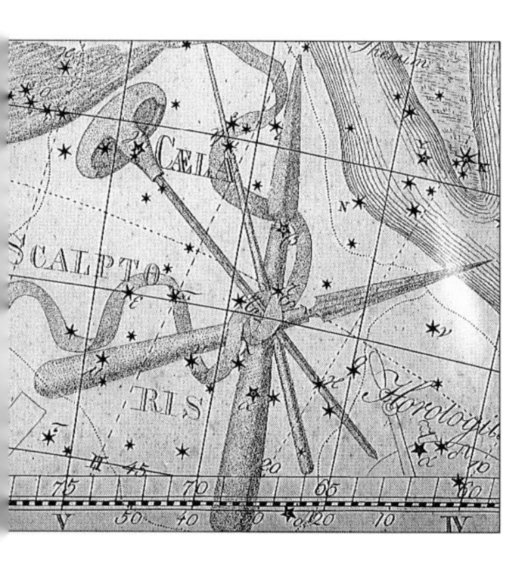

Une toute petite région du ciel austral d'après Nicolas Louis de La Caille : Caela Sculptoris, l'Outil du Sculpteur, appelé plus simplement aujourd'hui Caelum, le Burin. Les quelques étoiles faibles qui font partie de cette constellation pourraient tout aussi bien appartenir à Columba ou Eridanus.

CONSEIL À L'OBSERVATEUR

Il ne suffit pas d'observer le ciel, il faut encore consigner vos observations. Qu'elles soient manuscrites, dactylographiées, dessinées, peu importe. Le seul fait de les enregistrer augmentera votre talent d'observateur. Prenez des notes simples et précises.

Voici un exemple de ce qu'un observateur situé dans l'hémisphère Nord pourrait noter en tentant de localiser Caelum :

- Essayé de localiser Caelum, mais impossible de voir une étoile à travers la brume dans l'horizon sud.
- Réussi malgré tout à voir Alpha (α) et Bêta (β) Caeli.
- Vu un météore brillant de magnitude 1. Apparu dans le Baudrier d'Orion, descendu vers le sud et disparu dans Caelum dans une explosion très lumineuse, de couleur verdâtre.

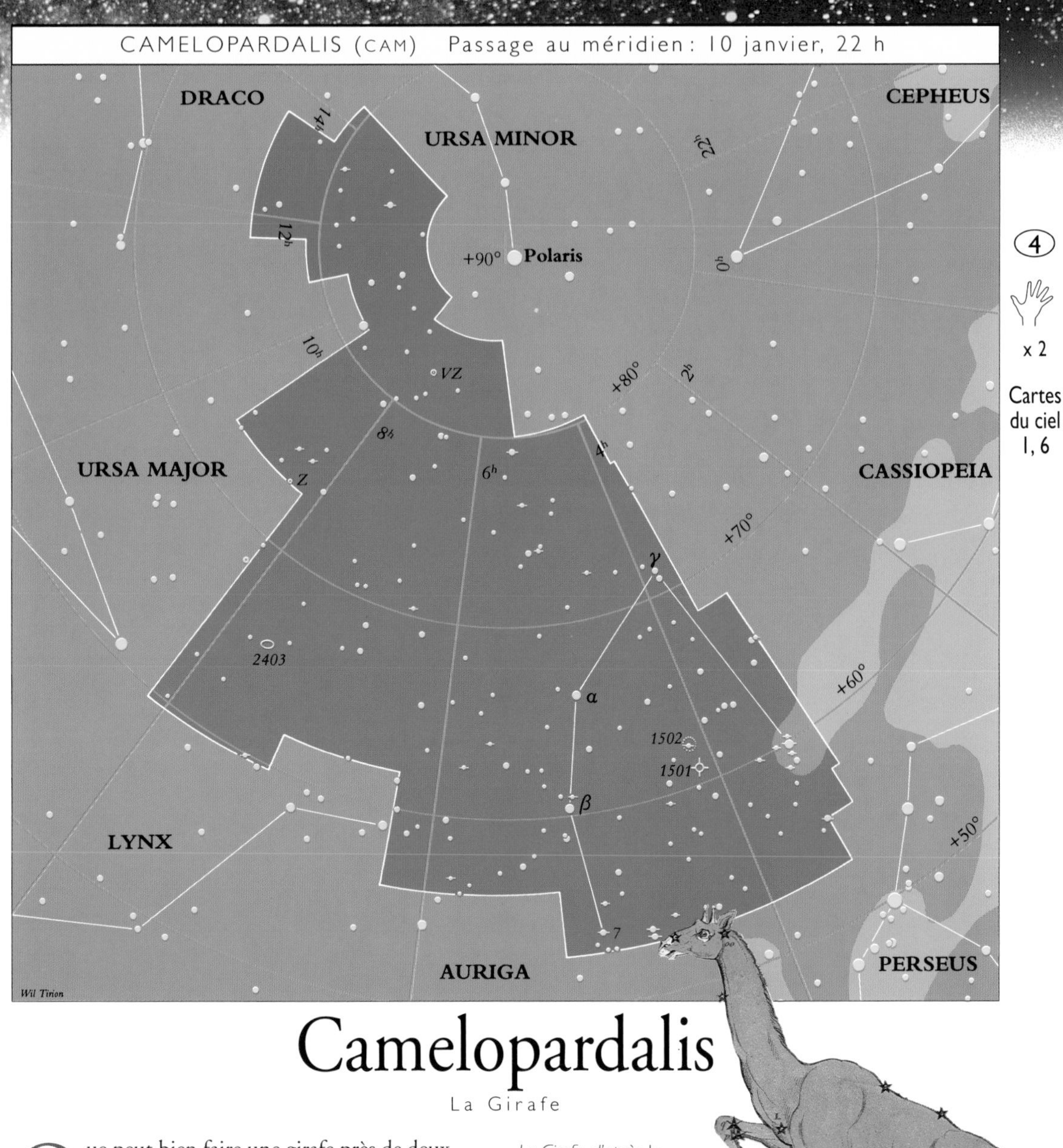

4

x 2

Cartes du ciel 1, 6

Camelopardalis

La Girafe

La Girafe, d'après le Miroir d'Uranie (1825).

Que peut bien faire une girafe près de deux ours et d'un dragon dans le ciel glacé de l'étoile Polaire ? D'après Bartsch, qui la baptisa en 1624, elle est censée représenter le chameau qui amena Rebecca à Isaac. « Chameau-léopard » est le nom donné par les Grecs à cette girafe à tête de chameau et au corps de léopard. La constellation est située entre Auriga (le Cocher) et les Ourses.

NGC 1501, de magnitude 12, et son étoile de magnitude 14 peuvent être observées avec un télescope de 500 mm.

Z Camelopardalis Étoile variable cataclysmique qui explose toutes les deux ou trois semaines, mais reste toujours peu lumineuse, sa magnitude variant de 13 à 9,6. Son originalité tient au fait que, lorsque son éclat décroît, elle peut rester dans un état intermédiaire pendant un très long moment. Ainsi, vers les années 1970, Z Camelopardalis garda une magnitude de l'ordre de 11,7 pendant plusieurs années.

VZ Camelopardalis Étoile brillante qui varie de façon irrégulière sur un petit intervalle de magnitude : 4,8-5,2. Proche de l'étoile Polaire, elle est facile à voir toute l'année à presque toutes les latitudes nord.

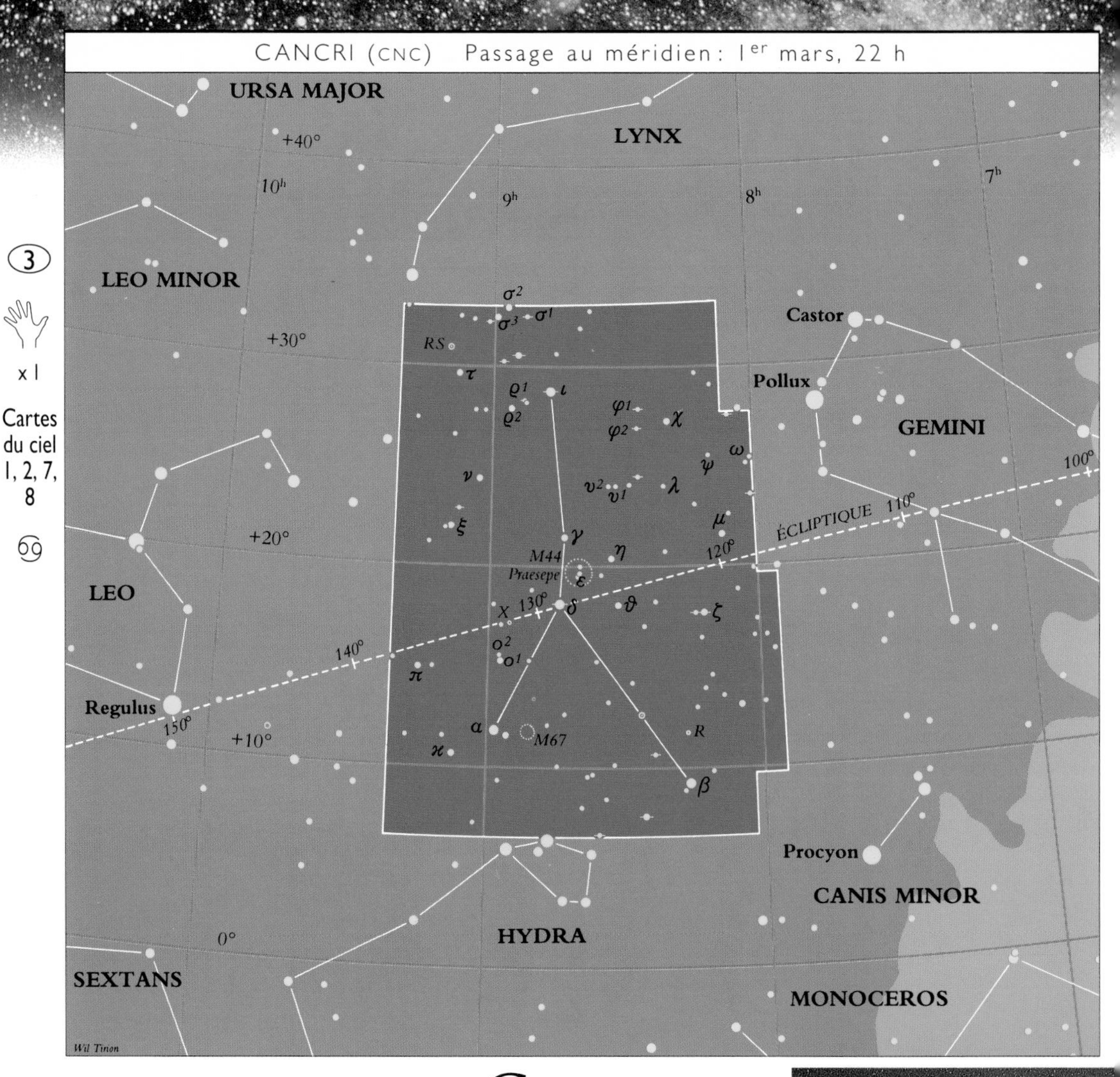

Cancer

Le Crabe ou l'Écrevisse

D'après la mythologie grecque, une écrevisse géante fut dépêchée par Héra pour perturber Hercule dans son combat avec l'hydre de Lerne. Elle le mordit au talon, mais le héros l'écrasa. Héra la récompensa de ses efforts en lui offrant une place parmi les étoiles. Son signe zodiacal représente ses pinces. Il y a des millénaires, le Soleil se trouvait dans cette constellation au moment du solstice d'été, d'où le nom de tropique du Cancer qui correspond à la plus haute latitude nord du Soleil (23° de déclinaison). À l'heure actuelle, à cause de la précession, le Soleil se trouve à la même époque plus à l'ouest, en bordure de Gemini (les Gémeaux) et de Taurus (le Taureau).

La constellation du Cancer, située entre les Gémeaux et le Lion, se distingue non par ses étoiles, dont aucune ne dépasse la magnitude 4, mais parce qu'elle fait partie des constellations du zodiaque et qu'elle contient un magnifique amas M 44.

Une représentation turque du Cancer (XVIe siècle).

Les faibles étoiles du Cancer abritent l'amas M 44, l'une des merveilles célestes.

M 44 (Praesepe ou la Ruche) L'un des plus beaux amas ouverts du ciel, avec plus de deux cents étoiles sur un champ de plus de 1,5°. On peut très facilement l'observer avec des jumelles, voire à l'œil nu.

M 67 Amas ouvert de cinq cents étoiles assez faibles, qui peut être détecté avec des jumelles, mais il vaut mieux l'observer avec un petit télescope de faible puissance.

R Cancri Étoile variable de longue période, exactement égale à un an, facilement visible avec des jumelles à son éclat maximal (magnitude 6,2). Elle décroît jusqu'à la magnitude de 11,2.

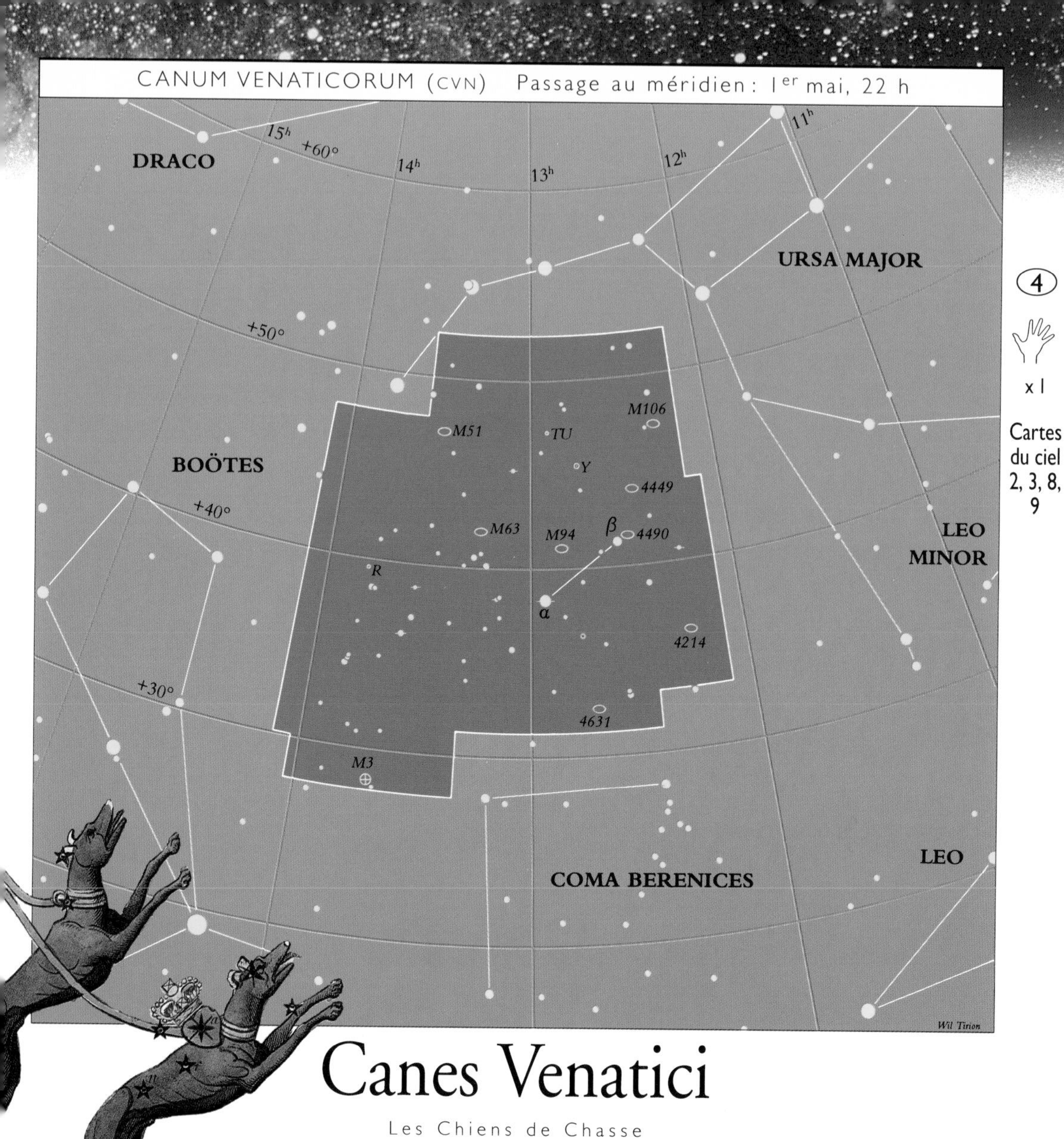

4
x 1
Cartes du ciel 2, 3, 8, 9

Canes Venatici

Les Chiens de Chasse

Cette constellation, située juste sous le timon du Grand Chariot, contient une grande variété d'objets très lointains. Baptisée par Hevelius en 1687, elle représente les deux chiens de chasse Astrérion et Chara, que Boötes tenait en laisse lorsqu'il chassait les ourses Ursa Major et Ursa Minor.

Cor Caroli : Alpha (α) Canum Venaticorum fut baptisée « Cœur de Charles » par Edmund Halley en l'honneur de Charles II. C'est une étoile double de 20" d'arc de séparation, très facile à observer à l'aide d'un petit télescope.

M 3 Amas globulaire de 200 années-lumière de largeur, éloigné de 35 000 années-lumière, situé entre Cor Caroli et Arcturus, est facilement résolu en étoiles avec un petit télescope.

Y Canum Venaticorum (E-B 364) Baptisée « la Superbe » par Secchi au XIXe siècle, cette magnifique étoile rouge varie sur une période de 157 jours entre les magnitudes 5,2 et 6,6.

M 51 Appelé nébuleuse spirale à cause de sa forme, c'est un objet très connu, de magnitude 8, dont la structure spirale est parfaitement visible avec un télescope de 300 mm.

À gauche : les Chiens de Chasse tenus en laisse par Boötes, le Bouvier, d'après le Miroir d'Uranie *(1825).*
Ci-dessous : la galaxie spirale M 51 et son compagnon NGC 5195, l'un des couples les plus célèbres du ciel.

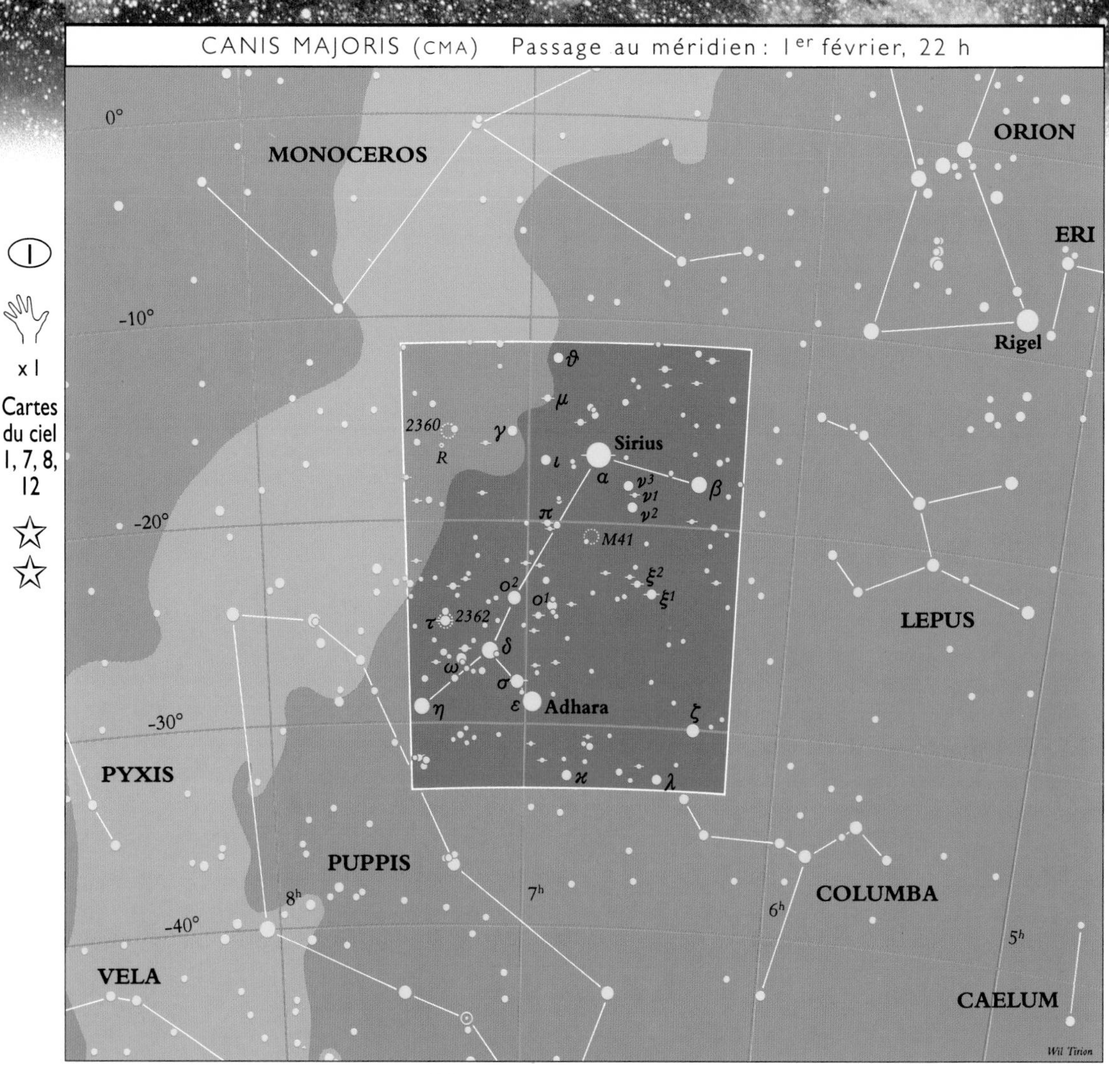

x 1

Cartes du ciel 1, 7, 8, 12

Canis Major

Le Grand Chien

C'est l'une des constellations les plus brillantes. Sirius, l'étoile la plus éclatante du ciel boréal, en fait partie.

D'après la légende, Sirius est responsable du fameux « temps de chien » humide et chaud de septembre parce qu'il se lève alors en même temps que le Soleil et rivalise avec lui.

Canis Major et son voisin Canis Minor, le Petit Chien, apparaissent dans un grand nombre de légendes.

Ils sont représentés assis sous la table où Castor et Pollux prennent leur repas. Les étoiles dispersées entre Canis Minor et Gemini représentent les miettes que les jumeaux jettent aux chiens.

D'après les Grecs anciens, Canis Major était imbattable à la course. C'est pour célébrer sa victoire contre un renard, l'animal le plus rapide du monde, que Zeus lui accorda une place dans le ciel.

On représente aussi le Grand Chien et le Petit Chien à la chasse avec Orion, dont c'est le sport favori.

Les yeux fixés sur Lepus, le Lièvre, tapi sous Orion, Canis Major semble prêt à bondir.

Les Égyptiens portaient une grande admiration à Sirius.

Après être restée cachée près du Soleil pendant quelques mois, l'étoile pointait à l'aube vers la fin de l'été : c'était le lever héliaque annonçant l'inondation

Canis Major, le Grand Chien, d'après le Miroir d'Uranie *(1825).*

L'étoile Sirius illumine cette photo de Canis Major. Le disque coloré autour de l'étoile n'est pas réel. C'est un effet photographique dû à la très grande luminosité de l'étoile.

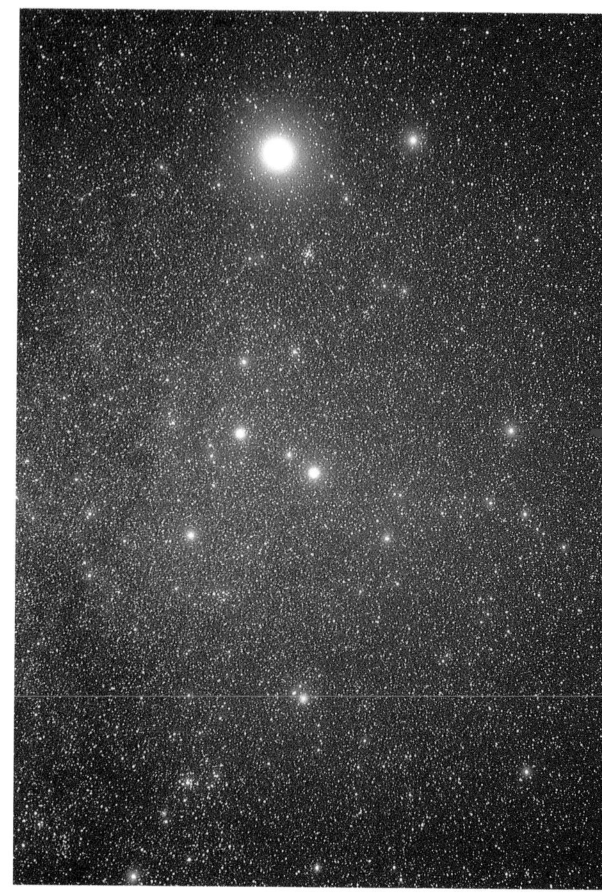

de la vallée du Nil, gage de fertilité.
Cet événement très important marquait le début de l'année.

Sirius
L'étoile la plus brillante du ciel, située à 8,7 années-lumière de la Terre. Sa luminosité intrinsèque est quarante fois celle du Soleil.
En 1834, Friedrich Bessel notait dans le mouvement propre de l'étoile un étrange balancement signalant la présence d'un compagnon invisible. En 1862, le célèbre constructeur de télescopes Alvan Clark, alors qu'il testait un nouvel instrument de 460 mm de diamètre, découvrit une étoile faible, Pup, le Petit Chien, compagnon de Sirius.
C'est une étoile de type naine blanche, caractérisée par une très forte densité (si ce livre était aussi dense, il pèserait 200 tonnes !), de magnitude 8,4, et difficile à voir du fait de sa proximité de Sirius.
Son observation nécessite un télescope de 250 mm d'ouverture et de très bonnes conditions.
D'après les astronomes grecs et romains, Sirius était couleur vermeil ou rougeâtre.
Sirius a-t-elle été rouge ? C'est peu probable.
Selon les mêmes sources, d'autres étoiles brillantes étaient également rouges.
Il semble que cette couleur correspondait tout simplement au scintillement des étoiles brillantes.

M 41
Magnifique amas globulaire situé dans un champ d'étoiles très riche, avec une étoile rouge visible dans un petit télescope (près du centre).

NGC 2362
Cet amas de quelques douzaines d'étoiles est localisé près de **Tau (τ) Canis Majoris,** mais il n'est pas sûr que cette étoile appartienne à l'amas.

M 41 est un amas galactique brillant de la taille de la pleine lune.

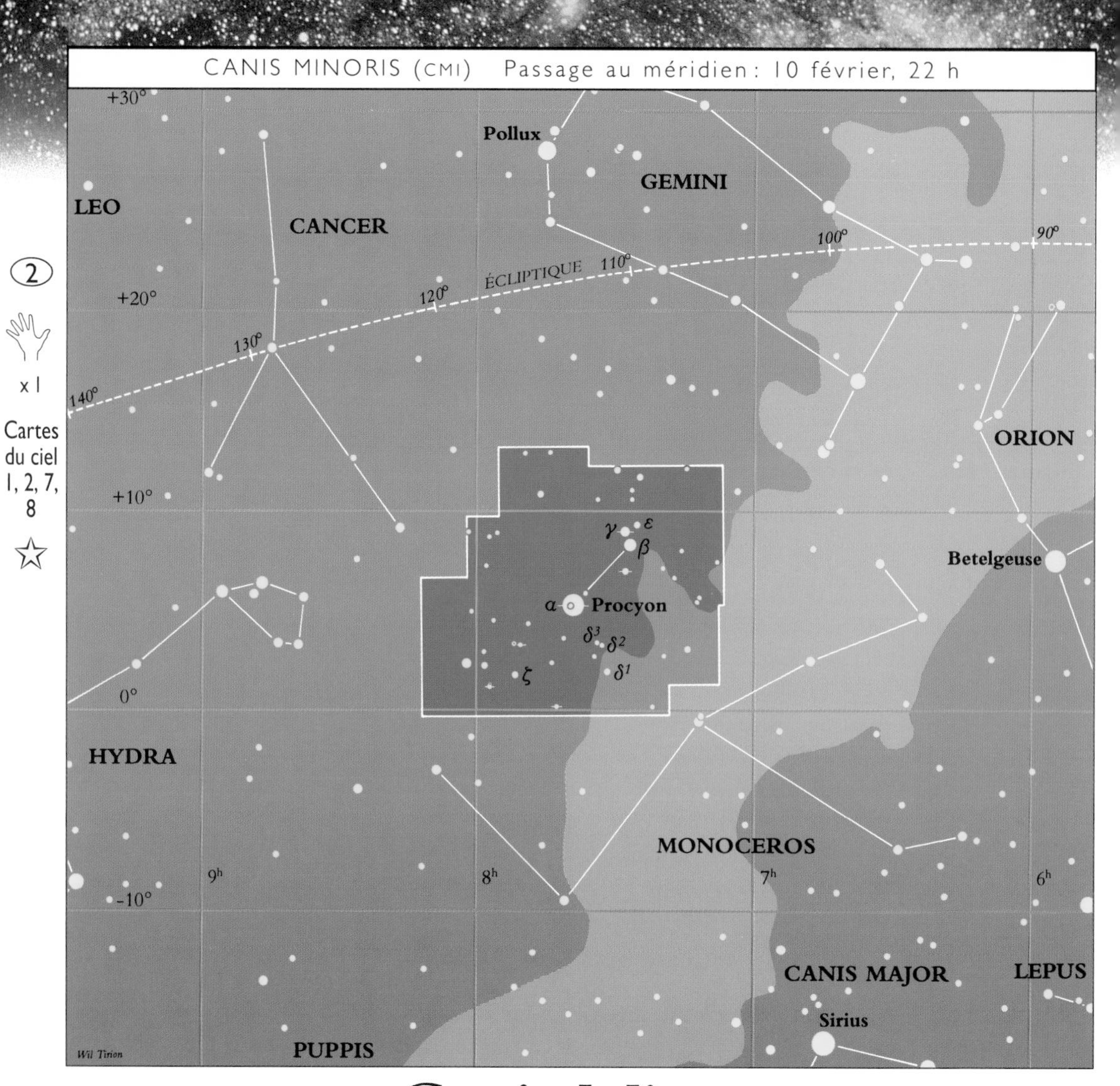

2

x 1

Cartes du ciel 1, 2, 7, 8

Canis Minor

Le Petit Chien

Canis Minor, le petit compagnon de jeu de Canus Major, n'a que deux étoiles plus brillantes que la magnitude 5 : Procyon (mot grec signifiant « avant le chien », car elle se lève avant Sirius) et Gomeisa. Considéré comme le chien de chasse d'Orion, Canis Minor serait aussi le chien d'Actéon. Un jour, Actéon surprit Artémis, déesse de la Chasse, alors qu'elle se baignait nue dans une source. Fasciné par sa beauté, il resta à la contempler. Furieuse d'avoir été aperçue par un mortel, la déesse le transforma en cerf et excita contre lui ses propres chiens, qui le dévorèrent sans le reconnaître.

Procyon : Alpha (α) Canis Minoris, une magnifique étoile jaune, suit Orion dans le ciel. Située à 11,3 années-lumière, c'est une étoile double. Sa compagne, une autre naine blanche, a un éclat encore bien plus faible que celui du Pup de Sirius.

Bêta (β) Canis Minoris
Située dans un magnifique champ d'étoiles, où l'on peut voir une belle étoile rouge.

Procyon en haut à gauche, Sirius en bas et Bételgeuse (dans Orion) à droite scintillent comme des phares dans le ciel au début de chaque année.

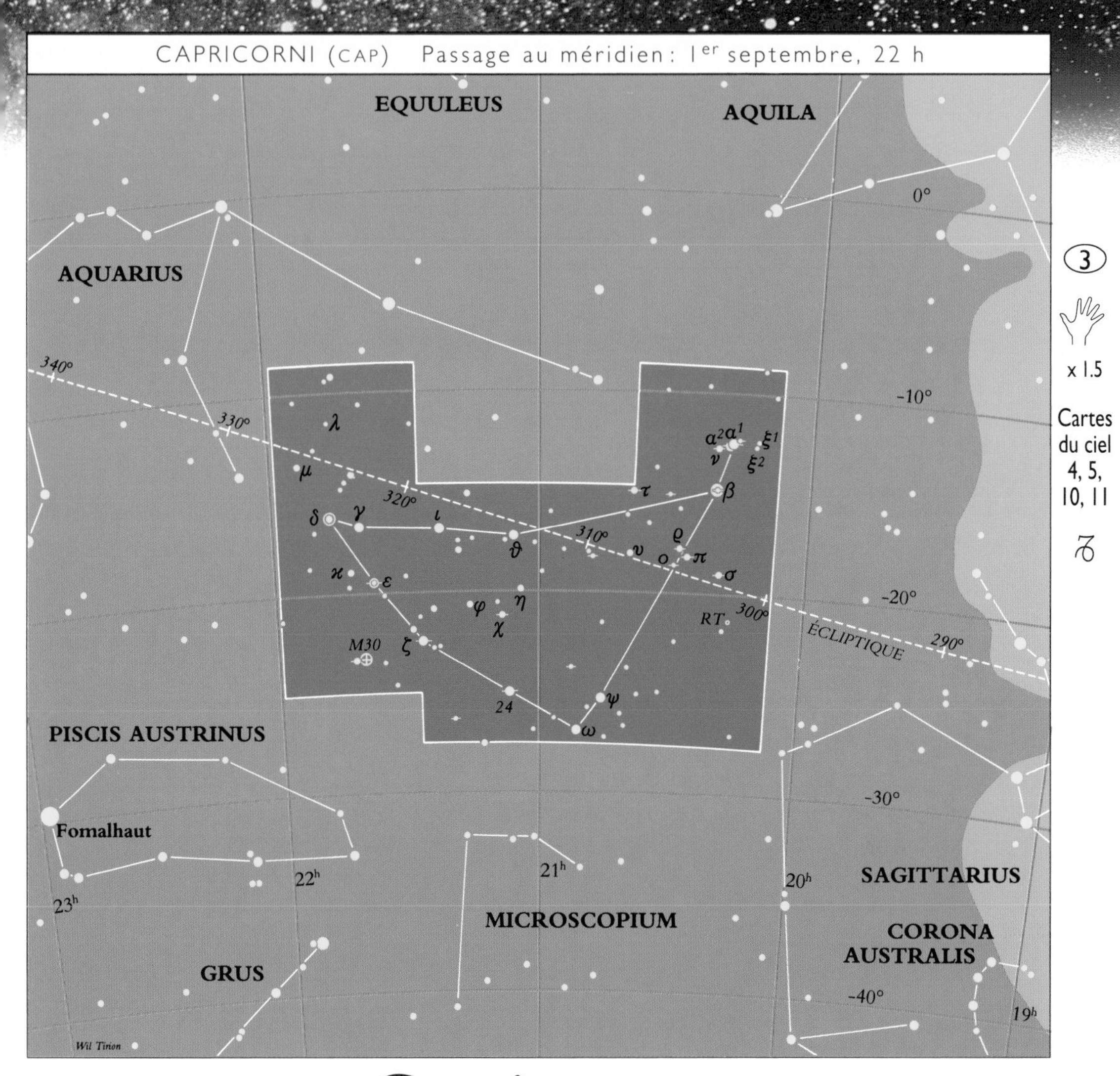

Capricornus

Le Capricorne

Le Capricorne est déjà présent sur des monuments babyloniens. Il est volontiers représenté avec une queue de poisson. La légende veut que le dieu Pan, fuyant le monstre Typhon, ait sauté dans le Nil. La partie de son corps qui fut immergée se transforma en queue de poisson. Il y a quelques milliers d'années, le Soleil, au solstice d'hiver (23,5° de latitude sud), se trouvait dans la constellation du Capricorne, à une latitude désignée du nom de tropique du Capricorne. Le nom est resté, mais à la même époque, le Soleil se trouve aujourd'hui dans la constellation du Sagittaire.

On atteint le Capricorne, la moins visible de toutes les constellations, à partir d'une ligne joignant les trois étoiles les plus brillantes de la constellation de l'Aigle et en se dirigeant vers le sud.

Sur cette photo, le triangle des étoiles du Capricorne est visible, bien que les étoiles ne soient pas plus brillantes que la magnitude 3.

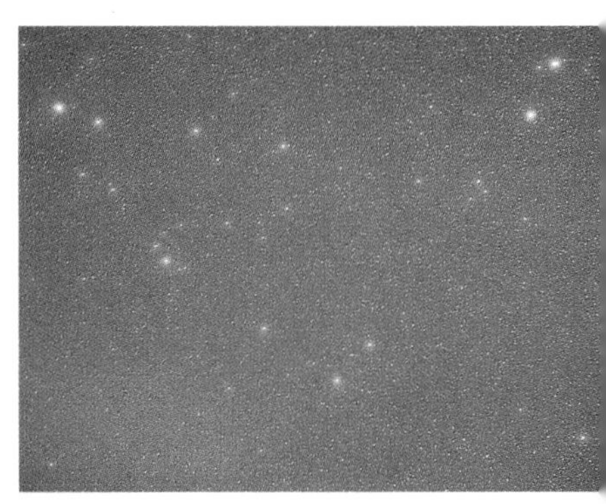

Alpha (α) Capricorni Avec 6' d'arc de séparation, cette paire d'étoiles est un bon test pour une observation à l'œil nu. Il faut noter que chaque membre du couple est lui-même une étoile double.

M 30 À environ 40 000 années-lumière, cet amas globulaire au cœur dense n'est pas bien résolu avec un petit télescope.

Le Capricorne, d'après une fresque de la villa Farnese, Caprarola, Italie (1575).

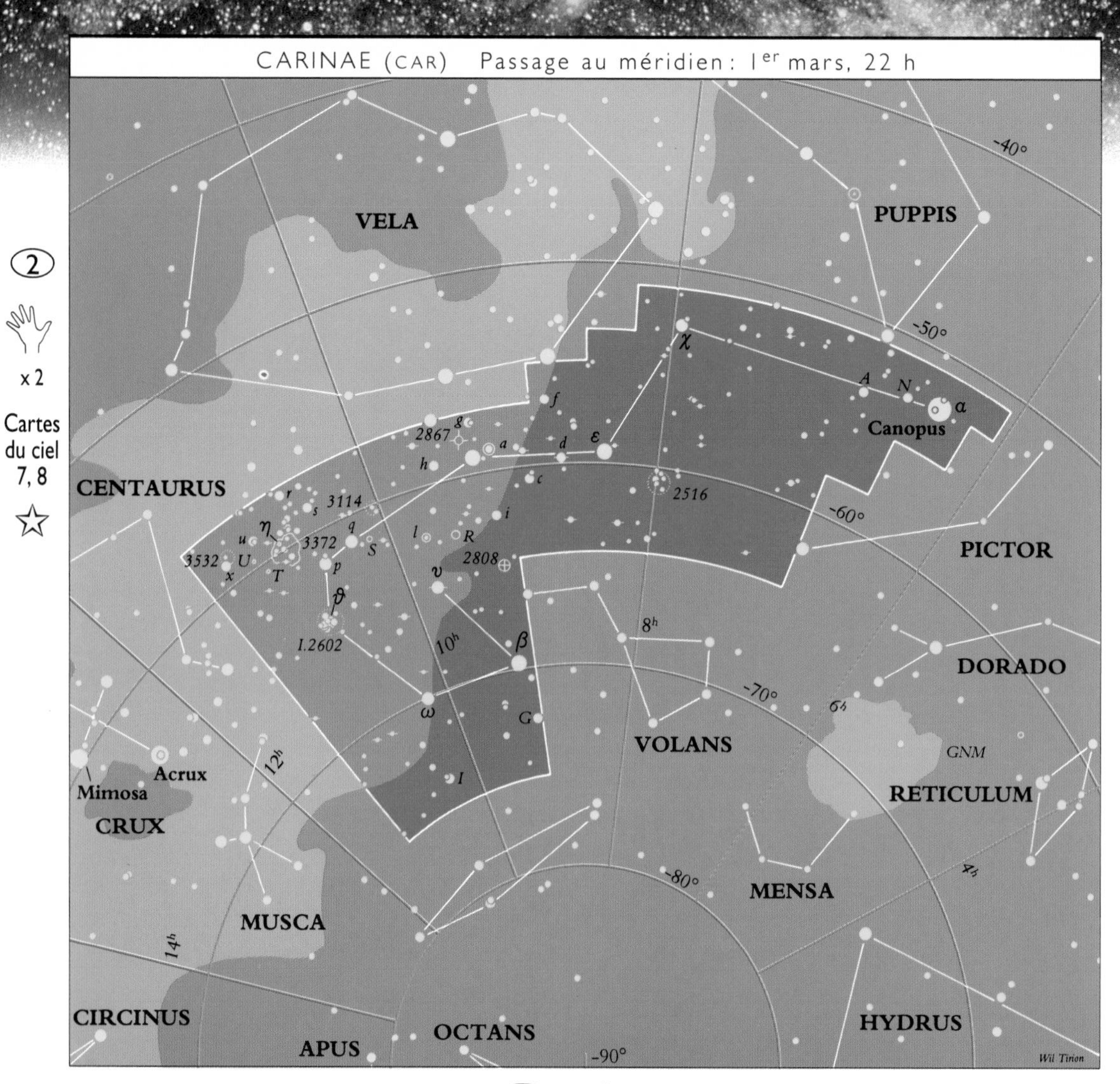

2

x 2

Cartes du ciel 7, 8

Carina

La Carène

Cette constellation de l'hémisphère Sud est située dans l'une des régions les plus riches de la Voie lactée. Avec de modestes jumelles, on peut y voir au moins une douzaine d'amas ouverts brillants. À l'origine, la Carène était une partie de l'immense constellation de l'Argo Navis (le Navire *Argo*), vaisseau armé par Jason et les Argonautes pour partir à la recherche de la toison d'or. Argo Navis couvrait une telle étendue dans le ciel qu'il fut divisé en quatre constellations : Pyxis, Puppis, Vela et Carina.

Canopus : Alpha (α) Carinae Dans le ciel austral, cette supergéante est la deuxième par son éclat. Elle est située à 74 années-lumière.

La magnifique Êta (η) Carinae, sublime récompense de l'observateur.

Êta (η) Carinae En 1677, Edmond Halley remarqua que cette étoile avait augmenté d'éclat. Elle atteignit la magnitude 1 en 1827, et, en 1843, rivalisa d'éclat pendant quelques semaines avec Sirius. À l'heure actuelle, elle est trop faible pour être observée avec des jumelles.
Cette étoile est surtout connue parce qu'elle est située dans la célèbre nébuleuse **Êta (η) Carinae (NGC 3372),** la plus belle nébuleuse de la Voie lactée, étendue sur 2' d'arc et percée de trouées sombres qui semblent vouloir la déchirer.
En surimpression sur la région la plus brillante de la nébuleuse, on peut voir la nébuleuse obscure **NGC 3324, le Trou de serrure.**

NGC 3532 L'un des plus beaux amas ouverts de la constellation avec cent cinquante étoiles visibles à l'aide d'un télescope de faible grossissement.

IC 2602 Amas ouvert composé d'étoiles brillantes disséminées autour de **Thêta (θ) Carinae,** bien visible avec des jumelles ou un télescope à grand champ.

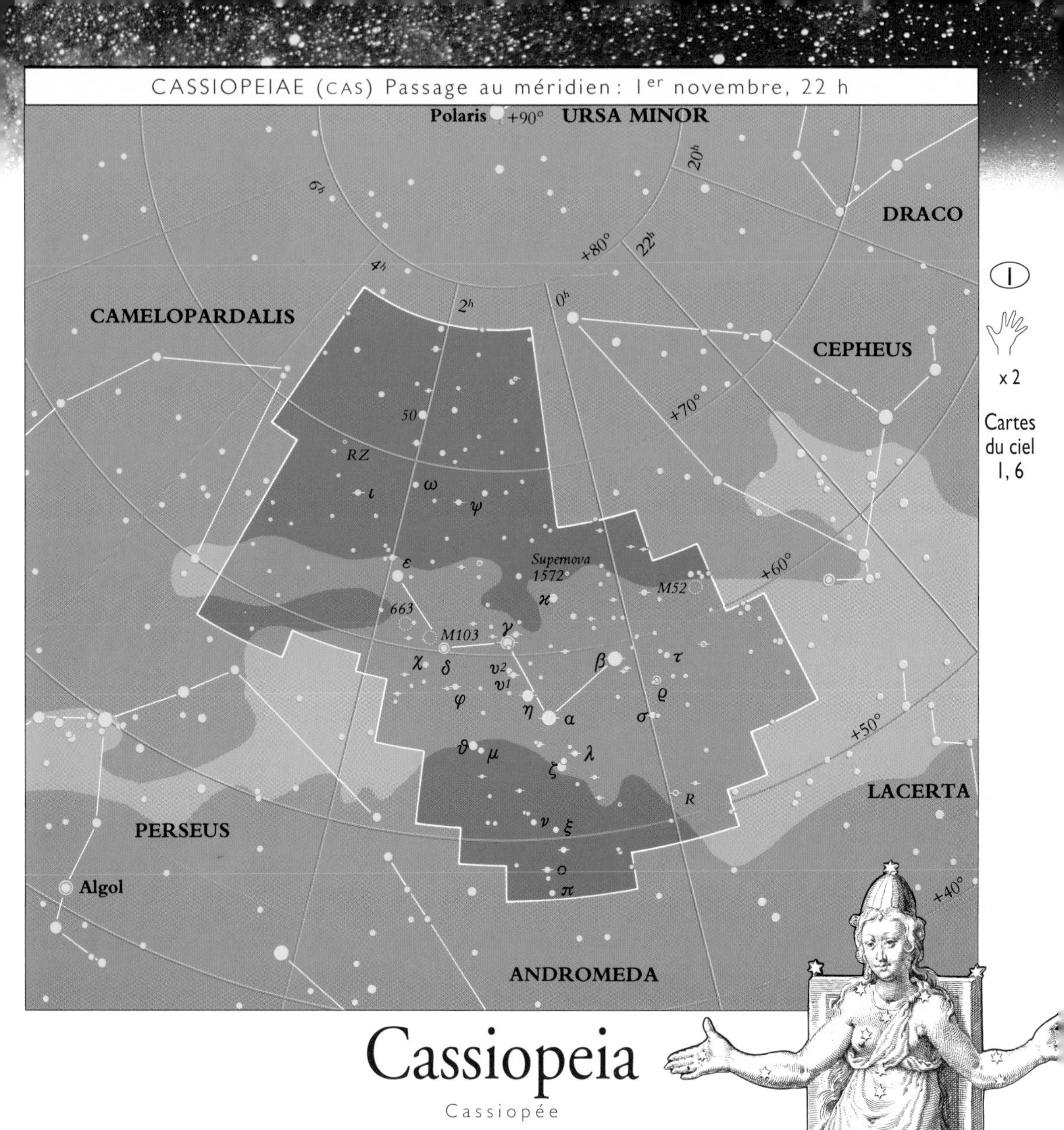

Cassiopeia

Cassiopée

Cette constellation, à la forme remarquable en W, est située à l'opposé de la Grande Ourse par rapport à l'étoile Polaire. C'est une constellation circumpolaire visible toute l'année aux latitudes moyennes septentrionales. Dans la mythologie grecque, Cassiopée est la femme de Céphée, roi d'Éthiopie, et la mère d'Andromède. Les Romains représentaient Cassiopée enchaînée à son trône en punition de sa vantardise et placée dans le ciel, où elle est condamnée à se balancer éternellement. Dans la culture arabe, la constellation représente un chameau agenouillé.

Cassiopée par Jacob de Gheyn (1621).

Le fameux W de Cassiopée, immanquable dans le ciel boréal.

Gamma (γ) Cassiopeiae Étoile variable irrégulière, située au centre de Cassiopée. En 1937, pendant quelques semaines, elle fut l'étoile la plus brillante de sa constellation, presque aussi brillante que Deneb dans la constellation du Cygne. Étoile à enveloppe, elle perd régulièrement de sa masse. Les modifications de l'épaisseur de son disque entraînent des variations d'éclat.

M 52 Groupe d'une centaine d'étoiles, l'un des plus riches de la moitié nord du ciel, parmi les quelques autres amas ouverts de la constellation.

NGC 663 Petit amas d'étoiles relativement faibles, que l'on peut observer avec un petit télescope.

CENTAURI (CEN) Passage au méridien : 10 mai, 22 h

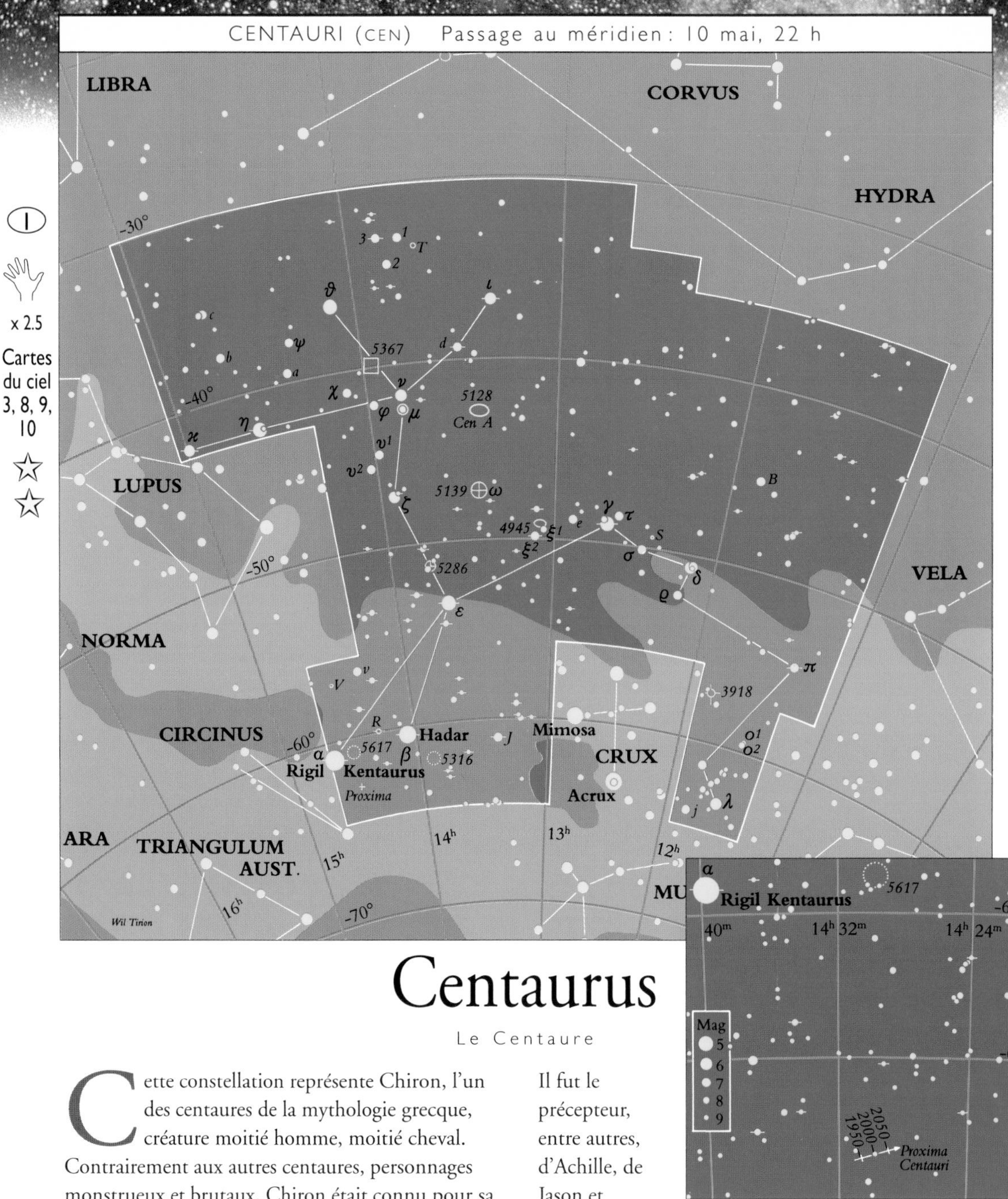

x 2.5

Cartes du ciel 3, 8, 9, 10

Centaurus

Le Centaure

Cette constellation représente Chiron, l'un des centaures de la mythologie grecque, créature moitié homme, moitié cheval. Contrairement aux autres centaures, personnages monstrueux et brutaux, Chiron était connu pour sa sagesse et sa science. Il fut le précepteur, entre autres, d'Achille, de Jason et d'Hercule.

Hercule le blessa accidentellement d'une flèche. Chiron, qui souffrait le martyre, supplia les dieux de mettre fin à ses souffrances. Hélas ! il était immortel. Prométhée, qui était né mortel, lui céda alors son droit à la mort.

Centaurus est une vaste constellation située en partie dans la Voie lactée, près de la Croix du Sud.

Alpha (α) Centauri Au pied du Centaure, située à seulement 4,3 années-lumière, c'est l'étoile la plus proche du Soleil. C'est aussi l'une des plus belles étoiles doubles, dont les deux composantes tournent avec une période de quatre-vingts ans.

Leur séparation angulaire est d'environ 20" d'arc,

Le Centaure, d'après Jacob de Gheyn (1621).

Ci-dessus : Une carte agrandie du ciel, près de Proxima Centauri.

La Croix du Sud, dans le coin inférieur droit, encerclée par la grande constellation du Centaure.

mais descendra à 2" en l'an 2035. **Alpha (α)** et **Bêta (β) Centauri** sont les deux brillants pointeurs de la Croix du Sud.

Proxima Centauri En 1915, R. T. Innes, en étudiant le mouvement propre des étoiles autour d'Alpha (α) Centauri, découvrit une étoile faible de magnitude 10,7 à environ 2°. Cette petite naine rouge d'à peine 25 000 km de diamètre, supposée être l'un des membres du système, est l'étoile la plus proche. Elle explose sporadiquement, avec une variation d'environ une demi-magnitude ou plus, et revient à son éclat normal en une demi-heure.

Oméga (ω) Centauri Amas globulaire à beaucoup d'égards le plus typique du ciel, avec peut-être un million d'étoiles. À l'œil nu, il ressemble à une étoile légèrement floue de magnitude 4, assez brillante pour que Johann Bayer, au début du XVIIe siècle, la désigne par Oméga (ω). Situé à 17 000 années-lumière, c'est l'amas le plus proche de nous après **NGC 6397** dans la constellation de l'Autel.

Oméga (ω) Centauri, magnifique amas vu à travers un télescope de 150 mm de diamètre.

Contrairement à la plupart des amas globulaires, sa forme est plus ovale que ronde. Avec un télescope de 150 mm, on commence à le résoudre en étoiles.

NGC 5128 Située à environ 4,5° d'Oméga (ω) Centauri, cette galaxie elliptique se distingue par une large bande sombre en son milieu, probablement due à une collision avec une galaxie spirale. Cette radiosource intense, baptisée **Centaurus A** par les radioastronomes, émet mille fois plus que notre galaxie. La ligne sombre que dessinent les poussières est visible par nuit sombre avec un télescope de 100 mm.

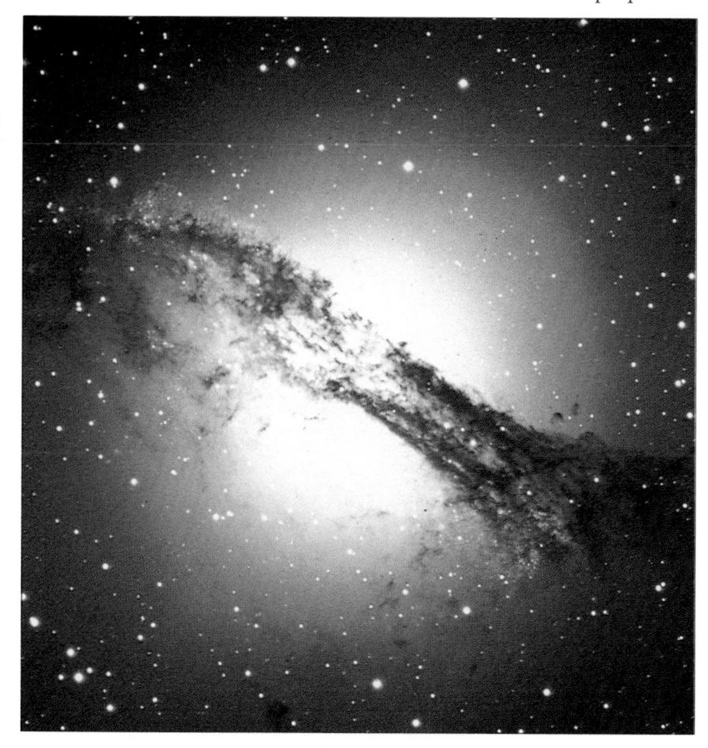

NGC 3918 Nébuleuse planétaire près de la Croix du Sud, qui montre un anneau bleu-vert d'environ 12' d'arc, tel un agrandissement d'Uranus.

Cette étoile verte visible dans la ligne sombre de NGC 5128 est une supernova qui n'a brillé qu'au moment où la photo de cette image composite rouge-vert-bleu a été prise.

CEPHEI (CEP) Passage au méridien : 1er octobre, 22 h

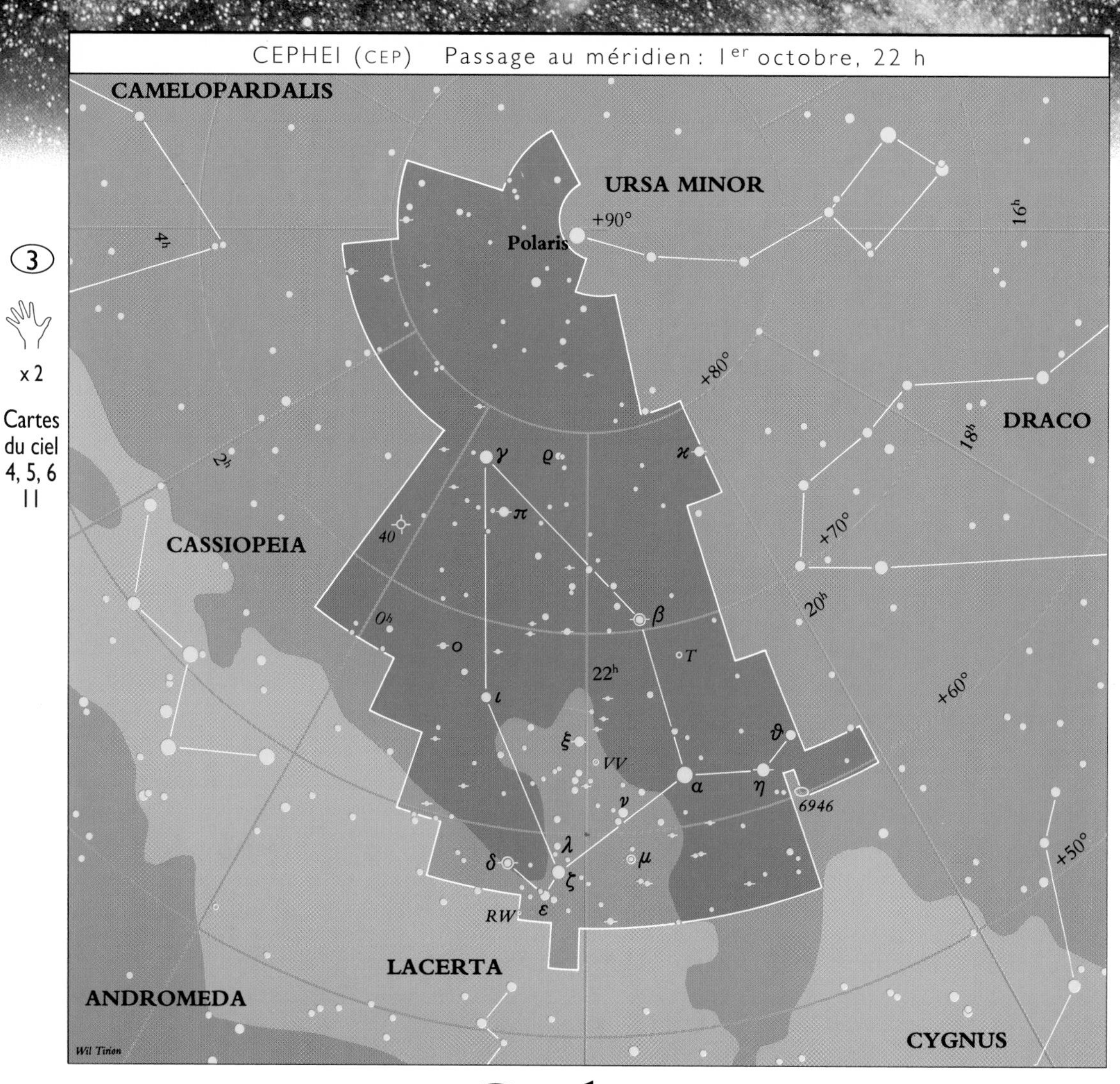

3

x 2

Cartes du ciel 4, 5, 6 11

Cepheus

Céphée

Roi d'Éthiopie, Céphée est le mari de Cassiopée et le père d'Andromède, toutes deux représentées par des constellations *(voir Andromeda, p. 132).*
Cepheus est une constellation banale, dont les cinq étoiles brillantes sont très facilement repérables car elles se trouvent en face du W de Cassiopée.
Elle ressemble à une maisonnette au toit pointu qui indique vaguement la direction du pôle Nord, lorsque les étoiles de la Grande Ourse ne sont pas visibles.

Ci-dessus : NGC 6446, galaxie spirale de magnitude 9, dont les bras sont visibles avec un télescope de 400 mm.

Delta (δ) Cephei

Découverte par John Goodricke en 1784, c'est l'une des étoiles variables les plus connues. Elle varie sur un cycle de 5,4 jours de la magnitude 3,5 – elle est alors aussi brillante que sa voisine **Dzêta (ζ) Cephei** – à la magnitude 4,4 – telle **Epsilon (ε) Cephei.**

Mu (μ) Cephei

Étoile d'un rouge si vif que William Herschel la baptisa Étoile grenat. En comparant son éclat à Dzêta (ζ) et Epsilon (ε) Cephei, on observe des variations irrégulières sur une période de plusieurs centaines de jours.

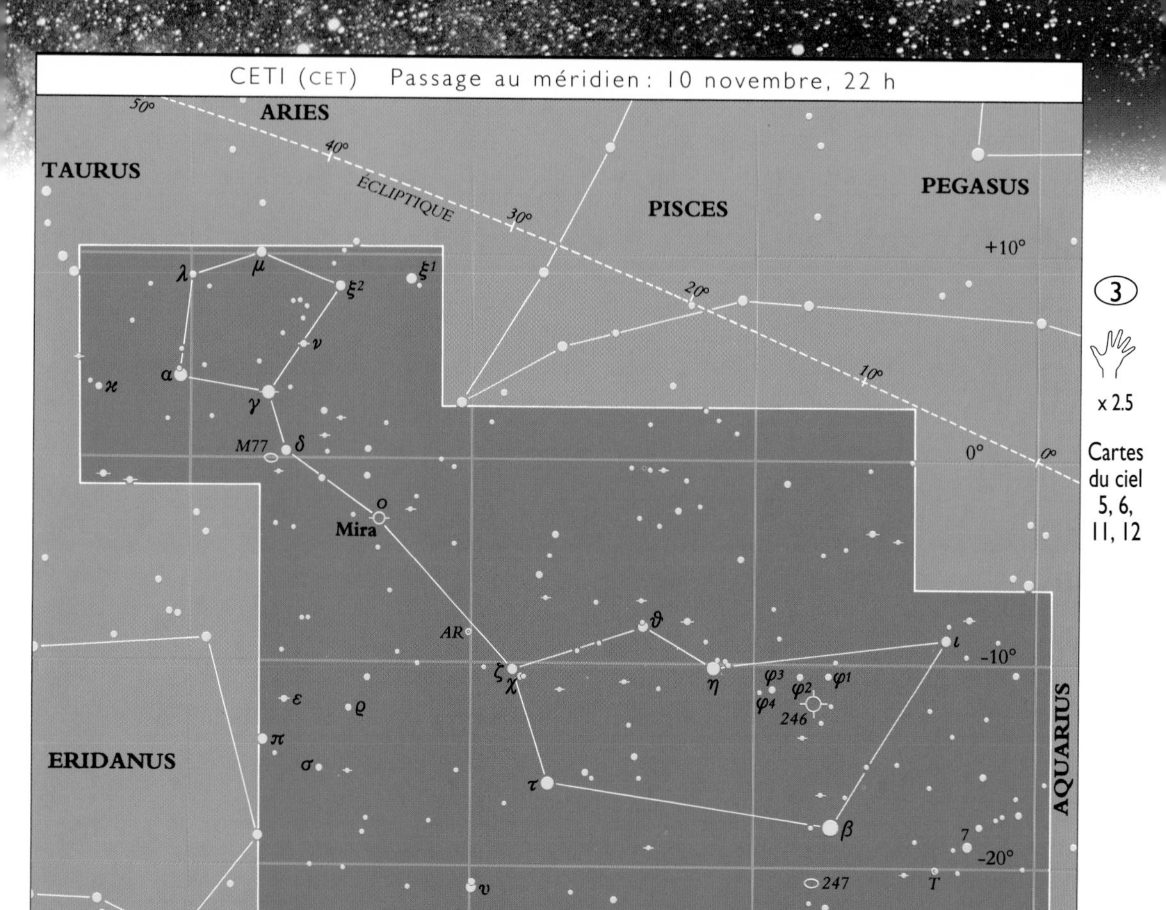

Cetus

La Baleine

Cetus d'après Bayer dans Uranometria *(1603). Dans cet ouvrage furent introduites les lettres grecques pour désigner les étoiles.*

Dans la mythologie grecque, Cétus est le monstre dépêché par Poséidon pour dévorer Andromède et qui fut anéanti par Persée. Cette constellation peut aussi représenter la baleine qui avala Jonas. La Baleine est composée d'étoiles faibles réparties sur une vaste région du ciel. La tête du monstre est située près des constellations du Taureau et du Bélier, son corps et sa queue du côté du Verseau.

Mira : Omicron (o) Ceti, connue sous le nom de Mira, est la plus célèbre des étoiles variables de longue période. Elle fut observée pour la première fois le 13 août 1596, par l'astronome hollandais David Fabricius. Elle disparut pour réapparaître en 1609. Son éclat passe de la magnitude 3,4 à 9,3 sur environ onze mois.

À droite : Cetus. Mira est proche de son éclat maximal.

M 77 L'une des plus brillantes galaxies de la Baleine, c'est une spirale de magnitude 9. Un télescope de 100 mm permet de distinguer un halo peu lumineux encerclant un cœur scintillant.

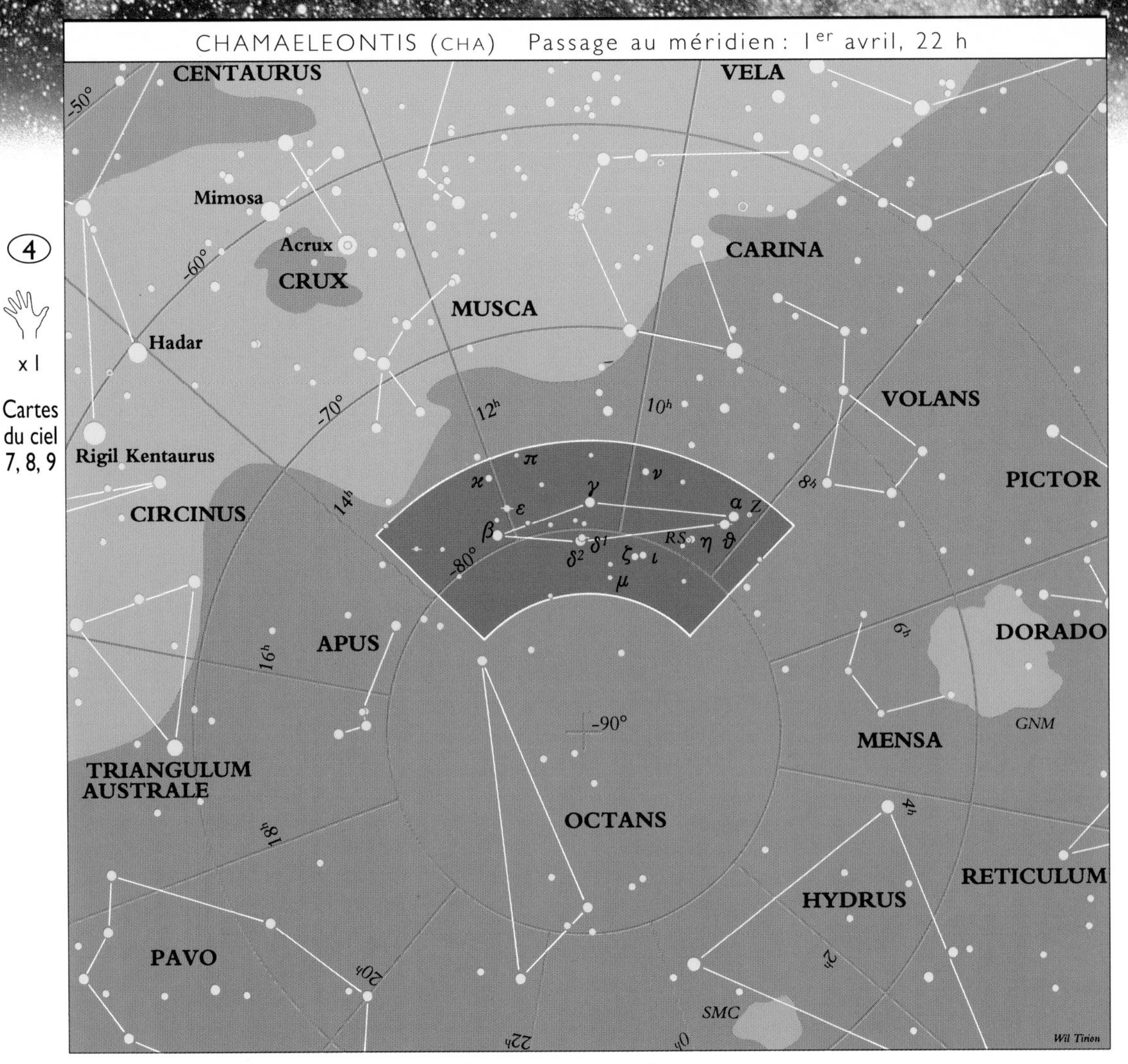

4

x 1

Cartes du ciel 7, 8, 9

Chamaeleon

Le Caméléon

Johann Bayer dessina cette constellation au début du XVIIe siècle, d'après des descriptions fournies par les premiers explorateurs des mers du Sud. Le caméléon est un petit lézard arboricole d'Afrique qui peut prendre la couleur du milieu où il se trouve, sous l'effet de brusques changements de lumière ou de température, ou encore à la suite d'un choc émotionnel.

Composée de quelques étoiles de peu d'éclat disséminées près du pôle Sud céleste, au sud de la Carène et à la droite d'Octant, Chamaeleon, l'une des constellations les plus petites et les moins remarquables, se camoufle tel le petit lézard qui lui donne son nom.

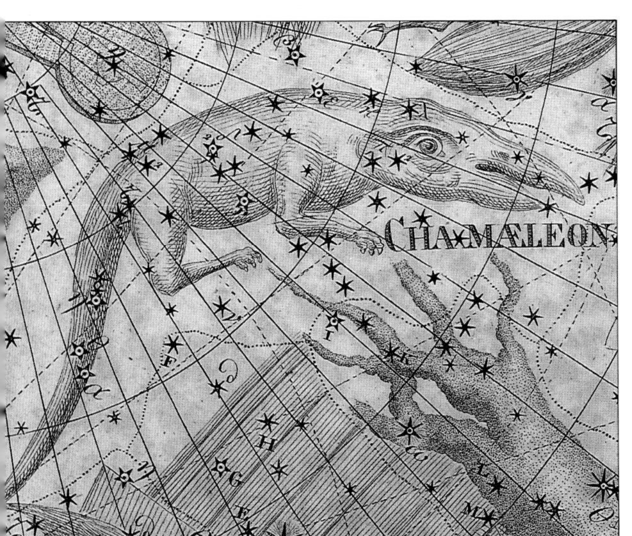

Z Chamaeleontis

Étoile variable de faible luminosité qui explose périodiquement.

À son minimum d'éclat, de magnitude 16,2, elle n'est visible qu'avec un télescope d'au moins 300 mm de diamètre.

Tous les trois ou quatre mois, elle atteint en quelques heures la magnitude 11,5 et est ainsi visible pendant quelques jours avec un télescope de moindre puissance.

Le Caméléon, d'après Uranographia *(1801), de Johann Bode. Cette constellation s'étend au-delà de ses frontières actuelles.*

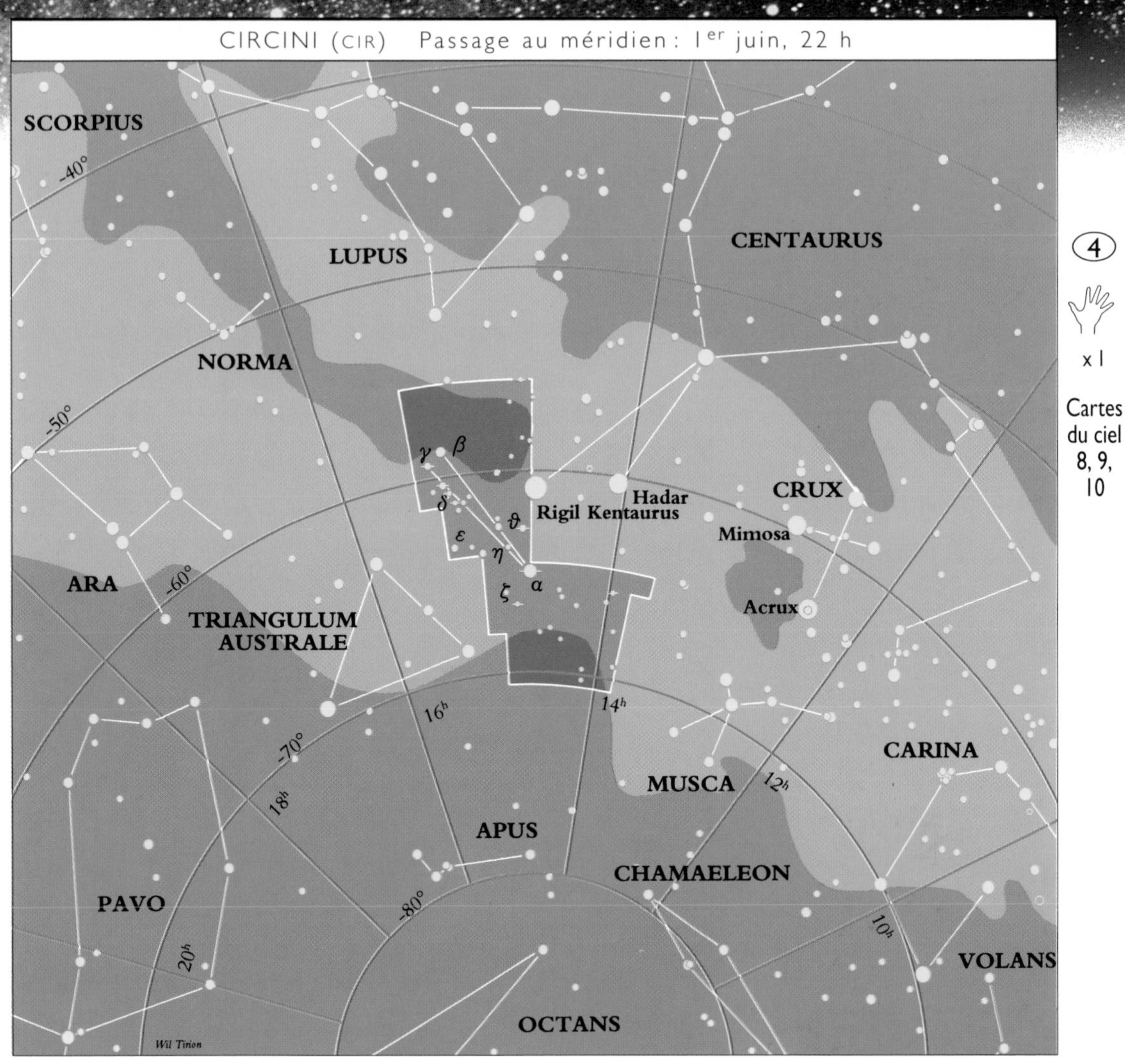

4

x 1

Cartes du ciel 8, 9, 10

Circinus

Le Compas

Les premiers explorateurs des mers du Sud étaient bien plus intéressés par les instruments de navigation que par la mythologie, ce qui explique le nom attribué à cette constellation. Cette petite constellation peu visible est l'une des nombreuses constellations identifiées par l'astronome français Nicolas Louis de La Caille, lors de son séjour au cap de Bonne-Espérance.

CONSEILS À L'OBSERVATEUR

La notion d'échelle est l'une des plus difficiles à acquérir lorsqu'il s'agit d'observer le ciel nocturne. Si, lors de vos premières tentatives, vous n'arrivez pas à identifier une constellation, c'est tout simplement parce que vous n'avez aucune idée de sa taille.

Commencez par chercher sur le côté de la carte combien la constellation recouvre de mains, d'est en ouest. Comparez ensuite cette mesure à celle d'une constellation plus familière.

Lorsque vous vous référez aux cartes du ciel insérées au début de ce chapitre, n'oubliez pas non plus que les constellations situées sur les bords des cartes sont agrandies et déformées.

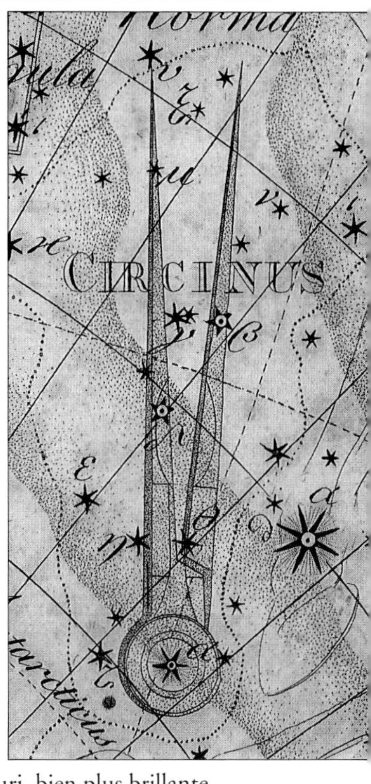

Uranographia est le premier atlas relativement complet de toutes les étoiles visibles à l'œil nu.

Alpha (α) Circini Étoile la plus brillante de la constellation avec une magnitude 3. Elle est située juste à côté d'Alpha (α) Centauri, bien plus brillante. Proche de nous, à seulement 65 années-lumière, elle possède un compagnon encore moins lumineux de magnitude 9.

COLUMBAE (COL) Passage au méridien : 20 janvier, 22 h

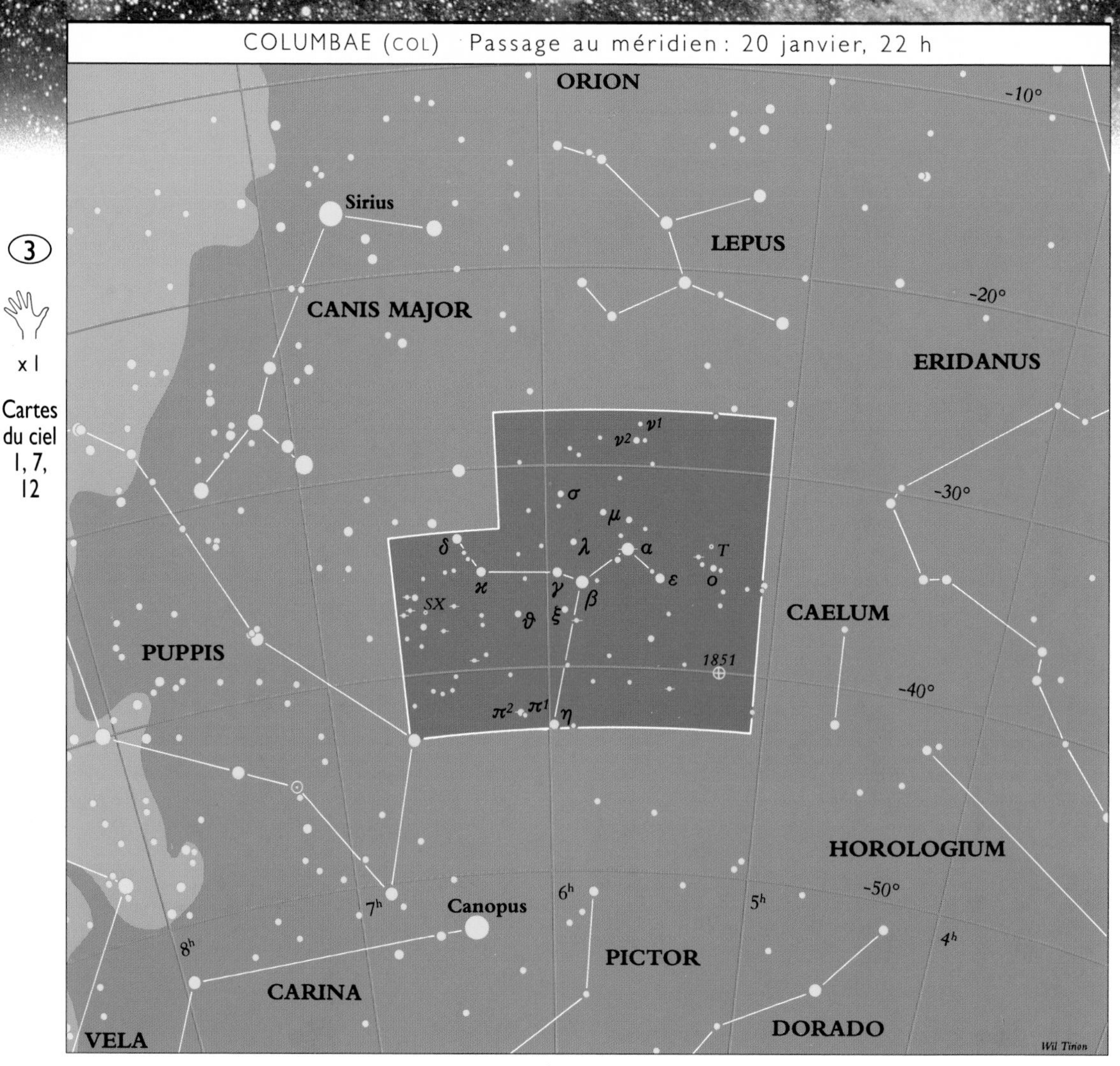

3

x 1

Cartes du ciel 1, 7, 12

Columba

La Colombe

Située juste au sud de Canis Major, Columba fut baptisée par Petrus Plancius, théologien et cartographe du ciel hollandais du XVIe siècle. Ce groupe d'étoiles, qui passe inaperçu, rend hommage à la colombe que Noé lâcha après le Déluge à la recherche d'un quelconque signe de vie.

T Colombae Étoile variable de type Mira, de magnitude 6,7, qui peut descendre jusqu'à la magnitude 12,6 et remonter ensuite sur une période de sept mois et demi.

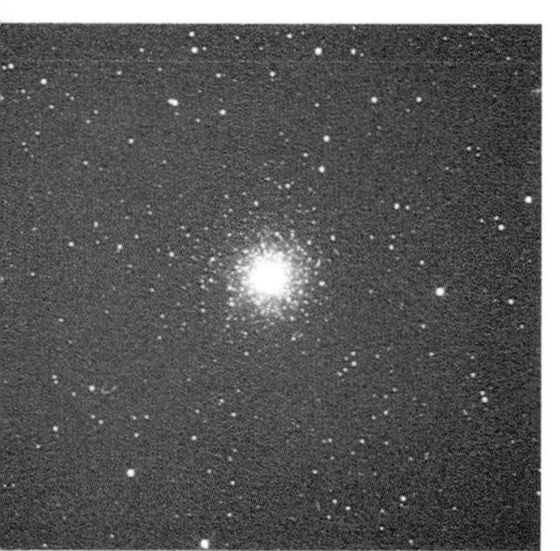

NGC 1851 Brillant amas globulaire de magnitude 7 qui apparaît comme une tache floue à travers des jumelles, par ciel propice. On peut le résoudre en étoiles brillantes avec un télescope de 150 mm.

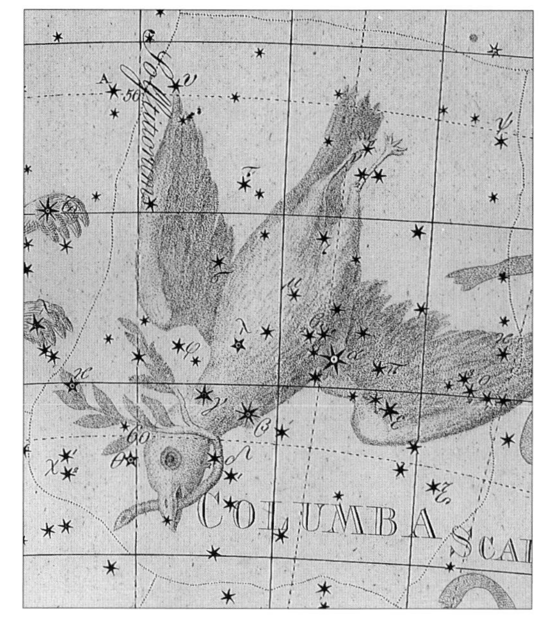

Le dessin de Johann Bode dans Uranographia *(1801) coïncide presque exactement avec la constellation de la Colombe.*
À gauche : avec ses 11' d'arc de diamètre, NGC 1851 est un grand amas globulaire.

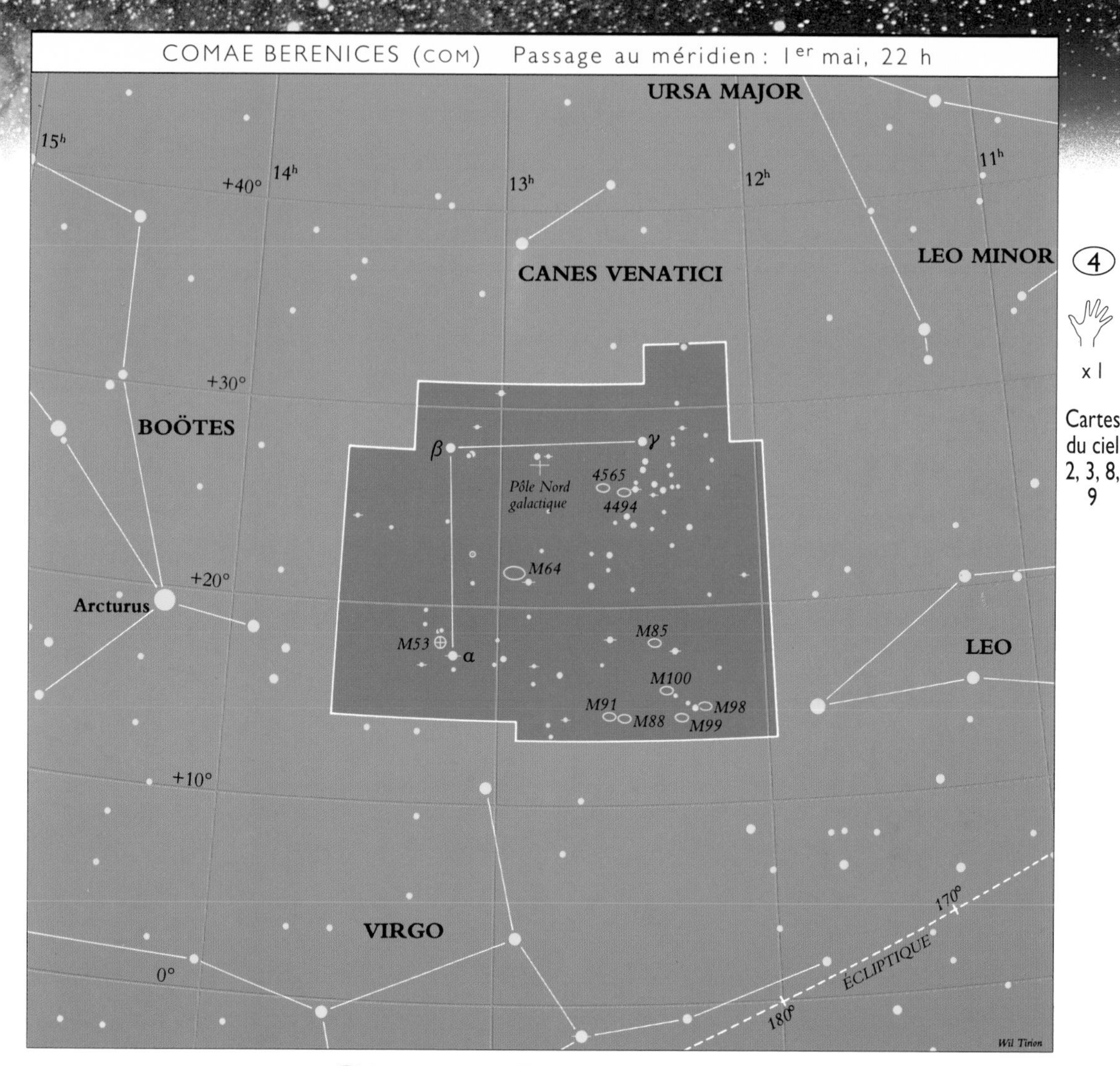

4

x 1

Cartes du ciel 2, 3, 8, 9

Coma Berenices

La Chevelure de Bérénice

Sise entre Arcturus et Denebola (Bêta [β] Leonis), Coma Berenices ne possède pas d'étoiles brillantes. Elle se situe dans une région du ciel remarquable, un saupoudrage d'étoiles faibles sur un nuage de galaxies – l'extrémité nord de l'amas dit Virgo. Encore plus faible, hors de la portée de la plupart des astronomes amateurs, se situe l'amas de galaxies de la Chevelure de Bérénice. La légende associée à cette constellation concerne, pour une fois, des mortels. Bérénice, la femme du roi d'Égypte Ptolémée III, avait promis de sacrifier sa longue chevelure d'or à Aphrodite si son mari revenait sain et sauf de la guerre. Son vœu fut exaucé. Bérénice sacrifia donc sa chevelure, qui fut déposée dans un temple, d'où elle disparut. Le roi allait exercer sa vengeance sur les gardiens du temple lorsque son astronome lui annonça qu'Aphrodite, ravie de l'offrande, avait placé la chevelure dans le ciel afin que tous pussent l'admirer.

La chevelure de Bérénice projetée dans les étoiles, d'après le Miroir d'Uranie *(1825).*

La galaxie de l'Œil noir avec son bandeau sombre.

M 53 Bel amas globulaire de 3' d'arc situé près d'**Alpha (α) Coma Berenices**.

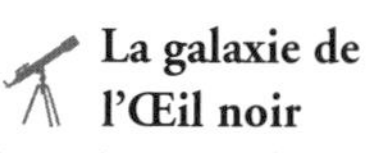

La galaxie de l'Œil noir (M 64) L'une des galaxies les plus étranges du ciel. Elle ressemble de prime abord à une galaxie spirale ordinaire, avec de fins bras enroulés. À travers un télescope de 100 mm, on distingue un énorme nuage de poussières en son centre, qui ressemble à un œil noir.

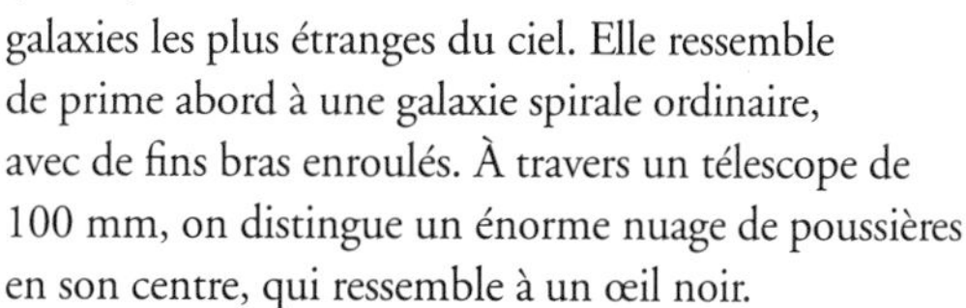

NGC 4565 Par nuit noire, on peut observer avec un petit télescope cet objet faible tel un filet de brume. C'est une galaxie spirale vue par la tranche. La trace de poussières devient visible avec un télescope de 200 mm.

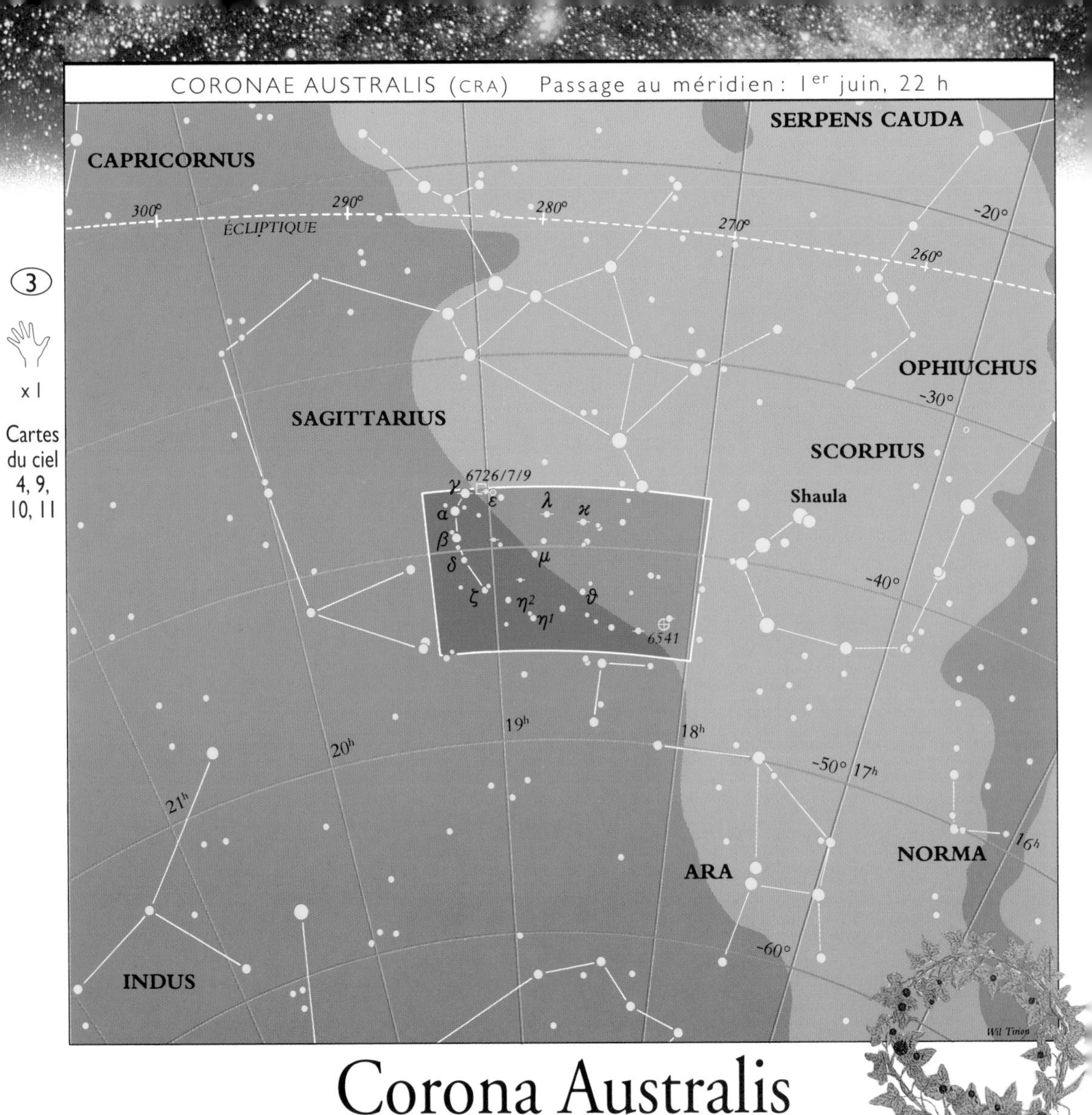

Corona Australis

La Couronne australe

L'une des quarante-huit constellations cataloguées par Ptolémée, au IIe siècle après J.-C., c'est un petit groupe d'étoiles faibles en forme de demi-cercle, qui passe quasi inaperçu, en particulier dans l'hémisphère Nord. Située juste en dessous de la constellation du Sagittaire, elle représente une couronne de laurier ou de feuilles d'olivier qui appartiendrait à Chiron, le plus sage des centaures. Une autre légende, tirée des *Métamorphoses* d'Ovide, explique aussi le nom de la constellation. Junon, apprenant que son mari, Jupiter, la trompait avec une mortelle du nom de Sémélé, se déguisa en servante et suggéra à sa rivale de demander à Jupiter de se montrer à elle dans toute sa splendeur. Jupiter, qui avait imprudemment promis à Sémélé de lui accorder tout ce qu'elle souhaiterait, fut obligé d'obtempérer ; lorsqu'il s'approcha d'elle Sémélé périt aussitôt, foudroyée. L'enfant qu'elle portait fut sauvé ; c'était Bacchus, le dieu du Vin, qui honora la mémoire de sa mère en lui tressant une couronne céleste.

NGC 6541 Amas globulaire qui apparaît comme un petit disque diffus dans les très petits télescopes. On peut le résoudre en étoiles avec un télescope de 200 mm, au minimum.

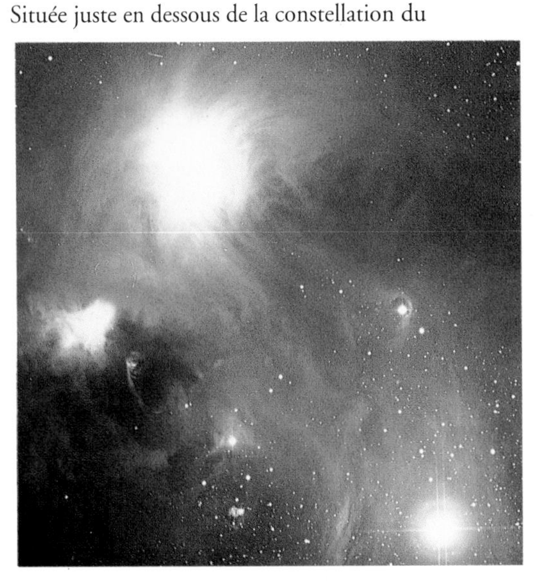

NGC 6726-6727 en haut et NGC 6729, qui ressemble à une comète, en bordure de la constellation du Sagittaire.

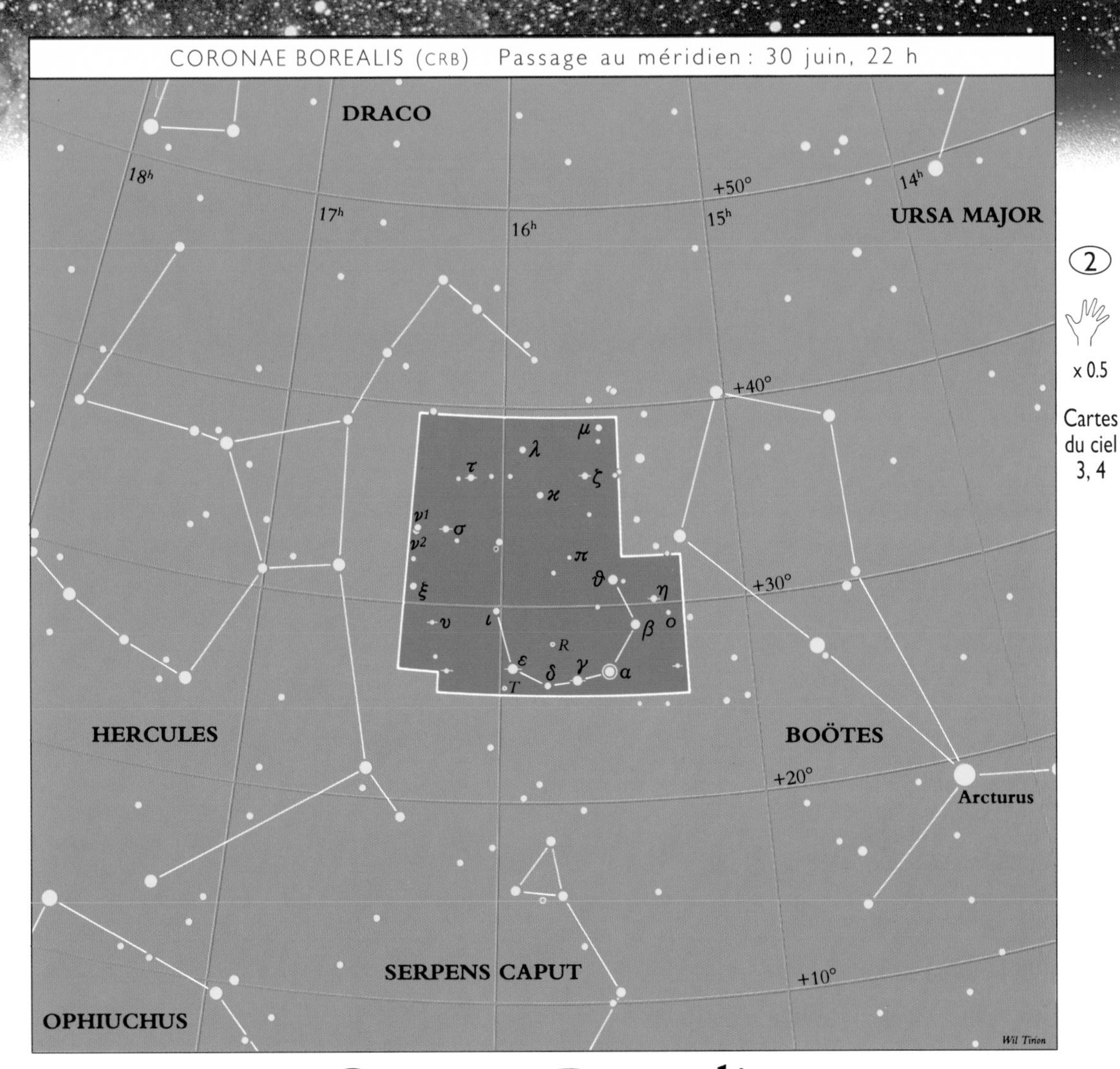

2

x 0.5

Cartes du ciel 3, 4

Corona Borealis

La Couronne boréale

Juste à 20° au nord-est d'Arcturus s'étend la Couronne boréale, petit demi-cercle d'étoiles faibles mais bien distinctes. La mythologie grecque rapporte que la couronne appartient à Ariane, la fille de Minos et de Pasiphaé. Ariane, abandonnée par Thésée, hésitait à accepter la demande en mariage de Dionysos, qui se présenta à elle sous les apparences d'un simple mortel. Pour lui prouver sa nature divine, Dionysos retira sa couronne et la lança dans les cieux. Satisfaite, Ariane l'épousa et partit pour l'Olympe.

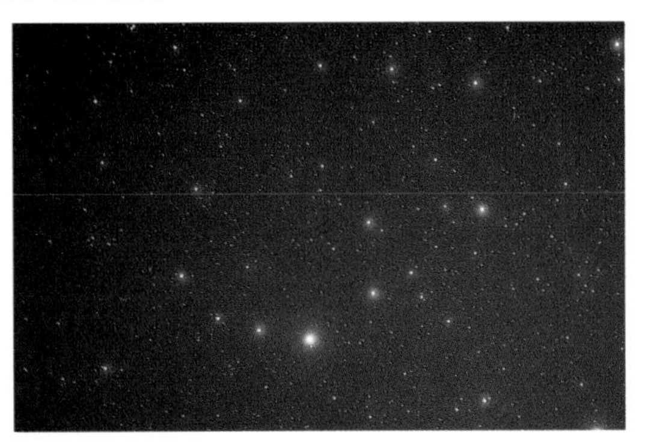

Un petit groupe d'étoiles faibles mais bien distinctes en forme de diadème aide à repérer Corona Borealis.

R Coronae Borealis

L'une des plus remarquables étoiles du ciel, R Cor Bor – tel est son nom habituel – est en apparence une sorte d'« antinova ». En effet, sa luminosité normale est de magnitude 5,9, mais elle peut brusquement disparaître, à intervalles irréguliers, avec un bond de magnitude 8, en éjectant de la matière sombre. Elle réapparaît ensuite lentement à mesure que le nuage se disperse.

La Couronne boréale représentée par une couronne royale dans le Miroir d'Uranie *(1825).*

T Coronae Borealis

Actuellement de magnitude 10, cette étoile a brusquement atteint la magnitude 2 en 1866. Connue comme nova récurrente, elle a réitéré cet exploit en 1946, et recommencera sans doute.

CRV

3

x 1

Cartes du ciel 2, 3, 8

CRT

4

x 1

Cartes du ciel 2, 3, 8, 9

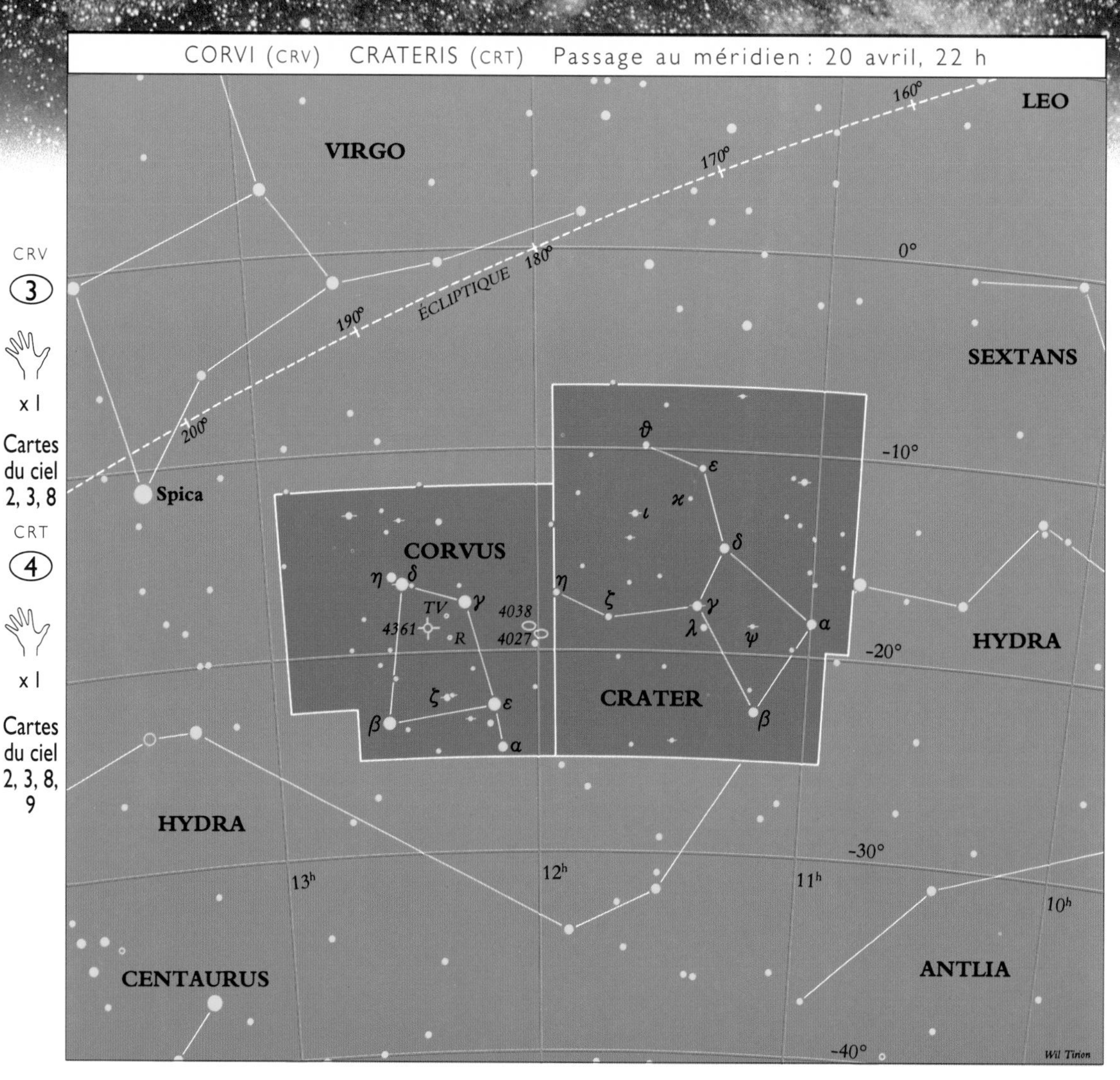

Corvus & Crater

Le Corbeau et la Coupe

Tournez vers Acturus et foncez droit sur Spica, puis tournez à l'ouest et vous apercevrez un petit groupe de quatre étoiles que les Anciens appelaient la Corneille ou le Corbeau. Crater est une constellation voisine, plus faible, qui ressemble à une coupe.
Un jour, Apollon envoya le Corbeau lui chercher un verre d'eau. Celui-ci traîna en chemin, picorant des figues. Lorsqu'il revint avec le verre d'eau (Crater) et un serpent d'eau (Hydra) entre les griffes, il s'excusa de son retard en prétextant avoir été attaqué par le serpent. Apollon, ulcéré par son mensonge, les projeta tous trois dans le ciel, où l'on peut voir l'Hydre, à l'est, empêcher le Corbeau d'atteindre la Coupe, à l'ouest.

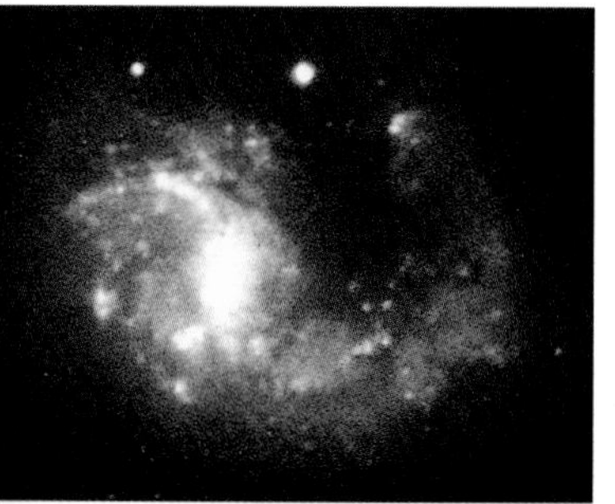

NGC 4027 est une faible galaxie spirale au profil perturbé, dans la constellation du Corbeau.

Le Corbeau et la Coupe, d'après le Miroir d'Uranie (1825).

R Corvi La magnitude de cette étoile variable de type Mira passe de 6,7 à 14,4 sur une période d'environ dix mois.

L'étoile de Tombaugh Cette très faible étoile variable cataclysmique a été découverte par Tombaugh en 1931. Elle tomba ensuite dans l'oubli jusqu'à ce que D. H. Levy, travaillant sur une biographie de Tombaugh, découvre en examinant un échantillon de trois cent soixante clichés que cette étoile avait depuis cette époque pulsé dix fois ! Il a aussi observé, en 1990, avec un télescope de 400 mm, une nouvelle explosion de l'étoile.

La galaxie à queue en anneau, encore appelée Antennae ou Galaxie en queue de rat : **NGC 4038** et **NGC 4039** forment une paire de galaxies de magnitude 11, en interaction ou en collision.

CRUCIS (CRU) Passage au méridien : 1er mai, 22 h

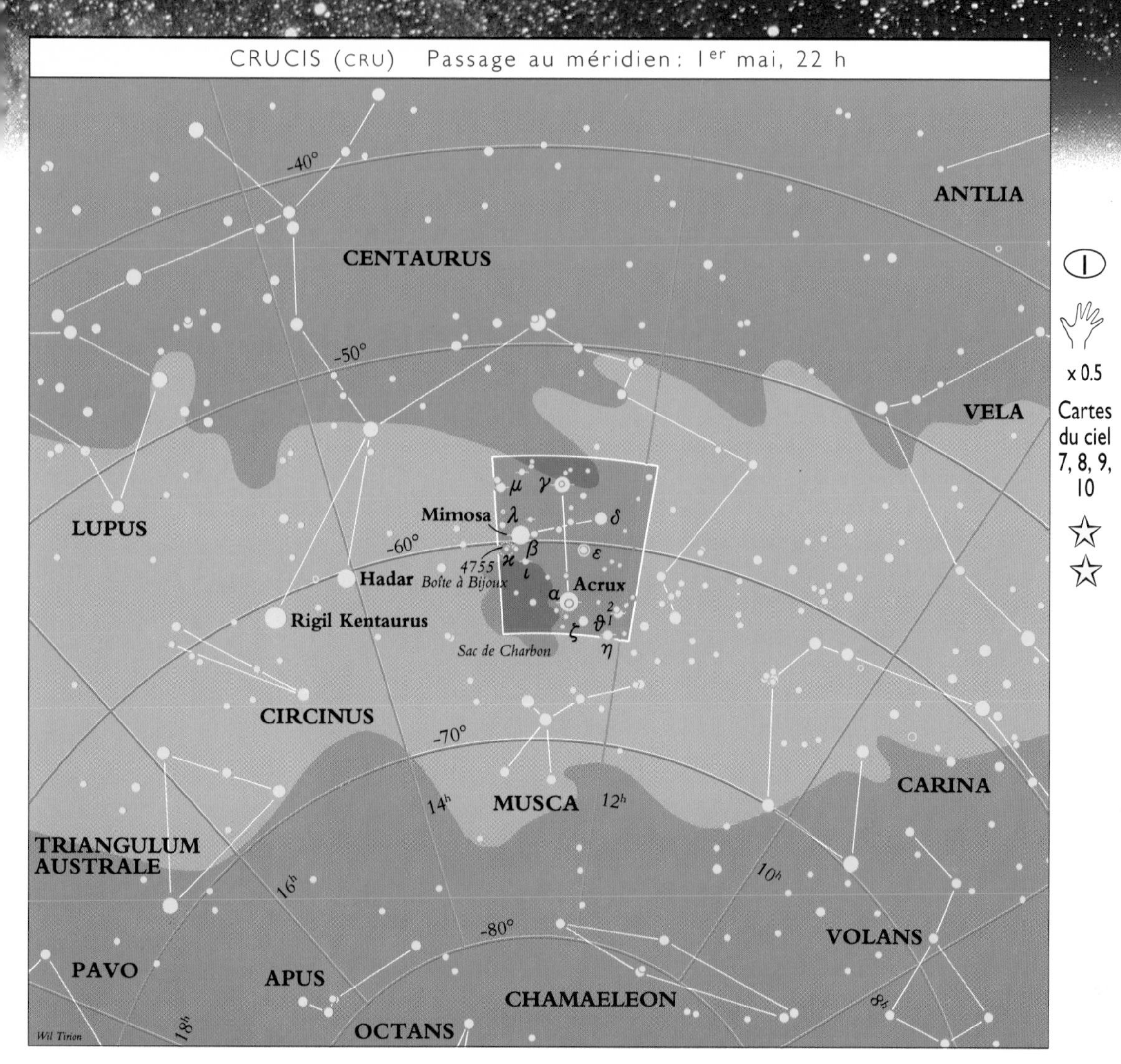

Crux

La Croix du Sud

La plus connue des constellations de l'hémisphère Sud. Sa forme caractéristique a guidé les marins au long des siècles, le sommet droit de la croix pointant vers le pôle Sud céleste. La croix contient la plus saisissante paire d'objets de la Voie lactée : la Boîte à Bijoux et le Sac de Charbon.

Acrux Nom populaire d'**Alpha (α) Crucis,** l'étoile double brillante du pied de la croix, séparée d'environ 4,5" d'arc. Une troisième étoile, relativement brillante, de magnitude 5, est située à 90" d'arc de là.

Gamma (γ) Crucis, ou **Gacrux** Étoile double sur la pointe nord de la croix. C'est un système double optique, formé d'une étoile de magnitude 6,4 située à environ 2' d'arc de l'étoile primaire brillante, de couleur orange.

La Boîte à Bijoux Superposée à l'étoile **Kappa (κ) Crucis,** c'est l'un des plus beaux amas ouverts de tout le ciel austral. C'est un petit amas formé de plusieurs étoiles de couleurs très contrastées, qui scintille telle une pierre précieuse dans n'importe quel instrument d'observation.

L'une des très belles caractéristiques de la Boîte à Bijoux est la ligne de couleurs contrastées formée par les trois étoiles centrales.

Le Sac de Charbon L'un des plus grands et des plus denses nuages sombres de tout le ciel. Il s'étend à l'est d'Acrux et se voit facilement dans la Voie lactée.

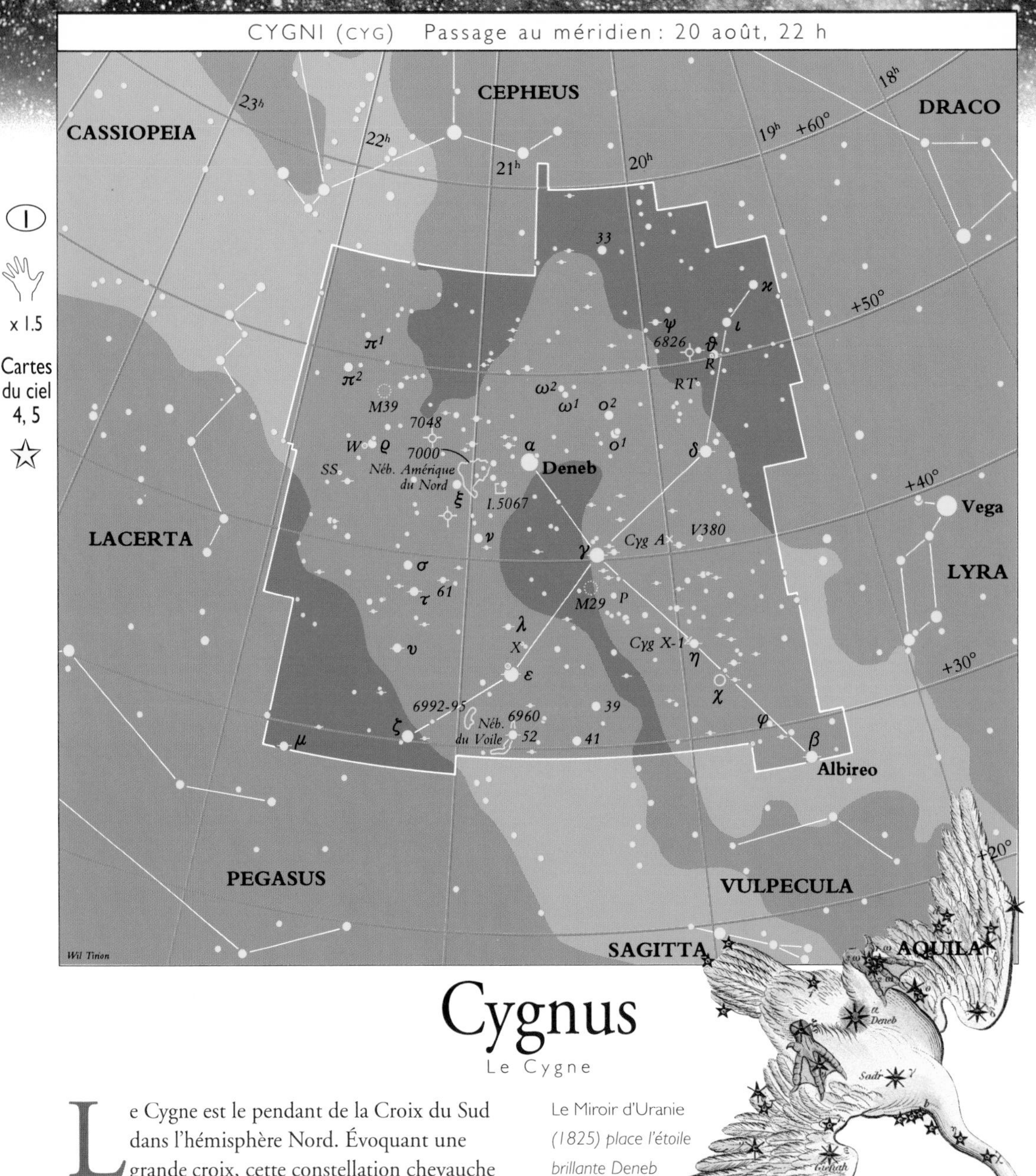

Cygnus

Le Cygne

Le Miroir d'Uranie *(1825) place l'étoile brillante Deneb entre les pattes du cygne.*

Le Cygne est le pendant de la Croix du Sud dans l'hémisphère Nord. Évoquant une grande croix, cette constellation chevauche la partie septentrionale de la Voie lactée, particulièrement belle dans cette région du ciel.
Par ciel sombre, on peut remarquer que la Voie lactée se divise en deux branches. C'est la présence d'une nébuleuse obscure et d'étoiles plus distantes qui provoque cette apparente divergence.
De nombreuses civilisations ont vu un oiseau dans cette constellation. Une légende rapporte que Cygnus n'est autre qu'Orphée, le grand héros thrace, qui chantait et jouait si bien de la lyre et de la cithare que les arbres se penchaient vers lui et que les bêtes sauvages le suivaient. Orphée fut transporté au ciel sous la forme d'un cygne, afin d'être pour l'éternité auprès de sa lyre chérie. Un autre mythe prétend que Cygnus est tout simplement Zeus, qui avait pris l'apparence d'un cygne pour séduire Léda.

Deneb (Alpha [α] Cygni) Deneb, qui signifie queue en arabe, doit son nom à la position qu'elle occupe dans la constellation du Cygne. Avec Rigel, dans la constellation d'Orion, c'est l'une des étoiles les plus puissantes que l'on connaisse : elle est 25 fois plus massive que le Soleil et 60 000 fois plus lumineuse que lui.
Située à environ 1 500 années-lumière, Deneb est l'étoile la plus lointaine du fameux « Triangle de l'Été » qu'elle forme avec Véga et Altaïr.
Véga est à 25 années-lumière et Altaïr à 16.

Albireo (Bêta [β] Cygni) Albireo, au pied de la croix, est l'une des plus belles étoiles du ciel.
À l'œil nu, elle apparaît comme une étoile simple. Un télescope la transforme en un spectaculaire système double avec une séparation de 34" d'arc. L'une de ses composantes est jaune d'or avec une magnitude 3, l'autre est bleuâtre avec une magnitude 5.

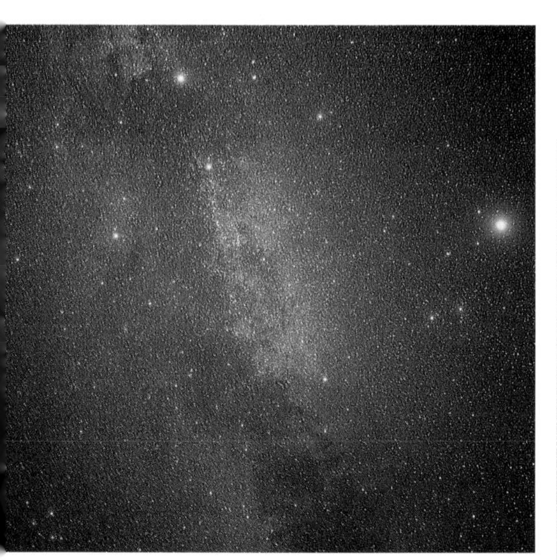

À gauche : La partie nord de la Croix dans la constellation du Cygne chevauche la Voie lactée. Ci-dessous : La nébuleuse Amérique du Nord (NGC 7000), visible à gauche de Deneb. En bas : NGC 6992 et 6995, arc oriental de la nébuleuse du Voile.

61 Cygni Surnommée Étoile volante à cause de son mouvement important par rapport aux étoiles plus lointaines, cette étoile double est facilement séparée dans les petits télescopes. Ses deux composantes tournent l'une autour de l'autre en six cent cinquante ans. 61 Cygni semble avoir un ou plusieurs compagnons invisibles, dont on estime habituellement la masse à cinq ou dix fois celle de Jupiter. Si ces compagnons existent, il pourrait s'agir de grosses planètes, trop petites pour être de vraies étoiles.

La nébuleuse Amérique du Nord (NGC 7000) L'un des meilleurs exemples de nébuleuse brillante, ce nuage géant est illuminé par Deneb, qui se trouve à 3° à l'ouest. À cause de sa dimension, cette nébuleuse est difficile à voir dans un télescope. On la voit mieux à l'œil nu par un ciel sombre. Les photographies montrent qu'elle ressemble de façon surprenante à la forme de l'Amérique du Nord.

M39 Amas ouvert, aux limites floues. Par une nuit claire, on peut aussi le voir à l'œil nu. C'est ce que fit apparemment Aristote, en 325 avant J.-C.

Khi (χ) Cygni Au maximum de sa brillance, de magnitude 4 ou 5, cette variable à longue période est assez brillante pour être vue à l'œil nu. Elle décroît jusqu'à la magnitude 13, avec une période d'un peu plus de treize mois.

SS Cygni L'une des nombreuses variables faibles de la constellation du Cygne. SS Cygni, étoile variable cataclysmique spectaculaire, explose tous les deux mois jusqu'à atteindre la magnitude 8, mais elle est habituellement de magnitude 12.

La nébuleuse de la Dentelle (NGC 6960, 6992, 6995) Beau reste, en forme de dentelle, d'une ancienne supernova, cette belle nébuleuse nécessite un télescope de 150 mm au moins. NGC 6960, arc ouest de la nébuleuse, traverse Cygnus 52, ce qui la rend facile à localiser, mais difficile à voir.

La nébuleuse Clignotante (NGC 6826) Cette nébuleuse planétaire a une étoile centrale relativement brillante. Quand on fixe l'étoile, le nuage qui l'entoure semble disparaître.

DELPHINI (DEL) Passage au méridien : 1er septembre, 22 h

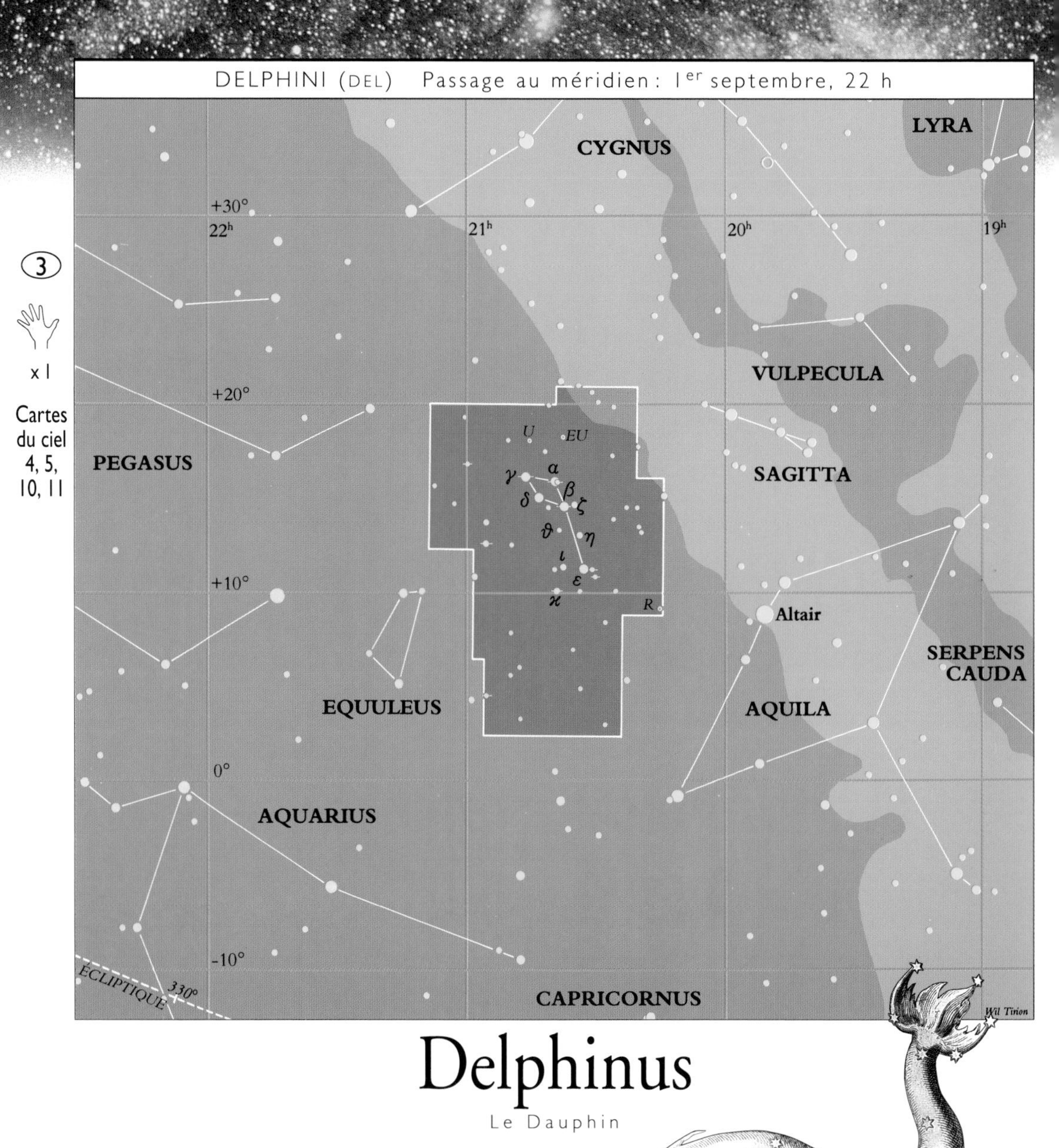

Delphinus

Le Dauphin

Petite constellation de forme caractéristique, Delphinus a toujours été représentée par un dauphin. On raconte que, sur les conseils d'un dauphin, Amphitrite, la reine de la Mer, accepta d'épouser Poséidon après avoir tenté de lui échapper. Poséidon fut si content du petit dauphin qu'il le plaça parmi les étoiles. La constellation est aussi parfois appelée Cercueil de Job, appellation dont l'origine reste obscure.

Ce petit groupe d'étoiles faibles ressemble à un cerf-volant. Son étoile alpha (α) est connue sous le nom de Sualocin et son étoile bêta (β) sous celui de Rotanev. Ces noms leur furent donnés en l'honneur d'un observateur relativement proche de nous, Niccolo Cacciatore, longtemps associé au fameux observateur du XIXe siècle Giuseppe Piazzi. Les anciens atlas du ciel mentionnent les noms de ces étoiles sans commentaire, mais le révérend Thomas Webb élucida l'énigme : en les écrivant à l'envers, on trouve Nicolaus Venator, nom latin de Cacciatore.

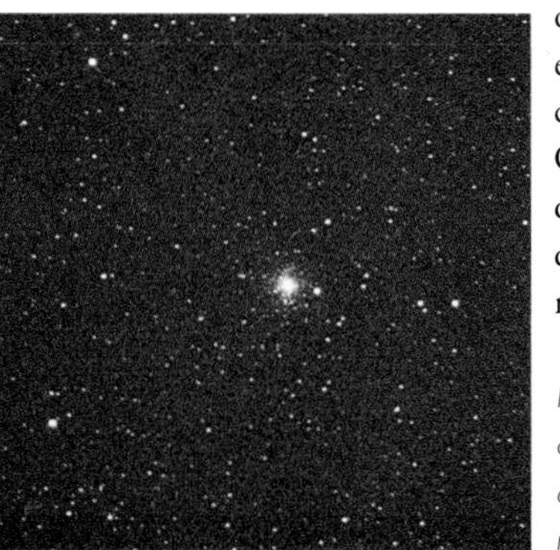

NGC 6934, amas globulaire de magnitude 9, est visible au voisinage de l'étoile relativement brillante.

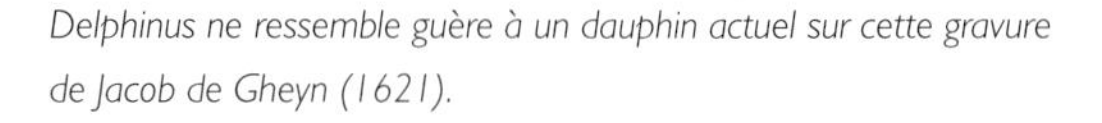

Delphinus ne ressemble guère à un dauphin actuel sur cette gravure de Jacob de Gheyn (1621).

Gamma (γ) Delphini Double optique avec une séparation de 10" d'arc. La plus lumineuse du couple est de magnitude 4,5, la plus faible, légèrement verte, de magnitude 5,5.

R Delphini Étoile de type Mira dont la magnitude est comprise entre 8,3 et 13,3, avec une période de 285 jours.

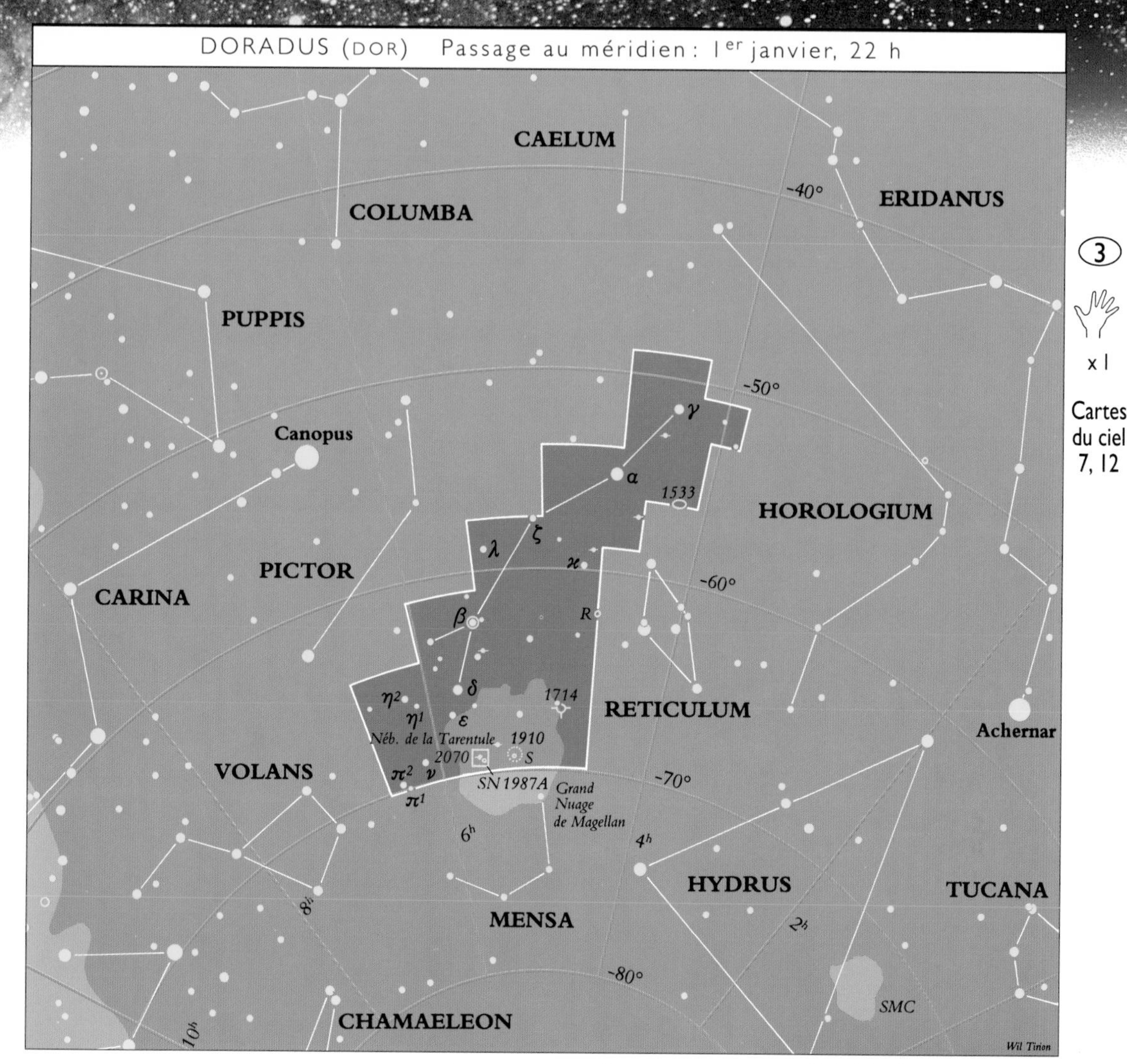

3

x 1

Cartes du ciel 7, 12

Dorado

La Dorade

Cette constellation située très au sud a été répertoriée pour la première fois par Bayer dans l'atlas de 1603. La dorade dont il s'agit ici est un poisson tropical du nom de *mahi-mahi,* de la famille des *Coryphaenidae,* qui mesure plus de 1,75 m de long. Comme elle nage très rapidement et saute souvent hors de l'eau en jouant, les marins la considèrent comme une sirène.

Un amas de jeunes étoiles chaudes autour de 30 Doradus illumine la nébuleuse de la Tarentule.

Le Grand Nuage de Magellan (GNM)
C'est une galaxie compagnon de la Voie lactée, située à 168 000 années-lumière – moins du dixième de la distance de la galaxie d'Andromède (M 31). Elle s'étend sur 11°, et n'est visible que pour les observateurs de l'hémisphère Sud. C'est dans cette galaxie qu'explosa la supernova 1987A. Le GNM, nettement visible par ciel sombre, est fréquemment caché par la lumière aveuglante des villes.

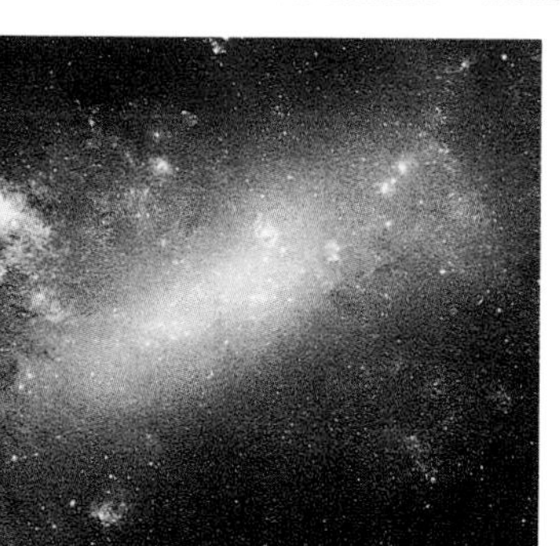

La nébuleuse de la Tarentule est la plus grande des nombreuses nébuleuses roses du Grand Nuage de Magellan.

Nébuleuse de la Tarentule (NGC 2070) Également connue sous le nom de nébuleuse 30 Doradus, c'est l'une des nébuleuses brillantes les plus délicates du ciel, bien qu'elle soit fort lointaine. Elle est probablement trente fois plus grande que la fameuse Grande Nébuleuse d'Orion.

S Doradus Étoile simple, à l'intérieur de l'amas ouvert **NGC 1910,** S Doradus varie de façon irrégulière entre les magnitudes 8 et 11. C'est l'une des étoiles intrinsèquement les plus lumineuses.

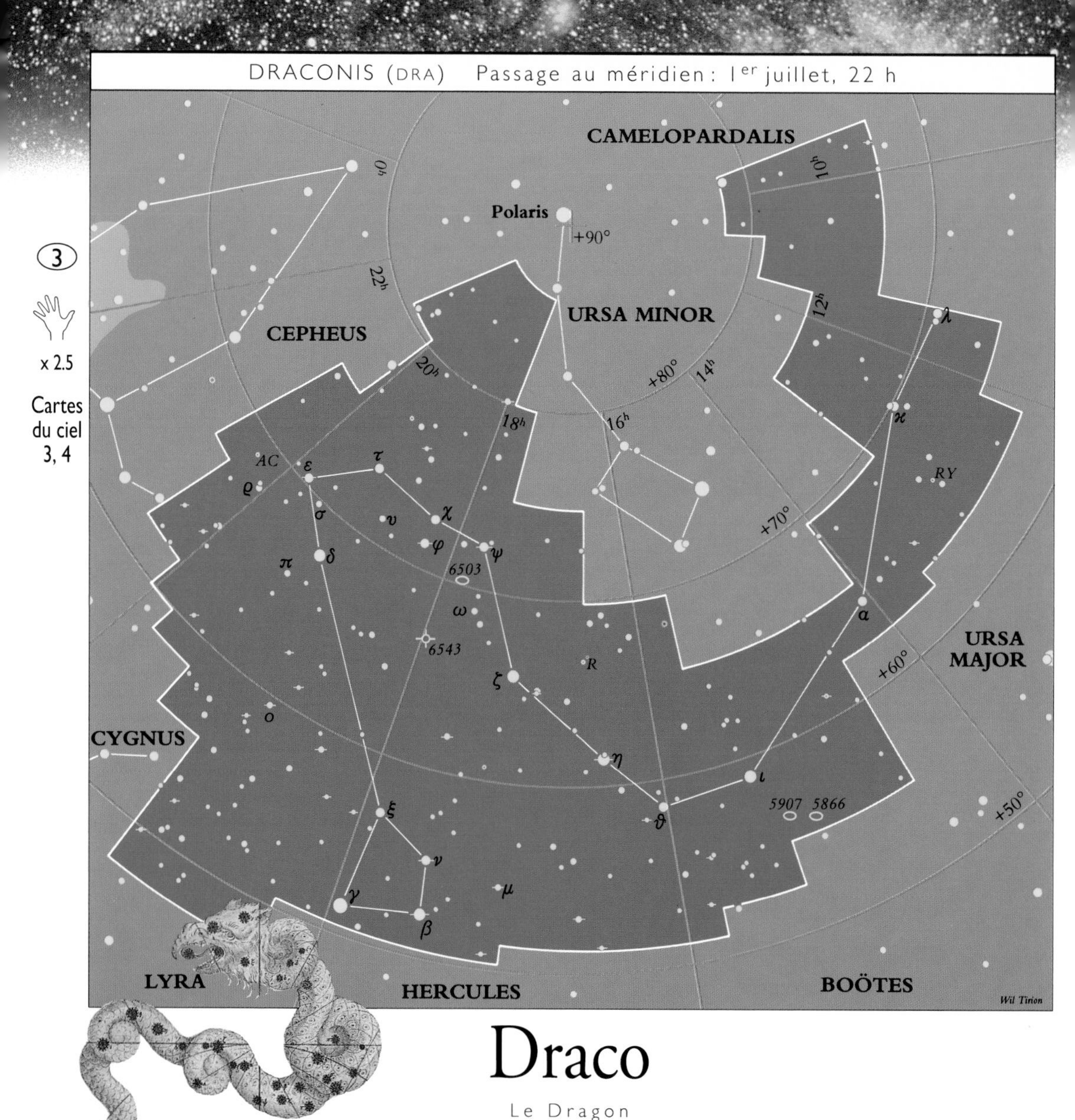

3

x 2.5

Cartes du ciel 3, 4

Draco

Le Dragon

Cette constellation, circumpolaire pour la plus grande partie de l'hémisphère Nord, est particulièrement visible durant les mois les plus chauds. Étendue et peu lumineuse, elle est difficile à cerner, car elle serpente entre la Grande Ourse, le Bouvier, Hercule, la Lyre, le Cygne et Céphée. Les Chaldéens, les Grecs et les Romains y voyaient un dragon, les hindous plutôt un alligator et les Perses un serpent mangeur d'hommes. Le dragon apparaît dans nombre de légendes de l'Antiquité grecque. C'est un dragon qui garde l'entrée du jardin des Hespérides, où poussent des pommes d'or. C'est encore un dragon qui attaque Athéna lors de son combat contre les Titans et qui se voit projeter dans le ciel par la déesse. Thuban, l'étoile la plus lumineuse de la constellation, était l'étoile Polaire des Anciens – c'est la précession terrestre qui a déplacé le pôle vers Polaris.

Quadrantis L'une des plus fortes pluies de météores. Son activité maximale, qui se situe autour du 3 janvier, ne dure que quelques heures.

Draconis Pluie de météores constituée de particules venant de la comète périodique Giacobini-Zinner. En 1933 et en 1946, la pluie météoritique suivit de près le passage de la comète dans l'orbite terrestre ; il en résulta un véritable orage de météores.

NGC 6543 Cette nébuleuse planétaire de magnitude 8 se trouve à mi-chemin entre les étoiles **Delta (δ)** et **Dzêta (ζ) Draconis.** Elle est de couleur bleu-vert brillant, mais son petit disque nébuleux n'est perceptible qu'avec un télescope de grande puissance.

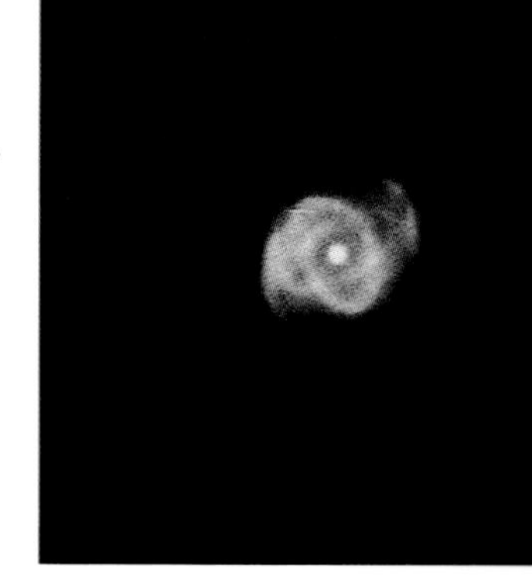

En haut : Draco, le Dragon, représenté par Johann Bayer dans Uranometria *(1603), déroule son chemin dans les cieux.*
Ci-contre : NGC 6543, l'une des nébuleuses planétaires les plus brillantes.

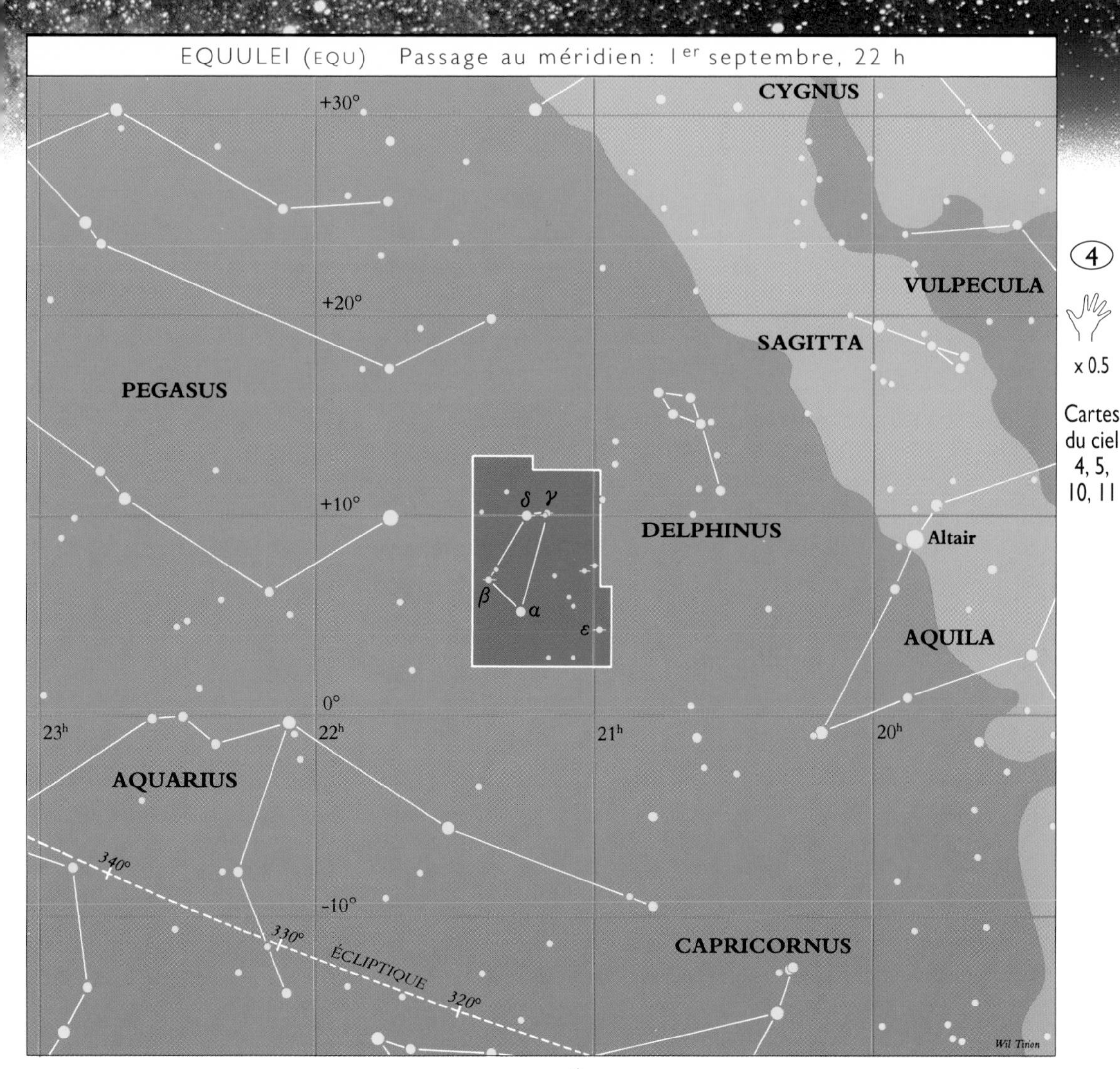

4
x 0.5
Cartes du ciel 4, 5, 10, 11

Equuleus

Le Petit Cheval

Equuleus occupe un espace plus petit que toutes les autres constellations, la Croix mise à part. Elle se trouve au sud-ouest de la constellation du Dauphin, mais, dépourvue d'étoile brillante, elle est d'un intérêt limité. **Alpha (α) Equulei,** l'étoile la plus brillante, a pour nom Kitalpha, terme arabe signifiant « Petit Cheval ». On pense que c'est l'astronome grec Hipparque (IIe siècle avant J.-C.) qui imagina cette constellation pour représenter Celeris, le frère de Pégase (le Cheval ailé), donné à Castor (l'un des Gémeaux) par Mercure.

CONSEILS À L'OBSERVATEUR

Quand vous observez le ciel, prenez des notes. Non seulement cela vous aidera à mémoriser vos observations, mais le fait de noter les détails vous incitera à faire une observation plus scrupuleuse. Un carnet suffisamment grand pour faire des dessins et prendre des notes est idéal. Parmi les informations à consigner, incluez la date, l'heure et le lieu de vos observations ; le ou les instruments utilisés, les conditions de visibilité et une esquisse de ce que vous avez vu. Les nébuleuses, les amas d'étoiles et les galaxies sont les cibles les plus intéressantes pour l'astronome amateur. En général, un faible grossissement et un grand champ sont nécessaires pour l'observation du ciel profond, mais n'ayez pas peur de faire des essais.

Equuleus tel qu'il est représenté dans Uranometria, *de Bayer (1603). Son nom de Petit Cheval lui vient probablement de la comparaison avec son voisin Pégase, le Cheval ailé.*

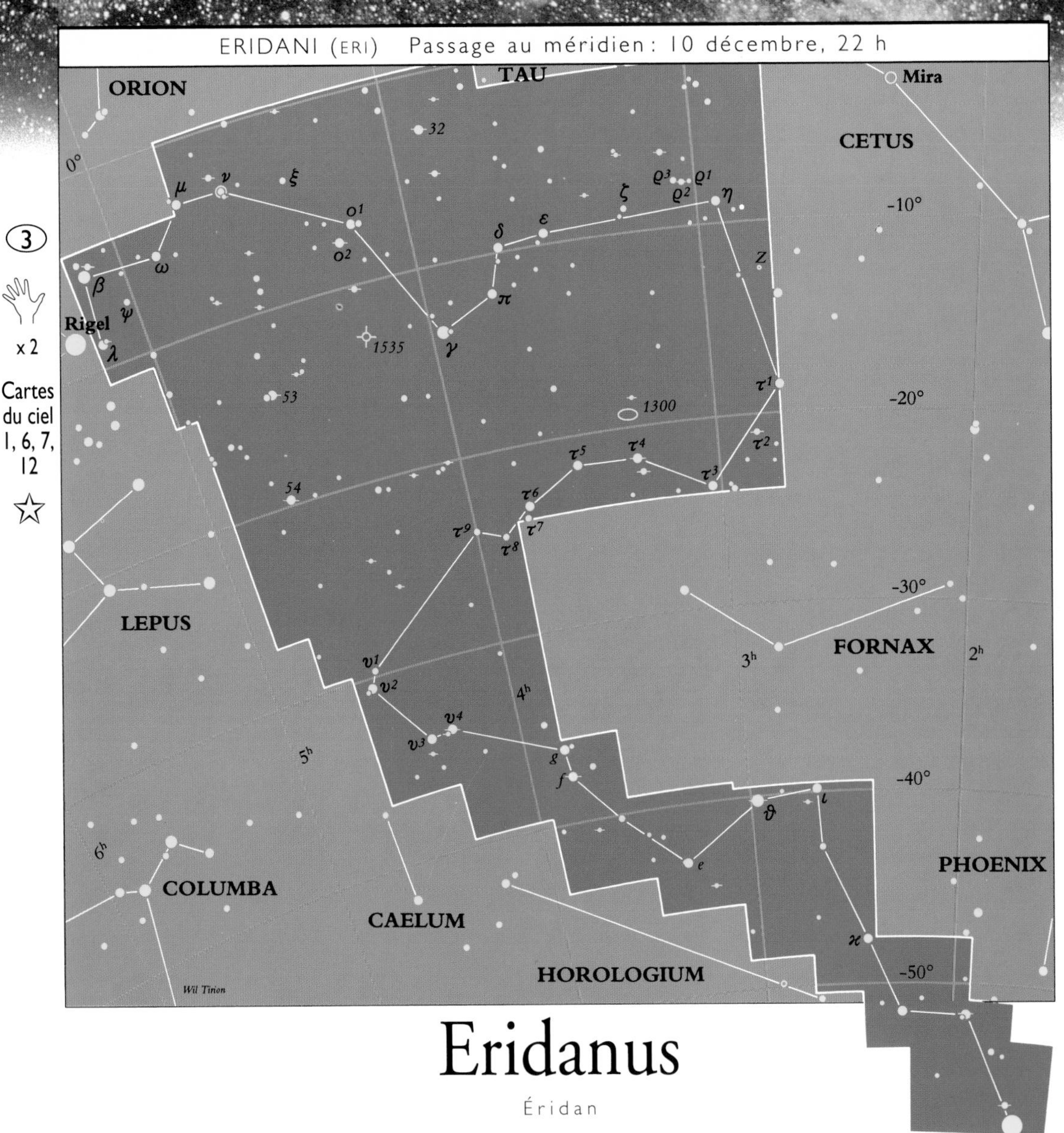

3
x 2
Cartes du ciel 1, 6, 7, 12

Eridanus

Éridan

Quelle longue constellation que le fleuve Éridan ! Sa source se trouve juste à l'ouest de Rigel, dans la constellation d'Orion, avec une étoile appelée Cursa ou Bêta (β) Eridani. Elle s'écoule vers le sud jusqu'à son embouchure près du pôle Sud céleste, dans **Achernar (Alpha [α] Eridani),** étoile très brillante que peu d'observateurs de l'hémisphère Nord ont vue. Dans l'hémisphère Sud, on peut suivre tout le cours du Fleuve, bien que les étoiles soient faibles. Cette constellation a été représentée comme un fleuve depuis l'Antiquité. Pour les anciens observateurs de l'Asie du Sud-Est, elle ne s'étendait, au sud, que jusqu'à Acamar ou **Thêta (θ) Eridani,** car les étoiles les plus méridionales leur étaient cachées. Dans le second livre des *Métamorphoses,* Ovide raconte que Phaéton, le fils du Soleil, parti sur le char de son père dans la voûte céleste, fut foudroyé et précipité dans le fleuve Éridan.

Ci-contre : NGC 1300 est une galaxie spirale barrée classique. À droite, Eridanus avec l'étoile Achernar à son embouchure (Bayer, 1603).

Omicron 2 (o_2) Eridani Étoile triple remarquable, constituée d'une naine orange de magnitude 4, d'une naine blanche de magnitude 9 et d'une naine rouge de magnitude 11. L'étoile rouge et la naine blanche forment une étoile double (séparation : 8" d'arc) séparée de l'étoile la plus brillante par environ 80" d'arc. La naine blanche est la seule de sa classe visible avec un petit télescope.

Epsilon(ε) Eridani À une distance de 10,8 années-lumière à peine, cette étoile est une version réduite du Soleil. Les radiotélescopes se sont pointés vers elle sans détecter, jusqu'à présent, de signaux indiquant la présence de la vie.

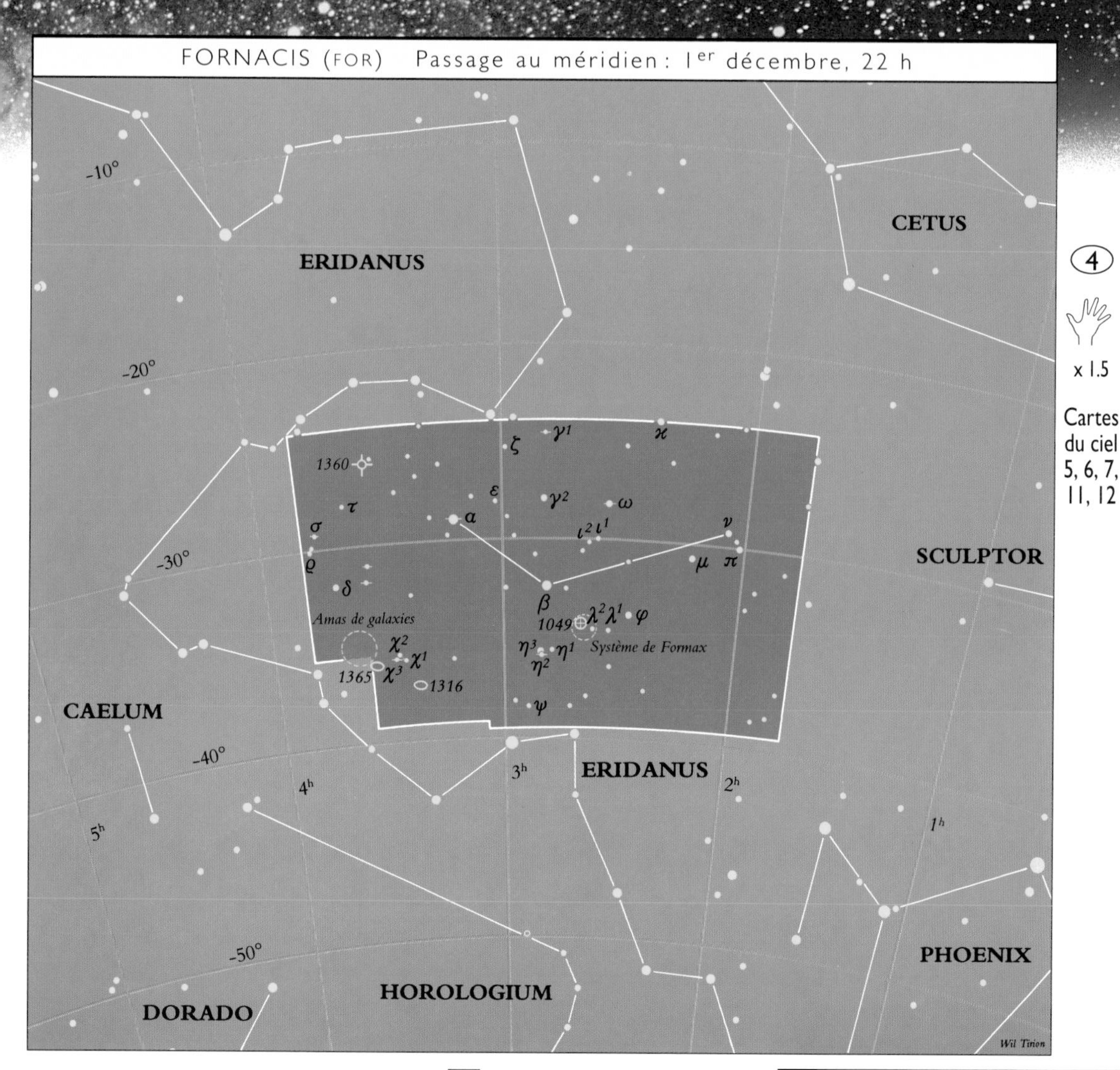

4

x 1.5

Cartes du ciel 5, 6, 7, 11, 12

Fornax

Le Fourneau

C'est en l'honneur du célèbre chimiste français Antoine Laurent de Lavoisier (1743-1794), mort guillotiné, que Nicolas Louis de La Caille dessina cette constellation, nommée à l'origine Fourneau du chimiste, sur une berge du fleuve Éridan.

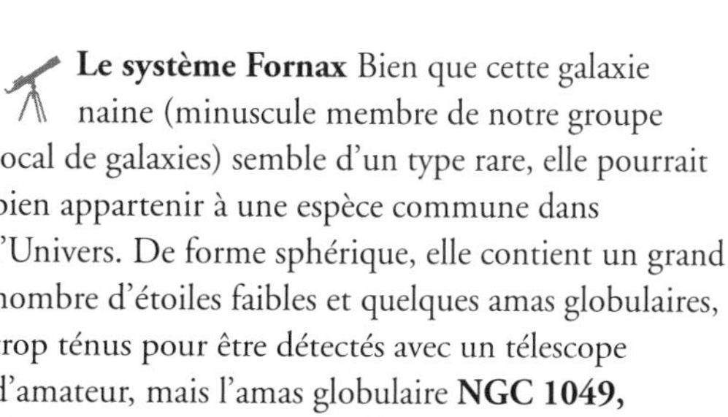

NGC 1365, galaxie spirale, l'une des plus brillantes du groupe des galaxies Fornax (magnitude 9).

Amas de galaxies Fornax Alors qu'il n'y a aucun point brillant remarquable dans Fornax, il est intéressant d'observer, à condition de disposer d'un grand télescope, cet amas de galaxies à la frontière Fornax-Eridanus. Avec un oculaire grand champ, on peut distinguer jusqu'à neuf galaxies dans le même champ. **NGC 1316,** la galaxie la plus brillante, de magnitude 9, est la radiosource Fornax A.

Le système Fornax Bien que cette galaxie naine (minuscule membre de notre groupe local de galaxies) semble d'un type rare, elle pourrait bien appartenir à une espèce commune dans l'Univers. De forme sphérique, elle contient un grand nombre d'étoiles faibles et quelques amas globulaires, trop ténus pour être détectés avec un télescope d'amateur, mais l'amas globulaire **NGC 1049,** de magnitude 12,9, est visible avec un télescope de 250 mm, par ciel dégagé.

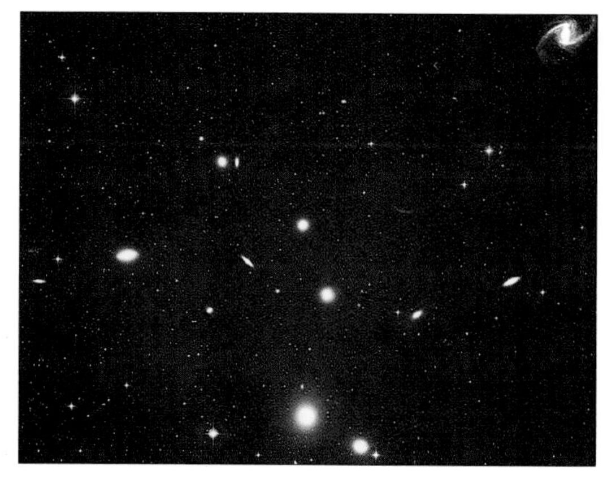

Partie de l'amas de galaxies Fornax, avec un champ de 1° environ.

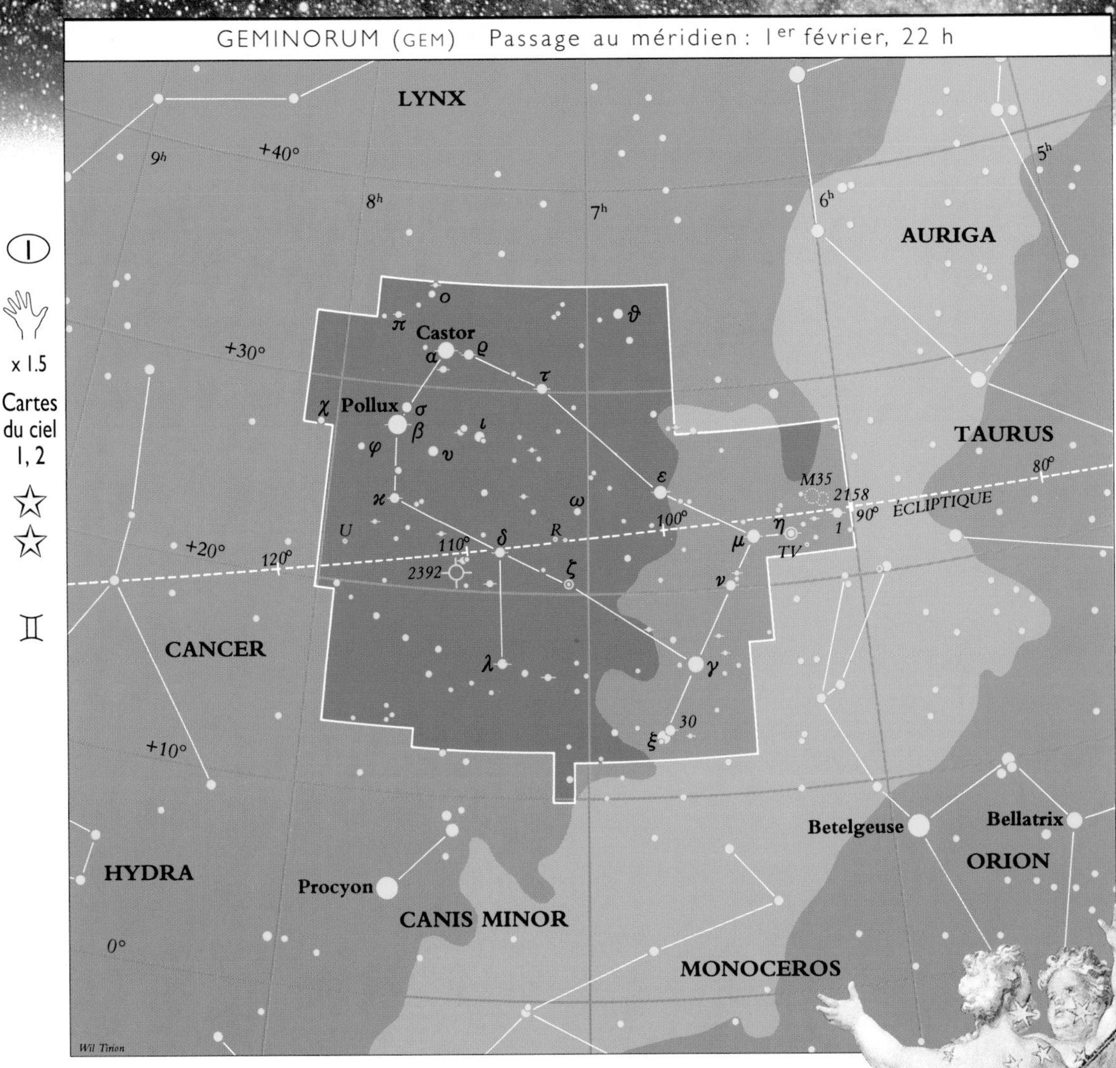

Gemini

Les Gémeaux

Figure familière du ciel, les Gémeaux font partie du zodiaque. De nombreuses cultures ont considéré ces étoiles comme jumelles – couple de dieux, d'humains, d'animaux ou de plantes. Les Grecs ont baptisé les deux étoiles les plus brillantes de cette constellation Castor et Pollux, du nom des jumeaux légendaires nés des amours de Zeus et de Léda. Castor et Pollux participèrent à l'expédition des Argonautes et évitèrent au navire *Argo* de sombrer au cours d'un orage, ce qui explique pourquoi cette constellation est si prisée des navigateurs. William Herschel découvrit Uranus près d'Êta (η) Geminorum en 1781, et Clyde Tombaugh découvrit Pluton près de Delta (δ) Geminorum en 1930.

M 35 et NGC 2158 à l'ouest.

Castor (Alpha [α] Geminorum) Étoile sextuple qui n'est aperçue que comme binaire avec un petit télescope. La séparation moyenne est environ 3" d'arc.

Êta (η) Geminorum Cette brillante étoile variable, semi-régulière, varie entre les magnitudes 3,2 et 3,9 en huit mois environ.

M35 Brillant amas ouvert qui est très beau vu avec des jumelles, et spectaculaire avec un petit télescope. **NGC 2158**, amas ouvert plus petit et moins lumineux, est situé sur son côté sud-ouest. Il paraît flou dans les petits télescopes, car il se trouve à 16 000 années-lumière, cinq fois la distance de M35.

La Tête de Clown ou nébuleuse Esquimau (NGC 2392) Nébuleuse planétaire d'allure étrange qui possède une étoile centrale brillante. La teinte bleu-vert de son disque permet de l'identifier.

GRUIS (GRU) Passage au méridien : 20 septembre, 22 h

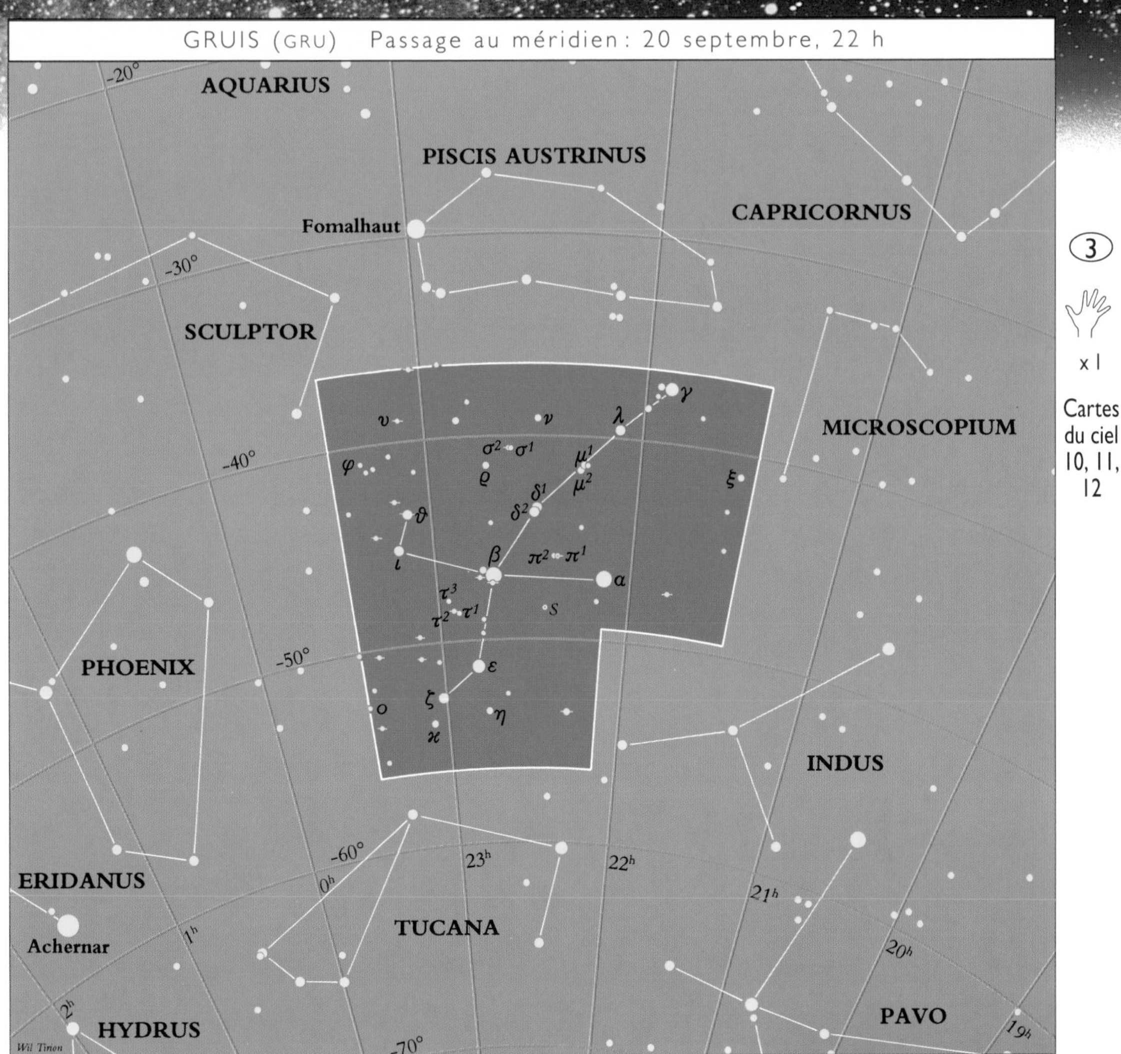

3

x 1

Cartes du ciel 10, 11, 12

Grus

La Grue

Dans son atlas du ciel de 1603, Johann Bayer appelle cette constellation de l'hémisphère Sud Grus, la Grue – symbole des astronomes de l'Égypte ancienne. Ce groupe d'étoiles – identifié à une cigogne, un flamant ou une canne à pêche – a peu d'intérêt pour l'observateur qui ne dispose que d'un petit télescope ; un télescope de 200 mm d'ouverture ou plus permet d'observer quelques galaxies faibles.

Il est intéressant de comparer la Grue peinte par Bode dans Uranographia *(1801) et notre carte de Grus.*

La forme de croix de Grus, facile à identifier, juste au sud de la brillante Formalhaut.

Grus n'a que trois étoiles assez lumineuses, qui peuvent servir comme illustration de l'échelle des magnitudes.

Alpha (α) Gruis Également connue sous le nom d'Alnaïr, c'est une étoile bleue de la séquence principale, environ soixante-dix fois plus lumineuse que le Soleil. Distante de seulement 57 années-lumière, elle est la plus brillante des trois étoiles, à cause de cette proximité relative.

Bêta (β) Gruis Géante rouge, huit cents fois plus lumineuse que le Soleil, mais se trouvant à 140 années-lumière de nous, qui apparaît plus faible qu'Alpha (α) Gruis.

Enfin, **Gamma (γ) Gruis,** géante bleue, plus lumineuse que les deux autres, apparaît plus faible car elle est située à 230 années-lumière.

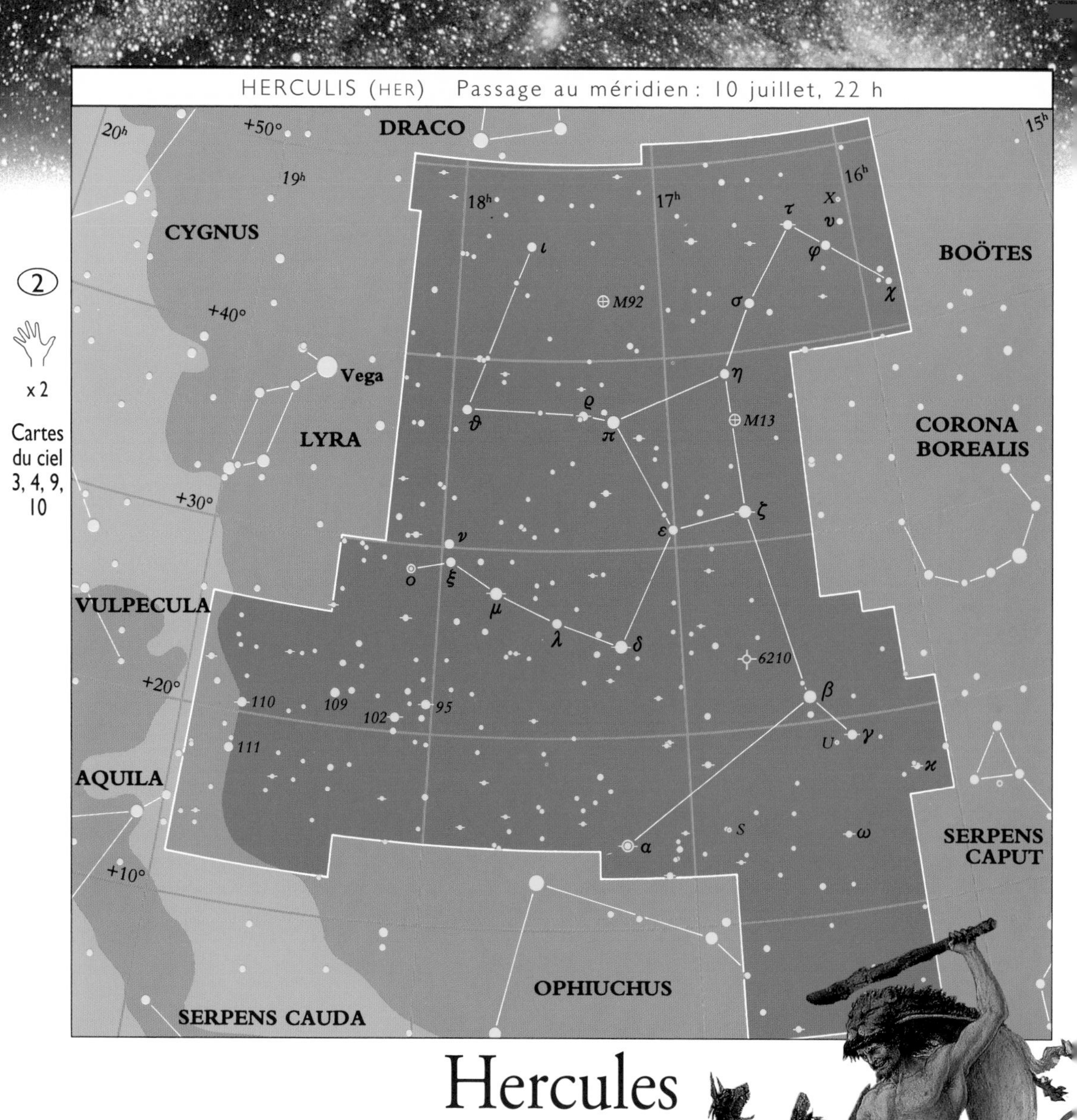

Hercules

Hercule

Pour les observateurs de l'hémisphère Nord, Hercule, avec sa « pierre angulaire » de quatre étoiles – **Epsilon (ε), Dzêta (ζ), Êta (η),** et **Pi (π),** est l'une des plus belles constellations de l'été.
L'un des héros classiques les plus populaires, Hercule était vénéré pour sa force à travers toute la Méditerranée. Demi-dieu, fils de Jupiter, il accomplit de nombreux exploits, dont les plus connus sont les Douze Travaux. À la fin de sa vie, en récompense de sa bravoure, Jupiter en fit un dieu et le plaça dans le ciel.

M 13, le principal amas globulaire de l'hémisphère Nord.

Hercule et l'Hydre, d'après un tableau d'Antonio Pollaiuolo (1432-1498).

Amas d'Hercule (M13) Le plus spectaculaire amas globulaire de l'hémisphère Nord. À l'œil nu, il apparaît comme une tache floue, mais dans un télescope, c'est un spectacle à ne pas manquer.
Sa périphérie peut être résolue en étoiles avec un télescope de 150 mm. Quand on regarde cet amas, c'est comme si l'on remontait de 23 000 ans dans le passé.

M 92 Un peu plus petit et plus faible que M 13, cet amas d'étoiles est situé à 26 000 années-lumière.

Ras Algethi (Alpha [α] Herculis) C'est une étoile très rouge, variant entre les magnitudes 3,1 et 3,9. C'est aussi une double splendidement colorée, de magnitude 5, avec un compagnon bleu-vert situé à 5" d'arc de l'étoile principale orange.

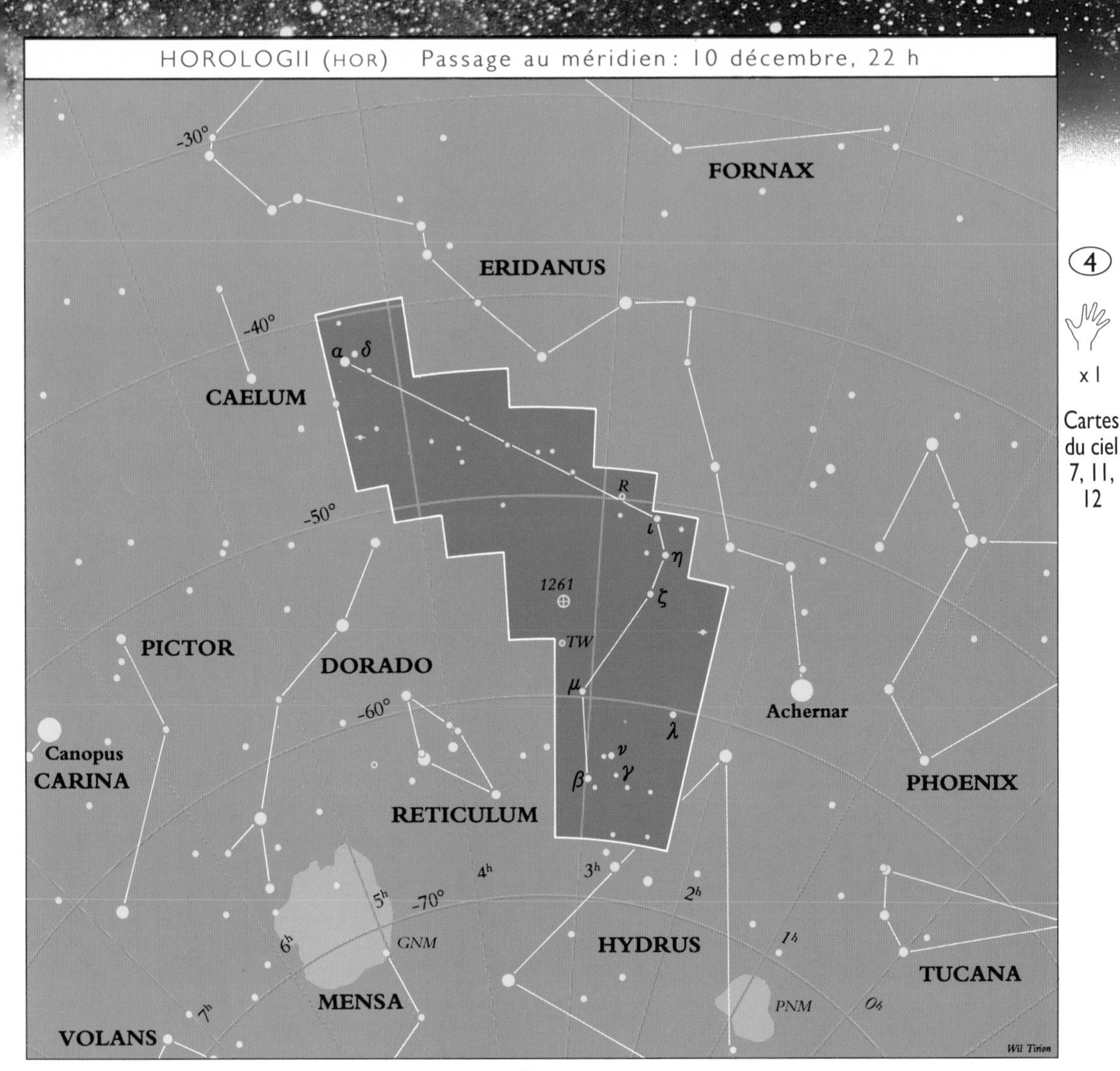

4

x 1

Cartes du ciel 7, 11, 12

Horologium

L'Horloge

Petit groupe d'étoiles à l'est d'Achernar, c'est l'une des constellations dessinées par Nicolas Louis de La Caille. À l'origine, elle portait le nom d'Horloge oscillante, en l'honneur de l'horloge à balancier inventée par le physicien et astronome néerlandais Christiaan Huygens (1629-1695). Huygens était un héritier de la pensée de la Renaissance : en appliquant les lois du pendule découvertes par Galilée, il accrut largement la précision de la mesure du temps. La seconde grande contribution de Huygens à la science fut la découverte des anneaux de Saturne grâce à un instrument de sa fabrication.

Image de NGC 1261, situé à 70 000 années-lumière, avec un télescope de 250 mm.

CONSEILS À L'OBSERVATEUR

La surveillance de météores (plus connus sous le nom d'étoiles filantes) est une aventure d'autant plus fascinante qu'elle est menée en groupe. On peut observer le ciel de façon continue, en attribuant à chaque participant une portion du ciel à surveiller. À l'intérêt propre de la recherche s'ajoutera le bénéfice des conversations destinées à empêcher les observateurs de s'endormir ! La recherche de météorites demande une surveillance constante, il est recommandé de se munir de sacs de couchage et de chaises longues pour prévenir l'inévitable torticolis. Pour de bons résultats, confort et patience sont nécessaires.

R Horlogii Variable longue période découverte d'une station de l'université de Harvard située au Pérou. Sa période est de treize mois et demi ; elle varie entre les magnitudes 5 et 14.

NGC 1261 Amas globulaire de magnitude 8 et de diamètre de 6' d'arc, bonne cible pour un grand télescope.

HYDRAE (HYA) Passage au méridien : 1er avril, 22 h

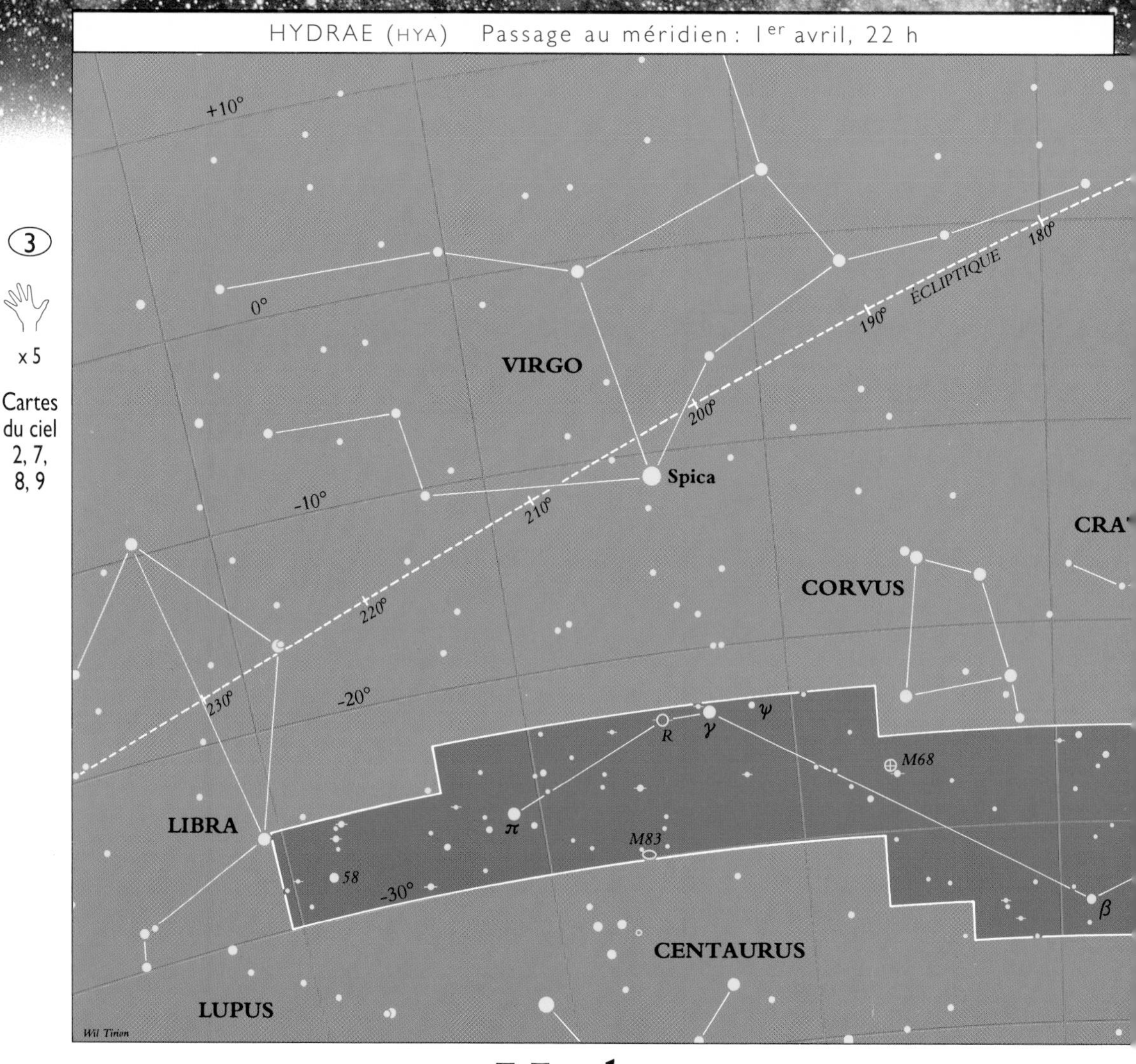

3

x 5

Cartes du ciel 2, 7, 8, 9

Hydra

L'Hydre

L'hydre de Lerne est le serpent à neuf têtes qu'Hercule fut amené à combattre. Chaque tête coupée repoussait aussitôt. Hercule sortit de cette épreuve en demandant à son neveu Iolaos de mettre le feu à la forêt voisine. À l'aide de tisons, il brûla les plaies, empêchant ainsi les têtes de renaître. C'est alors qu'Héra dépêcha le crabe prêter main forte à l'hydre. Il piqua Hercule au talon, mais fut piétiné. Héra récompensa le crabe en lui accordant une place dans la voûte céleste. *(Voir Cancer p. 144).* Comme c'est le cas pour les autres grandes constellations, plusieurs cartographes du ciel ont essayé de modifier la forme de l'Hydre. En 1805, l'astronome français Joseph Lalande s'amusa en créant une constellation qu'il baptisa Felis (le chat) : « J'aime beaucoup les chats, écrivit-il. Le ciel étoilé m'a causé assez de soucis durant ma vie, maintenant je peux m'amuser avec lui. » Lalande forma son félin avec les étoiles des constellations de l'Hydre et d'Antlia, mais cette constellation n'a pas survécu. L'Hydre demeure, serpentant à travers le ciel.

R Hydrae L'une des premières étoiles variables répertoriées. Les variations de lumière de cette étoile de type Mira ont été vues pour la première fois à la fin des années 1600. Elle varie sur treize mois depuis un maximum de magnitude 3,5 jusqu'à un minimum de 10,9.

V Hydra Exemple rare d'étoile carbonée, c'est une géante, d'un rouge profond, de basse température, riche en carbone. Cette étoile varie de façon erratique entre les magnitudes 6 et 12, avec deux périodes superposées – l'une de dix-huit mois, l'autre de dix-huit ans.

Dans Uranometria (1603), Bayer représenta l'Hydre comme un serpent de mer plutôt que comme un serpent à neuf têtes.

HYDRAE (HYA) Passage au méridien : 1er avril, 22 h

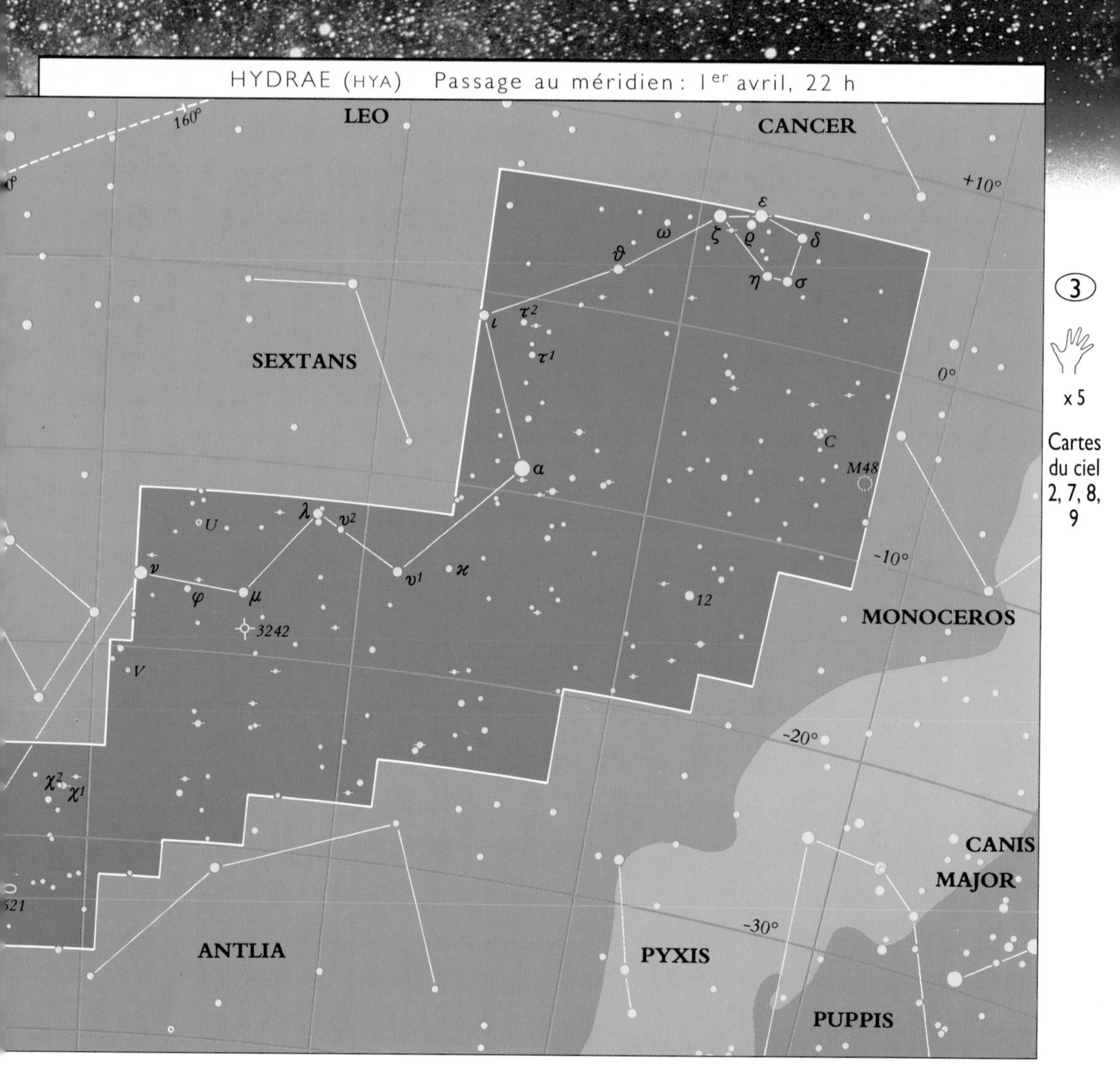

M 48 (NGC 2548) Longtemps considéré comme un objet Messier oublié dont la position aurait été mal reportée, M 48 est maintenant reconnu comme ne faisant qu'un avec NGC 2548 – un grand amas ouvert, que l'on voit très bien avec des jumelles.

M 83 Galaxie spirale à l'allure étrange, avec trois bras spiraux évidents. De magnitude 8, c'est l'une des galaxies les plus brillantes que l'on peut voir avec des jumelles ; avec un télescope, on distingue mieux les détails. On peut y chercher des étoiles « nouvelles », puisque M 83 a produit quatre supernovae au cours des soixante dernières années.

M 83 est souvent classée comme une galaxie barrée. Sur cette photographie d'amateur, on distingue une barre traversant le noyau.

Image CCD du lointain amas des galaxies de la constellation de l'Hydre. Les galaxies les plus brillantes sont de magnitude 18 !

Nébuleuse du Fantôme de Jupiter (NGC 3242) Nébuleuse planétaire la plus brillante de cette partie du ciel.
Sa largeur est d'environ 16" d'arc.
Elle dévoile très bien sa structure dans un télescope de 250 mm ou plus.

HYDRI (HYI) Passage au méridien : 1er décembre, 22 h

4

x 1

Cartes du ciel 7, 11, 12

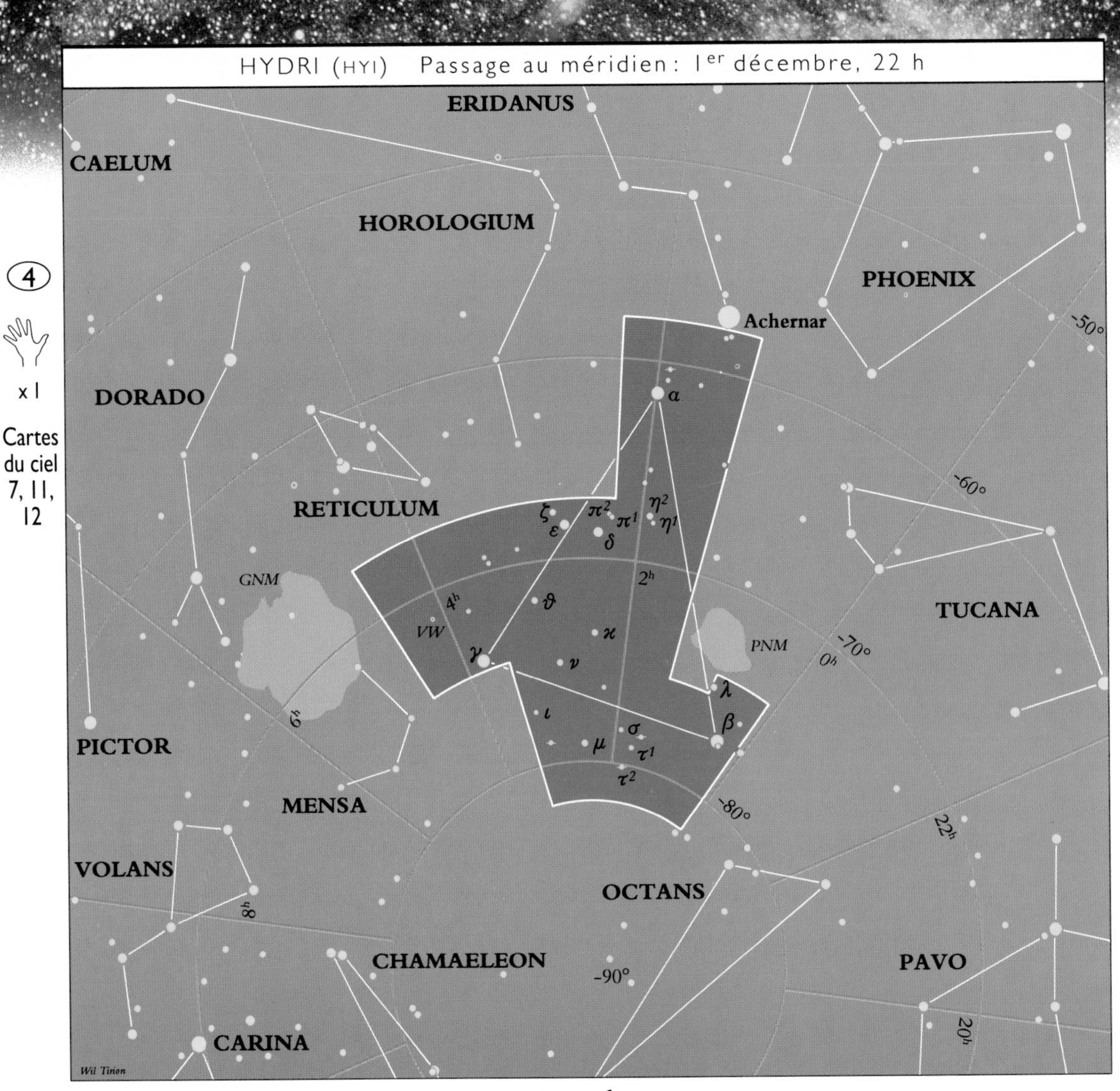

Hydrus

L'Hydre mâle

Cette constellation apparaît pour la premièr fois dans l'atlas du ciel publié en 1603 par Johann Bayer. Elle est près d'Achernar, embouchure du fleuve Éridan, et nichée entre le Grand et le Petit Nuage de Magellan. On l'appelle parfois le Serpent d'eau mâle, pour éviter toute confusion avec la constellation de l'Hydre.

VW Hydri Étoile variable cataclysmique la plus connue des observateurs de l'hémisphère Sud. Dans son état habituel, sa magnitude est 13, mais lors des éruptions, ce qui arrive à peu près une fois par mois, elle peut, en quelques heures, atteindre la magnitude 8.

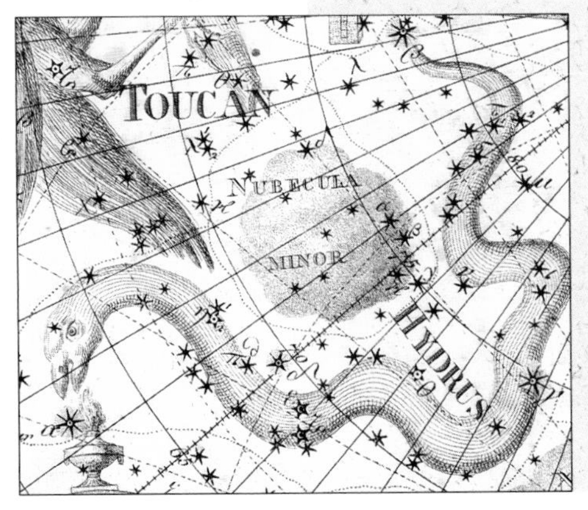

Dans Uranographia (1801), Bode montre Hydrus serpentant autour de Nubecula Minor, le Petit Nuage de Magellan dans la constellation du Toucan.

CONSEILS À L'OBSERVATEUR

Lors d'une nuit glaciale à Flagstaff, dans l'Arizona, Clyde Tombaugh – l'astronome qui découvrit Pluton – observait les étoiles à l'oculaire de son télescope, en guidant manuellement une pose d'une heure. Se sentant fatigué, il lutta pour ne pas s'endormir. Quand l'heure fut passée, il réalisa qu'il avait si froid qu'il ne pouvait plus guère bouger. Il eut beaucoup de peine à ranger ses instruments et à regagner une pièce où il dut rester longtemps collé au radiateur pour se réchauffer. Faites attention de ne pas vous absorber dans vos observations au point de ne pas sentir le froid vous gagner. Marchez ou installez-vous dans un lieu abrité.

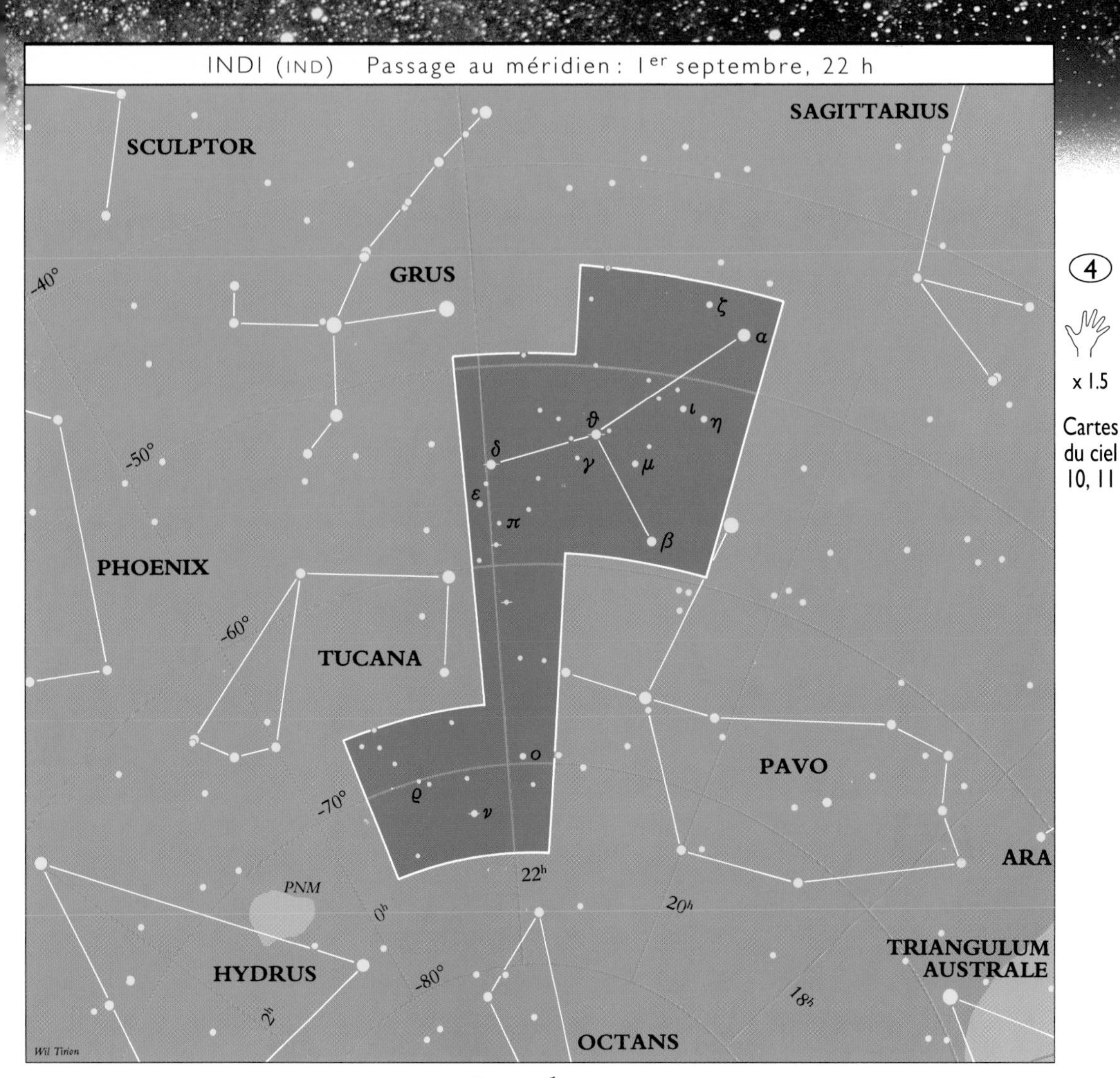

4

x 1.5

Cartes du ciel 10, 11

Indus

L'Indien

C'est encore Johann Bayer qui définit cette constellation en l'honneur des indigènes d'Amérique que les Européens rencontraient lors de leurs voyages. La silhouette de l'Indien se trouve entre trois oiseaux : la Grue, le Toucan et le Paon.

Epsilon (ε) Indi Située à 11,3 années-lumière, c'est l'une des étoiles les plus proches du Soleil. Elle lui est d'ailleurs assez similaire. Son diamètre représente les quatre cinquièmes de celui du Soleil et sa luminosité est huit fois moindre.
Les scientifiques l'étudient essentiellement pour la recherche de planètes ou de signes d'intelligence extraterrestre comme des signaux radio.
Au début des années 1960, lorsque Frank Drake entreprit sa recherche de signes de vie dans la Galaxie, il se servit de cette étoile comme cible.
En 1972, le satellite Copernicus rechercha, en vain, des signaux laser en provenance de cette étoile.

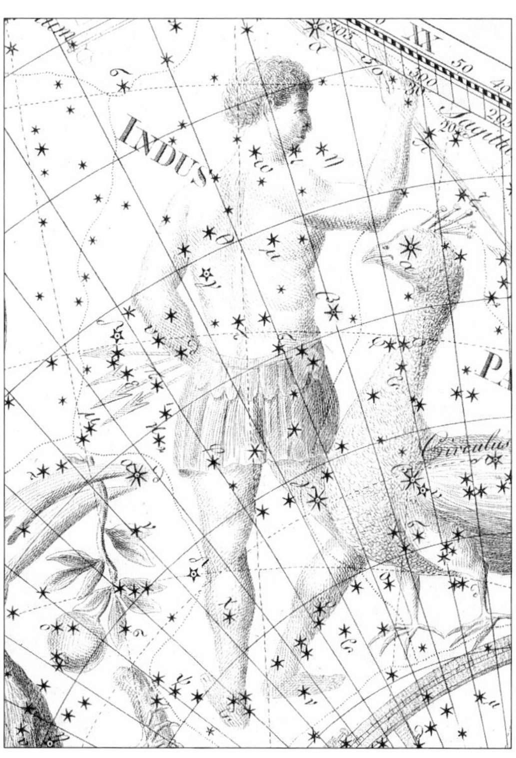

L'Indien, debout parmi deux de ses voisins à plumes : le Toucan (à gauche) et le Paon (à droite).

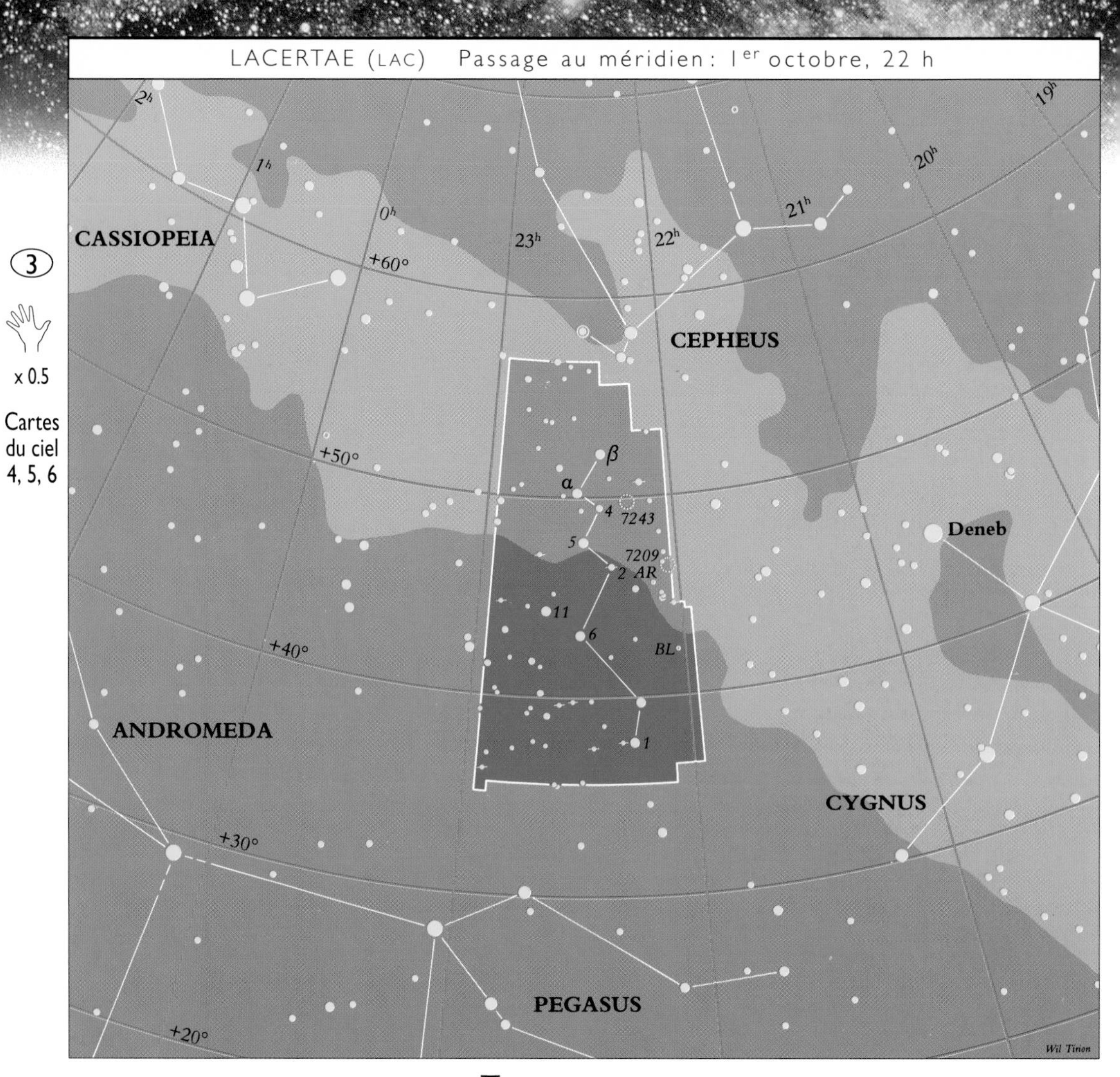

Lacerta

Le Lézard

Lacerta, qui s'étend au sud de Céphée, est circumpolaire pour une partie de l'hémisphère Nord.
En 1679, Rayer proposa le nom de Sceptre et Main de Justice, puis, en 1690, l'astronome allemand Johannes Hevelius suggéra d'appeler ce groupe d'étoiles le Lézard, nom qui lui resta.
D'autres cartographes proposèrent des noms en l'honneur de Louis XIV ou de Frédéric le Grand, mais sans succès.

BL Lacertae Objet d'une magnitude variant entre 13 et 16,1, invisible sauf avec les plus grands télescopes d'amateur. Il mérite cependant d'être observé, car ce n'est pas une étoile, mais le noyau d'une lointaine galaxie elliptique. Certains objets de la classe BL Lacertae (BL Lac) varient de plusieurs magnitudes en une seule journée.
Il semblerait que les objets BL Lac et les quasars fassent partie des « galaxies actives ». La puissante source d'énergie qui se situe en leur centre est peut-être un trou noir entouré d'une masse tourbillonnante de gaz et de poussières.

CONSEILS À L'OBSERVATEUR

En développant les relations avec votre club d'astronomie, vous serez peut-être invité à une soirée d'observation.
Profitez de cette occasion pour rencontrer d'autres personnes, pour poser des questions, partager vos expériences, comparer vos notes et regarder à travers des télescopes variés. Pensez à prendre une lampe avec un filtre rouge pour pouvoir opérer efficacement dans l'obscurité sans gêner qui que ce soit, et pointez-la toujours vers le bas, pour ne pas éblouir vos compagnons.

Lacerta, le Lézard, tel qu'il est représenté sur la carte des constellations du Miroir d'Uranie *(1825).*

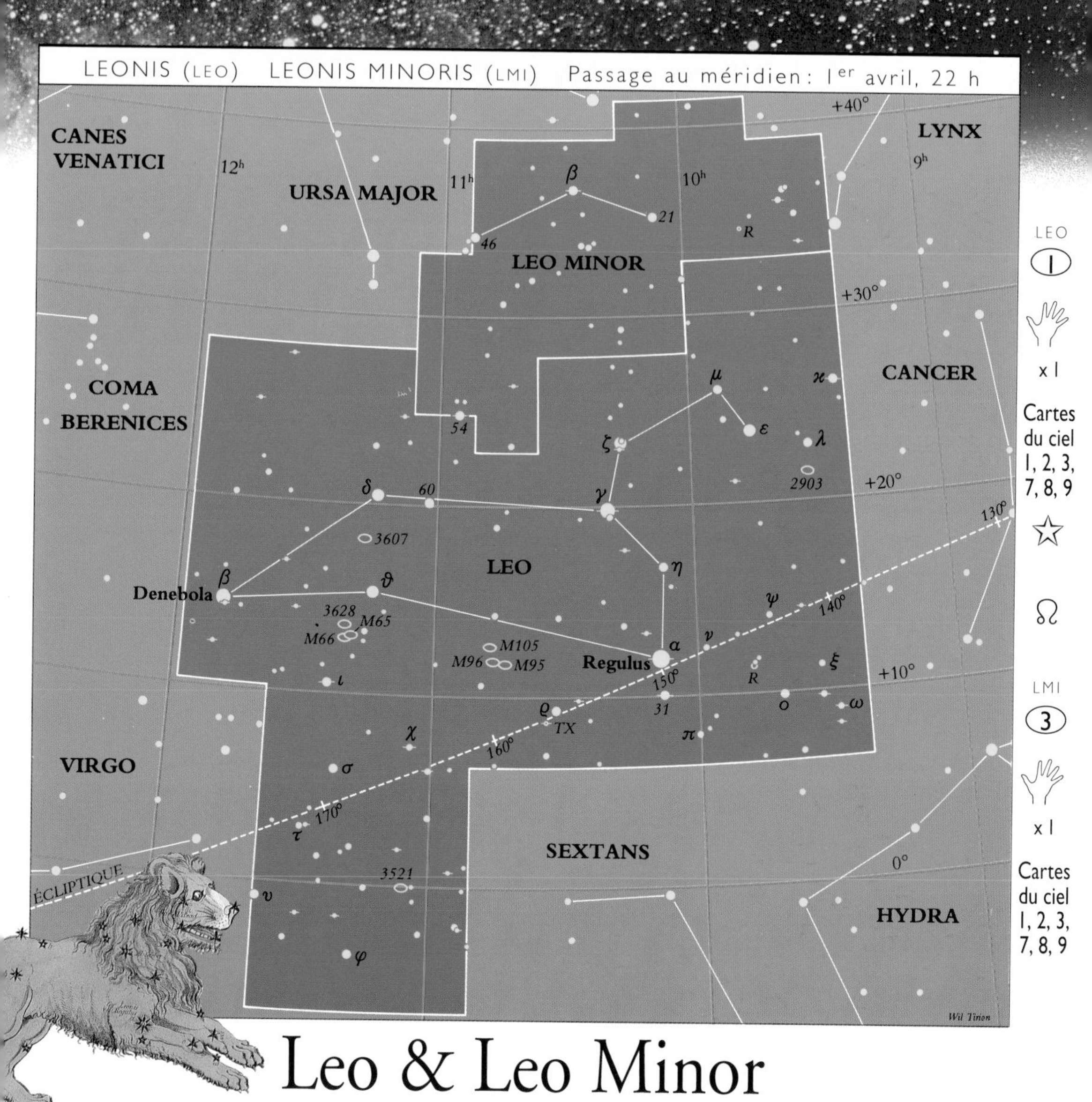

Leo & Leo Minor

Le Lion et le Petit Lion

Contrairement à la plupart des constellations du zodiaque, dont la forme ne correspond guère au nom, Leo, avec sa faucille (ou point d'interrogation à l'envers) dessinant une grande tête, évoque facilement un lion couché, semblable aux sphinx égyptiens. Les Babyloniens et les peuples de l'Asie du Sud-Ouest associaient cette constellation au Soleil, car le solstice d'été avait lieu au moment où le Soleil se trouvait dans cette région du ciel. Leo Minor est un ajout dû à Hevelius (1611-1687).

Gamma (γ) Leonis Cette belle étoile double a deux composantes jaune-orange de magnitude 2 et 3, séparées par 5" d'arc.

R Leonis On trouve facilement cette variable de type Mira près de **Regulus**. Sa magnitude varie entre 5,9 et 11 en dix mois et demi.

R Leonis Minoris Autre étoile de type Mira, passant de la magnitude 7,1 à 12,6 en un an.

M 65 et **M 66** Deux galaxies spirales, situées près de **Thêta (θ) Leonis**.

 **Les Léonides** Pluie de météores qui atteint son apogée tous les ans le 17 novembre. En 1966, on a enregistré jusqu'à quarante météores par seconde.

Cette vue de la constellation du Lion est dominée par Regulus, blanc bleuté, et par Delta (δ) Leonis, orange.

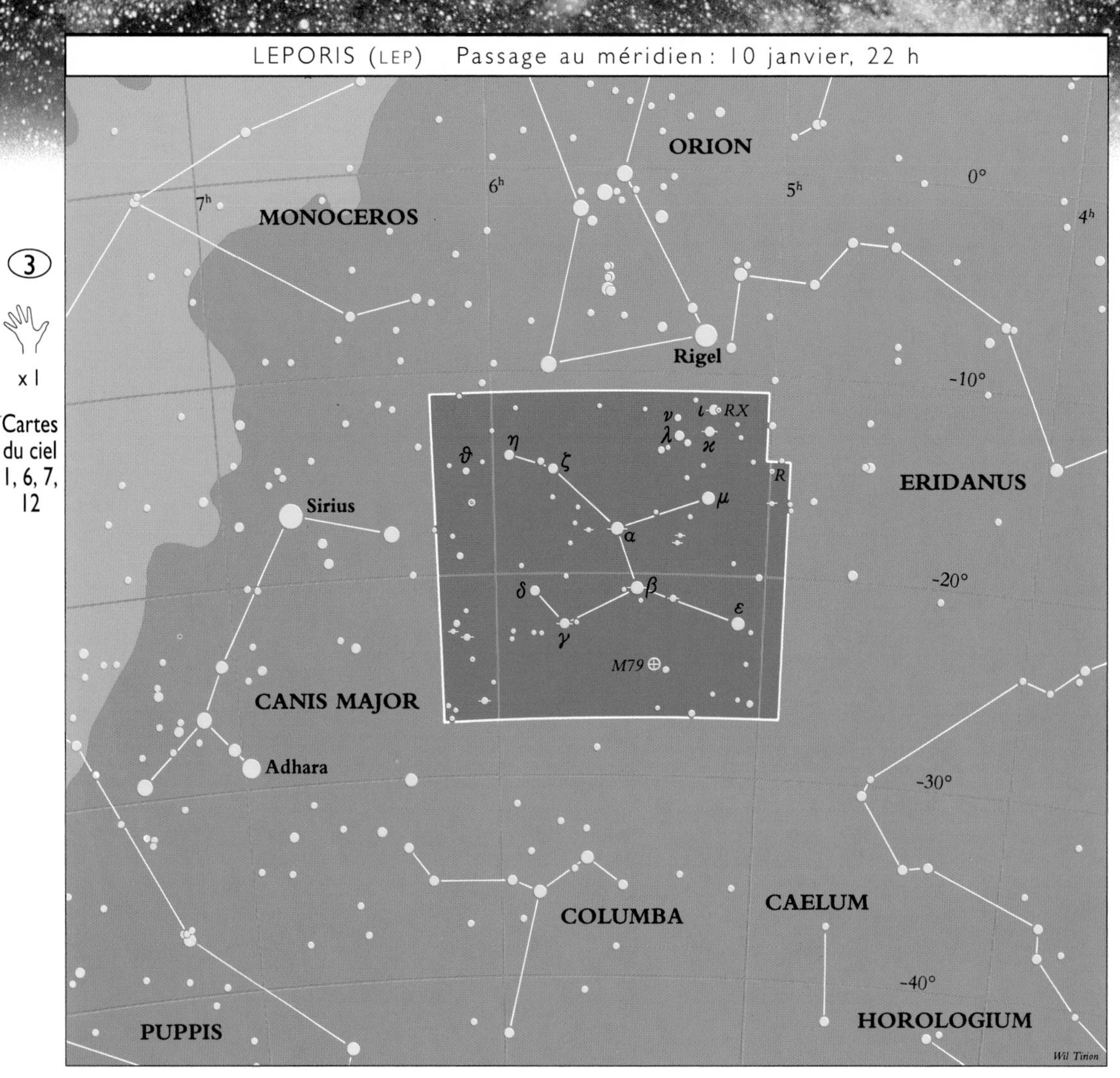

③
x 1
Cartes du ciel 1, 6, 7, 12

Lepus

Le Lièvre

Constellation peu brillante, Lepus est facile à trouver, car elle est située juste au sud d'Orion. Les Égyptiens y voyaient le bateau d'Osiris, et ce sont les Grecs et les Romains qui la baptisèrent. Orion, grand chasseur devant l'Éternel, prisant particulièrement la chasse au lièvre, celui-ci est donc bien placé, à ses pieds dans la voûte céleste.

Gamma (γ) Leporis Facile à séparer à l'aide de n'importe quel télescope, cet ensemble de deux étoiles écartées, aux couleurs contrastées, a une séparation de 96" d'arc. Relativement proche de la Terre, à la distance de 21 années-lumière, elle fait partie du courant d'Ursa Major.

Étoile cramoisie de Hind Certains observateurs y voient comme une goutte de sang dans le ciel. L'étoile variable **R Leporis** fut baptisée Étoile cramoisie par J. Russel Hind, astronome anglais du XIXe siècle. Cette étoile varie d'une magnitude de 5,5 à son maximum jusqu'à un minimum de 11,7, sur une période de quatorze mois. Sa couleur est particulièrement frappante quand le ciel est noir et que l'étoile est à son maximum de brillance.

Lepus d'après la carte des constellations du Miroir d'Uranie (1825).

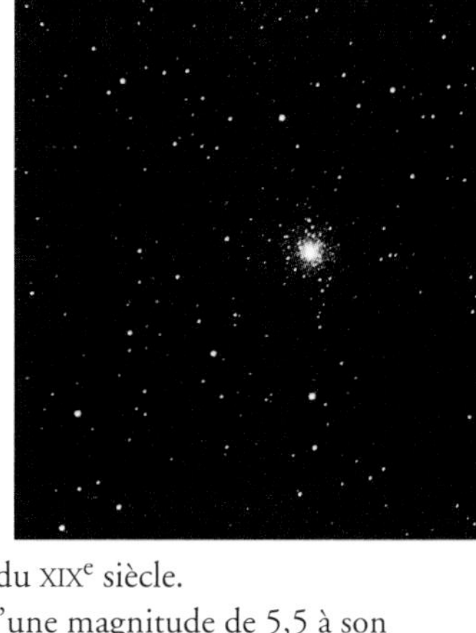

Amas globulaire M 79, photographié avec un télescope de 300 mm.

M 79 Cet amas globulaire est un enchantement pour l'observateur disposant d'un télescope de 200 mm ou plus, qui permet de résoudre les étoiles de sa périphérie.

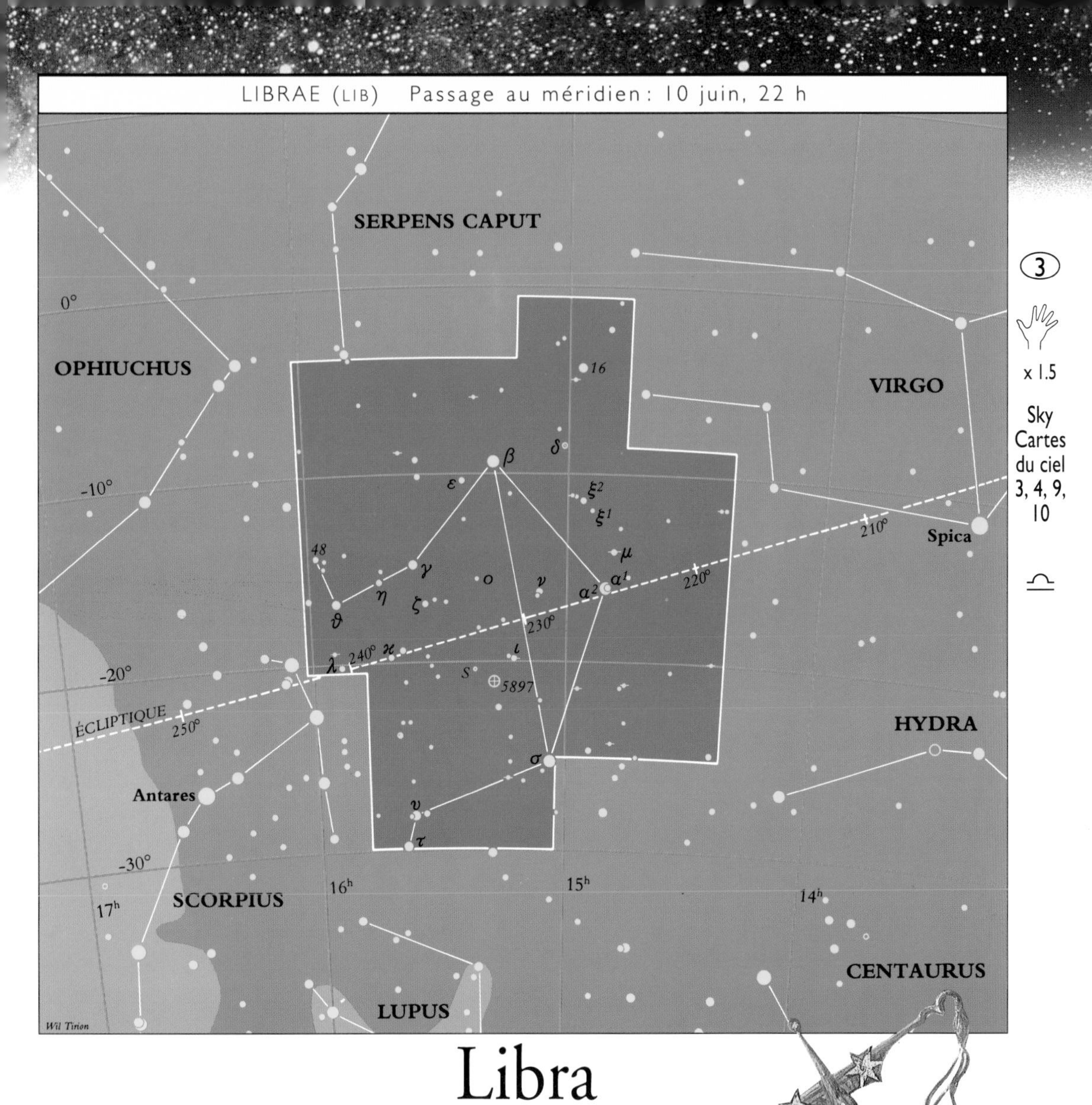

Libra

La Balance

Libra, qui ressemble un peu à un cerf-volant, est facile à repérer en traçant une droite à l'ouest d'Antarès et de ses deux brillantes voisines de la constellation du Scorpion. Cette ligne passe entre Alpha (α) et Bêta (β) Librae. Libra, l'une des constellations du zodiaque, est associée à Thémis, déesse grecque de la Justice, dont l'attribut est une balance. Originellement, ces étoiles faisaient partie de la constellation du Scorpion, ce qui explique le nom arabe des étoiles Alpha (α) et Bêta (β) : *Zuben el Genubi,* la « Pince du Sud », et *Zuben Eschamali,* la « Pince du Nord ». Il semble que la Balance ait été considérée comme une constellation depuis la Rome antique.

Détail d'une fresque de la villa Farnèse, en Italie : la Balance.

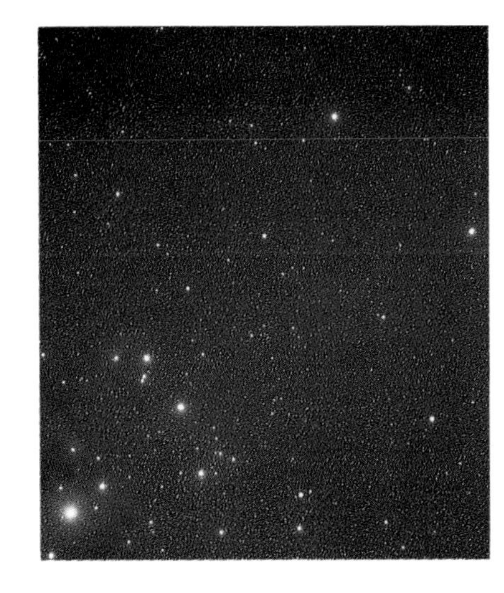

La Balance précède les étoiles brillantes de la constellation du Scorpion. Les Pinces du Scorpion et la rouge Antarès dominent la partie basse de l'image.

Delta (δ) Librae Semblable à Algol, cette étoile à éclipses s'obscurcit d'une magnitude chaque jour, de 4,9 à 5,9. Son cycle total, visible à l'œil nu, dure 2,3 jours.

S Librae Étoile de type Mira, S Librae varie de la magnitude 8,4 à la magnitude 12, sur une période d'un peu moins de six mois.

LUPI (LUP) Passage au méridien : 10 juin, 22 h

4

x 1

Cartes du ciel 8, 9, 10

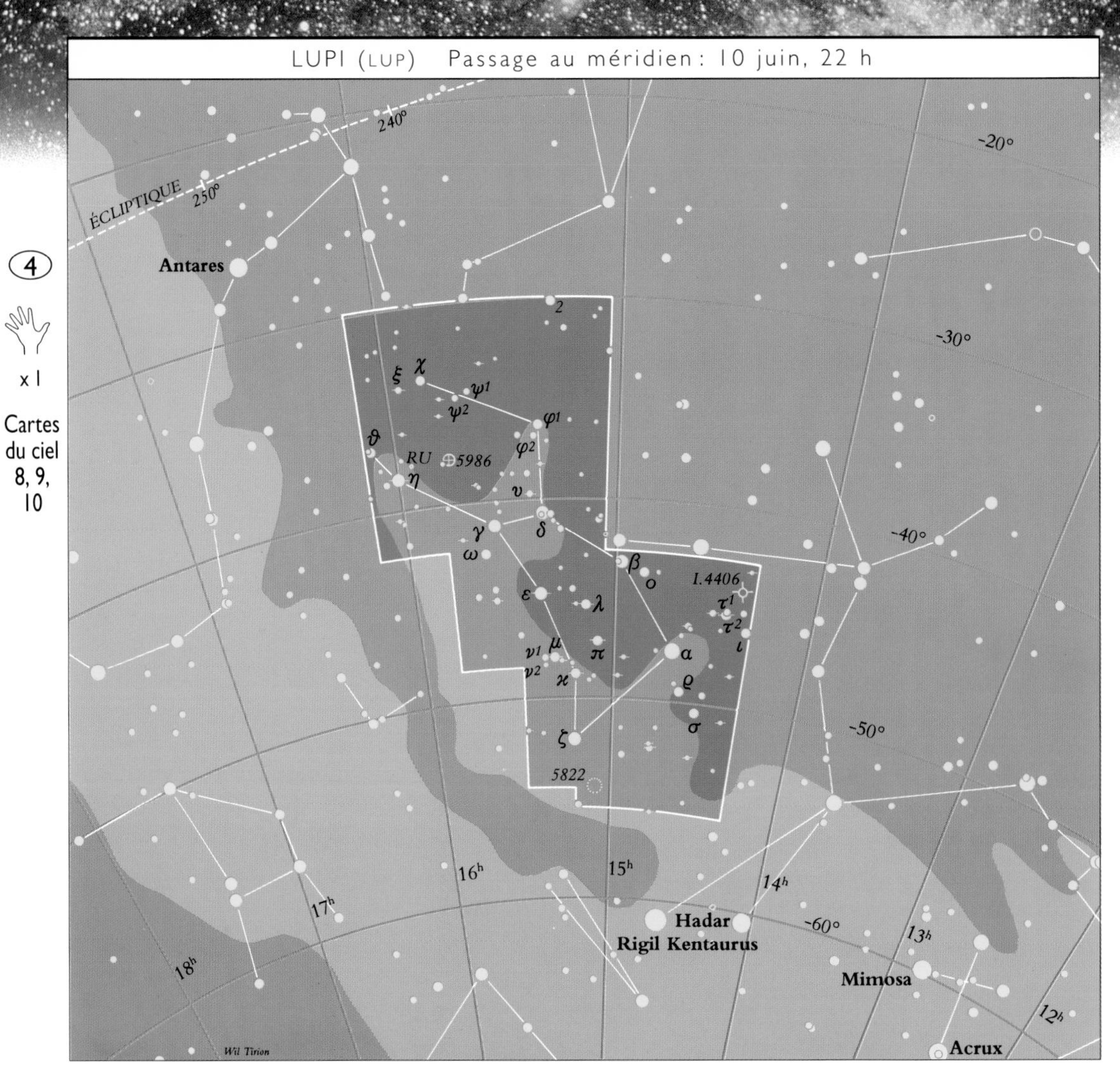

Lupus

Le Loup

Au sud de la Balance et à l'est du Centaure, Lupus, le Loup, est une petite constellation qui contient quelques étoiles de magnitude 2. Elle est pratiquement liée au Centaure, comme si celui-ci caressait le loup tel un animal familier.
Les Grecs anciens appelaient ce groupe d'étoiles Therion, bête féroce.
Cette constellation qui se trouve dans la trace de la Voie lactée est le siège d'un grand nombre d'amas ouverts et d'amas globulaires.

LE BAPTÊME DES ÉTOILES

Comment les étoiles variables sont-elles baptisées ? La première variable découverte dans une constellation, par exemple Lupus, est appelée R Lupi ; la deuxième S Lupi, la troisième T, et ainsi de suite jusqu'à Z. Puis on reprend à partir de RR Lupi, RS, etc. jusqu'à RZ ; puis SS jusqu'à SZ, pour atteindre enfin ZZ. Pour les constellations contenant de nombreuses variables, la liste continue de AA à AZ, etc. jusqu'à QZ, en omettant le J. Puis, on utilise les nombres, comme V 1500 Cygni.

RU Lupi RU Lupi est une variable faible, avec un maximum de magnitude 9. Cette variation irrégulière est caractéristique des étoiles jeunes encore enveloppées de matière interstellaire.

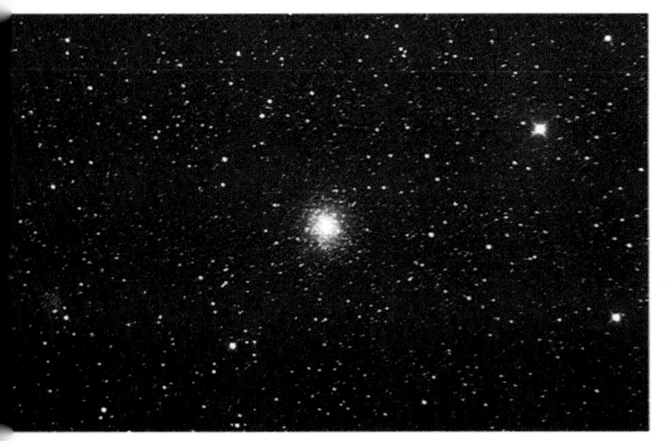

NGC 5986, amas globulaire visible aux jumelles, au voisinage d'étoiles de magnitudes 6 et 7.

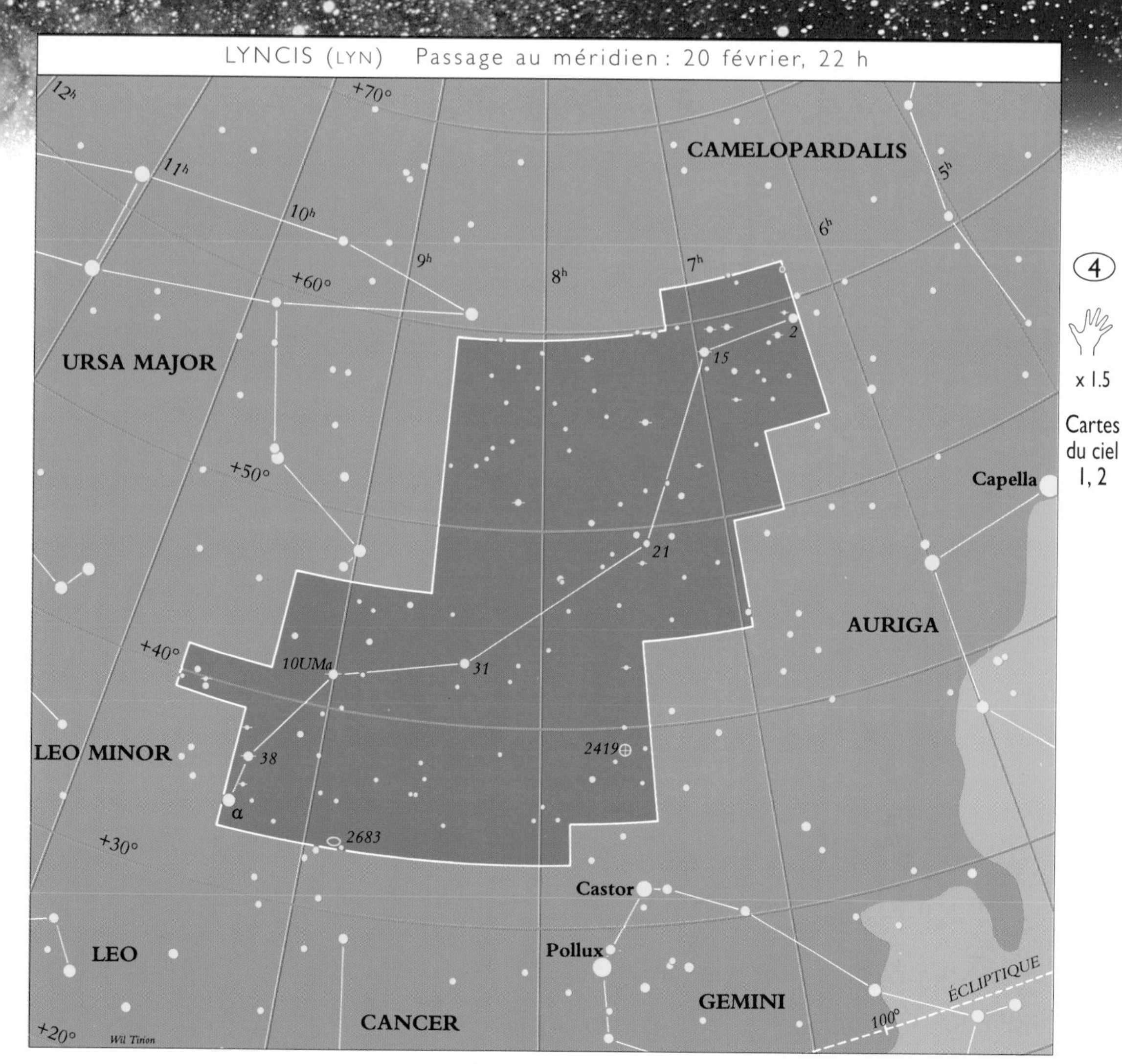

Lynx

Le Lynx

Le Lynx, qui ne contient qu'une seule étoile de magnitude 3, est l'une des constellations les plus difficiles à identifier. Hevelius, qui la cartographia vers 1690, l'appela Lynx, car, pour la repérer, il faut une excellente vue.

Le Vagabond intergalactique (NGC 2419) Situé à environ 7° au nord de Castor (l'étoile la plus brillante de la constellation des Gémeaux), c'est un amas globulaire très faible et très lointain. Il se trouve à plus de 60° de tout autre amas globulaire. Situé à 210 000 années-lumière, il est plus loin que le Grand Nuage de Magellan, si loin qu'il pourrait échapper à l'attraction gravitationnelle de notre Galaxie. C'est pour cette raison que l'astronome Harlow Shapley l'appela Vagabond intergalactique. Avec un télescope de 250 mm ou plus, NGC 2419 apparaît comme un point lumineux flou.

Le lynx, félidé à queue courte vivant dans l'hémisphère Nord, est représenté dans le Miroir d'Uranie *(1825) avec une queue plutôt longue.*

Vue presque par la tranche, NGC 2683 est une galaxie spirale de magnitude 10, située à la frontière du Cancer. On peut voir la poussière dans les bras spiraux sur la partie gauche de la galaxie.

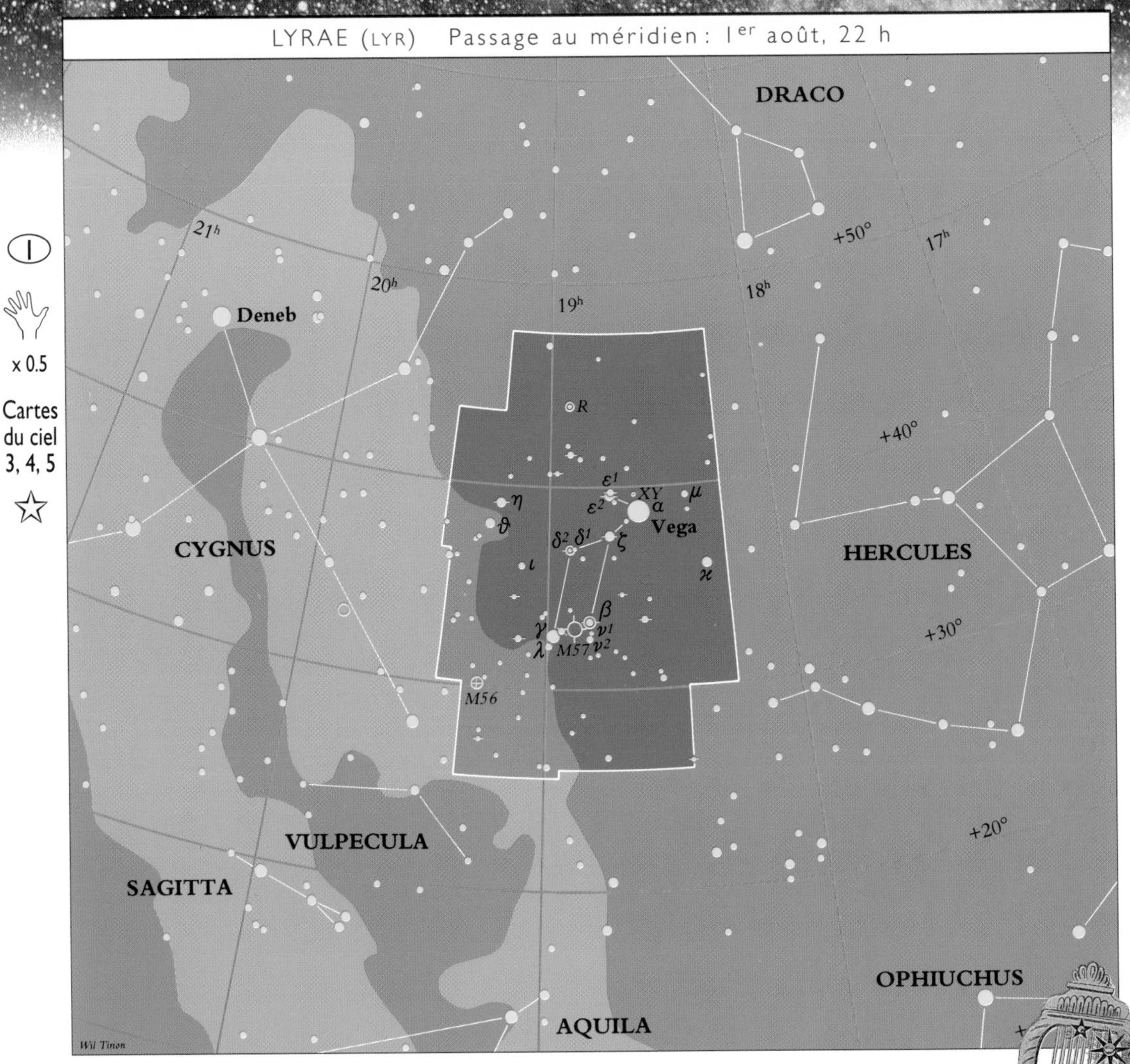

x 0.5

Cartes du ciel 3, 4, 5

Lyra

La Lyre

Cette belle constellation est dominée par Véga, l'une des étoiles les plus brillantes de la voûte céleste. On peut imaginer les cordes de la lyre tendues à travers le parallélogramme formé par les quatre étoiles qui l'accompagnent. Apollon offrit un jour une lyre à Orphée. Orphée en jouait si bien qu'il charmait les bêtes féroces et les montagnes. Il aimait passionnément sa femme Eurydice. Lorsque celle-ci mourut, Orphée, inconsolable, descendit la chercher aux Enfers. Il charma les monstres des Enfers, mais les dieux infernaux mirent une condition à la libération d'Eurydice : Orphée devait reprendre le chemin du jour, suivi de sa femme, mais sans se retourner avant d'avoir quitté leur royaume.

Un rond de fumée dans l'espace ? La fameuse nébuleuse de l'Anneau.

La Lyre avec l'éblouissante Véga à son sommet, d'après le Miroir d'Uranie.

Hélas ! dans son impatience, Orphée se retourna. Eurydice fut aussitôt renvoyée aux Enfers. Orphée revint parmi les humains et périt, tué par les femmes thraces dont il avait refusé les avances par fidélité à la mémoire d'Eurydice. Les amoureux furent alors réunis, et la lyre d'Orphée placée dans le ciel par Zeus.

Epsilon (ε) Lyrae C'est une double étoile double. Un instrument modeste montre deux étoiles de magnitude 5 (ε^1 et ε^2), avec une séparation inférieure à 3" d'arc.

Bêta (β) Lyrae Cette variable à éclipses varie entre les magnitudes 3,3 et 4,4 en treize jours.

Nébuleuse de l'Anneau (M57)
Cette nébuleuse planétaire bien connue est à mi-distance entre **Bêta (β)** et **Gamma (γ) Lyrae**. À travers un télescope de 75 mm, elle apparaît comme une étoile défocalisée.

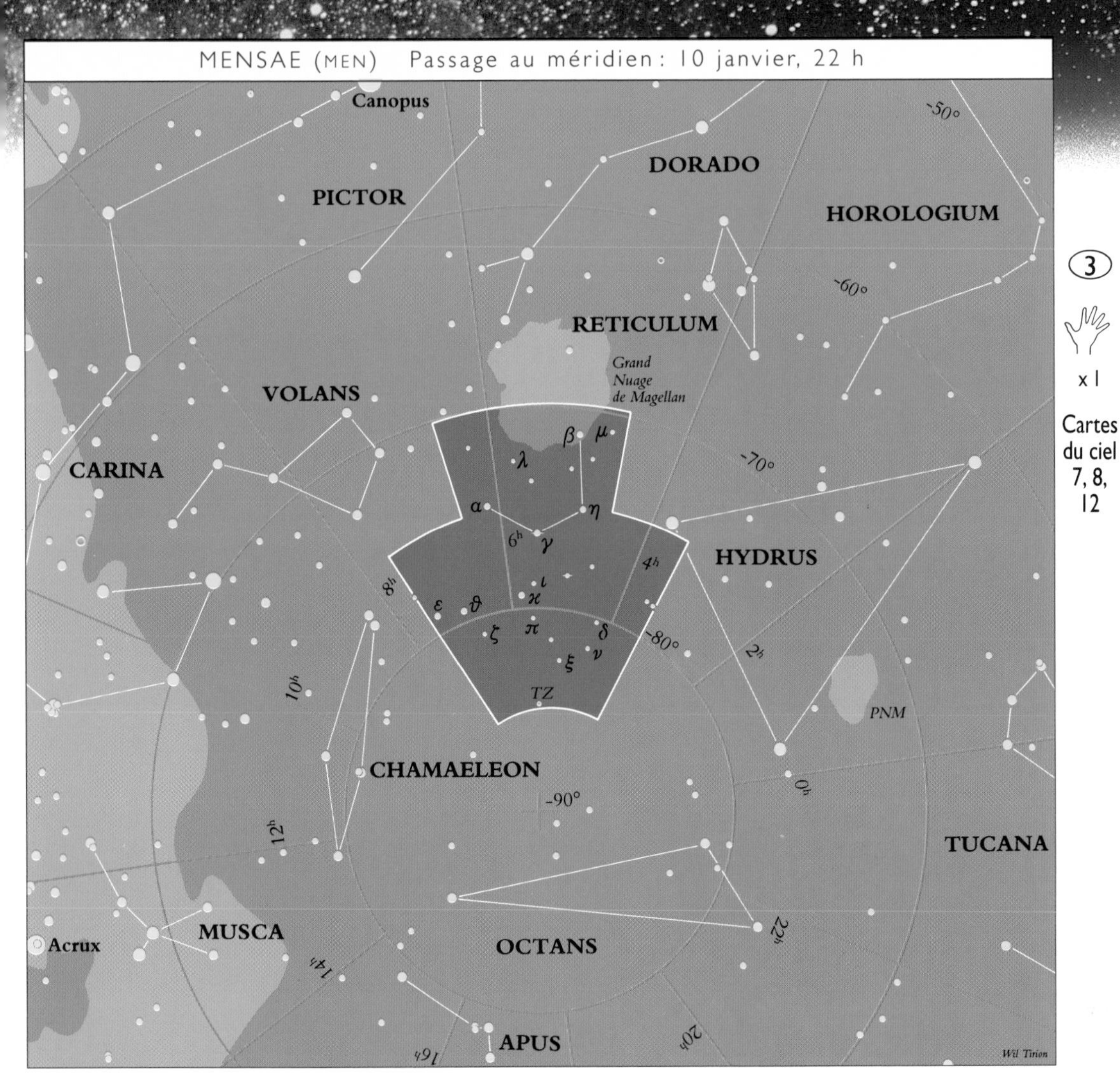

Mensa

La Table

Seule constellation qui se réfère à un lieu précis, Mensa s'appelait à l'origine Mons Mensae, nom que forgea Nicolas Louis de La Caille d'après Table Mountain, au sud de la ville du Cap (Afrique du Sud), où il réalisa une grande partie de ses travaux. Il créa cette petite constellation avec des étoiles situées entre le Grand Nuage de Magellan et Octans.

Cette constellation, qui ne possède aucune étoile brillante, n'attire guère l'attention à côté du célèbre Grand Nuage de Magellan. Ses étoiles les plus septentrionales, qui représentent le sommet de la montagne, sont cachées par le Grand Nuage de Magellan, de même que Table Mountain est souvent voilé par les nuages.

Alpha (α) Mensae Étoile naine de magnitude 5,1. Relativement proche de nous, sa lumière ne met que vingt-huit années à nous parvenir.

Bêta (β) Mensae Située tout au bord du Grand Nuage de Magellan, cette étoile faible de magnitude 5,3 est à 155 années-lumière de nous.

CONSEILS À L'OBSERVATEUR

Presque toutes les étoiles variables que nous mentionnons peuvent être vues à l'œil nu à leur maximum de luminosité, mais, nos cartes n'incluant que les étoiles les plus brillantes, une étoile qui décroît au-delà de la magnitude 6 – comme c'est souvent le cas – sera difficile à identifier. Les étoiles Mira peuvent être reconnues à leur couleur rouge. Repérer une étoile variable ne représente que la moitié du travail. Il faut en outre estimer sa magnitude à l'aide des étoiles voisines. Par exemple, si Delta (δ) Cephei *(voir p. 154)* est un peu plus faible que l'étoile Dzêta (ζ), de magnitude 3,5, et plus brillante qu'Epsilon (ε), de magnitude 4,4, alors sa magnitude sera de 3,6 ou 3,7. Mais que faire si l'on ne connaît pas la magnitude des étoiles de référence a et b ? Si la variable V est aux trois quarts entre a et b, on peut écrire : « a, 3, V, 1, b ». De cette façon, on peut suivre les changements d'éclat de V au cours du temps.

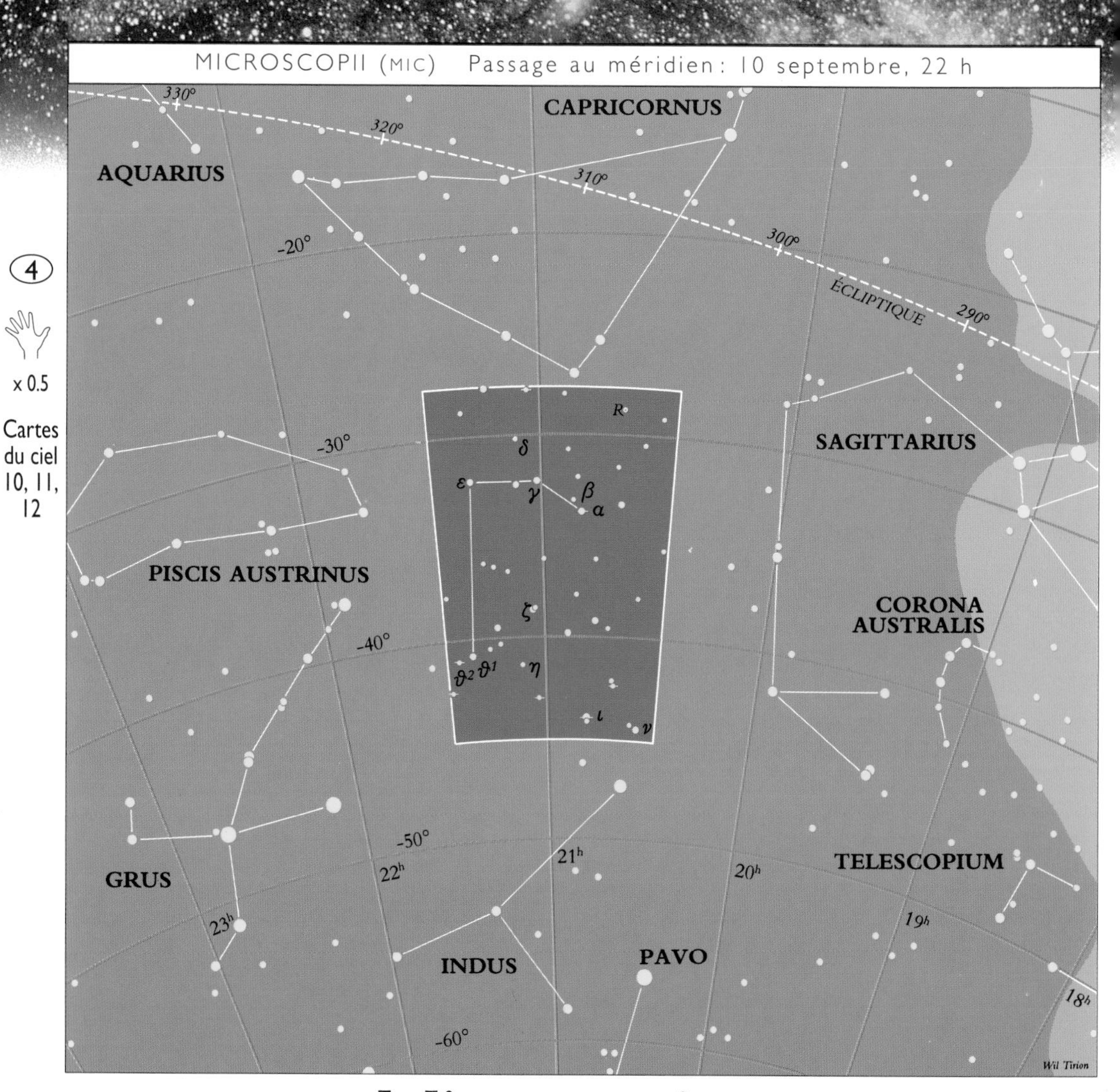

Microscopium

Le Microscope

Cette constellation peu lumineuse, située juste au sud du Capricorne et à l'est du Sagittaire, fut dessinée par Nicolas Louis de La Caille vers 1750. Elle commémore l'invention du microscope, attribué historiquement à Hans Lipperskey (1608), même si d'autres lunetiers, tels Zacharias Jansen ou Jacob Metius, prétendirent en être l'inventeur.

CONSEIL À L'OBSERVATEUR

Votre télescope est-il bon ? Vous pouvez tester sa qualité en essayant de résoudre des étoiles multiples d'égales magnitudes, par une nuit calme. Bêta (β) Monocerotis *(p. 189)*, par exemple, est un système triple. Deux étoiles de magnitudes 4,7 et 5,2 forment une paire, séparée par 2,8" d'arc, qui doit être résolue par un télescope de 60 mm au grossissement 100. La troisième étoile, à 7,3" d'arc, est plus facile à séparer. Thêta 2 (θ_2) Microscopii, autre système triple, plus serré, séparé par 0,5" d'arc, est un bon test pour un télescope de 250 mm, par ciel calme.

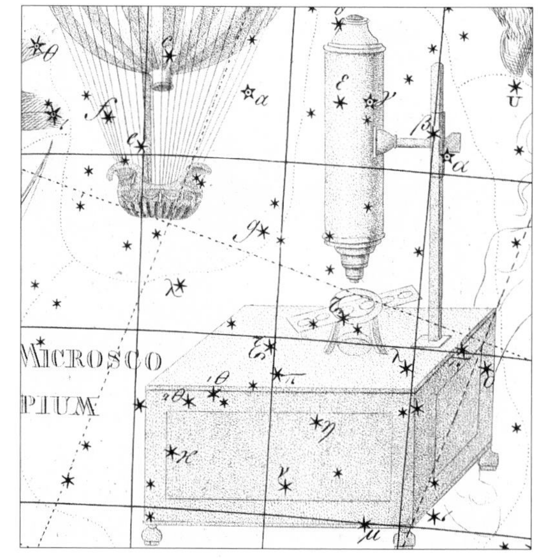

Un microscope typique du XIXe siècle dessiné par Johann Bode (1801).

R Microscopii Cette étoile variable de type Mira a un cycle rapide d'un demi-mois : elle s'affaiblit depuis la magnitude 9,2 jusqu'à la magnitude 13,4, et remonte ensuite.

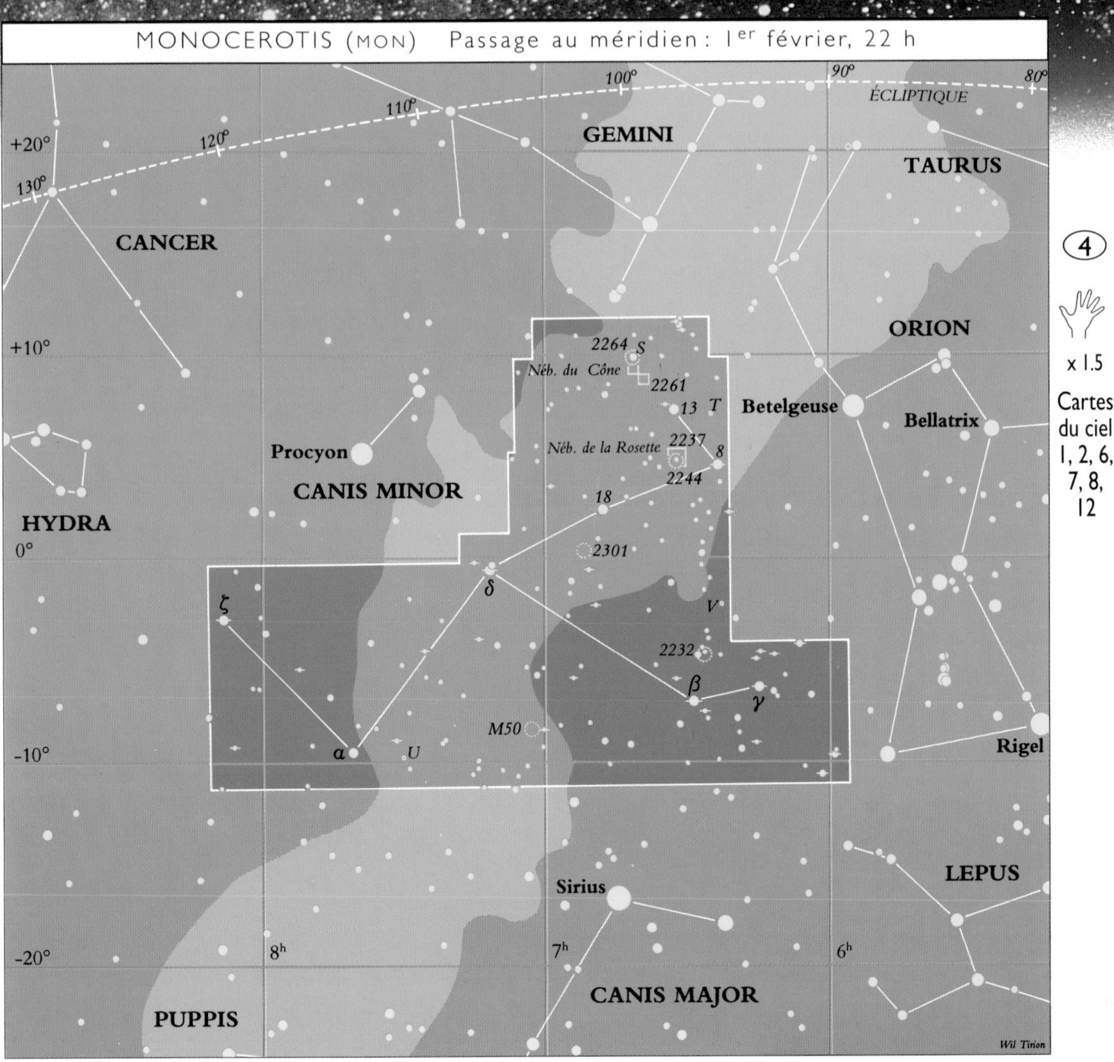

4

x 1.5

Cartes du ciel 1, 2, 6, 7, 8, 12

Monoceros

La Licorne

Cette constellation faible a été définie en 1624 par l'astronome allemand Jakob Bartsch. *Monoceros* est la forme latine d'un mot grec signifiant « monocorne ». Il semble que la licorne mythologique provienne d'une description confuse du rhinocéros. Soucieux de créer l'équivalent hivernal du Triangle de l'Été de l'hémisphère Nord, quelques observateurs imaginèrent un Triangle de l'Hiver formé par Bételgeuse (dans la constellation d'Orion), Sirius (dans celle du Grand Chien) et Procyon (dans celle du Petit Chien). Ce sont la Licorne et la Voie lactée qui remplissent cet espace.

Les étoiles blanc bleuté de l'Arbre de Noël forment un triangle en haut de cette image.

M 50 Bel amas ouvert, situé au tiers de la distance de Sirius à Procyon, facile à trouver. Quelques-unes de ses étoiles forment de beaux arcs.

La fabuleuse licorne de la fable, telle qu'elle apparaît sur les cartes des constellations dans le Miroir d'Uranie *(1825).*

Nébuleuse de la Rosette (NGC 2237) Avec un télescope de 250 mm, cette nébuleuse en forme d'anneau et l'amas ouvert qu'elle renferme **(NGC 2244)** dévoilent leur délicate beauté. On peut les distinguer par beau temps à l'aide d'un petit télescope ou d'une paire de jumelles.

L'Arbre de Noël (NGC 2264) Amas ouvert évoquant irrésistiblement un sapin de Noël.

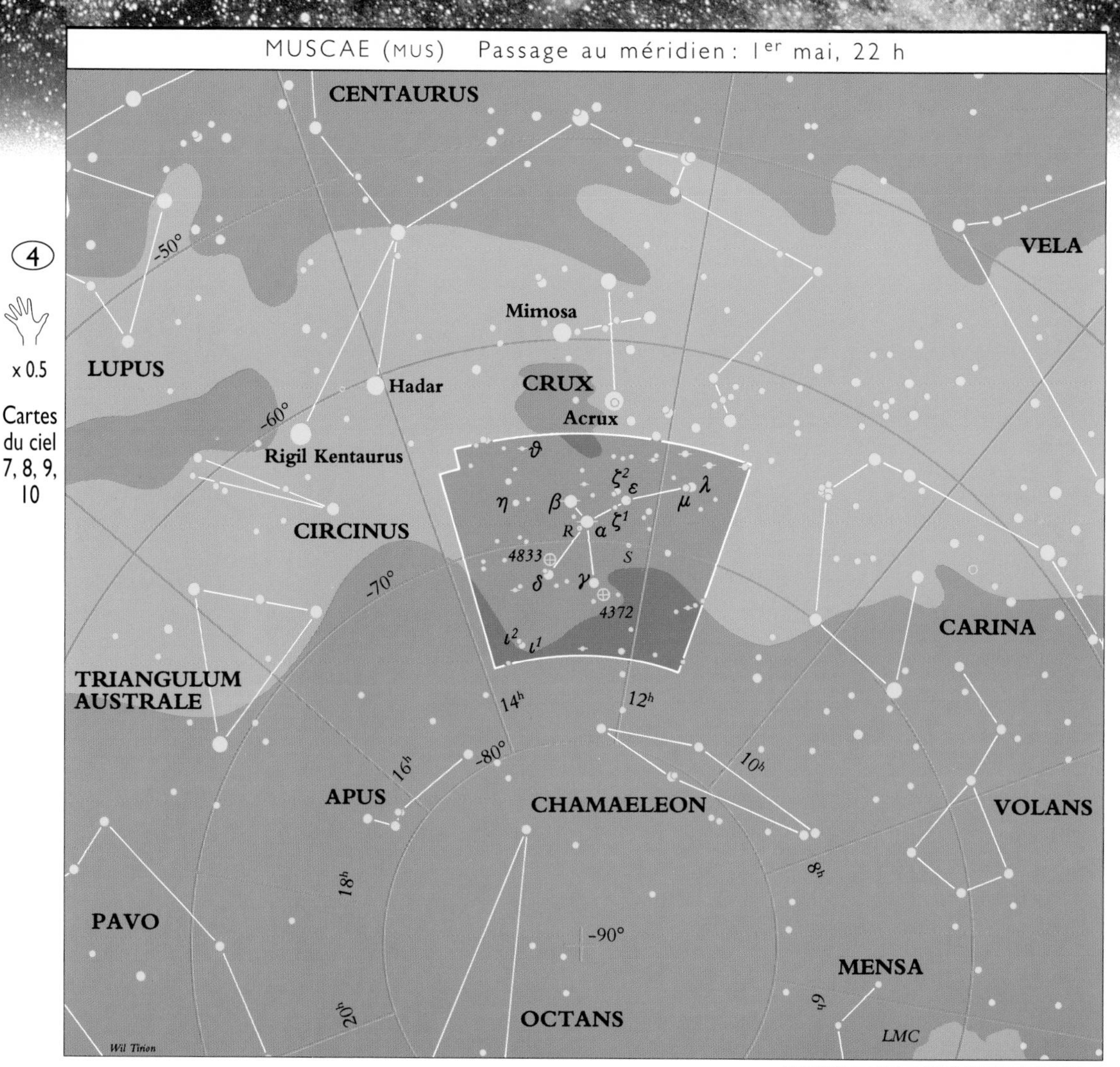

4

x 0.5

Cartes du ciel 7, 8, 9, 10

Musca

La Mouche

Cette constellation, située juste au sud de la Croix du Sud, est aisée à trouver. Elle fut décrite pour la première fois en 1603 par Johann Bayer dans son atlas du ciel sous le nom d'Apis, l'Abeille. Plus tard, Edmund Halley la nomma Musca Apis, la mouche-abeille. Nicolas Louis de La Caille l'appela Musca Australis, la Mouche australe – pour éviter la confusion avec la Mouche se trouvant sur le dos d'Aries, le Bélier. Maintenant que cette Mouche du Nord n'est plus une constellation, la Mouche du Sud est simplement désignée sous le nom de Musca.

La Croix du Sud et le Sac de Charbon masquent les étoiles les plus faibles de Musca, au sud, sur le bord de la Voie lactée.

Musca, la Mouche, représentée dans Uranographia (1801).

Bêta (β) Muscae Étoile double se composant de deux étoiles de magnitude 4 tournant l'une autour de l'autre avec une période de plusieurs centaines d'années. Cette binaire est à plus de 520 années-lumière de la Terre. La séparation de 1,6" d'arc est très faible (ce peut être un bon test pour un télescope de 100 mm).

NGC 4372 Amas globulaire, voisin de **Gamma (γ) Muscae,** qui possède des étoiles faibles s'étendant sur 18' d'arc.

NGC 4833 Grand amas globulaire, peu lumineux, situé à 1° de **Delta (δ) Muscae.** Il faut un télescope d'au moins 100 mm pour le résoudre en étoiles.

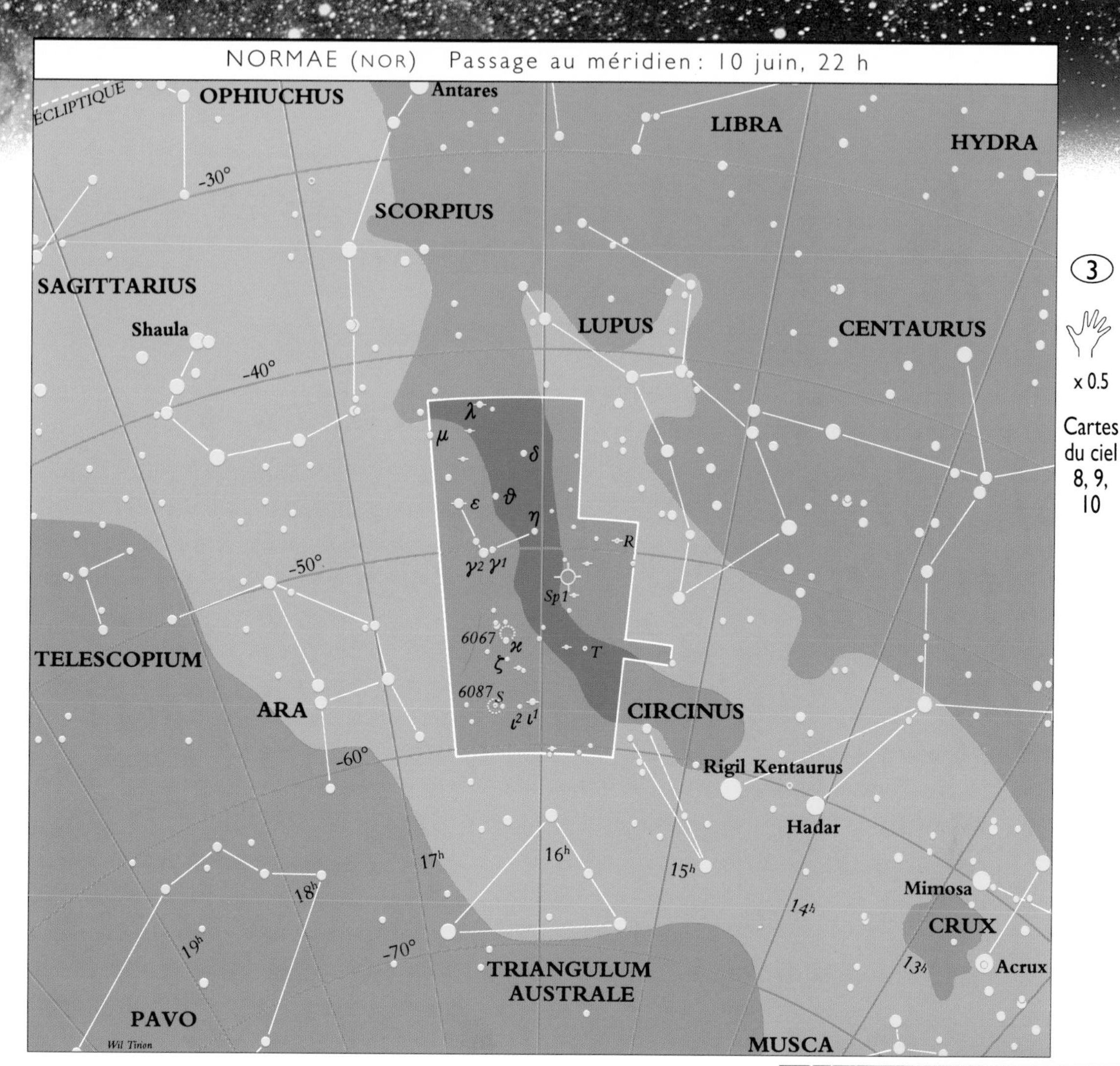

3

x 0.5

Cartes du ciel 8, 9, 10

Norma

La Règle

À l'est des constellations du Centaure et du Loup se trouve la petite constellation de Norma, la Règle. Pour baptiser ce groupe d'étoiles, Nicolas Louis de La Caille choisit les noms de Norma et Regula, la Règle et l'Équerre, les outils du charpentier. Depuis lors, l'Équerre est tombée dans l'oubli. Cette constellation se trouve sur le côté de Circinus, le Compas, qui reçut son nom à la même époque. Située dans la Voie lactée, la Règle, qui présente un grand nombre d'amas ouverts, est un champ idéal pour l'observation aux jumelles. Cette constellation a eu la chance de voir apparaître des novae, l'une en 1893, l'autre en 1920.

NGC 6067 est un ensemble d'étoiles de magnitude 8 et plus, se superposant sur le fond d'étoiles de la Voie lactée.

CONSEILS À L'OBSERVATEUR

Un ciel clair ne signifie pas forcément une nuit idéale pour les observations. Les meilleures nuits doivent offrir, à la fois, une bonne transparence et une bonne qualité d'image. Une nuit sans nuages, sans brume ou sans pollution lumineuse est dite *transparente*. Cependant, si l'atmosphère est turbulente, les images vues au télescope flotteront tel un drapeau au vent. On dit alors que leur qualité est médiocre. Dans ces conditions, votre télescope ne vous permettra pas de voir les étoiles les plus faibles ni de résoudre les étoiles doubles. De toute façon, le spectacle extraordinaire d'un détail planétaire, par bonne visibilité, mérite bien l'attente !

NGC 6067 Petit amas ouvert. De fortes jumelles ou un télescope permettent d'apercevoir une centaine d'étoiles dans un champ de toute beauté.

NGC 6087 L'un des formidables amas ouverts de la Règle.

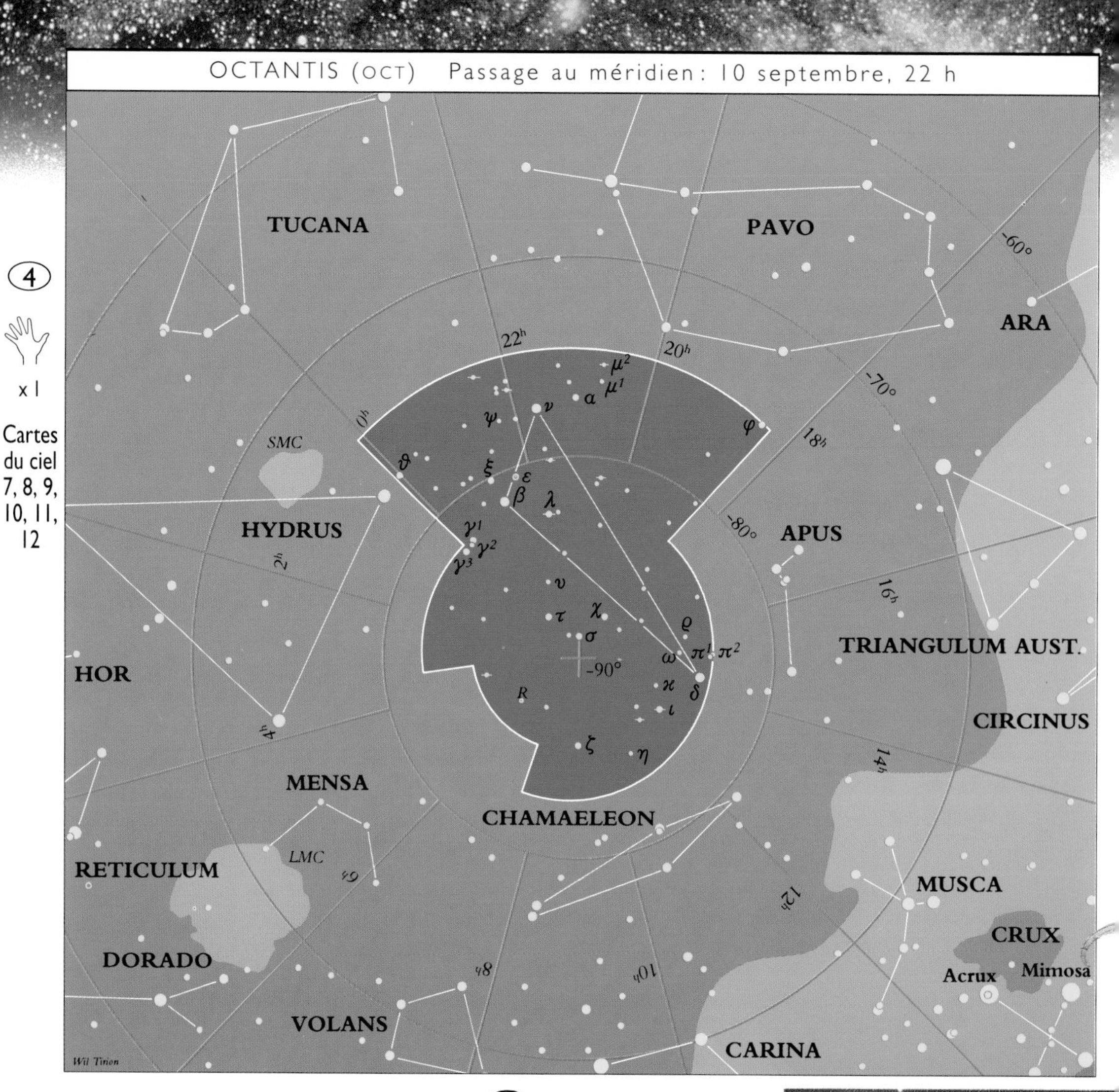

4

x 1

Cartes du ciel 7, 8, 9, 10, 11, 12

Octans

Octant

C'est Nicolas Louis de La Caille qui dessina cette constellation du pôle Sud et la baptisa Octans Hadleianus, en l'honneur de John Hadley, l'inventeur de l'octant (1730). Précurseur du sextant, l'octant servait à prendre en mer la hauteur des corps célestes – donnée essentielle pour les navigateurs et les marins.

L'Octant, tel que le voit Bode dans Uranographia *(1801).*

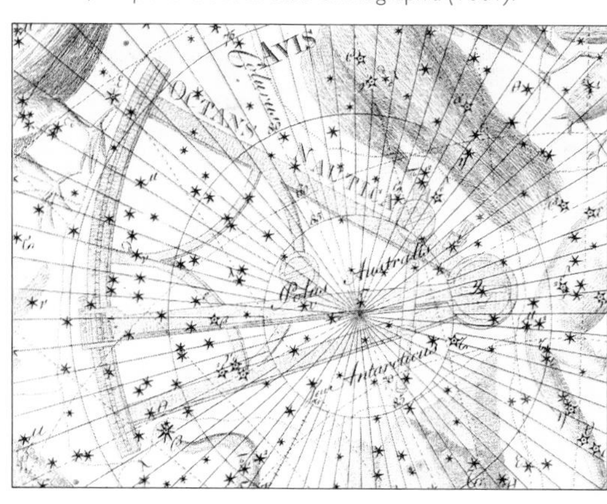

Octans et le Petit Nuage de Magellan, en haut à gauche, et les étoiles de l'Oiseau de Paradis en bas à droite.

Sigma (σ) Octantis C'est l'étoile du pôle Sud. De magnitude 5,4, elle est à peine visible à l'œil nu. Bien qu'elle indique le pôle Sud, elle n'est donc pas aussi commode que l'étoile Polaire dans l'hémisphère Nord.
Le pôle céleste se déplace à cause du mouvement de précession de l'axe de rotation terrestre. La Terre oscille en effet comme une toupie, en vingt-six mille ans *(voir p. 87)*. Sigma (σ) Octantis était très près du pôle (à 0,5°) en 1870. Elle sera à 1° du pôle vers l'an 2000. Dans trois mille ans, le pôle se trouvera dans la constellation de la Carène. Dans sept mille ans, il sera voisin de **Delta (δ) Carinae**. Cette étoile de magnitude 2 sera alors la plus brillante des étoiles polaires sud que la Terre ait jamais connues.

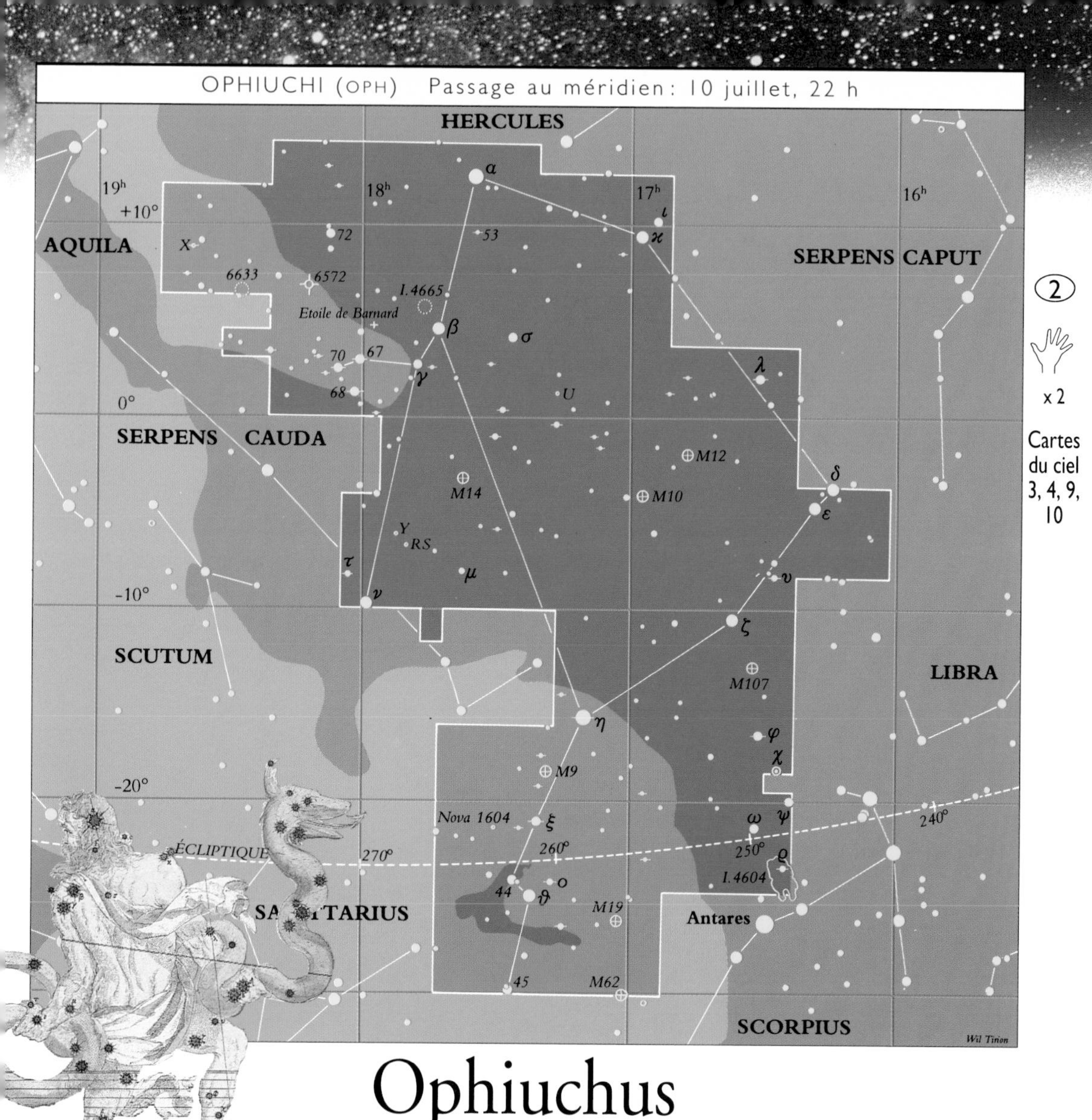

Ophiuchus

Le Serpentaire

Ophiuchus, entrelacé dans la constellation du Serpent, couvre un large domaine du ciel et offre de nombreux objets intéressants, dont les nuages d'étoiles les plus riches de la Voie lactée. Ophiucus, dont le nom vient du grec (« porteur de serpents »), est habituellement identifié à Esculape, dieu de la médecine. Une légende raconte que c'est un serpent qui enseigna à Esculape le pouvoir médicinal des plantes. Esculape devint alors si compétent dans l'art de la médecine qu'il ressuscitait les morts, ce qui portait un grave préjudice à Hadès, le dieu des Enfers. Hadès persuada alors Zeus, son frère, de sacrifier Esculape en le tuant d'un coup de foudre. Zeus, pour se faire pardonner, installa Esculape dans la voûte céleste, accompagné de son serpent. Le 9 octobre 1604, le Serpentaire fut le siège de l'explosion de la supernova la plus récente de notre Galaxie. Connue sous le nom d'étoile de Kepler, elle surpassa Jupiter en luminosité pendant plusieurs semaines.

M 9, 10, 12, 14, 19 et 62 Amas globulaires qui offrent une gamme variée de concentration d'étoiles. M 9 et M 14 sont riches, M 10 et M 12 sont bien séparées, M 19 est ovale, et M 62 de contour assez irrégulier. Ils sont tous visibles avec des jumelles.

RS Ophiuchi Cette nova récurrente a explosé en 1898, 1933, 1958, 1967 et 1985. De magnitude 11,8, elle atteint 4,3 lors de son explosion.

Étoile de Barnard Découverte en 1916 par E. E. Barnard, cette naine rouge de magnitude 9,5 a le mouvement propre (mouvement apparent dans le ciel) le plus important de toutes les étoiles connues. Située à 6 années-lumière, c'est l'étoile la plus proche (après le système Alpha [α] Centauri).

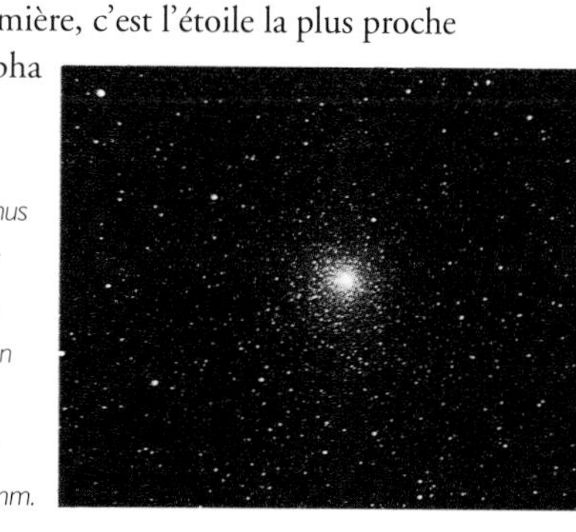

En haut à gauche : Ophiuchus portant le Serpent, vu par Bayer dans Uranometria (1603). À droite : M 62, l'un des amas globulaires du Serpentaire, photographié par un télescope de 200 mm.

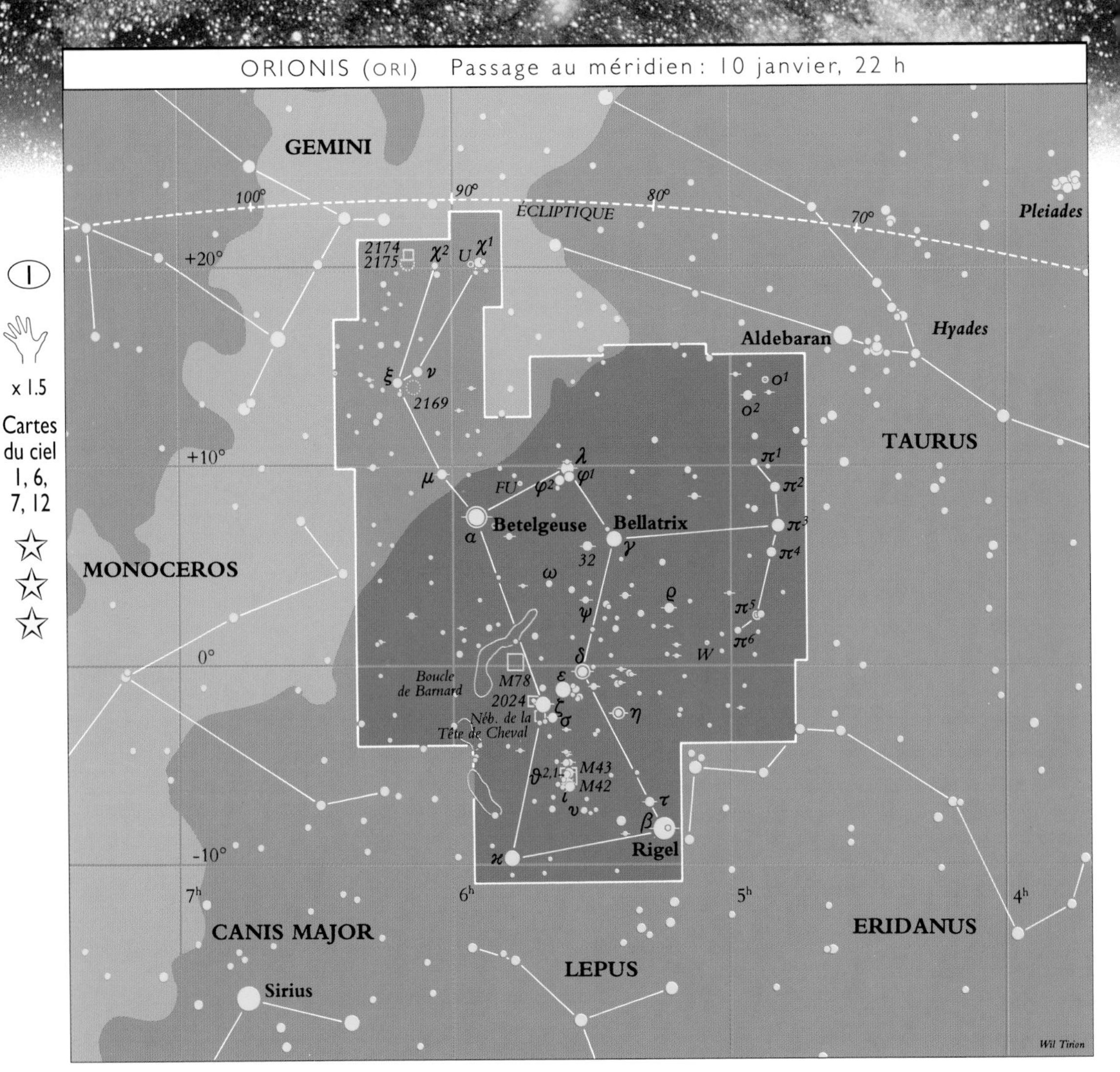

Orion

Orion

Orion est connu comme groupe caractéristique depuis plusieurs milliers d'années. Les Chaldéens l'avaient baptisé Tammuz, car c'est au mois de Tammuz que cette constellation apparaissait pour la première fois avant le lever du Soleil. Les Syriens l'appelaient Al Jabbar, le Géant. Pour les anciens Égyptiens, c'était Sahu, l'âme d'Osiris. Dans la mythologie grecque, Orion est un chasseur géant. Artémis, déesse de la Chasse et de la Lune, prise de passion pour lui, négligeait d'éclairer le ciel nocturne. Son frère Apollon, voyant un jour Orion nager en pleine mer, mit sa sœur au défi d'atteindre ce qui n'était qu'un point parmi les vagues. Ne voyant pas qu'il s'agissait de son bien-aimé, Artémis le tua d'une seule flèche. Lorsque le corps d'Orion fut ramené sur la côte, elle comprit qu'elle avait été dupée. Inconsolable, elle installa son amoureux dans le ciel avec ses chiens de chasse. Sa douleur explique pourquoi la Lune semble si triste.

Orion, avec Rigel sur le pied et Bételgeuse sur l'épaule.

Orion est un véritable trésor composé de sept étoiles brillantes : Rigel, Bételgeuse, Bellatrix, Saïph et les trois étoiles du Baudrier, ou Ceinture d'Orion, qui illuminent le ciel de décembre à avril. La disposition de ces étoiles est telle qu'on peut facilement y distinguer la silhouette d'un chasseur tenant une peau de lion dans la main droite et un gourdin dans la main gauche.

Bételgeuse (Alpha [α] Orionis) Son nom, qui vient de l'arabe, signifie « maison des jumeaux », probablement à cause de la constellation voisine des Gémeaux. Étoile variable, elle passe de la magnitude 0,3 à 1,2 sur une période de sept ans environ.

La Grande Nébuleuse d'Orion (M 42) est clairement visible (à droite). C'est l'étoile centrale de l'Épée d'Orion, qui pend du Baudrier. Cette image, spécialement traitée, montre des détails du cœur de M 42. On distingue également M 43, juste au-dessus.

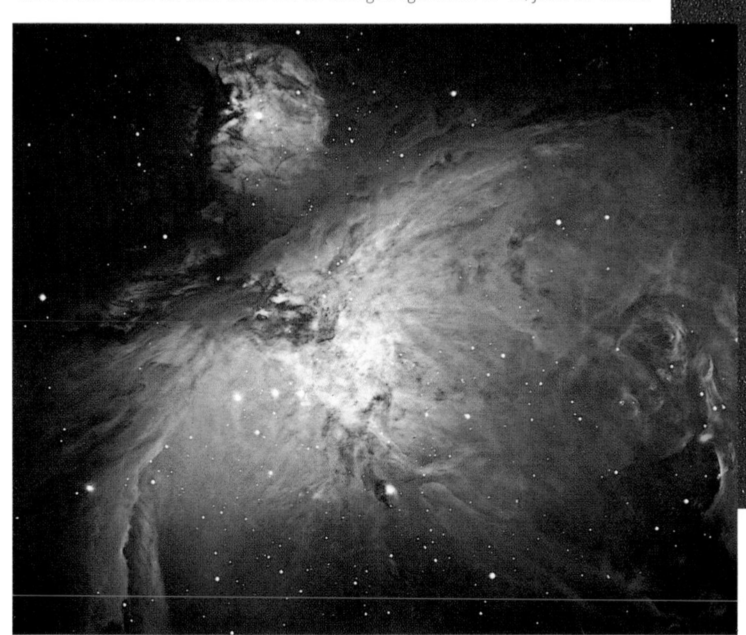

Cependant, la nature semi-régulière de sa variation permet de détecter des fluctuations plus fines, s'étendant sur quelques semaines.

Rigel (Bêta [β] Orionis) Son nom, qui vient de l'arabe, signifie « pied ». Cette puissante étoile supergéante, distante de plus de 1 400 années-lumière, est plus de 50 000 fois plus lumineuse que le Soleil.

La Grande Nébuleuse (M 42) Ce berceau d'étoiles, l'une des merveilles du ciel nocturne, est connu sous le nom de **Nébuleuse d'Orion**. Nettement visible à l'œil nu par nuit noire, elle est formée de tourbillons qui semblent s'étendre depuis son cœur, siège des quatre étoiles qui dessinent le **Trapèze d'Orion**.
Les photographes ont généralement tendance à surexposer la partie centrale, masquant ainsi les étoiles du Trapèze. C'est Henri Draper, en 1880, qui prit la première photographie de cette nébuleuse.

M 43 Petit morceau de nébuleuse, juste au nord de la Grande Nébuleuse. En fait, le complexe M 42-M 43 est la partie la plus brillante d'un vaste nuage de gaz situé à quelque 1 500 années-lumière.

Nébuleuse de la Tête de Cheval (IC 434) Connue également sous le nom de **Barnard 33,** cette nébuleuse sombre se projette sur un fond de nébuleuse diffuse, à côté de l'étoile de la Ceinture **Dzêta (ζ) Orionis.** Pour pouvoir l'observer, il faut une nuit noire et un télescope d'au moins 200 mm.

NGC 2169 Petit amas ouvert formé d'une trentaine d'étoiles.

La fameuse Tête de Cheval observée par le télescope anglo-australien de 3,9 m installé en Australie.

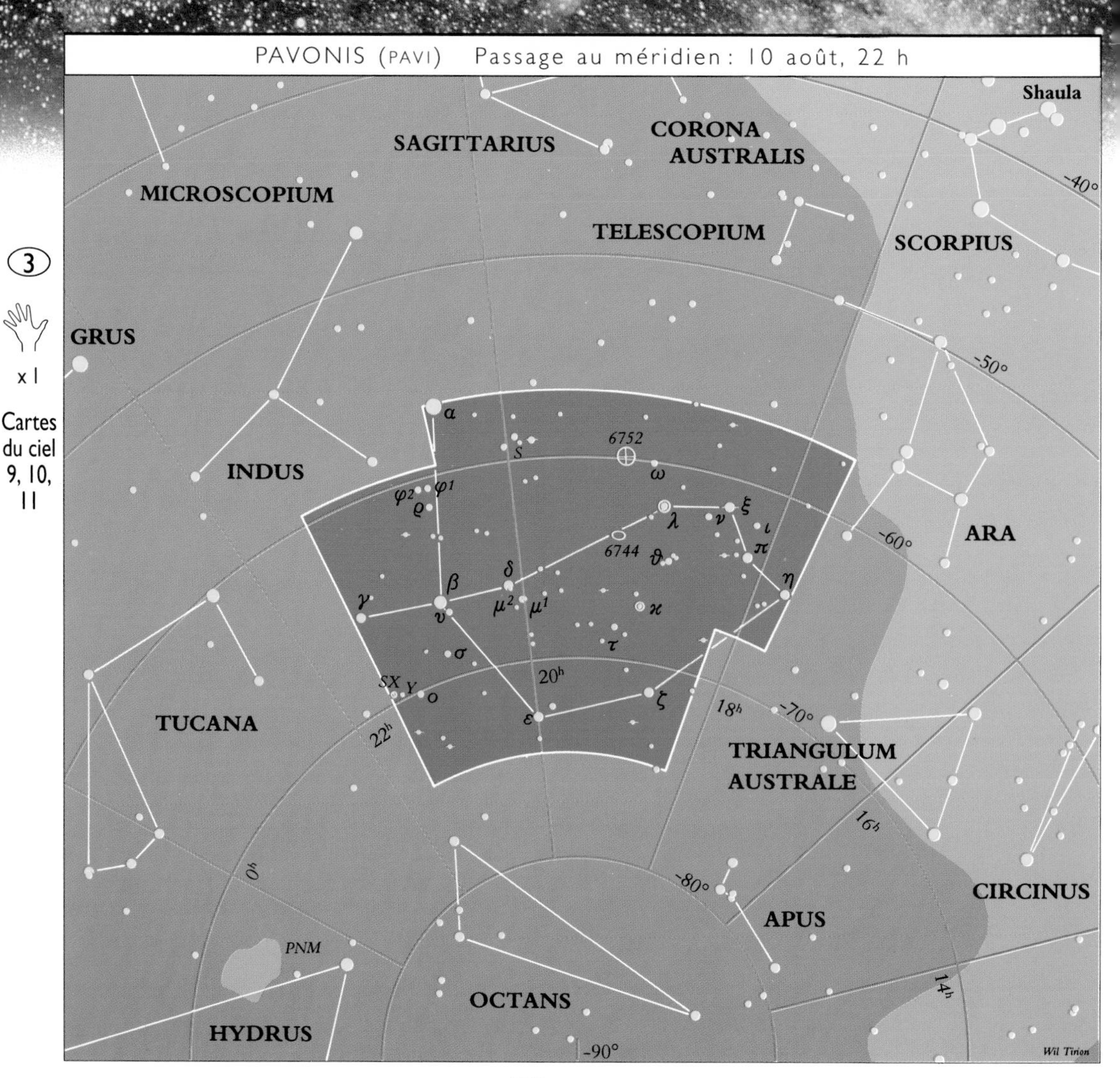

Pavo

Le Paon

La constellation du Paon, proche du pôle céleste austral, au sud du Sagittaire et de la Couronne australe, fut introduite par Johann Bayer dans son atlas de 1603. Elle a peut-être été baptisée en référence au paon, animal favori d'Héra, dans la mythologie grecque. Zeus, pour soustraire Io à la jalousie de sa femme Héra, la transforma en une magnifique génisse d'une blancheur immaculée. Héra, méfiante, exigea qu'il lui fît cadeau de l'animal, dont elle confia la garde à Argos aux cent yeux. Zeus mandata alors Hermès pour se défaire du cerbère. Une fois celui-ci trépassé, Héra récupéra ses yeux, qu'elle éparpilla sur la queue de son paon.

Étoile du Paon (Alpha [α] Pavonis) Étoile distante de 150 années-lumière, c'est un système binaire dont les membres tournent l'un autour de l'autre en moins de deux semaines. Ils sont trop proches pour pouvoir être séparés par un télescope.

NGC 6752 Amas globulaire spectaculaire relativement proche (17 000 années-lumière). Cette énorme famille d'étoiles est le troisième amas globulaire (en taille apparente) après Oméga (ω) Centauri et 47 Tucanae.

NGC 6744 Belle galaxie peu lumineuse, la plus grande spirale barrée que l'on connaisse. Les petits télescopes n'en révèlent que le noyau ; pour en voir plus, il faut disposer d'un télescope de 250 mm.

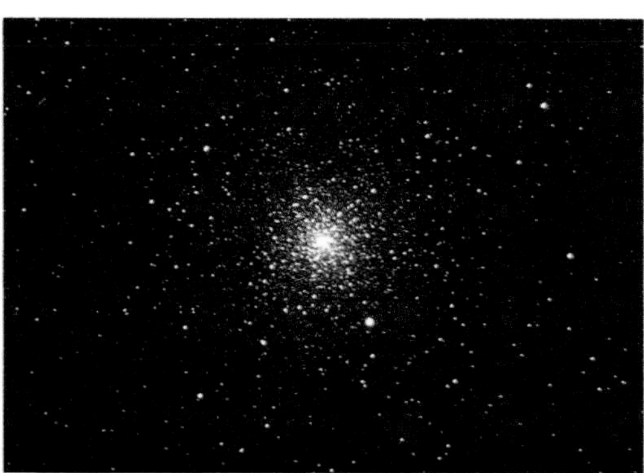

Étendu et brillant, NGC 6752 est l'un des plus beaux amas globulaires du ciel. Il est peu connu, car il se trouve dans l'hémisphère Sud.

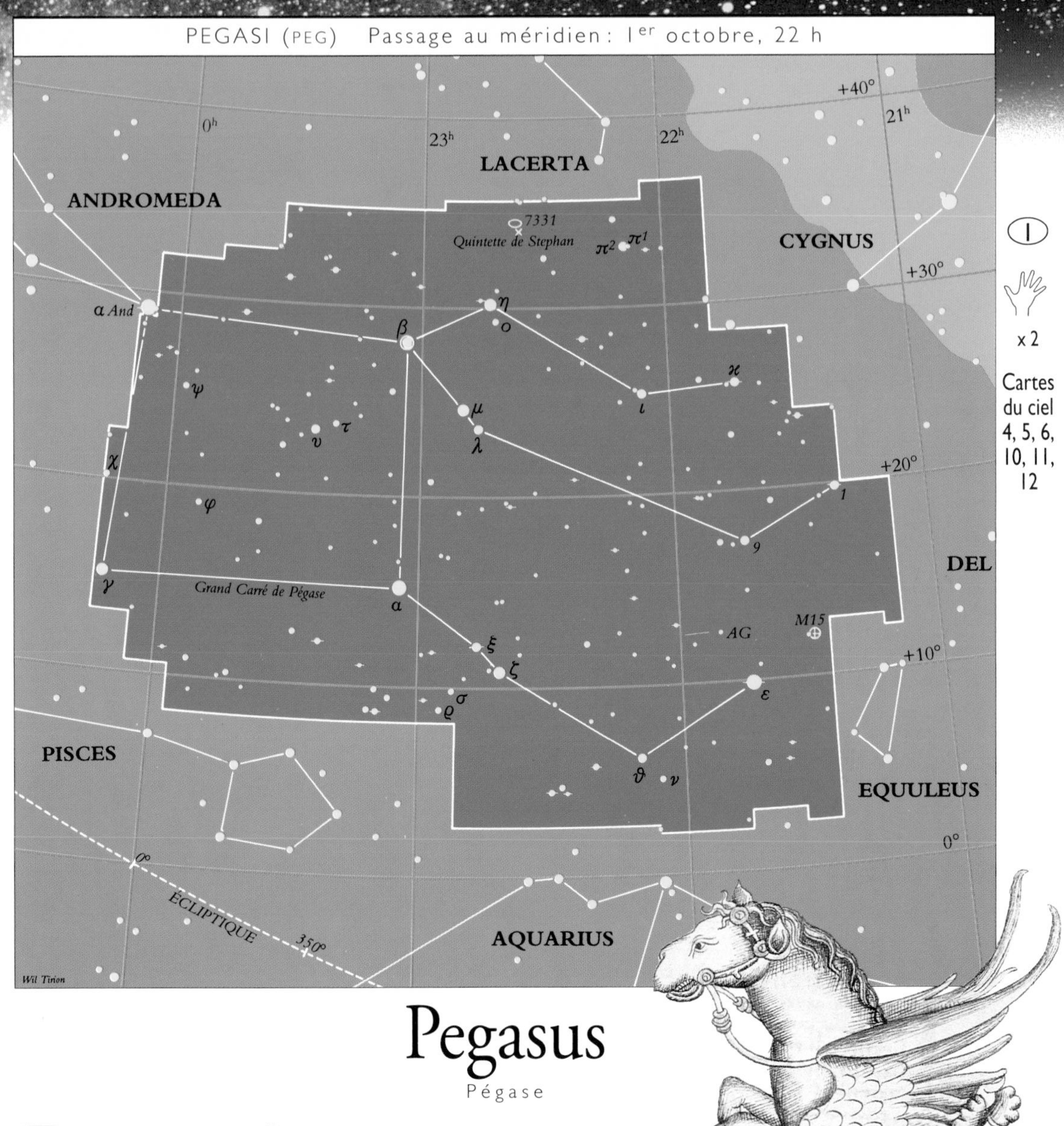

I

x 2

Cartes du ciel 4, 5, 6, 10, 11, 12

Pegasus

Pégase

Bien que cette constellation ne comporte guère d'étoiles très brillantes, elle est facile à repérer, car ses trois étoiles les plus lumineuses forment avec Alpha (α) Andromedae le Grand Carré de Pégase.

On rencontre déjà le Cheval ailé sur des tablettes de l'Euphrate et sur les pièces de monnaie grecques du IVe siècle avant J.-C. Selon la légende, Pégase jaillit du cou mutilé de Méduse, la Gorgone, décapitée par Persée. Amené un jour sur le mont Hélicon, Pégase fit jaillir d'un coup de sabot la fontaine d'Hippocrène – source d'inspiration pour les poètes.

Quatre des cinq galaxies du Quintette de Stephan semblent interagir, se déformer et arracher des grands courants d'étoiles.

Pegasus, tel que le conçoit Domenico Bandini dans Fons memorabilium Universi, *encyclopédie de l'Univers, qui date du XVe siècle.*

M 15 L'un des plus beaux amas globulaires du ciel boréal, situé à 34 000 années-lumière. S'il n'apparaît que comme une tache nébulaire quand on l'observe aux jumelles, c'est une véritable œuvre d'art avec un télescope.

NGC 7331 Galaxie spirale, l'une des plus brillantes de Pégase, de magnitude 9.

Quintette de Stephan Groupe de galaxies très peu lumineuses à 0,5° au sud de NGC 7331. Bien que de très faibles courants de matière semblent connecter la plus grande des galaxies aux autres, une étude détaillée montre que cette galaxie est probablement plus proche de nous que les quatre autres. Ces galaxies ne sont pas des cibles faciles à atteindre : elles nécessitent un télescope de 250 mm.

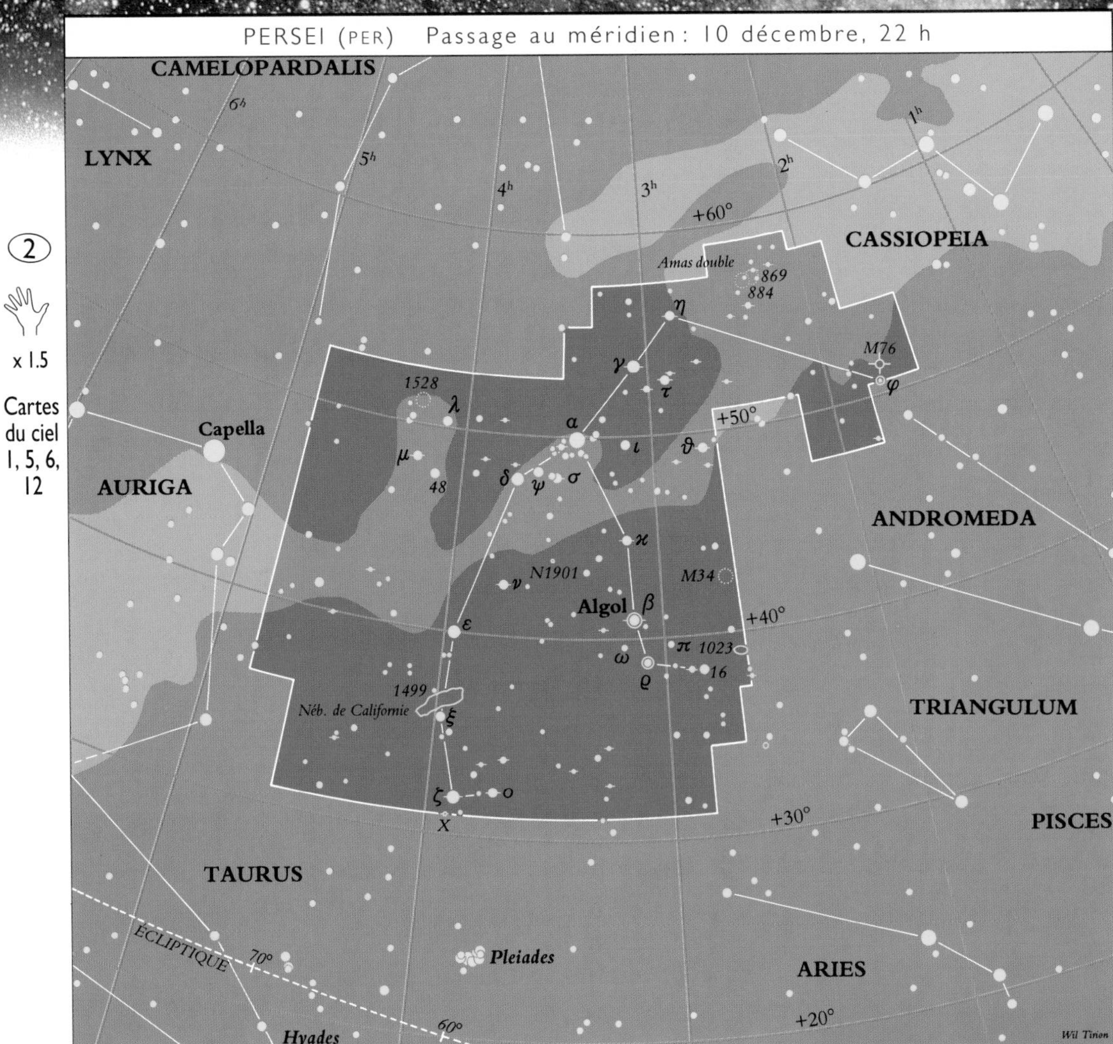

2

x 1.5

Cartes du ciel 1, 5, 6, 12

Perseus

Persée

Jolie constellation qui chevauche la Voie lactée, Persée brille dans le ciel boréal de juillet à mars. Ses étoiles forment un arc depuis Capella, dans la constellation du Cocher, jusqu'à Cassiopée. L'exploit le plus important de Persée, fils de Zeus et de la mortelle Danaé, fut le meurtre de Méduse, l'une des trois Gorgones dont le regard était si puissant qu'il pétrifiait tous ceux qu'elles regardaient. En tenant le bouclier d'Athéna comme miroir au-dessus de la tête de Méduse, Persée lui trancha le cou.

Algol L'étoile qui clignote, la plus connue des variables à éclipses. Tous les 2 jours, 20 heures, 48 minutes, elle passe de la magnitude 2,1 à la magnitude 3,4 sur une durée de dix heures.

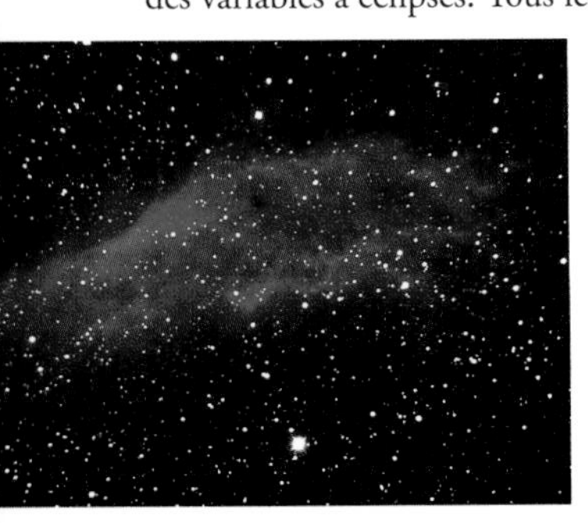

NGC 1499, la nébuleuse California, n'est pas facile à trouver, car elle est peu lumineuse et très étendue.

Persée portant la tête de Méduse et Pégase, détail de Perseus et Andromeda, de Rubens.

M 34 Amas ouvert brillant situé au cœur d'un riche champ d'étoiles. C'est un objet intéressant à étudier à la jumelle ou au télescope.

Amas double (NGC 869 et 884) Deux des plus beaux exemples d'amas ouverts du ciel, NGC 869 et 884 (h Persei et khi [χ] Persei), sont magnifiques à travers des jumelles ou un petit télescope.

Perséides L'une des plus belles pluies de météorites, provenant de la comète Swift-Tuttle, d'intensité maximale les 11 et 12 août.

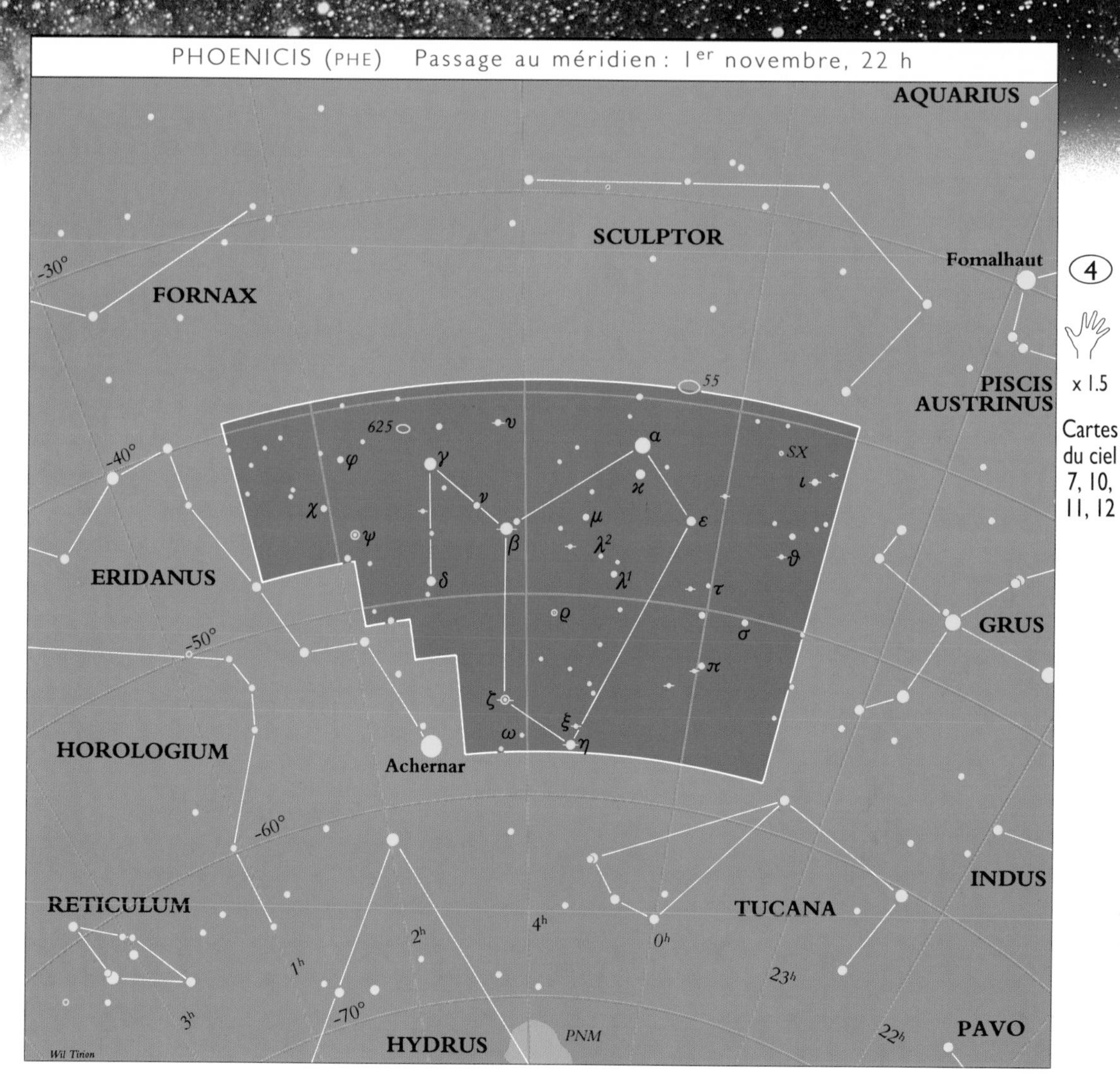

Phoenix

Le Phénix

Symbole légendaire de la résurrection, le Phénix est un oiseau de l'apparence d'un aigle, au plumage rouge feu, bleu clair, pourpre et or, dont le cycle de vie est de cinq cents ans. Le Phénix, unique de son espèce, ne peut se reproduire comme les autres animaux. Lorsqu'il sent sa mort approcher, il construit un nid, y met le feu, et des cendres de ce bûcher naît un nouvel oiseau. On trouve mention de cet oiseau fabuleux dans des œuvres d'art de l'Égypte antique, et sur des pièces de monnaie romaines. Bien que cette constellation apparaisse pour la première fois dans l'*Uranometria* de Bayer (1603), on en trouve trace chez les anciens Chinois, qui citent un oiseau de feu connu sous le nom de Ho-neaou.

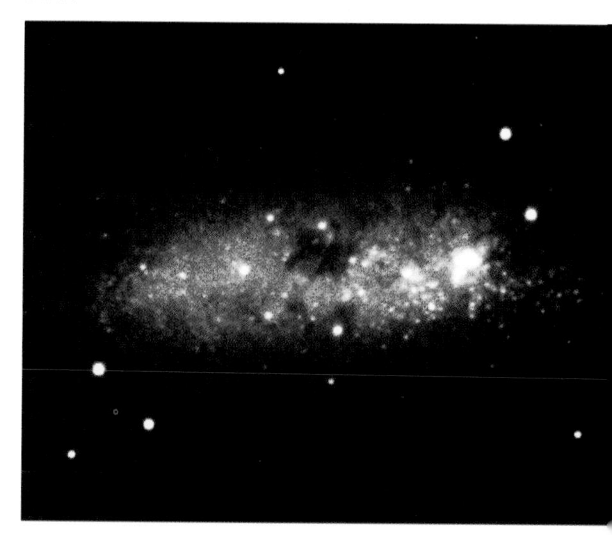

NGC 625 est une galaxie irrégulière faible (de magnitude 12), située à 20 à 30 millions d'années-lumière.

SX Phoenicis Plus bel exemple de variable céphéide naine, cette étoile passe de la magnitude 7,1 à 7,5, et vice versa, en 79 min et 10 s seulement. Les périodes des céphéides sont généralement très précises. Dans ce cas, cependant, l'amplitude varie, avec quelques maxima allant jusqu'à 6,7. Ce phénomène s'explique probablement par le fait que l'étoile a deux oscillations différentes superposées. D'aussi fines variations de brillance ne peuvent être mesurées que par une comparaison très précise avec les étoiles voisines.

PICTORIS (PIC) Passage au méridien : 10 janvier, 22 h

3

x 1

Cartes du ciel 7, 8, 12

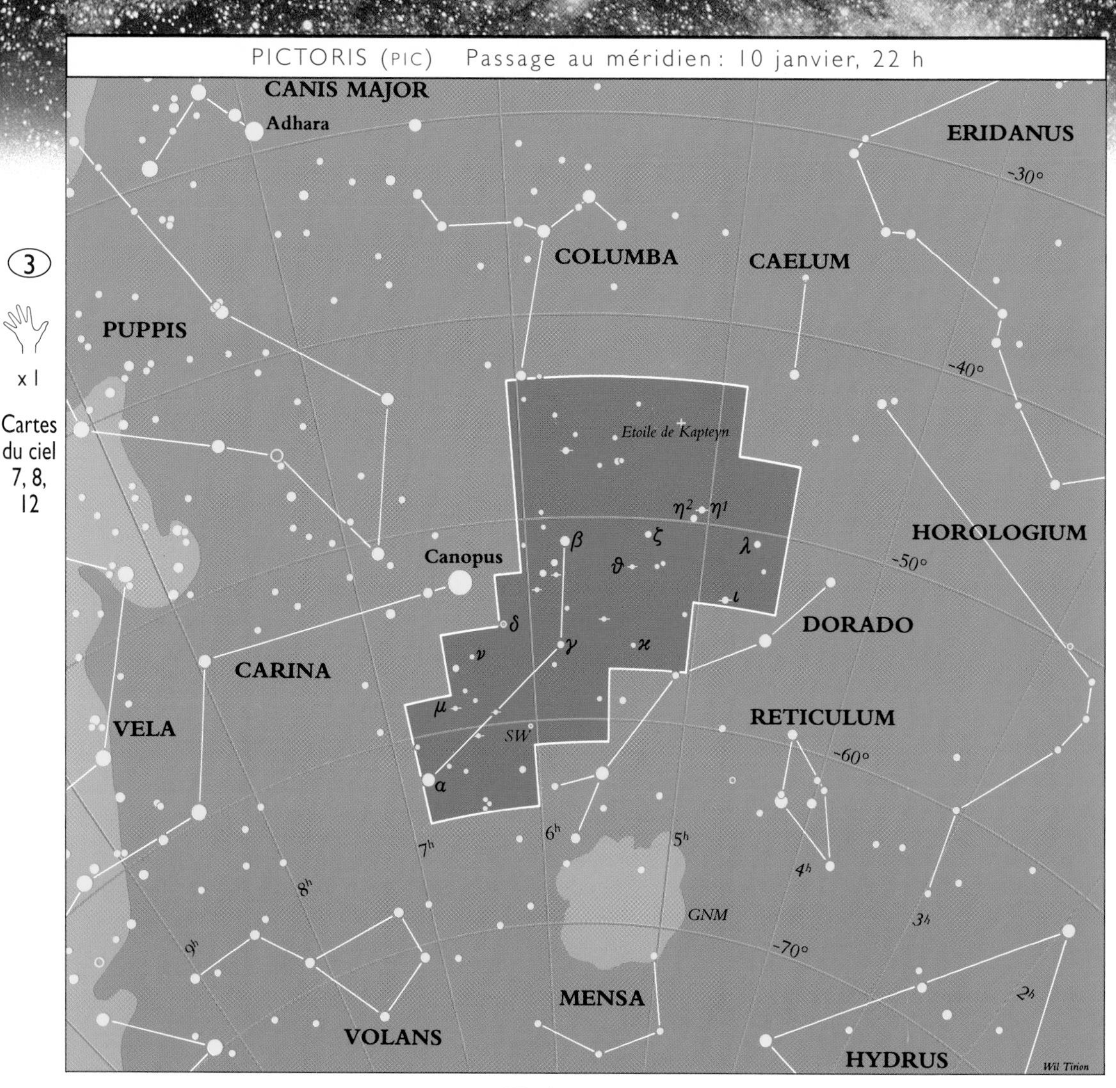

Pictor

Le Peintre

Cette constellation de l'hémisphère Sud fut d'abord baptisée Equulus Pictoris, le Chevalet du Peintre, par Nicolas Louis de La Caille. Son nom actuel ne fait plus référence qu'au peintre. C'est un groupe d'étoiles situé au sud de la constellation de la Colombe et voisin de l'étoile brillante Canopus.

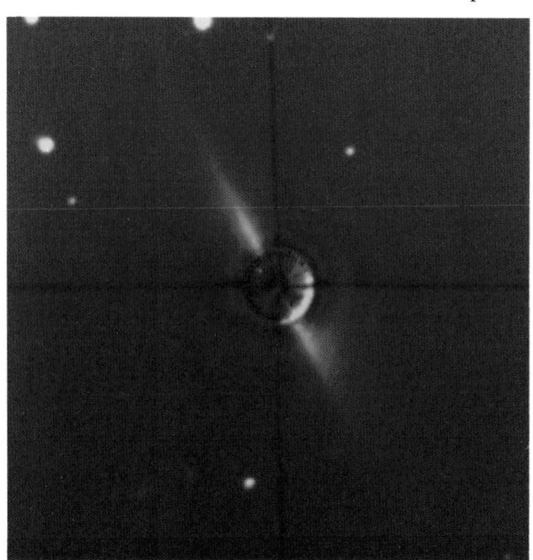

Une nova au comportement inhabituel apparut dans cette région en 1925. De magnitude 2 lors de sa découverte, elle continua à augmenter de brillance jusqu'à atteindre une magnitude voisine de 1. Elle se mit à décroître, et augmenta de nouveau jusqu'à atteindre un second maximum, deux mois plus tard.

Bêta (β) Pictoris Étoile de magnitude 4 associée à un disque de poussières et de glace qui pourrait être un système planétaire en formation. La nébuleuse n'est visible qu'avec des techniques spéciales et à l'aide d'un grand télescope.

Étoile de Kapteyn Étoile située à 12,7 années-lumière, découverte en 1897 par l'astronome hollandais Jacobus Kapteyn. Elle se déplace rapidement par rapport aux étoiles distantes du champ, traversant 8,7" du ciel par an – soit la largeur de la Lune tous les deux siècles. De magnitude 8,8, elle est visible avec des jumelles ou un petit télescope.

On distingue le disque de poussières et de glace autour de (β) Pictoris. Le cercle central et la raie noire sont dus au traitement de l'image.

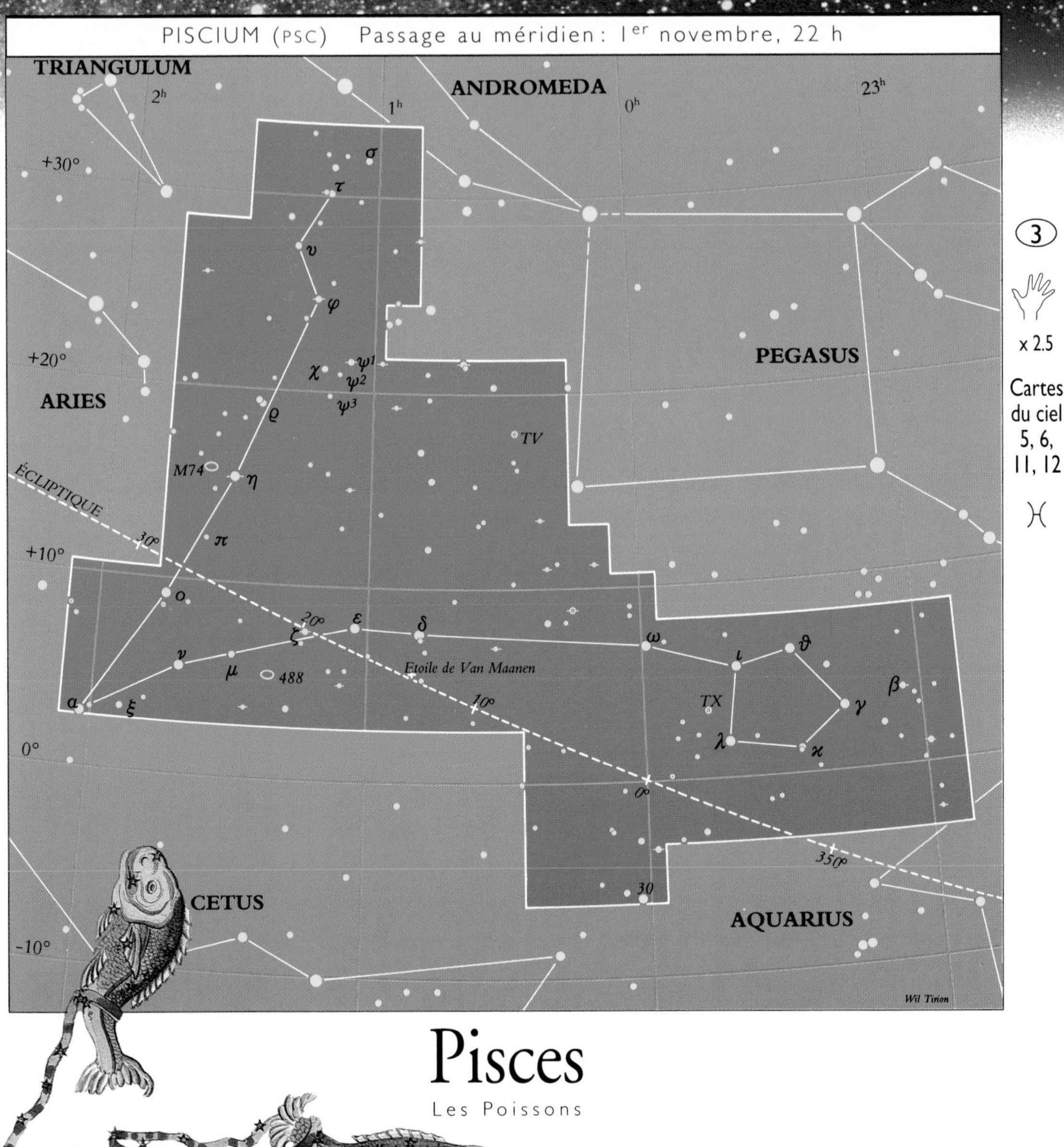

3

x 2.5

Cartes du ciel 5, 6, 11, 12

Pisces

Les Poissons

Depuis plusieurs milliers d'années, on voit dans cette faible constellation zodiacale l'image de deux poissons liés par un ruban. Dans la mythologie gréco-romaine, Aphrodite et son fils Éros, pourchassés par le monstre Typhon, se transformèrent en poissons. Ils s'attachèrent par la queue pour s'assurer de ne pas être séparés et prirent la fuite à la nage. L'anneau d'étoiles du Poisson occidental, sous Pégase, s'appelle le Petit Cercle. Le Poisson oriental se trouve sous la constellation d'Andromède.
Une conjonction triple, dans laquelle Jupiter et Saturne furent voisins trois fois la même année, se produisit dans la constellation des Poissons en 7 avant J.-C. Cet événement d'une grande rareté a peut-être un rapport avec la fameuse étoile qui guida les Rois mages vers Bethléem.

Dzêta (ζ) Piscium Belle étoile double de magnitudes 5,6 et 6,5 séparée par 24".

M 74 Grande galaxie spirale, vue de face, près de Êta (η) Piscium. Bien que ce soit la galaxie la plus lumineuse des Poissons, elle est relativement faible et exige un ciel sombre et un télescope de 200 mm pour être distinguée.

Étoile de Van Maanen L'un des rares exemples de naine blanche, de magnitude 12,2, qui soient identifiables avec un télescope de 200 mm.

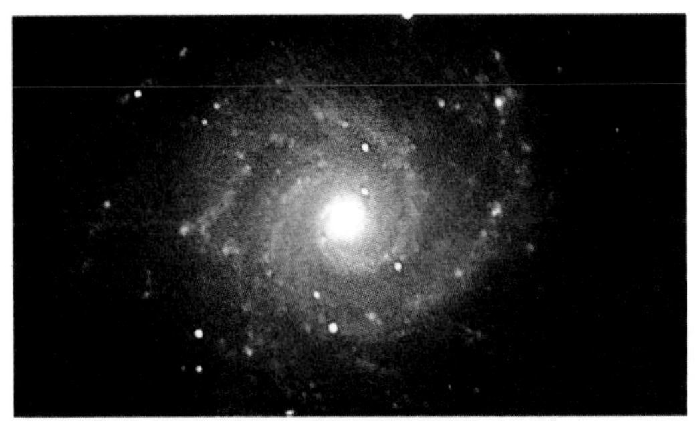

En haut, à gauche : Les Poissons avec leurs queues attachées, en accord avec la légende, dans le Miroir d'Uranie *(1825). Ci-dessus : Bien que faible, M 74 est un exemple classique de galaxie spirale avec un noyau saillant et des bras spiraux bien développés.*

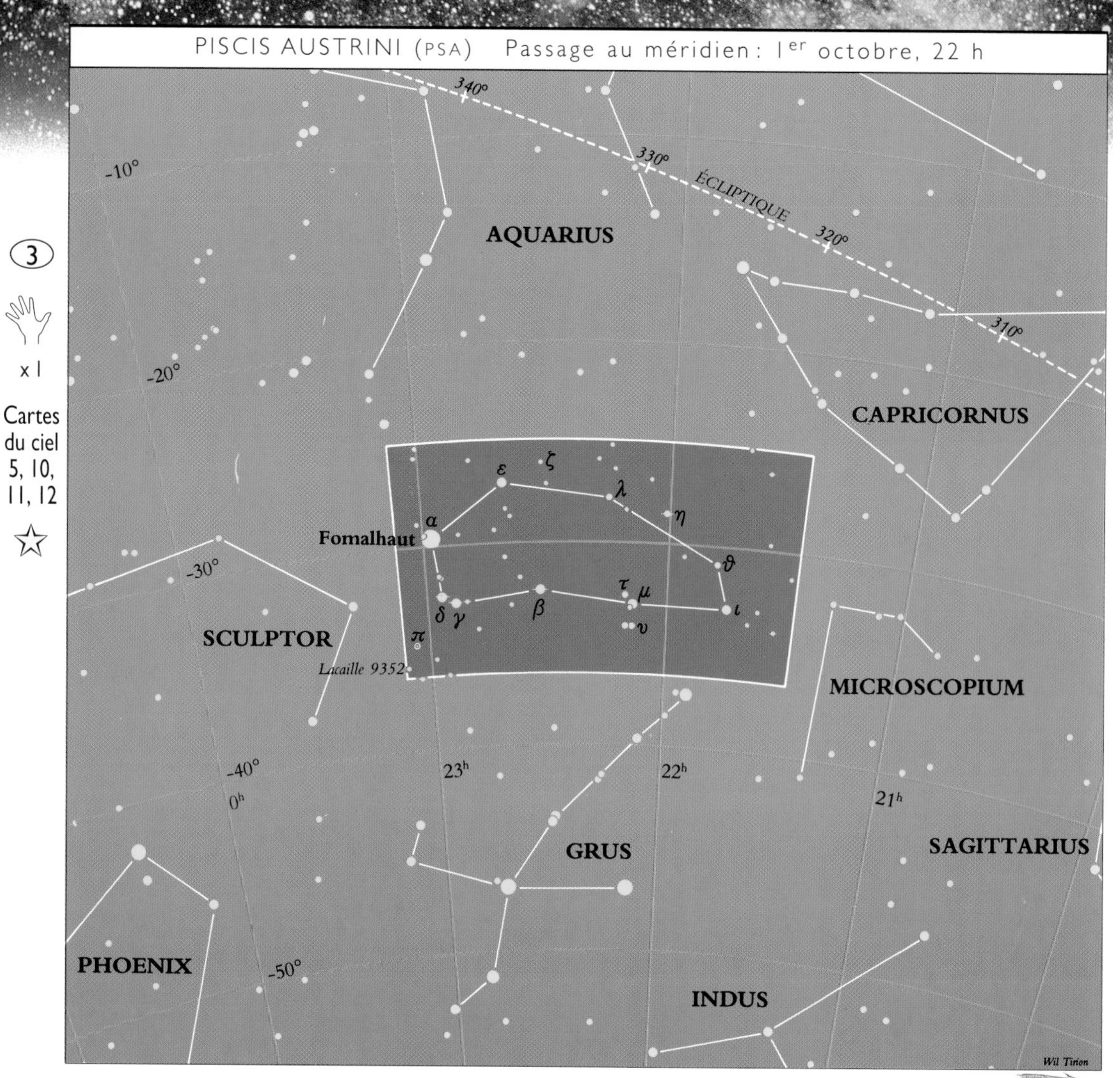

3

x 1

Cartes du ciel 5, 10, 11, 12

Piscis Austrinus

Le Poisson austral

Au sud des constellations du Verseau et du Capricorne, le Poisson austral est relativement facile à détecter grâce à sa seule étoile brillante, Fomalhaut, surnommée la Solitaire. Pour les Perses d'il y a cinq mille ans, c'était l'Étoile royale, qui possédait l'insigne privilège d'être l'un des gardiens du ciel. De nombreuses cartes célestes anciennes montrent le Poisson austral buvant l'eau tirée du Verseau.

Représentation du Poisson austral par Bayer (1603). Il évoque plus un monstre marin mythique qu'un habitant des mers du Sud.

Fomalhaut De magnitude 1,2, cette étoile est située à 22 années-lumière de nous. Deux fois plus grande que le Soleil, elle a quatorze fois sa luminosité.
Environ 2° à l'ouest se trouve une étoile naine de magnitude 6,5 qui semble suivre le mouvement de Fomalhaut à travers l'espace. Les deux étoiles sont si séparées qu'il est difficile de croire à un système binaire. Ce sont peut-être les restes d'un amas dissipé depuis fort longtemps.

Fomalhaut se détache comme un phare dans la constellation du Poisson austral.

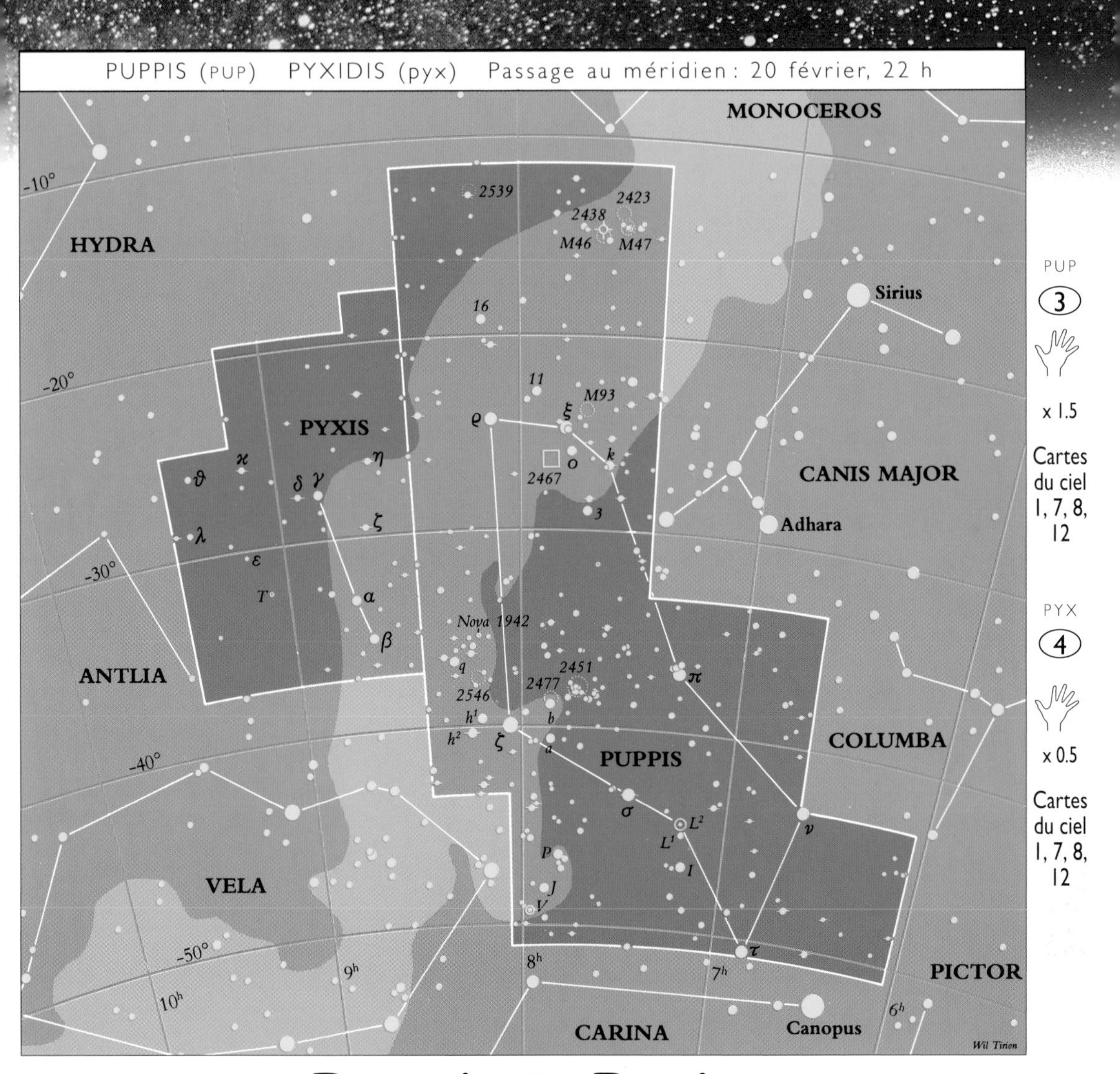

Puppis & Pyxis

La Poupe et la Boussole

Juste au sud de la constellation du Grand Chien, Puppis est la poupe de l'ancienne constellation du Navire *Argo.* Bordée par la Voie lactée, elle offre à l'observation un vrai festival d'amas stellaires ouverts. Juste à l'ouest se trouve la constellation de la Boussole, plus petite et plus faible, qui était le mât d'*Argo* avant de devenir sa boussole, comme en décida La Caille en 1752.

Dzêta (ζ) Puppis Supergéante bleue, l'une des plus grandes de notre Galaxie, située à 2 000 années-lumière et de magnitude 2.

Représentation du Compas par Bode, dans Uranographia *(1801).*

L² Puppis L'une des variables rouges les plus brillantes, L² Puppis oscille entre les magnitudes 2,6 et 6,2, sur une période de cinq mois.

Cherchez le faible anneau rouge de la nébuleuse planétaire NGC 2438, au nord-est (en haut et à gauche) de M 46.

M 46 Bel amas ouvert, qui apparaît dans un petit télescope comme un nuage circulaire du diamètre de la Lune. NGC 2438 semble faire partie de cet amas, mais ne lui appartient pas. De magnitude 11, il est situé à 1' de M 46 ; pour le voir nettement, il faut un télescope de 200 mm, au minimum.

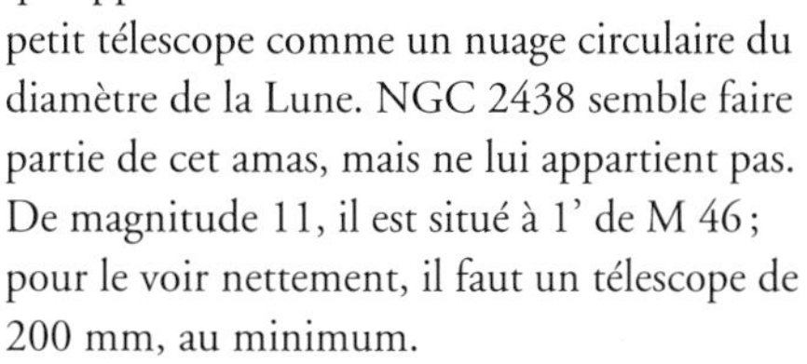

T Pyxidis Nova récurrente. De magnitude 16 à son minimum, elle peut atteindre la magnitude 7 lors de ses explosions, qui se produisent à des intervalles de douze à vingt-cinq ans.

④ x 0.5 Cartes du ciel 7, 10, 11, 12

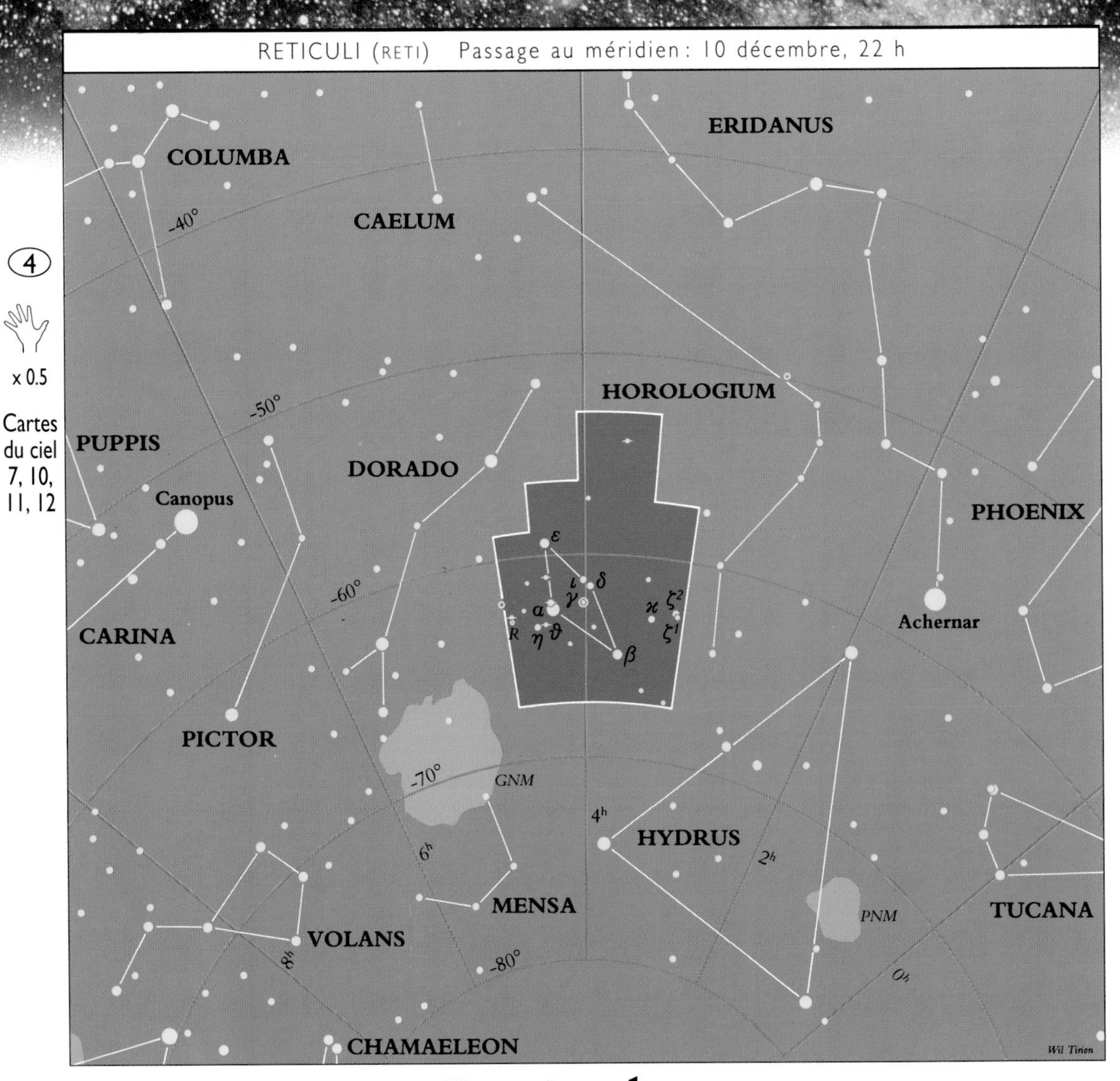

Reticulum

Le Réticule

Située à mi-chemin entre l'étoile brillante Achernar et Canopus, cette petite constellation d'étoiles faibles a d'abord été nommée Losange par Isaak Habrecht de Strasbourg.

La Caille changea ce nom en Reticulum, en l'honneur du réticule – croisillon de fils placés dans l'oculaire et qui sert à faire des visées dans une lunette.

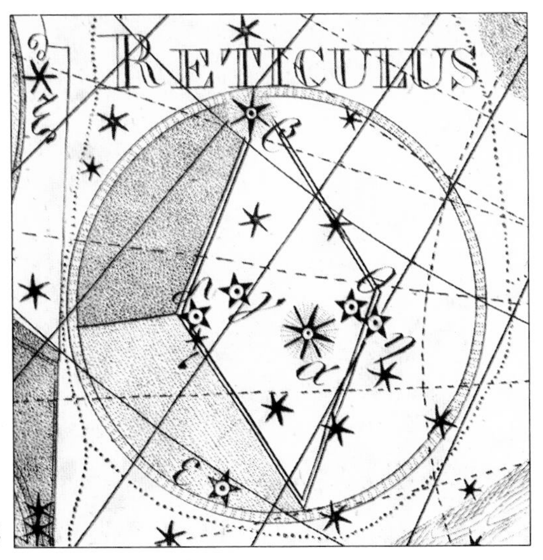

L'illustration de Bode évoque plus le Losange d'origine que le Réticule actuel.

CONSEILS À L'OBSERVATEUR

Le plaisir d'observer le ciel sera décuplé si vous le partagez avec des enfants. Lorsque vous leur montrez les constellations, laissez-leur le temps de poser des questions, et ne vous inquiétez pas si vous ne savez pas toujours leur répondre. Une petite fille de huit ans dit un jour que l'amas globulaire M 13 ressemblait à un petit chien en peluche. Ce n'était certes pas de l'astrophysique, mais bien le début d'un intérêt réel pour le ciel.

R Reticuli

Étoile de type Mira assez rouge. À son maximum, elle atteint la magnitude 7. Sur une période de neuf mois, elle descend à la magnitude 13, puis remonte.

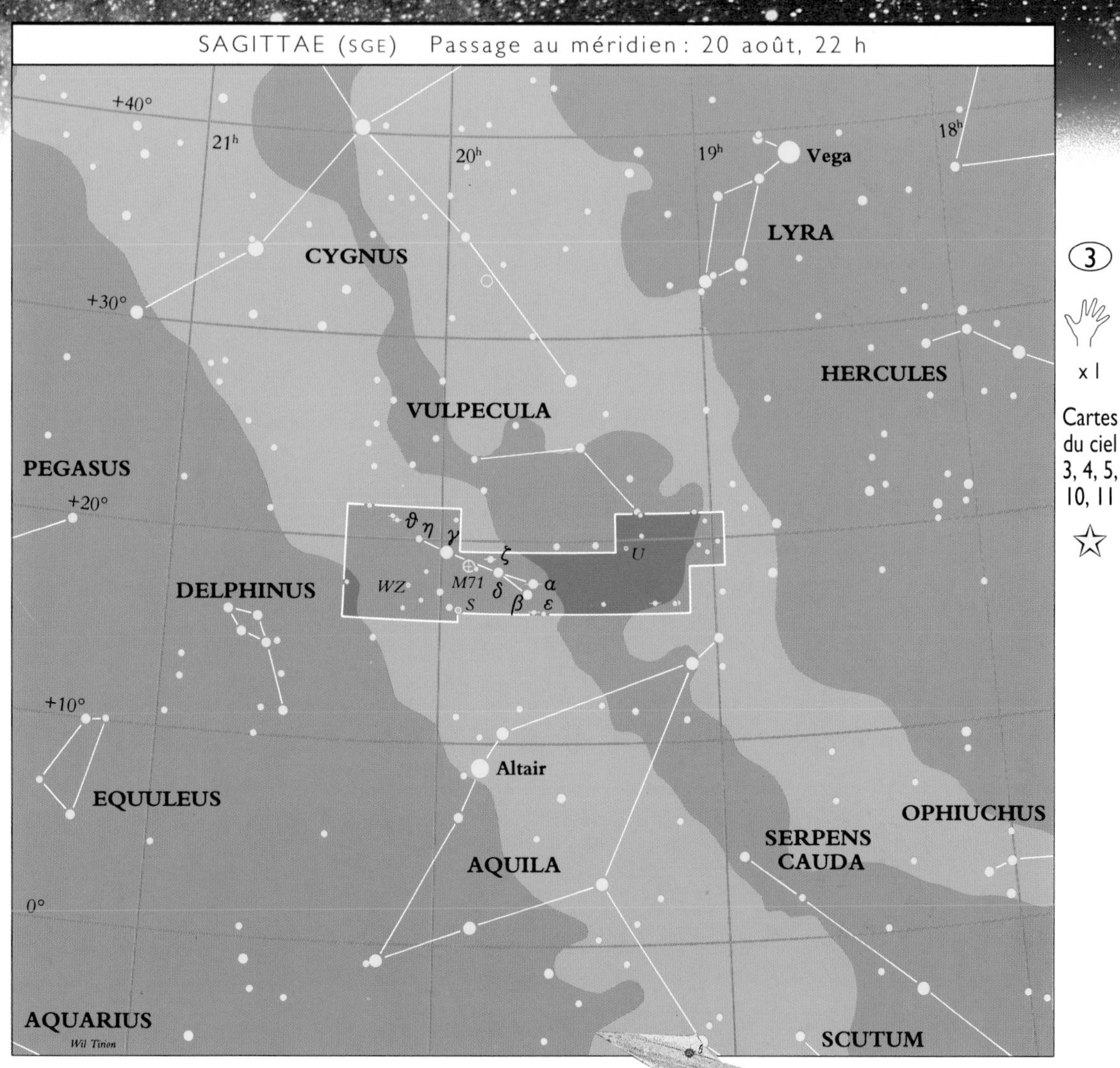

3

x I

Cartes du ciel 3, 4, 5, 10, 11

☆

Sagitta

La Flèche

La Flèche représentée par Bayer dans son atlas Uranometria *(1603).*

La constellation de la Flèche est facile à localiser, malgré sa petite taille. Elle se situe à mi-chemin entre Altaïr, dans la constellation de l'Aigle, et Albireo ([β] Cygni). Cette constellation porte bien son nom. Les Anciens – Hébreux, Perses, Arabes, Grecs et Romains – la voyaient déjà comme une flèche : la flèche dont se servit Apollon pour tuer les Cyclopes, celle qu'Hercule tira sur les oiseaux du lac Stymphale, ou encore le dard de Cupidon.

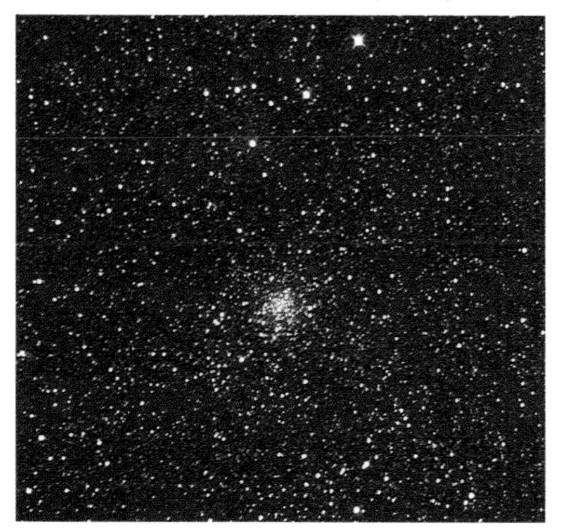

U Sagittae Cette binaire à éclipses passe de la magnitude 6,5 à 9,3 tous les trois ou quatre jours.

V Sagittae Étoile faible variant de façon erratique entre les magnitudes 8,6 et 13,6. Elle est intéressante à observer, car elle évolue légèrement d'une nuit à l'autre. Ce fut probablement une nova.

M 71 Un peu au sud du milieu du segment joignant **Delta (δ)** et **Gamma (γ) Sagittae,** M 71 est un amas fertile en étoiles faibles. On le considère plutôt comme un amas globulaire pauvre et peu condensé.

M 71 est un amas globulaire peu concentré, dépourvu du noyau central brillant typique de ces amas.

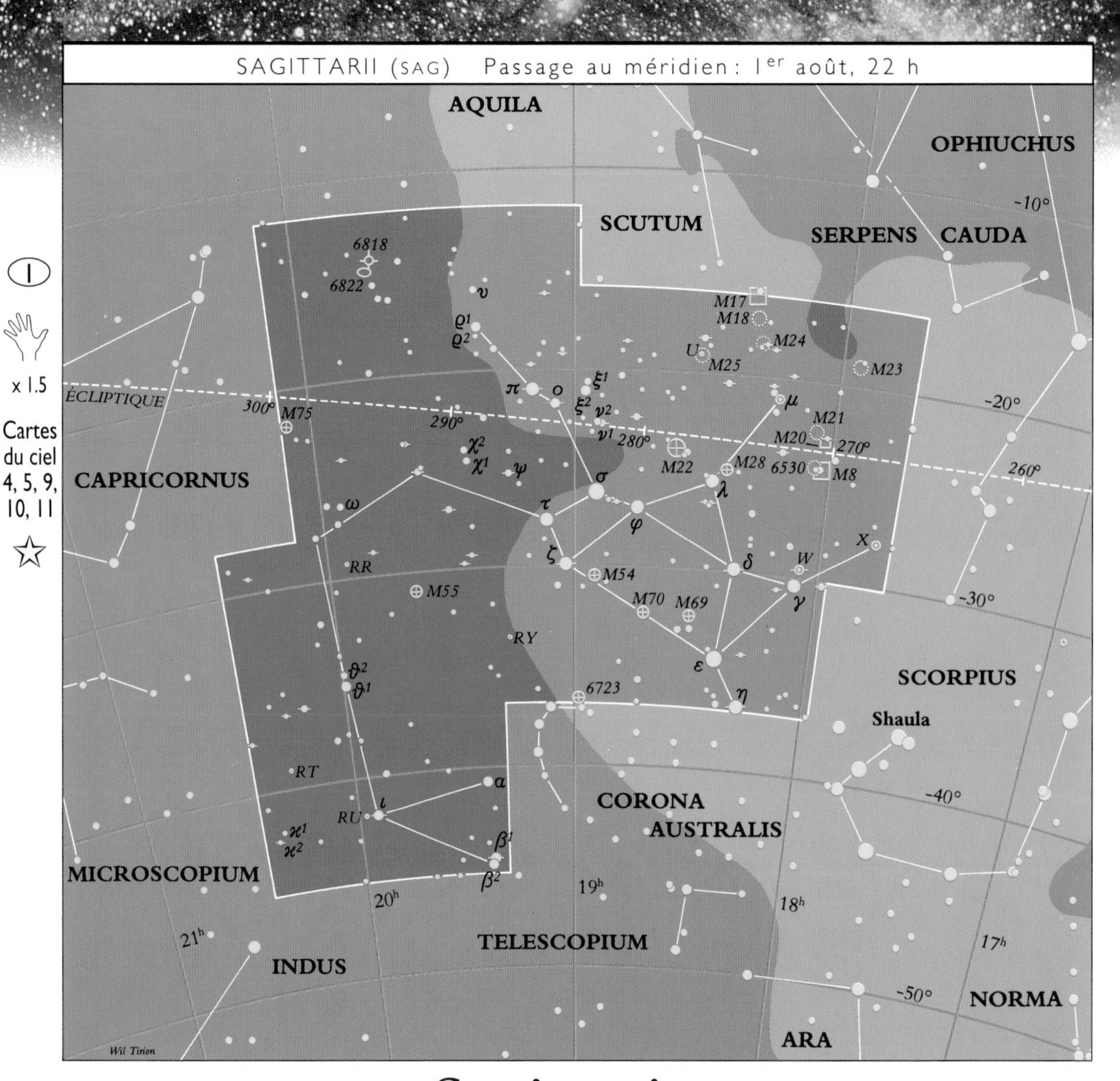

x 1.5

Cartes du ciel 4, 5, 9, 10, 11

Sagittarius

Le Sagittaire

L'une des douze constellations du zodiaque, le Sagittaire abrite un groupe d'étoiles très caractéristique évoquant une théière avec son bec et son anse. Les cartes représentent le groupe d'étoiles orientales les plus brillantes comme un quadrilatère – l'anse de la théière –, et le groupe occidental comme un triangle – le bec de la théière. Les Arabes voyaient dans le triangle occidental des autruches allant s'abreuver dans la Voie lactée et dans le quadrilatère des autruches en revenant. Le Sagittaire est aussi parfois identifié au centaure Chiron, créature mythique, mi-homme, mi-cheval. Or Chiron est surtout connu pour sa sagesse et son amabilité, ce qui correspond mal à l'attitude du Sagittaire, que l'on représente bandant son arc. On dit encore que Chiron a créé cette constellation pour guider Jason et les Argonautes naviguant sur l'*Argo*.
Le Sagittaire se trouve sur la Voie lactée, dans la direction du centre galactique.
À cet endroit, la Voie lactée atteint sa plus grande largeur, bien qu'elle soit coupée de bandes de poussières sombres. C'est un véritable réservoir d'amas galactiques et globulaires et de nébuleuses sombres ou brillantes.

M 22

Amas globulaire de magnitude 6,5 facile à détecter avec des jumelles, mais qui ne révèle

L'Archer, fresque du XVIe siècle, villa Farnèse, Italie.

Les étoiles brillantes à l'ouest du Sagittaire se superposent au nuage d'étoiles de la Voie lactée vers le centre galactique.
La lueur rouge de la nébuleuse M 8 est très nette, comme le montre la photographie ci-dessous.

toute sa beauté que dans un télescope.
Situé à la distance de 10 000 années-lumière, c'est l'un des amas globulaires les plus proches de nous. Un télescope de 200 mm le résout en un ensemble d'étoiles innombrables.

M 23

L'un des nombreux amas galactiques du Sagittaire, il possède plus de cent étoiles sur une surface égale à celle de la Lune.
Il offre une vue frappante, même dans les petits instruments.

Nébuleuse de la Lagune (M 8)

Spectaculaire nébuleuse diffuse, qui entoure l'amas d'étoiles NGC 6530.
Par nuit noire, elle est visible à l'œil nu juste au-dessus de la région la plus riche de la Voie lactée dans la constellation du Sagittaire.
Sur les photographies, elle apparaît comme de minuscules taches noires.
Bart Bok les identifia comme des globules où de nouvelles étoiles sont en formation.

Nébuleuse Trifide (M 20)

Située à 0,5° au nord-ouest de la nébuleuse de la Lagune, la nébuleuse Trifide fait probablement partie du même complexe.
Elle doit son nom de Trifide (ou du Trèfle) aux trois vallées de nuages noirs qui la divisent.
On peut les détecter avec un télescope de 150 mm.

Nébuleuse Oméga (M17)

Appelée également le Cygne ou le Fer à Cheval, cette nébuleuse peut être distinguée assez nettement avec des jumelles.
Au télescope, c'est un spectacle véritablement étourdissant.

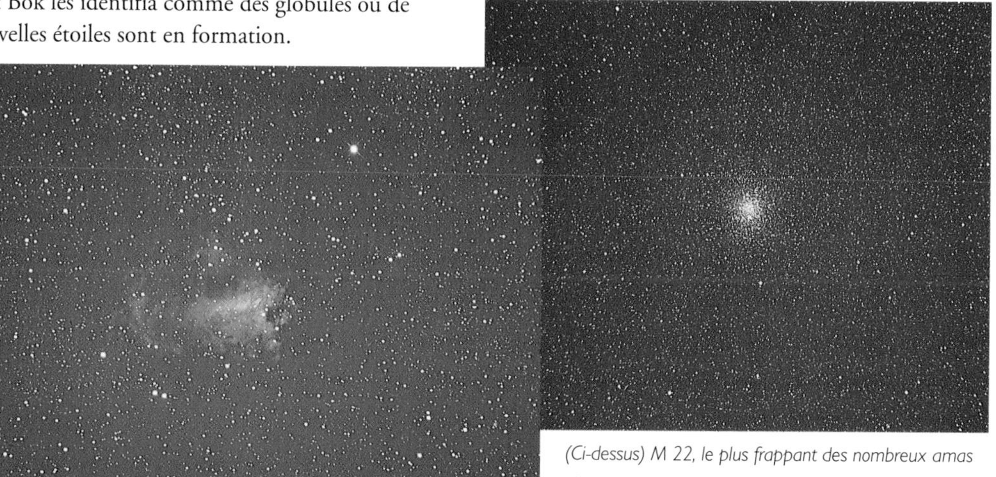

(Ci-dessus) M 22, le plus frappant des nombreux amas globulaires du Sagittaire.
(À gauche) La nébuleuse Oméga (M 17), à la frontière des constellations de Sagittaire et du Serpent.

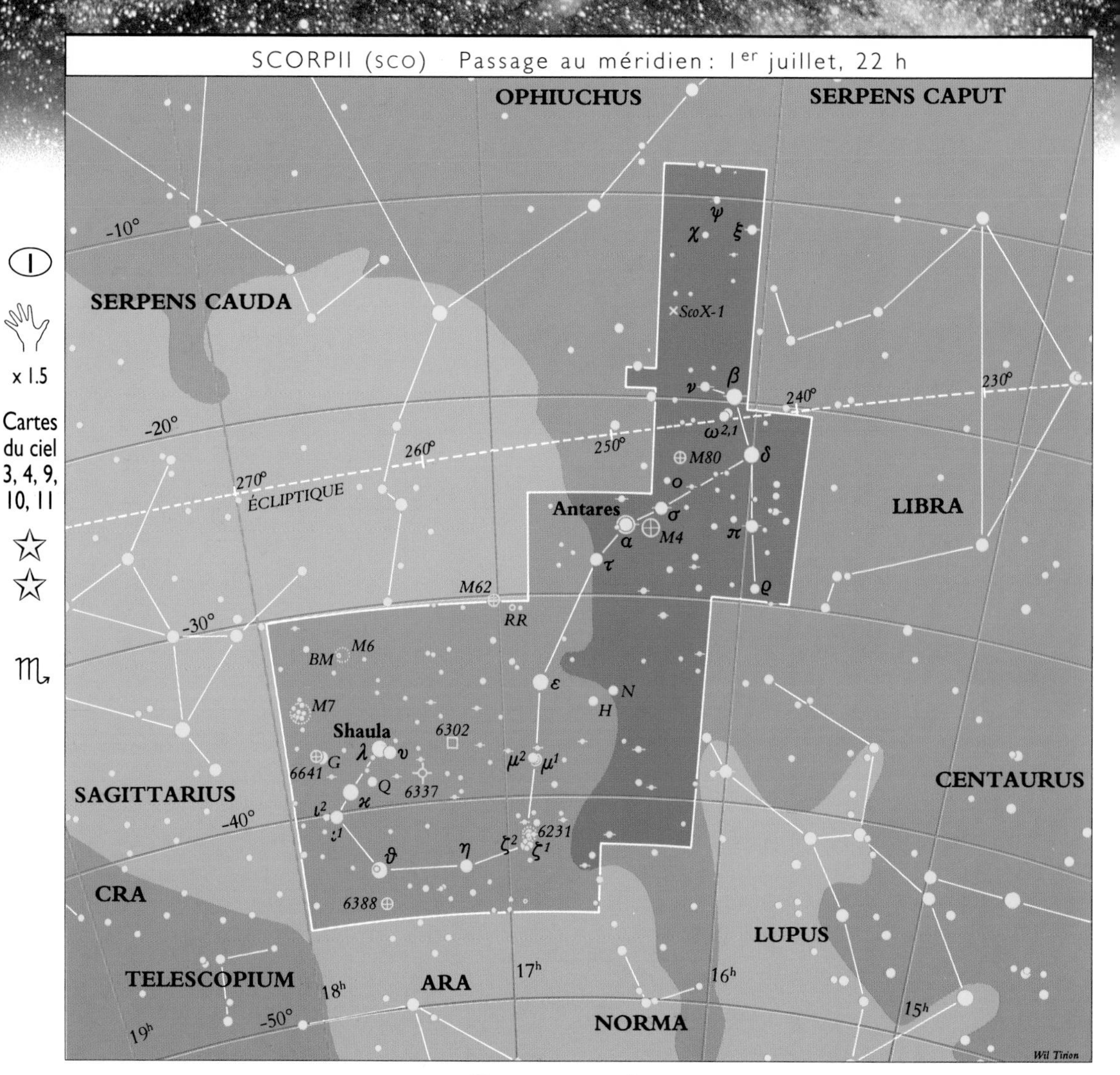

Scorpius

Le Scorpion

Dans la mythologie, le nom de cette constellation se réfère au scorpion qui tua Orion en le piquant au talon. C'est pourquoi ces deux constellations – le Scorpion et Orion – sont situées à l'opposé dans le ciel, où elles se fuient pour l'éternité. Belle constellation du zodiaque, regorgeant d'étoiles brillantes, le Scorpion porte bien son nom : on peut facilement imaginer sa tête et son aiguillon. Près de l'extrémité nord se trouve un alignement de trois étoiles brillantes, avec, au centre, la rouge Antarès (mot d'origine arabe signifiant « le rival de Mars », par allusion à sa couleur, analogue à celle de la planète Mars). Il y a quelque cinq mille ans, les Perses considéraient Antarès comme l'une des Étoiles royales, gardiennes du ciel. Les anciens Chinois voyaient la lueur d'Antarès comme un Grand Feu au cœur du Dragon de l'Est.

Représentation italienne du XIIIe siècle du Scorpion, avec Antarès au centre du corps de l'animal.

Antarès Les Romains appelaient cette étoile puissante Cor Scorpionis, le Cœur du Scorpion, appellation que nous avons reprise. On estime qu'elle est située à 520 années-lumière de nous. Antarès est une supergéante rouge d'un diamètre de 1 milliard de kilomètres, 9 000 fois plus lumineuse que le Soleil. Sa masse n'est que 10 ou 15 fois celle du Soleil – elle est donc très peu dense.

Bêta (β) Scorpii Étoile double dont les composants de magnitude 2,6 et 4,9 sont séparés de 13,7". On peut les résoudre avec un télescope de 50 mm.

M 4 « Il y a plusieurs M 4 », disait Walter Scott Houston, observateur perspicace, mort en 1993 à l'âge de quatre-vingt-un ans. Il entendait par là que cet étrange amas globulaire change d'apparence selon

Cette image composite en trois couleurs montre Antarès piégée dans une nébulosité (dans le coin gauche) et l'amas globulaire M 4 à l'ouest (à droite). La nébuleuse Rhô (ρ) Ophiuchi (IC 4604) est visible au nord.

l'instrument. Des jumelles montrent une tache lumineuse et floue ; un petit télescope, une grande tache d'aspect brumeux et marbré ; enfin, un télescope de 100 ou de 200 mm commence à discerner des étoiles individuelles.

Amas du Papillon (M6) Vues à l'aide d'un télescope puissant, les étoiles de cet amas offrent l'aspect d'un papillon.

M 7 Grand amas ouvert lumineux, au sud-est de M 6, qui demande à être observé avec des jumelles à grand champ.

NGC 6231 Situé à 0,5° au nord de **Dzêta (ζ) Scorpii,** ce brillant amas ouvert se trouve dans une région très riche de la Voie lactée. Il gagne à être observé avec des jumelles ou avec un télescope de faible puissance.

M 80 Petit amas globulaire brillant qui peut être vu avec un instrument d'amateur, mais qui nécessite un télescope de 250 mm pour être résolu en étoiles.

Scorpius X-1 Dans ce groupe binaire serré, une étoile éjecte du gaz vers son compagnon – naine blanche, étoile à neutrons ou trou noir. Source de rayons X intense, elle apparaît comme une étoile faible de magnitude 13.

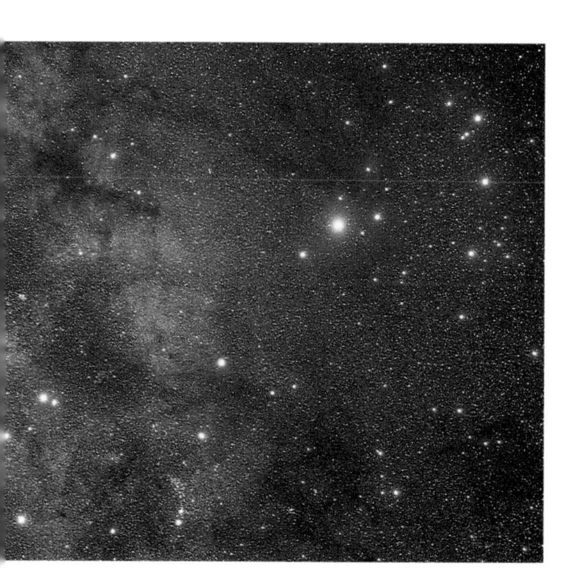

Ci-dessus : Scorpius X-1. En haut : l'amas globulaire assez lâche M4, situé 1° à l'ouest d'Antarès, est facile à trouver.
À gauche : le Scorpion, avec la splendide Antarès, est l'une des rares constellations qui évoque réellement la créature dont elle porte le nom. La queue de l'animal traverse les nuages d'étoiles de la Voie lactée, assombris et interrompus par des bandes de poussières sombres.

SCULPTORIS (SCL) Passage au méridien : 20 octobre, 22 h

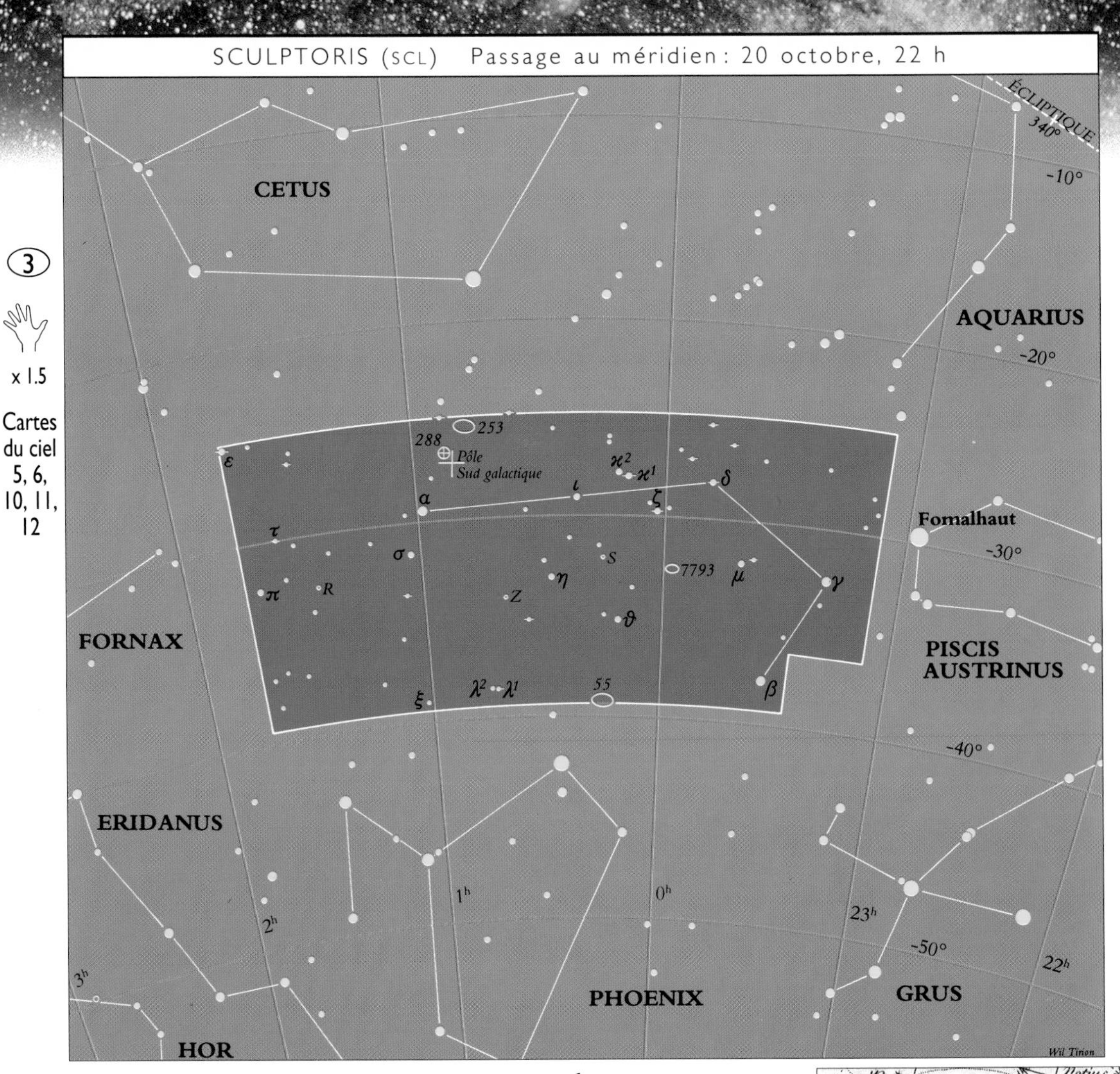

Sculptor

Le Sculpteur

Cette constellation, que Nicolas Louis de La Caille avait à l'origine baptisée l'Atelier du Sculpteur, s'étend au sud du Verseau et de la Baleine. Elle ne renferme guère d'objets intéressants, à part un petit amas de galaxies spirales proche.

Le Sculpteur, vu par Johann Bode dans Uranographia *(1801). On remarquera l'importance de l'atelier.*

NGC 253

L'une des galaxies les plus intéressantes pour les observateurs de l'hémisphère Sud qui disposent d'un petit télescope. Elle fut découverte par Caroline Herschel en 1783, alors qu'elle cherchait des comètes. Avec des jumelles, elle apparaît comme un trait épais. Elle ne commence à montrer sa véritable structure que sur les photographies faites avec des instruments puissants.

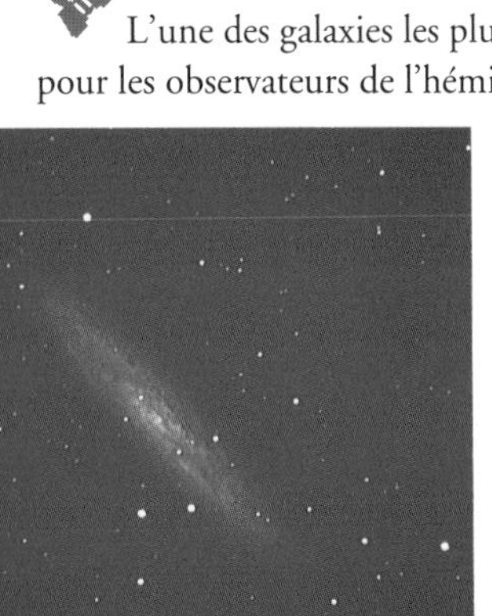

NGC 253, de magnitude 7, est une galaxie spirale étendue et brillante. Distante de 10 millions d'années-lumière, c'est l'un des plus grands membres du groupe du Sculpteur.

NGC 55

Autre galaxie très fine, semblable à NGC 253. Quand on l'observe avec un télescope de 200 mm, elle paraît plus brillante d'un côté que de l'autre. NGC 55 et 253 sont tous deux membres du groupe du Sculpteur, ensemble de galaxies qui est peut-être le plus proche voisin de notre Groupe local.

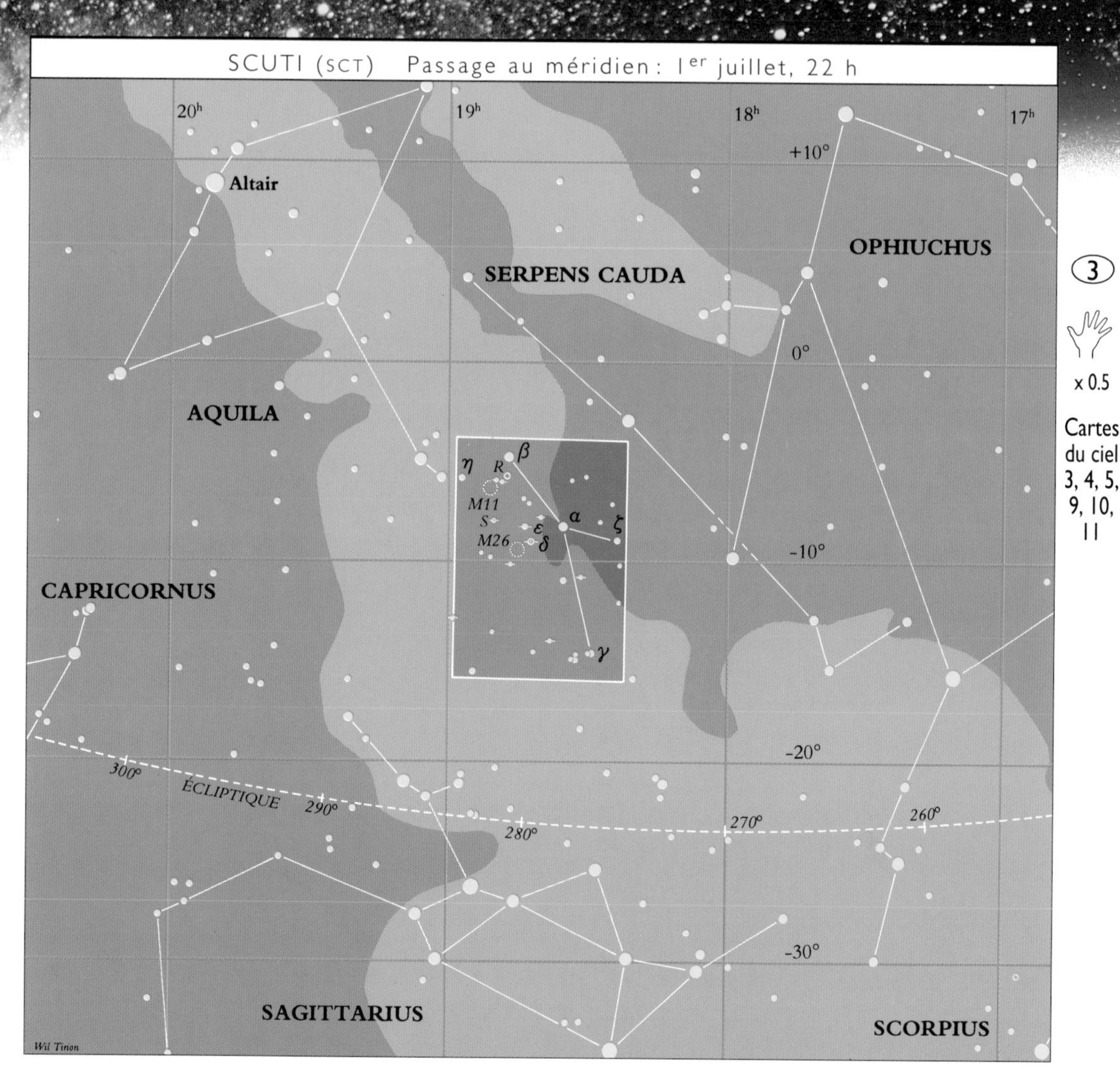

3

x 0.5

Cartes du ciel 3, 4, 5, 9, 10, 11

Scutum

L'Écu (de Sobieski)

L'Écu est une petite constellation australe, sans étoiles brillantes. Elle n'est pourtant pas difficile à repérer, par nuit noire, car elle abrite l'un des plus spectaculaires amas d'étoiles de la Voie lactée.

C'est Johannes Hevelius qui créa cette constellation à la fin du XVIIe siècle et lui attribua le nom de Scutum Sobiescianum (l'Écu de Sobieski) en l'honneur du roi de Pologne Jean III Sobieski, qui repoussa l'invasion turque en 1673.

R Scuti

Étoile variable semi-régulière de type RV Tauri. Elle varie entre les magnitudes 5,7 et 8,4, avec une période de cinq mois environ.

Amas du Canard sauvage (M 11)

Ce spectaculaire amas ouvert est nettement visible avec des jumelles. Très beau avec un petit télescope, il devient étourdissant avec un télescope de 200 mm. C'est l'un des plus compacts de tous les amas ouverts. La présence d'une étoile brillante au premier plan rehausse sa beauté.

L'amas du Canard sauvage (M 11) est une couvée d'étoiles, merveilleuse dans presque tous les télescopes.

SERPENTIS (SER) Passage au méridien : 20 juin (S. caput) et 20 juillet (S. cauda), 22 h

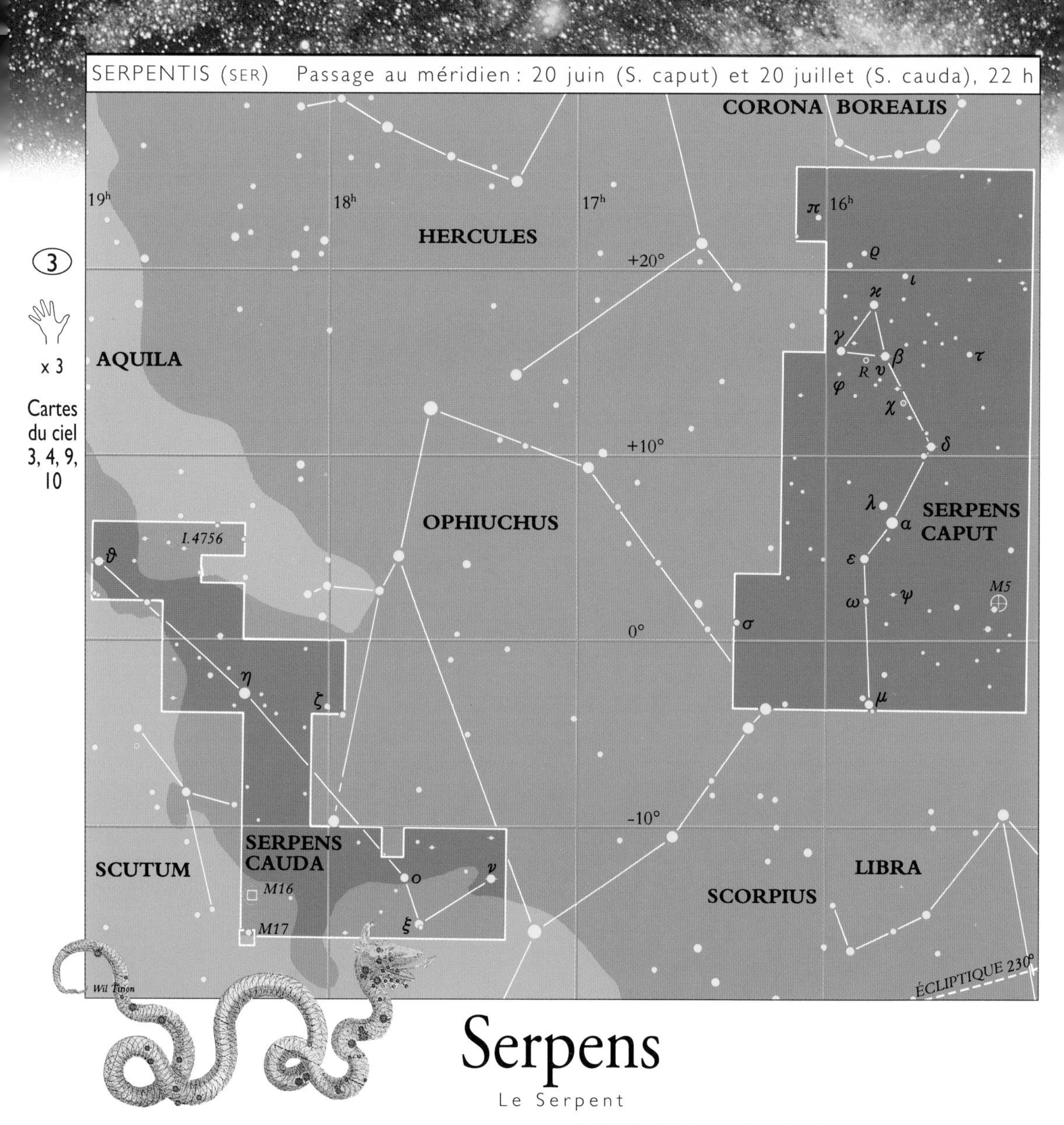

Serpens

Le Serpent

C'est la seule constellation scindée en deux parties distinctes : la Tête du Serpent (Serpens Caput) et la Queue du Serpent (Serpens Cauda), séparées par la constellation du Serpentaire (Ophiucus). Il fut un temps où le Serpent et le Serpentaire ne formaient qu'une seule et même constellation. Les Hébreux, les Arabes, les Grecs et les Romains connaissaient déjà la constellation du Serpent.

R Serpentis Étoile de type Mira à peu près à mi-chemin entre **Bêta** (β) et **Gamma** (γ) **Serpentis.** Cette étoile oscille entre les magnitudes 6,9 et 13,4 en 357 jours.

Ci-dessus : l'étendue du Serpent est partiellement cachée par la silhouette d'Ophiucus.
À gauche : M 5, amas globulaire de magnitude 5, dans la Tête du Serpent, est l'un des plus beaux de la voûte céleste.

La nébuleuse de l'Aigle doit son nom aux structures de poussières sombres visibles au centre de la photographie et dont la silhouette évoque un aigle.

M 5 Étonnant amas globulaire situé à 26 000 années-lumière.

Nébuleuse de l'Aigle Vu à travers un télescope de 200 mm ou plus, cet ensemble de nébuleuses et d'amas d'étoiles est vraiment exceptionnel.

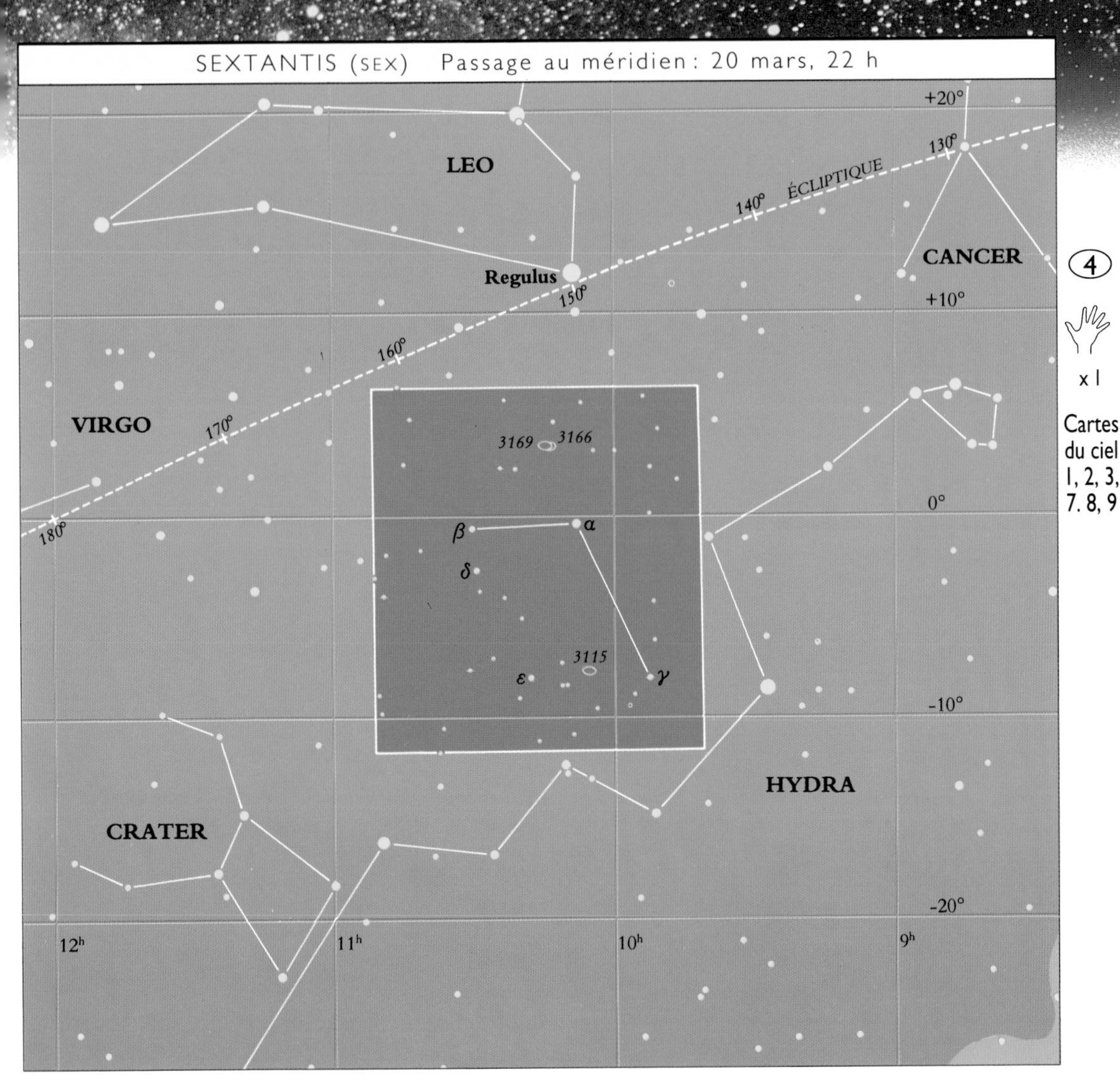

4

x 1

Cartes du ciel 1, 2, 3, 7. 8, 9

Sextans

Le Sextant

Sextans Uraniae, connue de nos jours sous l'appellation simplifiée de Sextans – le Sextant –, est une constellation introduite par Johannes Hevelius.
Il lui donna ce nom pour commémorer la perte de ses instruments, qui furent détruits dans un incendie en septembre 1679.
« Vulcain triomphe d'Uranie », fit-il remarquer tristement. Le dieu du Feu avait vaincu la muse de l'Astronomie !
Placée entre la constellation du Lion et celle de l'Hydre, l'étoile la plus brillante de Sextans (de magnitude 4,5) est à peine visible à l'œil nu. Ce qui n'a pas empêché les Chinois de choisir l'une des plus faibles étoiles de cette constellation pour représenter Tien Seang, le ministre d'État des cieux.

Galaxie du Fuseau (NGC 3115)
Vue par la tranche, cette galaxie de magnitude 10, classée entre les elliptiques et les spirales, ressemble à une lentille.
Contrairement à de nombreuses galaxies faibles, le Fuseau offre un spectacle assez satisfaisant avec un télescope à grande puissance.

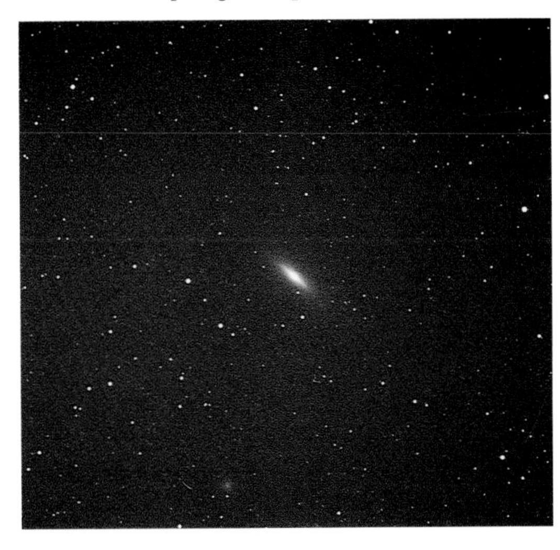

La galaxie NGC 3115 est aussi visible dans un télescope d'amateur que sur les photographies, à l'exception, peut-être, de ses extrémités pointues.

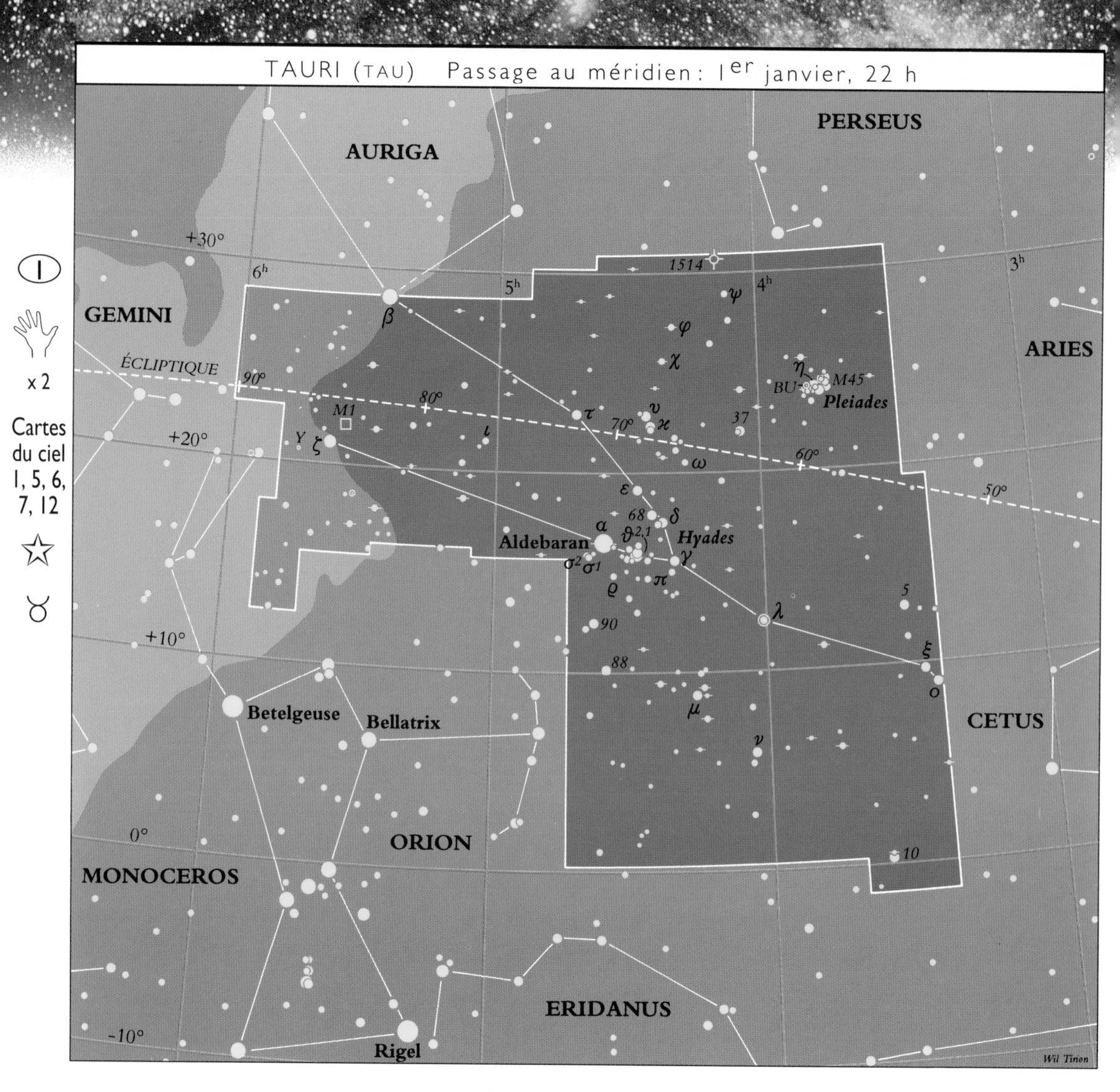

Taurus

Le Taureau

Au nord-ouest d'Orion, le Taureau est une importante constellation boréale abritant les deux plus grands amas d'étoiles que l'on puisse voir à l'œil nu, les Hyades et les Pléiades.
Les Chaldéens y voyaient déjà un taureau.
Le taureau, symbole de force et de fertilité, est objet de culte depuis la nuit des temps. Les Égyptiens adoraient Apis, le taureau de Memphis, en qui ils voyaient une réincarnation d'Osiris. Quant aux Hébreux, ils vouaient un culte au Veau d'or.
Des statues de taureaux ailés gardaient les portes des palais assyriens.
Les Grecs de la période classique ont souvent représenté Zeus sous l'aspect d'un taureau.
Une légende raconte que Zeus tomba amoureux de la très belle Europe, fille d'Agénor, roi de Tyr, et de Téléphassa, un jour qu'il la vit jouer sur la plage. Impressionné par sa beauté, il se transforma en un taureau d'une blancheur immaculée, aux cornes en croissant de lune. Lorsque la jeune fille s'approcha de lui, le taureau s'agenouilla.
Elle monta alors sur son dos, accrochant à ses cornes des couronnes de fleurs. Le taureau bondit et l'emporta vers la mer. Il nagea jusqu'en Crète, où Zeus s'unit à Europe. De leurs amours naquirent trois fils, dont l'un, Minos, devint roi de Crète.
Dans la constellation, seul l'avant du corps du Taureau, émergeant des vagues, est visible.

Représentation de la silhouette du Taureau sur une fresque du palais Schifanoia à Ferrare, en Italie, par Francesco del Cossa (1436-1478).

Les Sept Sœurs des Pléiades, baignées dans la nébuleuse par réflexion, offrent une spectacle éblouissant. À gauche : une carte de la région des Pléiades.

J'ai vu les Pléiades qui scintillaient comme un essaim de lucioles enchevêtrées sur une tresse d'argent.

LORD TENNYSON, *Locksley Hall.*

Les Pléiades (M 45) Amas ouvert le plus célèbre du ciel, il forme l'épaule du Taureau.
Les Pléiades sont sept sœurs, filles d'Atlas, le Géant, et de Pléioné. Poursuivies par le chasseur Orion, elles implorèrent l'aide de Zeus, qui les transforma en colombes et les plaça dans le ciel. Alcyoné (Êta [η] Tauri) est la plus éblouissante. Elle est accompagnée de ses sœurs Maia (20 Tauri), Astéropé I et II (étoile double 21 Tauri), Taygètè (19 Tauri), Célaeno (16 Tauri) et Électre (17 Tauri). La dernière des sœurs, Méropé (23 Tauri), est une étoile entourée d'un beau nuage de poussières formant une nébuleuse bleue par réflexion. Atlas (ou Pater Atlas, 27 Tauri) et Pléioné (Mater Pleione, 28 Tauri) sont les parents des Pléiades.
Les Indiens d'Amérique voient dans les Pléiades sept jeunes gens qui se perdirent dans le ciel et ne retrouvèrent jamais leur chemin. Condamnés à rester sur place, ils se tiennent serrés les uns contre les autres et sont malaisés à discerner, car leurs larmes affaiblissent leur éclat.
Par une nuit relativement sombre, on peut voir à l'œil nu au moins six des étoiles des Pléiades. Dans de meilleures conditions, on en dénombre neuf. Les Pléiades, qui abritent plus de cinq cents étoiles, sont situées à 410 années-lumière. Elles couvrent une superficie apparente quatre fois plus grande que celle de la Lune.

Les Hyades Comme les Pléiades, il s'agit d'un amas ouvert, mais il est si proche de nous (150 années-lumière) que, même à l'œil nu, il paraît étalé. Les étoiles des Hyades forment la tête du Taureau.

Aldébaran (Alpha [α] Tauri) Géante orange, l'étoile la plus brillante du Taureau. Son nom, d'origine arabe, signifie « qui suit » (les Pléiades). Située à seulement 60 années-lumière, elle représente l'œil du Taureau.

Nébuleuse du Crabe (M1) Nébuleuse située à l'emplacement d'une supernova aperçue en 1054. Elle est nettement visible avec un télescope de 100 mm, mais sa structure complexe n'est véritablement détectée que sur des photographies à fort agrandissement.

M 1, la fameuse nébuleuse du Crabe, apparaît comme une lueur ovale de 5' avec un petit télescope.

TELESCOPII (TEL) Passage au méridien : 10 août, 22 h

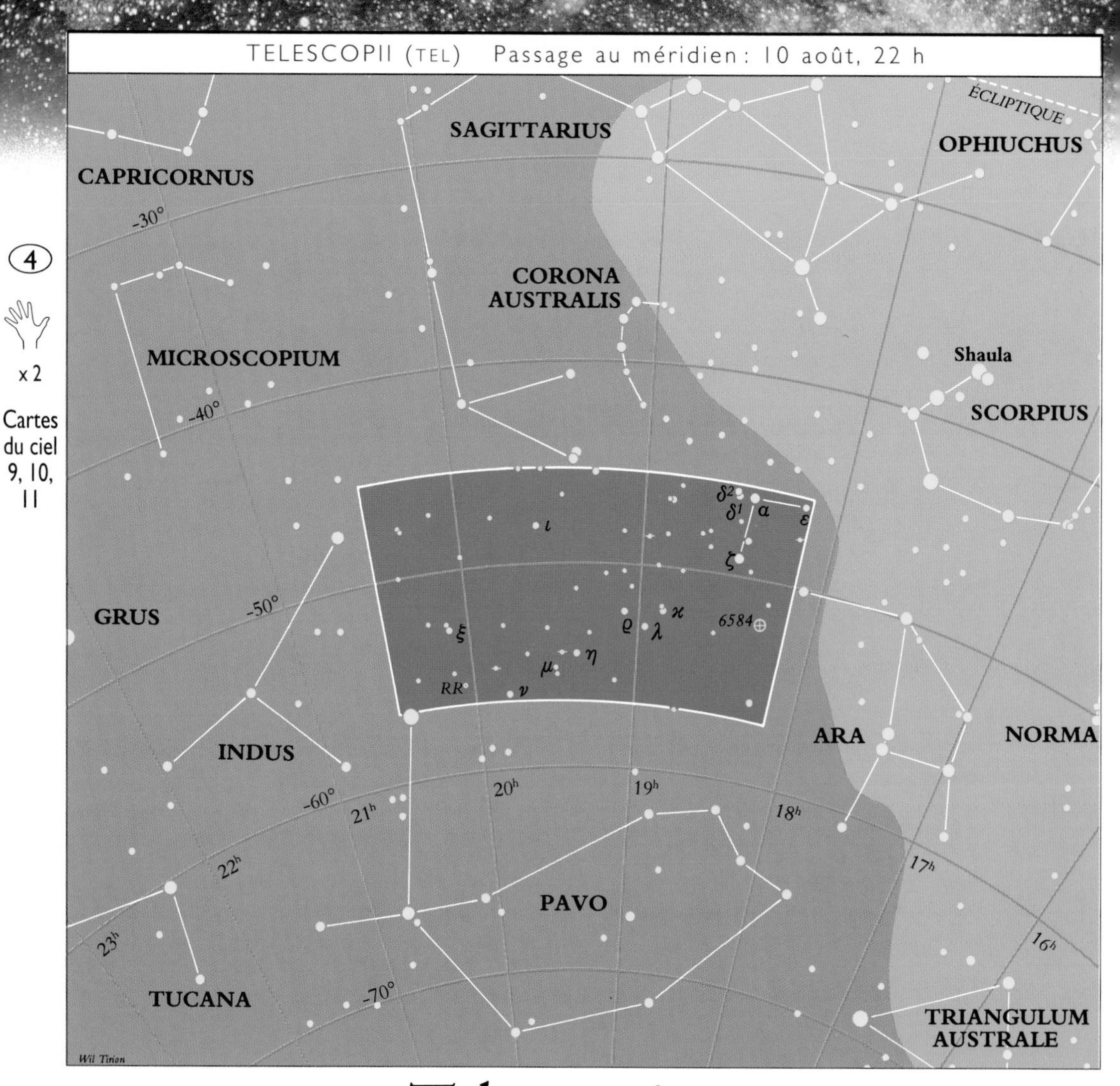

4

x 2

Cartes du ciel 9, 10, 11

Telescopium

Le Télescope

Cette constellation, introduite au XVIIe siècle par Nicolas Louis de La Caille, reçut le nom de Tubus Telescopium en l'honneur de l'invention du télescope. Ce fut le seul grand télescope de l'espace jusqu'au lancement du télescope Hubble en 1990 ! Le Télescope est entouré par le Sagittaire, le Serpentaire, la Couronne australe et le Scorpion. La Caille n'hésita pas à « emprunter » quelques étoiles à ces constellations pour créer son Télescope.

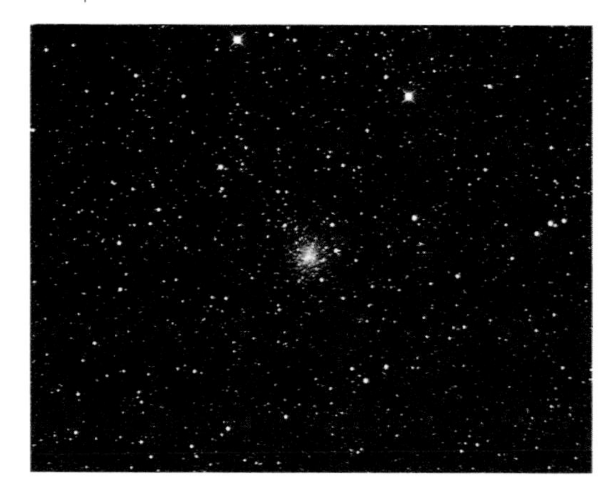

NGC 6584 est un amas globulaire de magnitude 9 et de 6' de diamètre. Cette image a été obtenue avec un télescope de 250 mm.

RR Telescopii

Trop faible pour être observée avec un petit télescope, c'est pourtant l'une des novae les plus intéressantes. Avant 1944, elle oscillait entre les magnitudes 12,5 et 15, en treize mois ; à partir de cette date, elle culmina à la magnitude 6,5 (en cinq ans), puis déclina et retrouva sa période de treize mois. On pense qu'il s'agit d'un système binaire : la grande étoile rouge serait responsable des variations mineures, l'étoile la plus petite et la plus chaude provoquerait le phénomène de nova.

Une simple lunette, témoin de l'importance des instruments astronomiques (le Miroir d'Uranie, *1825*).

TRIANGULI (TRI) Passage au méridien : 20 novembre, 22 h

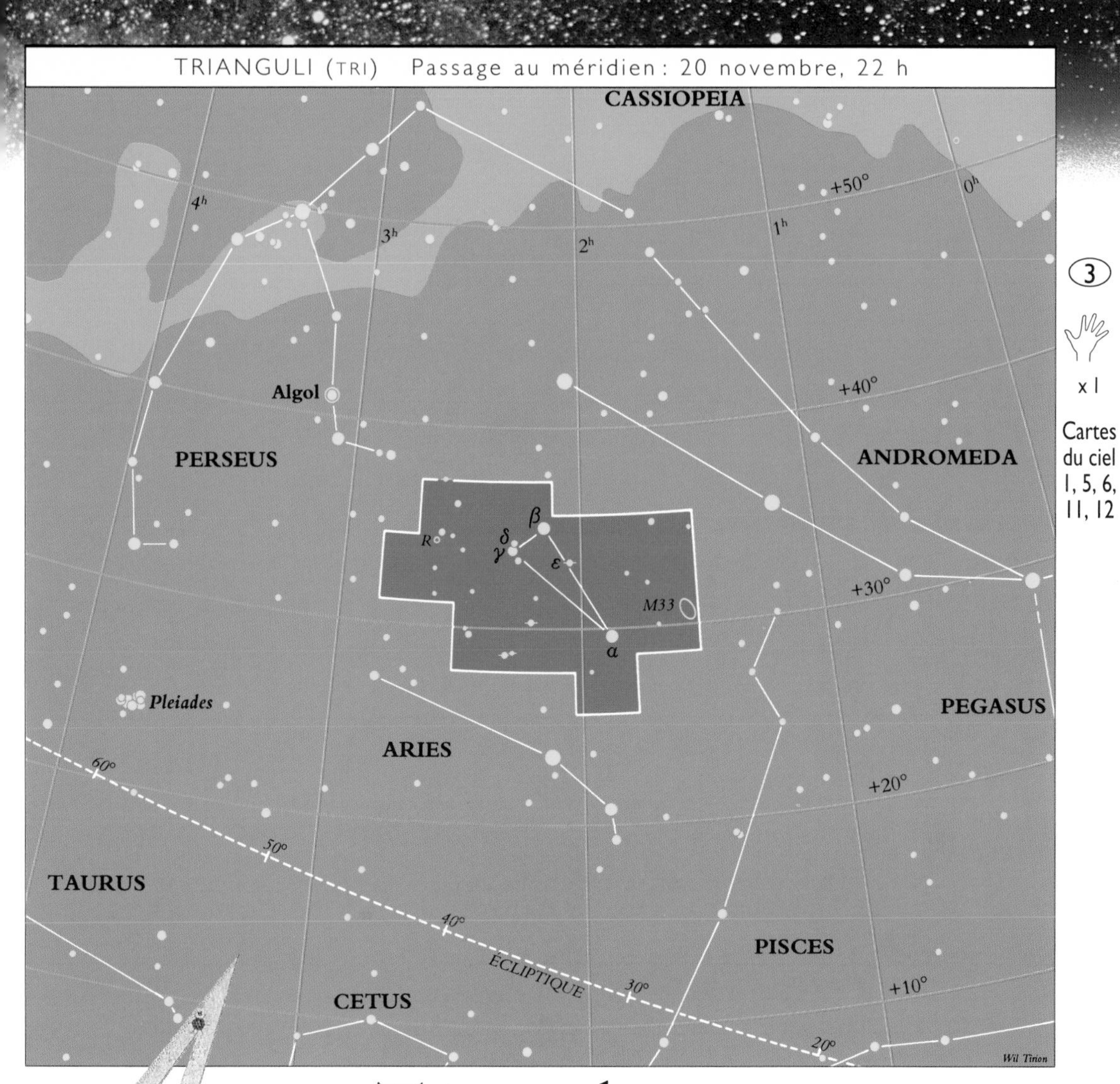

3

x 1

Cartes du ciel 1, 5, 6, 11, 12

Triangulum

Le Triangle

Le Triangle est une petite constellation située juste au sud d'Andromède, au voisinage de Bêta (β) et de Gamma (γ) Andromedae. Malgré son absence de signe distinctif, ce groupe d'étoiles était connu des Anciens.
Sa similitude avec la lettre grecque delta (Δ) la fit primitivement nommer Delta ou Deltotum.
Elle était associée au delta du Nil ou assimilée à l'île de Sicile, qui a la forme d'un triangle.
Les Hébreux lui donnèrent le nom d'un instrument de musique, le triangle.

M 33

L'un des plus grands et des plus brillants membres du Groupe local.
C'est une galaxie de magnitude 5,5, mais comme sa lumière est dispersée sur une grande surface, il est très difficile de la voir.
On peut certes l'apercevoir à l'œil nu par une nuit claire, mais il faut une nuit noire (sans lune et sans lumière environnante) et de bonnes jumelles pour détecter une lueur floue, plus étendue que le diamètre apparent de la Lune.
Un télescope à grand champ la met bien en évidence, alors qu'il est impossible de la voir avec un petit champ.

En haut, à gauche : Le Triangle représenté d'une manière très simple par Bayer dans Uranometria *(1603).*
Ci-dessous : M 33, galaxie spirale, est la troisième du Groupe local par ordre d'importance, après la Voie lactée et Andromède.

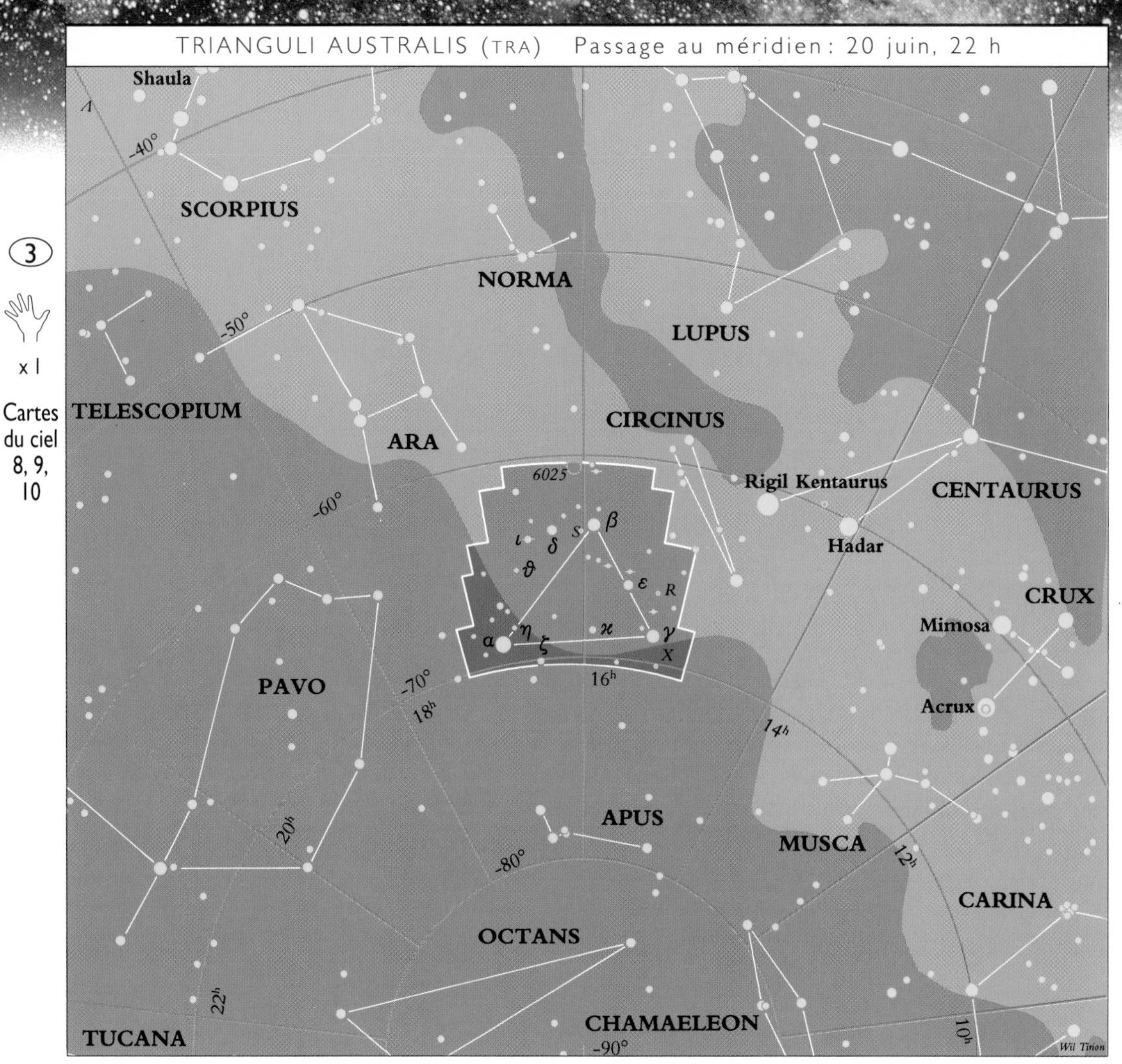

3

x 1

Cartes du ciel 8, 9, 10

Triangulum Australe

Le Triangle austral

Figure simple à trois côtés, très loin dans le ciel austral, le Triangle austral apparaît pour la première fois en 1603, dans le grand atlas de Bayer, *Uranometria.* Il se trouve au sud de la constellation de la Règle et à l'est du Compas – outils indispensables aux charpentiers et aux navigateurs.

R Trianguli Australis
L'une des céphéides de la constellation, cette intéressante étoile oscille entre les magnitudes 6 et 6,8. Sa période est connue avec précision : 3,389 jours. Comme cette céphéide varie très rapidement, il est intéressant de mesurer son évolution au moins une fois par nuit.

S Trianguli Australis
Autre céphéide brillante, elle varie entre les magnitudes 6,1 et 6,7 avec une période de 6,323 jours.

NGC 6025
Petit amas ouvert d'environ trente étoiles de magnitude 9, avec des étoiles de champs plus faibles.

Petite constellation facile à identifier, le Triangle austral est le pendant austral de la constellation du Triangle. Alpha (α) Centauri (en bas à droite) surpasse en éclat les trois étoiles les plus brillantes de la constellation.

TUCANAE (TUC) Passage au méridien : 20 octobre, 22 h

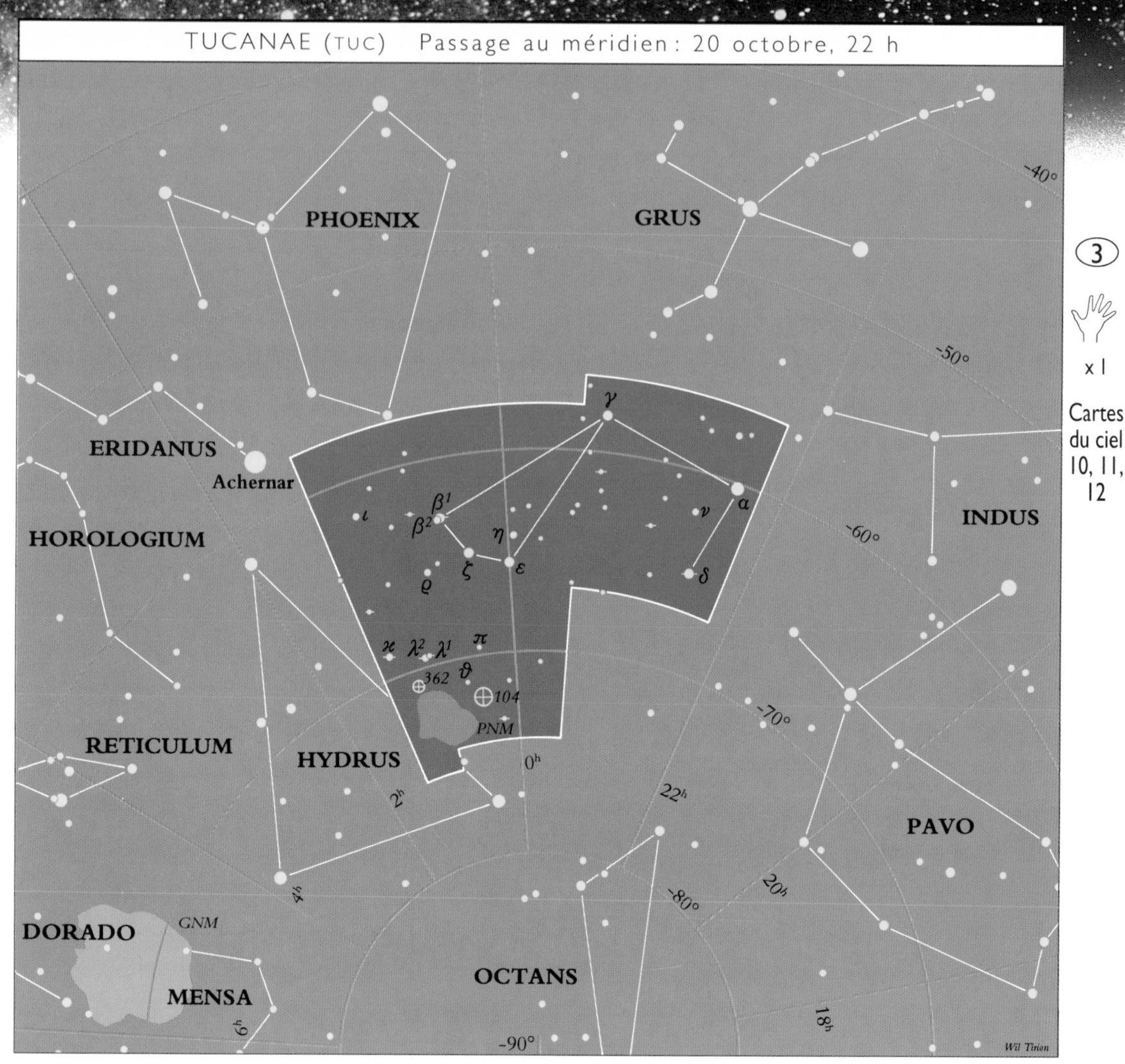

3

x I

Cartes du ciel 10, 11, 12

Tucana

Le Toucan

C'est Johann Bayer qui donna son nom à la constellation du Toucan.
Les toucans sont de grands oiseaux grimpeurs d'Amérique tropicale, de la famille des ramphastidés, à bec gros et très long, vivement coloré.
On a souvent représenté le Toucan posé sur le Petit Nuage de Magellan (une des deux galaxies les plus proches), qu'il couve comme un œuf.

Le Toucan, vu par Johann Bayer dans Uranographia *(1801).*

47 Tucanae (NGC 104)

De son perchoir, à 16 000 années-lumière, ce magnifique amas globulaire brille avec la magnitude 4,5.
Il est visible à l'œil nu par ciel obscur, mais c'est avec un télescope de 100 mm, ou plus, que l'on tire le meilleur parti de cet amas, qui rivalise avec Oméga (ω) Centauri pour le titre du plus bel amas globulaire du ciel.

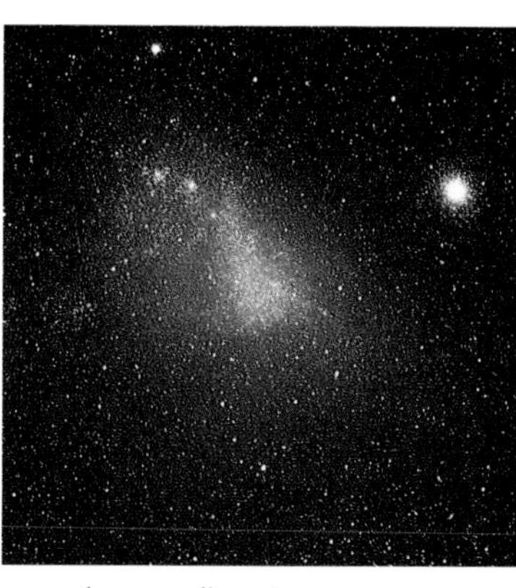

Le Petit Nuage de Magellan (PNM) et le spectaculaire amas globulaire 47 Tucanae. NGC 362, amas globulaire plus petit et plus faible, se trouve au nord du Petit Nuage.

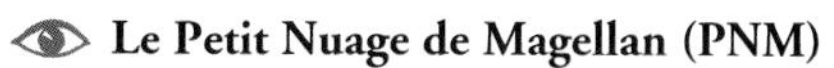

Le Petit Nuage de Magellan (PNM)

Membre de notre Groupe local, cette galaxie est visible à l'œil nu, par une bonne nuit, avec 47 Tucanae à son côté.
Situé à un peu moins de 200 000 années-lumière, ce nuage s'étend sur 30 000 années-lumière.

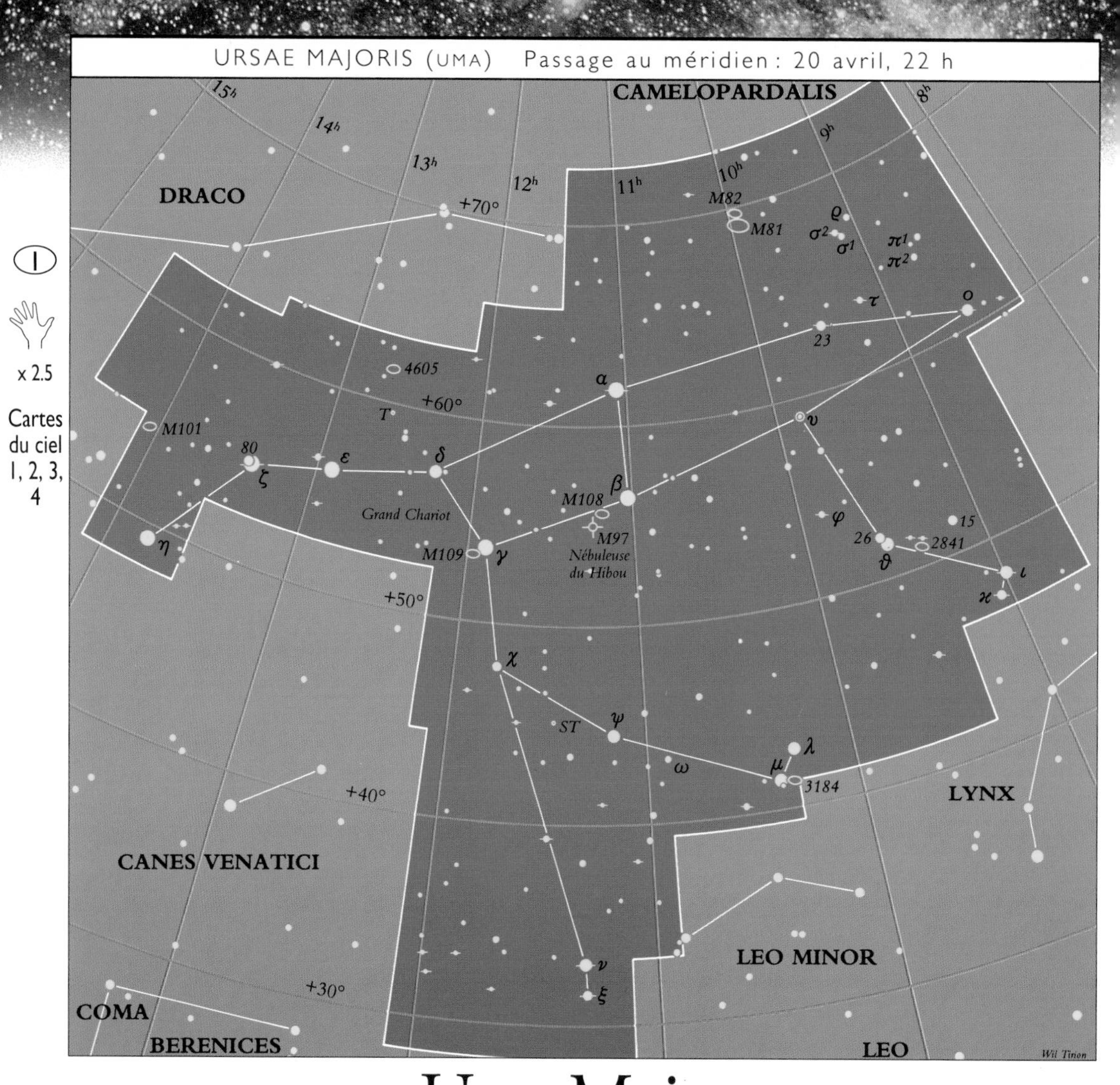

1

x 2.5

Cartes du ciel 1, 2, 3, 4

Ursa Major

La Grande Ourse ou le Grand Chariot

Ursa Major, la Grande Ourse, l'une des plus anciennes constellations, est aussi la mieux connue. De nombreuses légendes lui sont associées. Le groupe des sept étoiles qui lui vaut l'appellation de Grand Chariot – ou de Grande Casserole – est fort célèbre. Les Indiens Cherokees voyaient dans le manche de la Casserole une troupe de chasseurs poursuivant un ours, depuis l'instant où il est haut dans le ciel, au printemps, jusqu'au moment où il décline, dans les soirées d'automne. Au crépuscule, l'ours et ses chasseurs se déplacent chaque jour un peu plus vers l'ouest. Les Iroquois de la vallée du Saint-Laurent, au Canada, et les Micmacs de Nouvelle-Écosse ont à son sujet une histoire plus élaborée. L'ours est chassé par sept guerriers.
La chasse commence chaque printemps, quand l'ours quitte la Couronne boréale, sa tanière, pour ne s'achever qu'à l'automne. Le squelette de l'ours reste dans le ciel jusqu'au printemps suivant où un nouvel ours émerge de la Couronne boréale, et la chasse recommence. Les Sioux du centre de l'Amérique du Nord voient dans l'ours un putois à longue queue. Pour les anciens Chinois, les étoiles du Chariot formaient un boisseau destiné à répartir équitablement la nourriture en période de famine. Les Britanniques, de leur côté, prenaient le Grand Chariot pour celui du roi Arthur, tandis que les peuples germaniques considéraient ce groupe d'étoiles comme une charrette tirée par trois chevaux. Les Romains, enfin, imaginaient un attelage de sept bœufs conduits par Arcturus vers le pôle. Dans la mythologie grecque, Zeus eut de la

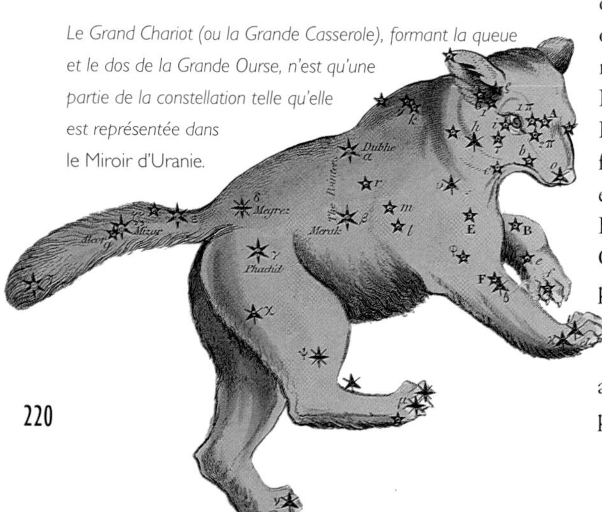

Le Grand Chariot (ou la Grande Casserole), formant la queue et le dos de la Grande Ourse, n'est qu'une partie de la constellation telle qu'elle est représentée dans le Miroir d'Uranie.

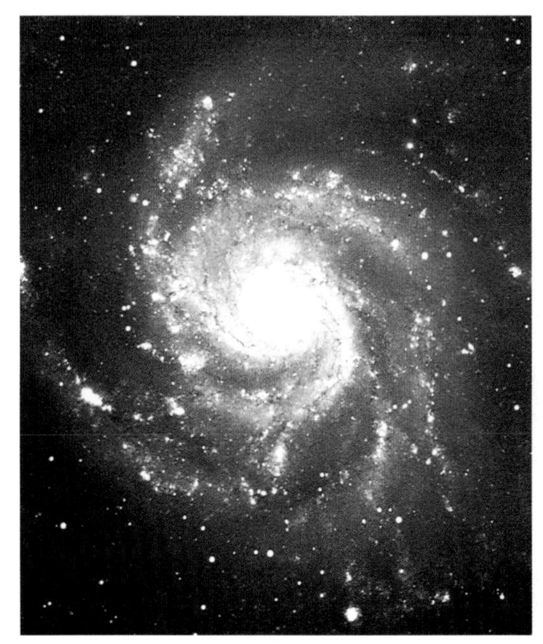

(À gauche) M 101, une galaxie spirale parmi les plus grandes et les plus brillantes du ciel. En ce qui concerne l'étendue, la constellation de la Grande Ourse vient en troisième position. Le Grand Chariot (ou Grande Casserole) est sa partie la plus connue.

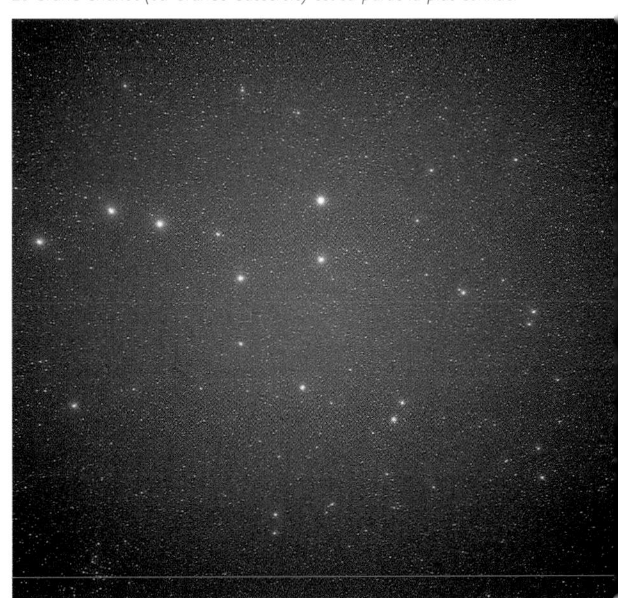

mortelle Callisto un fils nommé Arcas. Héra, la femme de Zeus, sous l'empire de la jalousie, transforma Callisto en ourse. Le jour où Arcas partit chasser et faillit tuer sa mère, Zeus décida d'installer Callisto dans les cieux, en compagnie de son fils, également transformé en ours par la même occasion. Callisto est la Grande Ourse, Arcas, la Petite Ourse.

Mizar (Dzêta [ζ] Ursa Majoris) et Alcor C'est une étoile double apparente, au milieu du manche de la Casserole. Les deux étoiles, séparées par 12', peuvent être discernées à l'œil nu. Mizar elle-même est une vraie binaire séparée par 14".

M 81 Galaxie spirale facilement décelable avec des jumelles, même en ville. Observée dans de bonnes conditions, elle est spectaculaire. Son disque ovale se fait de plus en plus apparent avec des télescopes de pouvoir croissant.

M 82 Galaxie irrégulière, longue et fine située à 0,5° de M 81. Elle apparaît comme une nébulosité grise dans un télescope de 100 mm, mais commence à dévoiler quelques détails dans un télescope de 200 mm ou plus. Même dans les grands télescopes ou sur les photographies, il est difficile de dire de quel type de galaxie elle fait partie.

M 101 Galaxie spirale aux bras étirés visible dans les petits télescopes lorsque le ciel est suffisamment noir. Elle nécessite un grand champ et un oculaire à faible pouvoir de résolution. Située à 16 millions d'années-lumière, c'est l'une des galaxies les plus proches de la Voie lactée.

Nébuleuse du Hibou (M 97) Nébuleuse planétaire ovale qui prend l'aspect d'un hibou quand elle est vue avec un télescope de 300 mm. Étendue et, par conséquent, faible, elle nécessite un télescope de 75 mm.

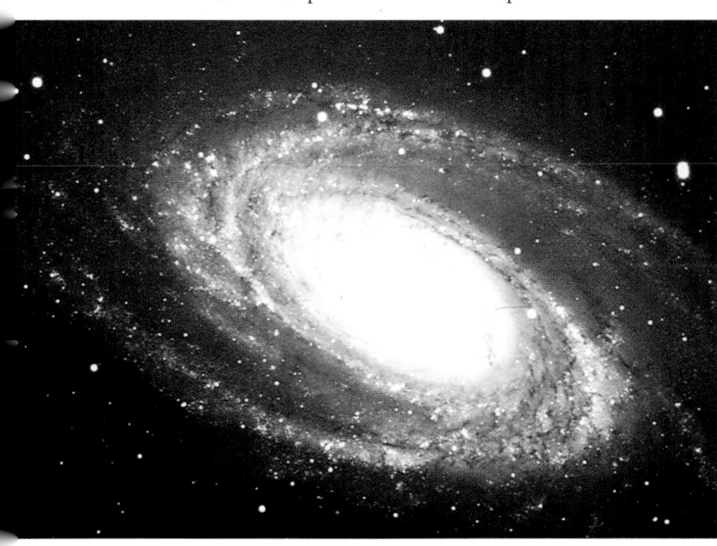

M 81, une galaxie spectaculaire, est probablement une bonne représentation de la Voie lactée vue de l'extérieur.

URSAE MINORIS (UMI) Passage au méridien : 10 juin, 22 h

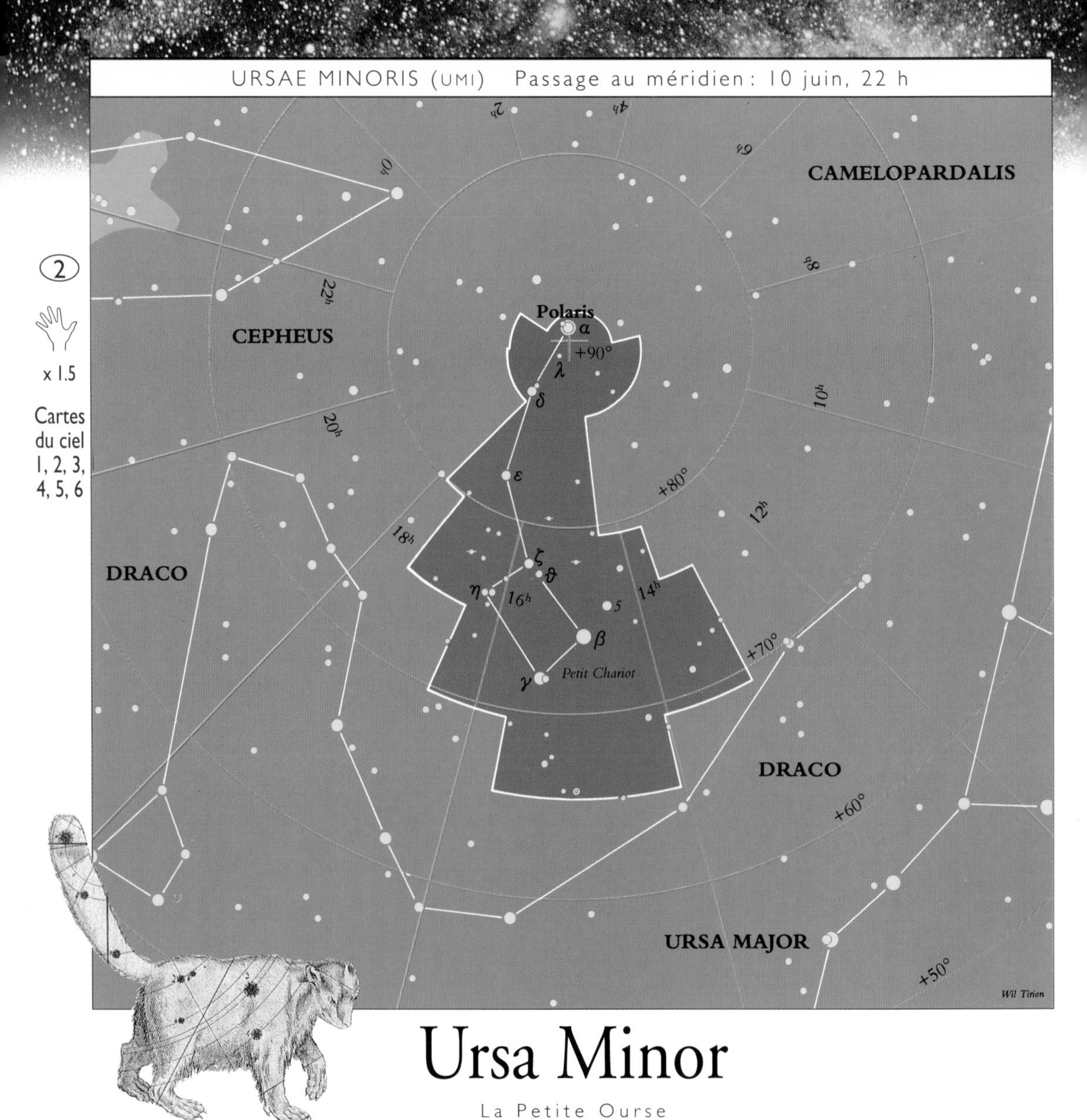

2

x 1.5

Cartes du ciel 1, 2, 3, 4, 5, 6

Ursa Minor

La Petite Ourse

Également connue sous les noms de Petit Chariot ou de Petite Casserole, la Petite Ourse évoque une cuillère dont le manche serait recourbé vers l'arrière. Ce groupe d'étoiles fut reconnu comme constellation en 600 avant J.-C par l'astronome grec Thalès.
Selon la mythologie grecque, la Petit Ourse représente Arcas, le fils de Callisto, la Grande Ourse. Placés dans le ciel par Zeus, Arcas et sa mère tournent sans fin autour du pôle Nord céleste.

Polaris (Alpha [α] Ursa Minoris)
Étoile Polaire de l'hémisphère Nord, cette variable céphéide est actuellement située à 1° du pôle.
La précession terrestre amènera le pôle à moins de 27' de cette étoile vers l'an 2100, puis l'éloignera à nouveau. L'étoile Polaire, située à 820 années-lumière, a un compagnon à 18,5".
Séparer cette paire est un bon test pour un télescope de 75 mm.

En haut, à gauche :
La Petite Ourse, vue par Bayer dans Uranometria *(1603), le premier atlas « moderne ».*

Ci-dessous : Les étoiles assez faibles de la Petite Ourse font la ronde autour de l'étoile Polaire.

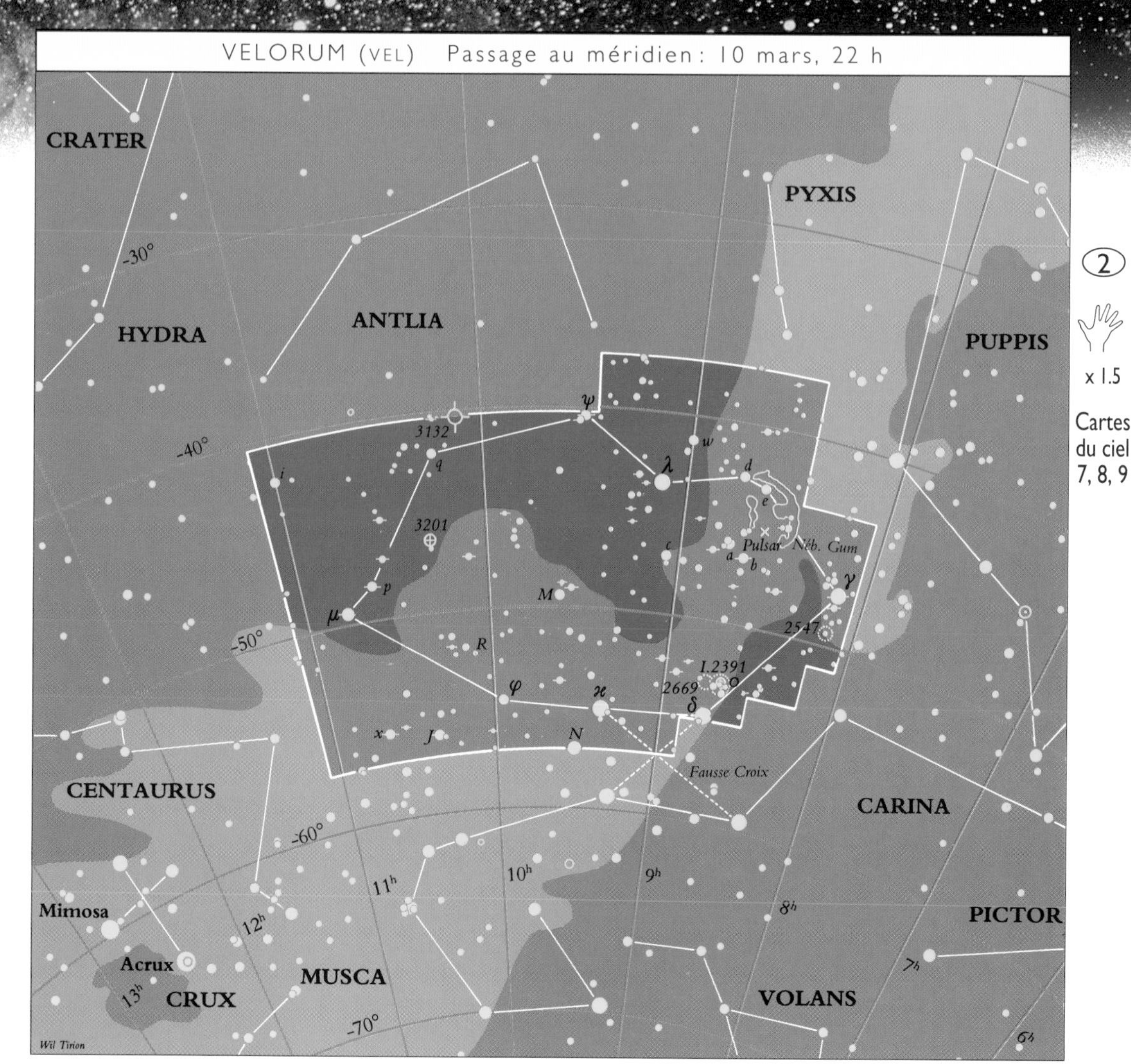

2

x 1.5

Cartes du ciel 7, 8, 9

Vela

Les Voiles

Cette constellation, ainsi que celles de la Carène, de la Poupe et de la Boussole, faisait partie d'un énorme groupe d'étoiles du ciel austral, connu sous le nom d'Argo Navis, le vaisseau sur lequel Jason et les Argonautes naviguèrent à la recherche de la toison d'or. Nicolas Louis de La Caille répartit ces étoiles en quatre constellations. Vela n'a ni étoile Alpha (α) ni étoile Bêta (β).

La Fausse Croix : Delta (δ) et **Kappa** (κ) **Velorum,** avec **Epsilon** (ε) et **Iota** (ι) **Carinae,** forment une version plus grande, mais plus faible de la Croix du Sud, connue sous le nom de Fausse Croix.

Gamma (γ) **Velorum** Cette étoile double peut être résolue avec une bonne paire de jumelles. L'une des étoiles est une étoile de Wolf-Rayet, très chaude et très lumineuse.

NGC 3132 Cette nébuleuse planétaire brillante voisine avec les amas de la constellation des Voiles. De magnitude 8 et de diamètre 1', elle est considérée comme la version méridionale de la nébuleuse de l'Anneau de Lyra, mais avec une étoile centrale beaucoup plus brillante.

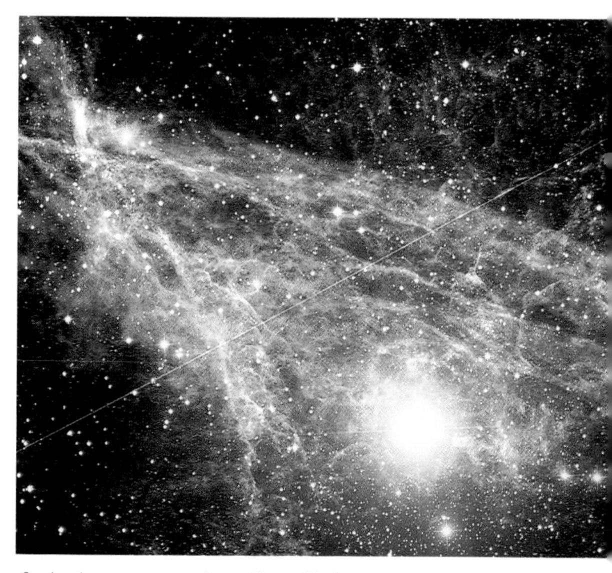

Sur la photo, une trace de satellite artificiel traverse une partie de la nébulosité. Cette nébulosité très étendue est le reste d'une supernova.

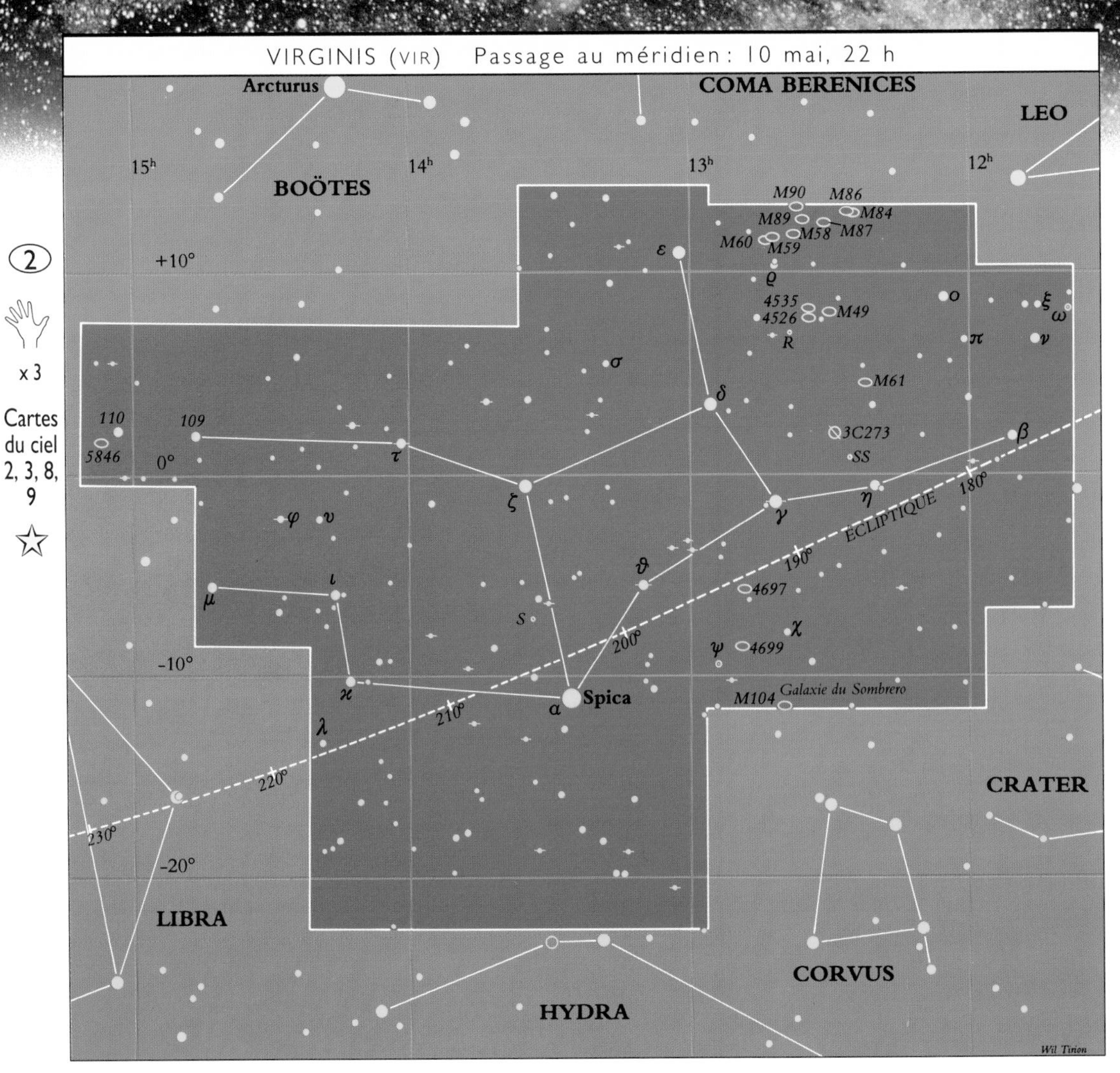

2

x 3

Cartes du ciel 2, 3, 8, 9

☆

Virgo

La Vierge

Virgo, la Vierge, est le seul personnage féminin de toutes les constellations du zodiaque. On l'associe à un grand nombre de divinités : Ishtar, la déesse babylonienne de la Fertilité ; Astrée, divinité grecque de la justice ; Déméter, déesse grecque de la Fertilité (identifiée avec Cérès à Rome). La Vierge est habituellement représentée avec un épi de blé à la main, ou avec la balance de Libra, la constellation voisine.

Spica (alpha [α] Virginis) Étoile brillante, blanche, elle représente l'épi de blé que tient la Vierge. Cette étoile, de magnitude 1, varie légèrement. Elle est située à 220 années-lumière, et sa luminosité est deux mille fois supérieure à celle du Soleil.

La charmante Vierge telle qu'elle apparaît dans le Miroir d'Uranie *(1825).*

Porrima (Gamma [γ] Virginis) L'une des meilleures étoiles doubles du ciel, dont chaque composante est de magnitude 3,7. Avec 3" de séparation, elle est facile à résoudre. Vers l'an 2017, les deux membres du couple sembleront beaucoup plus proches.

Le Royaume des Galaxies

On trouve plus de treize mille galaxies disséminées dans les constellations de la Vierge et de la Chevelure de Bérénice. Connu sous le nom d'amas Virgo ou d'amas Coma-Virgo, cet imposant foyer de systèmes stellaires mérite d'être balayé avec un petit télescope à large champ, par une nuit sombre. Pour voir plus de détails, un télescope de 200 mm est nécessaire. On trouvera ci-contre la liste de quelques-unes de ces galaxies, mais on peut en observer bien plus.

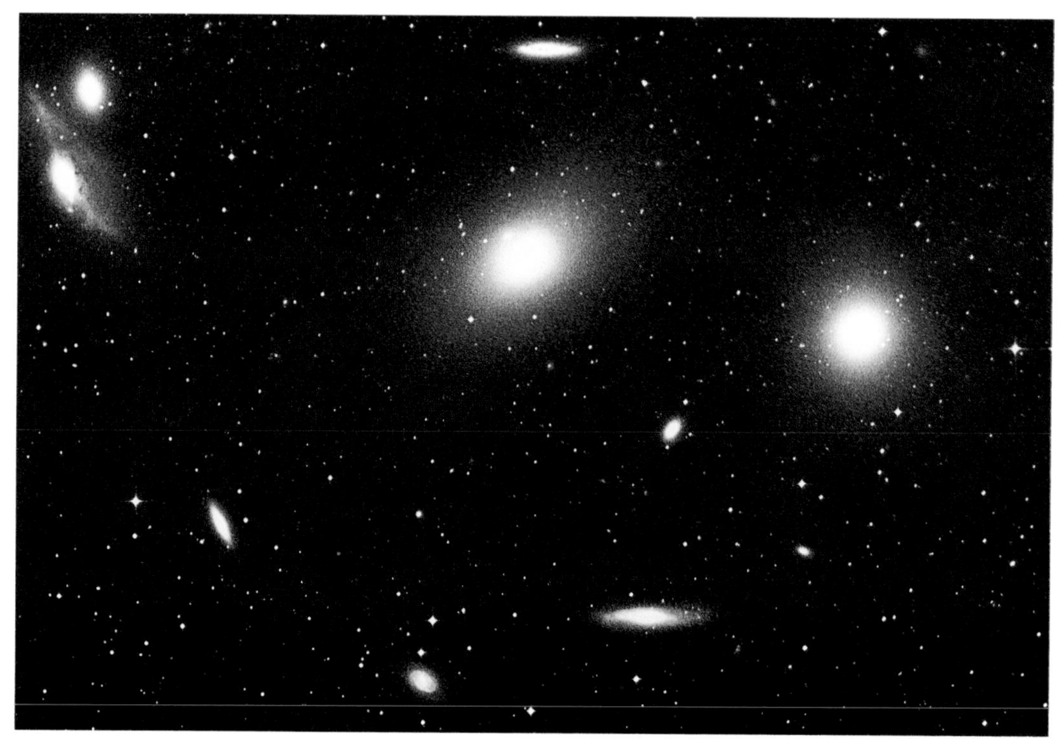

Quelques membres de l'étourdissant amas Virgo, dominé par les deux galaxies elliptiques M 86 (au centre) et M 84 (à droite). La majorité des galaxies de l'amas est à 65 millions d'années-lumière de la Terre.

M 49 Galaxie elliptique, l'une des plus brillantes de l'amas Virgo. Elle est légèrement plus grande et plus brillante que M 87.

M 84 et 86 Galaxies elliptiques suffisamment proches pour être vues dans le même champ d'un télescope de faible puissance. Avec un télescope de 200 mm, par une nuit obscure, on peut voir quelques galaxies, plus petites, dans le même champ.

M 87 Galaxie elliptique, l'une des plus puissantes que l'on connaisse. Avec un petit télescope, elle apparaît comme une tache plus lumineuse que M 84 et 86. Il faut un grand télescope pour distinguer les détails. Par exemple, avec un télescope de 1,50 m, on peut voir un jet émergeant du centre de la galaxie, et des photographies prises avec un télescope de 5 m montrent plus de quatre mille amas globulaires à sa périphérie.

Galaxie du Sombrero (M 104) Bien que cette galaxie – la plus brillante de l'amas – soit assez distante de la concentration centrale, elle semble liée à l'essaim par gravitation. Une bande noire la traverse le long de l'équateur. Vue avec un télescope de 200 mm, on dirait un chapeau mexicain.

3C 273 Virginis Quasar le plus lumineux que l'on connaisse. De magnitude 13, il nécessite un télescope de 200 mm. Situé à 3 milliards d'années-lumière, c'est l'objet le plus lointain que les amateurs puissent détecter au télescope.

La galaxie du Sombrero se présente comme une lueur de magnitude 8 et d'extension 8'. On la voit facilement dans les petits télescopes.

4

x 1

Cartes du ciel 7, 8, 12

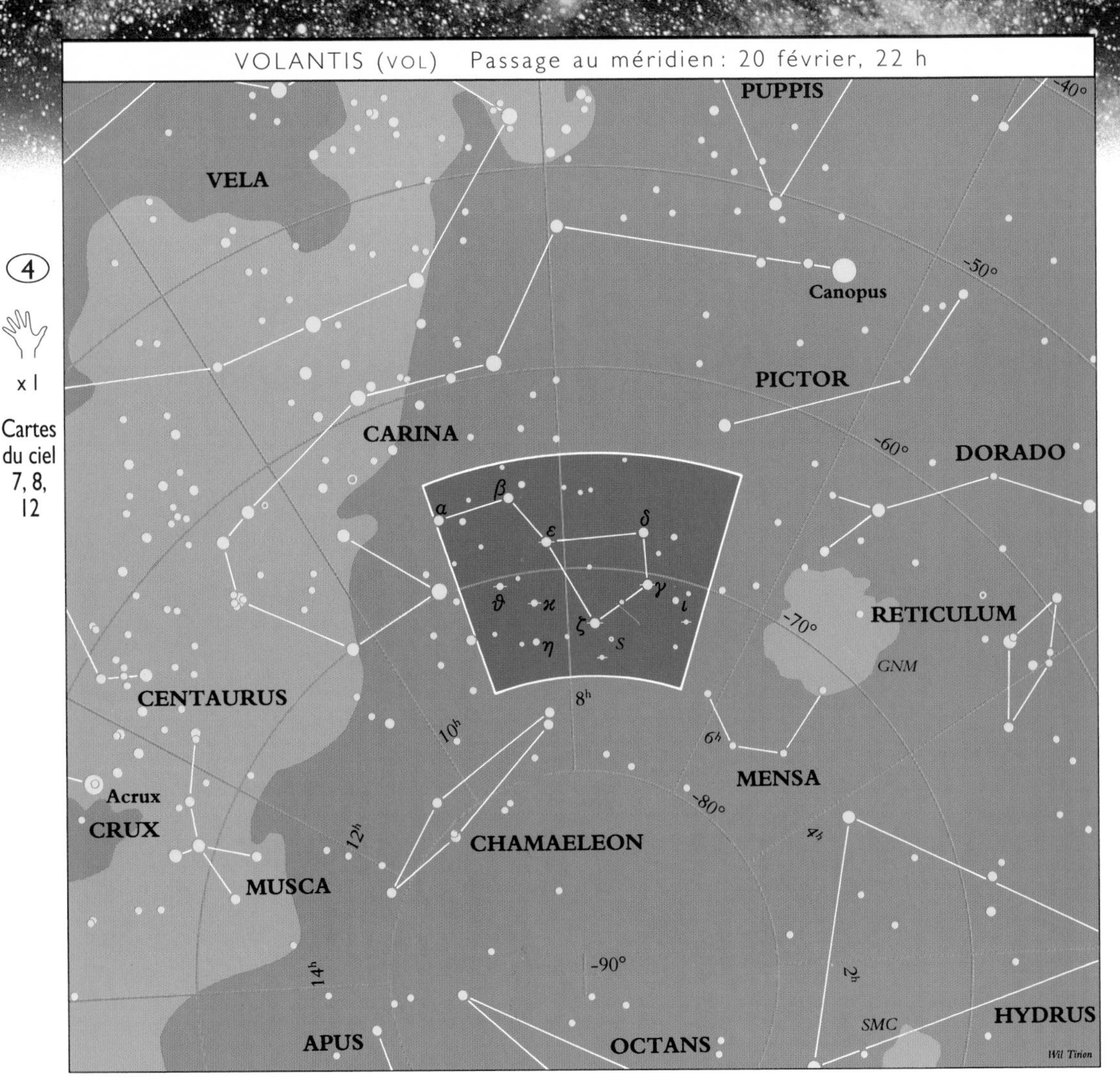

Volans

Le Poisson volant

La constellation du Poisson volant, située au sud de Canopus, fut introduite par Johann Bayer dans l'*Uranometria* en 1603. Ce nom vient probablement des récits des navigateurs parcourant les mers du Sud et mentionnant des bancs de poissons volants. Les nageoires pectorales des poissons volants sont aussi larges que des ailes d'oiseau et leur permettent de glisser sur l'eau sur plusieurs centaines de mètres.

CONSEILS À L'OBSERVATEUR

Pour photographier les étoiles et les planètes avec de longues expositions, il est très important d'aligner la monture du télescope de façon plus précise que pour l'observation visuelle. Cela vous évitera bien des maux de tête ! Il existe plusieurs méthodes pour ce faire, et quelques fabricants proposent même des télescopes d'alignement spéciaux qui peuvent être attachés à l'axe polaire d'une monture standard.

NGC 2442 est une galaxie spirale barrée de magnitude 11, vue presque de face. Sa faible brillance et sa taille en font une cible idéale pour les télescopes de 300 mm.

S Volantis Étoile de type Mira, S Volantis a généralement un maximum de magnitude 8,6, mais atteint parfois 7,7. Son minimun est de l'ordre de 13,6 ; sa période est légèrement inférieure à quatorze mois.

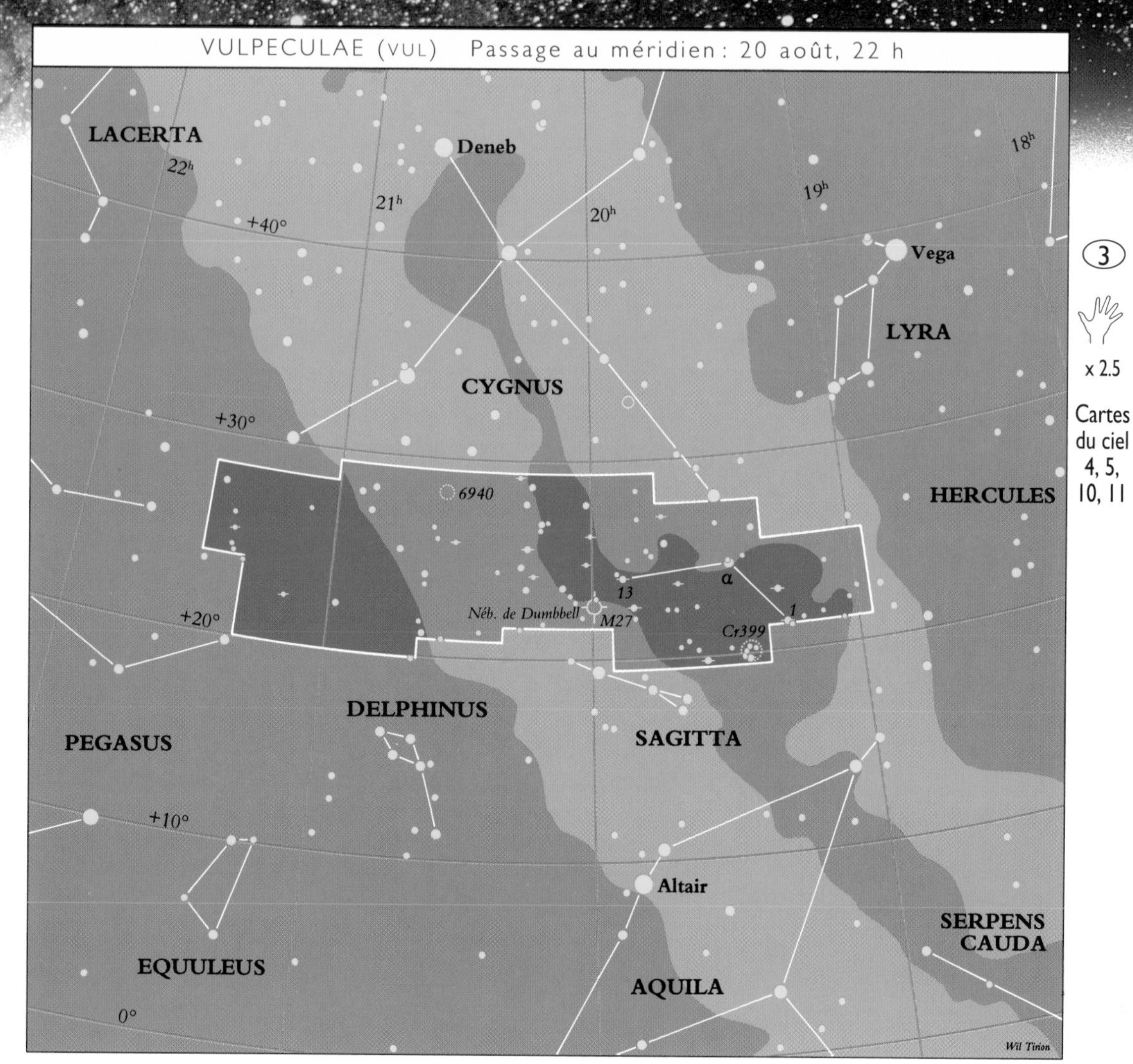

Vulpecula

Le Petit Renard

Cette constellation, introduite par Johannes Hevelius en 1690, n'est associée à aucun personnage mythique. Primitivement, l'astronome l'avait baptisée Vulpecula cum Anser, le Petit Renard et l'Oie, mais il n'en est resté que la dénomination de Renard.

Nébuleuse Dumbbell (M27)

L'une des plus fines nébuleuses planétaires, qui convient bien aux petits télescopes. Brillante et grande, elle est facile à trouver au nord de Gamma (γ) Sagittae. De magnitude 7, on peut l'observer avec des jumelles, mais elle n'est alors qu'une faible tache lumineuse. Avec un télescope, vous mettrez en valeur sa forme originale.

La nébuleuse de Dumbbell peut être vue avec tout bon télescope. Plus grand est l'instrument utilisé, plus les détails seront visibles.

Un télescope plus grand révélera son étoile centrale de magnitude 13. Bien que le gaz de cette nébuleuse se dilate à la vitesse de 27 km/s, il n'y aura pas de changement notable dans son apparence à une échelle de temps humaine.

Le Miroir d'Uranie *(1825) montre Vulpecula, le Petit Renard, avec l'oie qu'il a perdue depuis !*

CHAPITRE VI
VOYAGE DANS LE SYSTÈME SOLAIRE

Les vaisseaux spatiaux nous ont révélé que les planètes sont des mondes spécifiques. Le télescope peut nous en rapprocher et nous en donner quelques vues fascinantes.

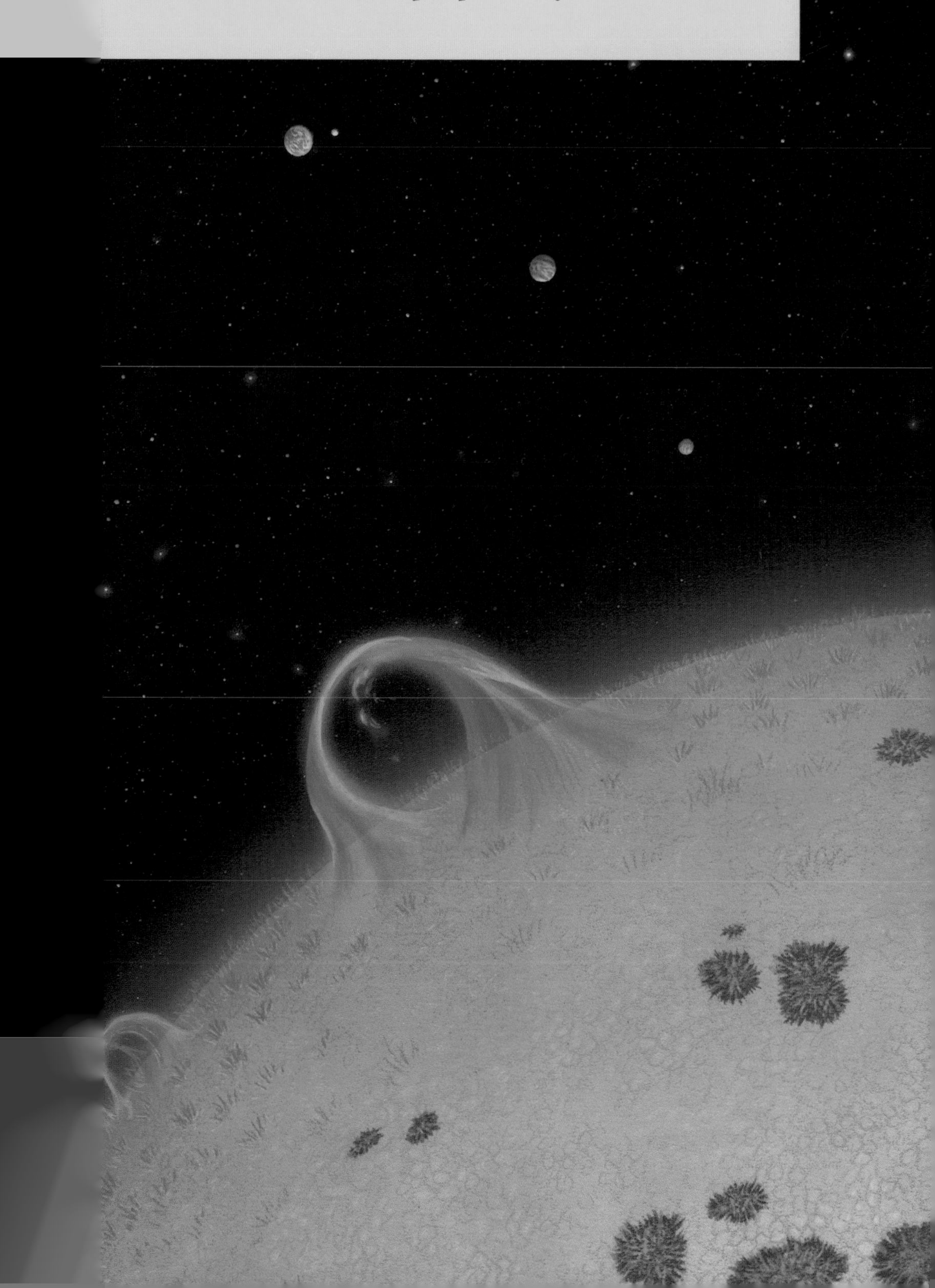

Naissance du système solaire

C'est une ancienne supernova qui entama le processus ayant abouti à la création de notre système solaire, il y a environ 4,6 milliards d'années.

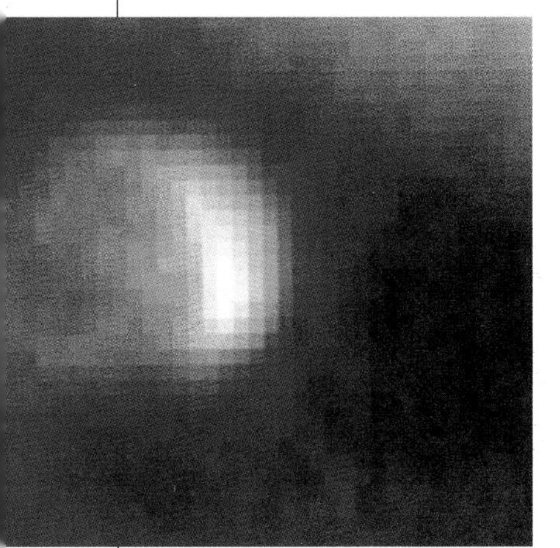

UN NOUVEAU SYSTÈME SOLAIRE ? *(à gauche) Une étoile très jeune (en rouge) dans la nébuleuse d'Orion, encore entourée de poussières, vue par le télescope spatial Hubble.*

SCÉNARIO DE FORMATION D'UNE PLANÈTE *(à droite) L'explosion d'une étoile peut déclencher la formation de planètes, à partir d'un disque de gaz et de poussières entourant le Soleil.*

Imaginez un grand nuage, froid et noir, au repos, installé dans l'espace depuis fort longtemps. Quelque part dans le voisinage, une étoile, en panne de combustible, devient instable, puis explose, projetant une grande partie de son contenu dans le nuage.

Enrichi en éléments lourds de la supernova (dont le carbone, base de la vie), le nuage commence à s'effondrer.

À mesure qu'il se contracte, il tourne de plus en plus vite, et ses particules s'agglomèrent. Sous l'effet de la gravitation, la plus grande partie de la matière tombe vers le centre, où le protosoleil se met à grossir et à chauffer.

Est-ce ainsi que le Soleil s'est formé ? Pour une raison quelconque, un nuage de gaz a commencé à s'effondrer pour former le Soleil, mais qu'est-il arrivé au reste du nuage, pendant que le Soleil grossissait ? Certains estiment que les grains de matière du disque se sont agglomérés pour former des sortes de grumeaux solides. Ces innombrables corpuscules sont entrés en collision, donnant des corps plus massifs, ou protoplanètes, devenus planètes par la suite. Pendant ce temps, quelques éléments plus petits, laissés pour compte, ont évolué vers l'état de comètes. D'après d'autres, il existait de nombreuses protoplanètes. Elles ont commencé par grossir, puis se sont fractionnées sous l'effet des collisions avec des objets plus petits.

Seules quelques-unes, parmi les plus grosses, ont pu se consolider et se refroidir, devenant ainsi les neuf planètes que nous connaissons.

Le disque de matière a continué à tourner, et la température à monter. Alors que son centre – le Soleil – « s'allumait », les restes du nuage s'éjectaient au loin, laissant un système solaire nouveau-né composé de planètes intérieures chaudes, blotties près du Soleil, de planètes extérieures, plus grandes et plus froides, de quelques petites comètes gelées, aux confins du système, et d'un grand nombre de débris rocheux. Tout cela prit très peu de temps, astronomiquement parlant, bien sûr. On estime qu'il s'est écoulé moins de cent millions d'années entre l'instant où le nuage a commencé à se contracter et celui où le Soleil s'est mis à « brûler ».

Alors que le soleil dépassait le zénith s'installa la nuit, et, quand tout s'obscurcit, les tigres mangèrent le soleil. *Codex Chimalpopoca.*

DISTANCES RELATIVES DES PLANÈTES AU SOLEIL *(ci-dessous) De gauche à droite : le Soleil, Mercure, Vénus, la Terre, Mars, la ceinture d'astéroïdes, Jupiter, Saturne, Uranus, Neptune et Pluton.* *Les illustrations des pages 228-229 représentent des gros plans des planètes et leurs tailles respectives.*

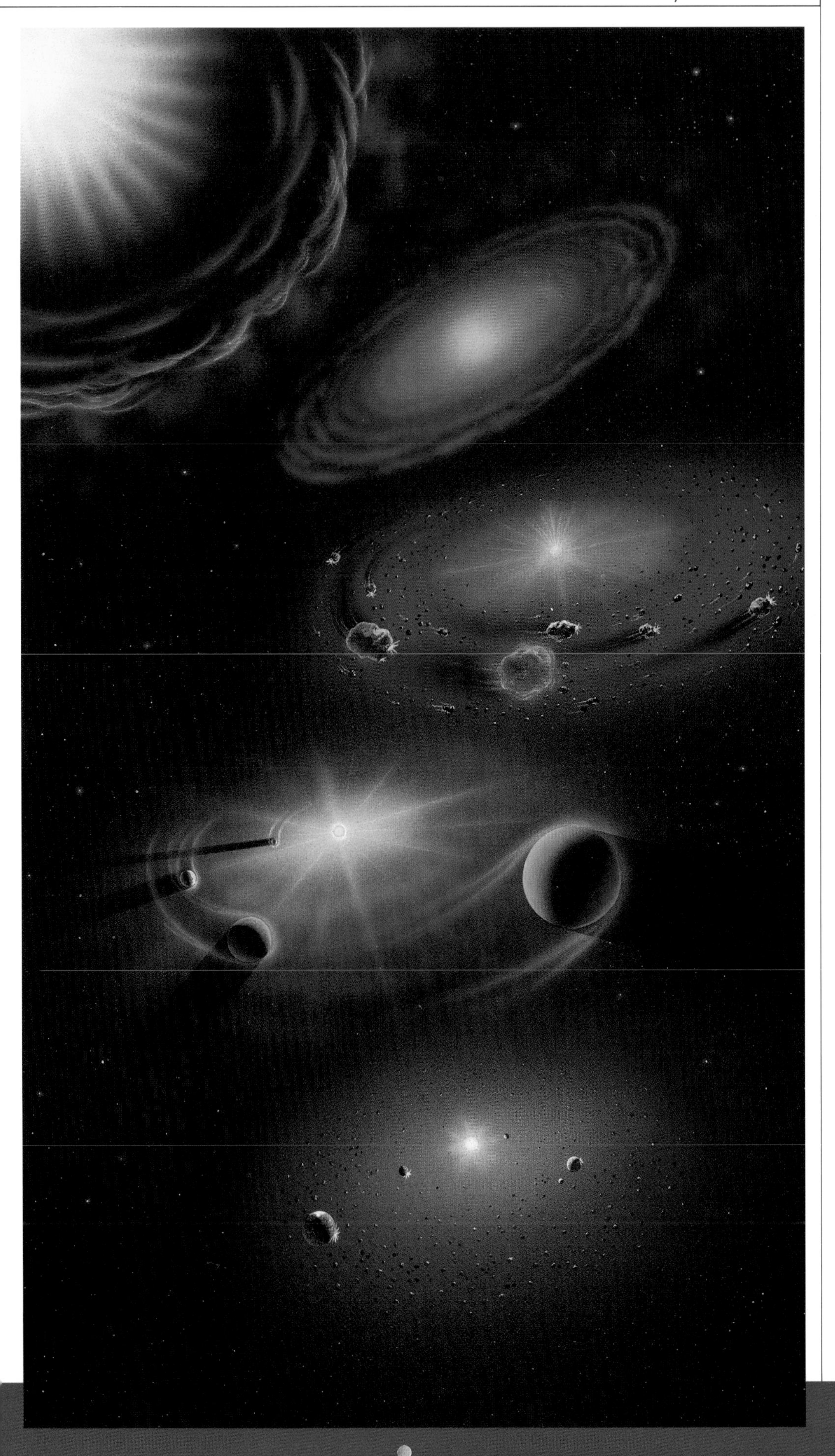

Le Soleil et ses turbulences

Le Soleil, source de lumière, d'énergie et de vie, gouverne le système solaire.

Le Soleil est une sphère de gaz, dont le centre est une centrale nucléaire (où l'hydrogène est transformé en hélium), source de chaleur. La fusion nucléaire libère une quantité d'énergie considérable qui s'échappe à travers la photosphère, la partie visible du Soleil. La photosphère, dont la température est proche de 5 800 °C, est bien plus froide que le noyau central du Soleil (15 millions de degrés). Plus à l'extérieur, le Soleil a une atmosphère complexe formée de la chromosphère et de la couronne. Bien que la couronne s'étende dans l'espace interplanétaire, elle est presque aussi chaude que le cœur.

APOLLON *(ci-dessus), le dieu grec du Soleil.*

Les taches solaires

Les astronomes chinois avaient déjà signalé, dès le IVe millénaire avant notre ère, la présence de zones sombres sur le Soleil, mais c'est Galilée qui comprit que ces taches se forment sur le Soleil, traversent le disque apparent au cours de la rotation du Soleil et disparaissent. En 1828, plus de deux siècles plus tard, l'Allemand Henrich Schwabe se mit à la recherche d'une planète hypothétique, Vulcain, qui, selon lui, devait passer entre la Terre et le Soleil.

ATTENTION, SOLEIL ! *Ne regardez jamais le Soleil à travers des jumelles ou un télescope sans filtre* (voir p. 65).

En fait de planète, il découvrit que le nombre de taches croissait et décroissait de façon cyclique. L'activité du Soleil, liée aux taches, croît et décroît avec une période moyenne de onze ans (le maximum le plus récent s'est produit en 1989). Une tache se compose généralement d'une région

CARTE D'IDENTITÉ

Distance à la Terre : 150 millions de km

Période de révolution sidérale : 365,26 jours

Masse (masse de la Terre = 1) : 333 000

Rayon équatorial (rayon de la Terre = 1) : 109

Taille apparente : 32 minutes d'arc

Période de rotation sidérale (à l'équateur) : 25,4 jours

LA STRUCTURE DU SOLEIL *La surface visible du Soleil, avec ses taches noires et ses protubérances en forme de boucles, s'étend au-dessus des couches bouillonnantes. Du cœur (en blanc) jaillit l'énergie de la centrale nucléaire. Au-dessus de la surface s'étendent la mince chromosphère (en rose), puis la couronne.*

La vie fleurit aux fenêtres du soleil.

Blaise Cendrars, *Aux cinq coins.*

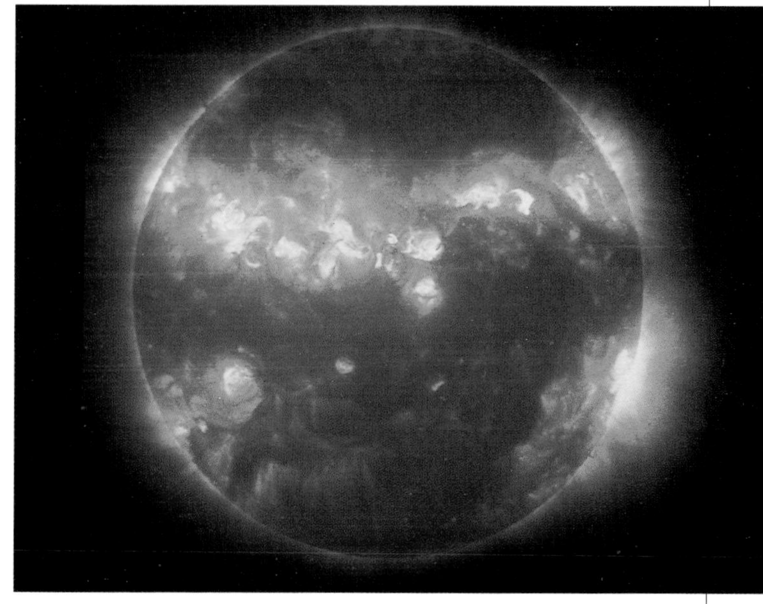

LE SOLEIL EN RAYONS X *Cette image, prise d'une petite fusée, montre des régions de la couronne, qui apparaissent brillantes : elles se trouvent au-dessus des taches de la surface.*

sombre (l'ombre), cerclée d'une région légèrement plus claire (la pénombre), bien qu'il soit relativement courant qu'il y ait plusieurs ombres pour une seule pénombre. Les taches se produisent quand le champ magnétique solaire est intense et bloque le flux d'énergie. En fait, une tache n'est pas sombre. L'ombre, dont la température est d'environ 2 000 °C plus basse que celle de la photosphère, n'apparaît sombre qu'à cause de la luminosité des régions qui l'entourent.

L'observation du Soleil

Les taches solaires, de formes et de dimensions variées, apparaissent volontiers en groupes. Un groupe réellement important peut atteindre une largeur de 100 000 km, soit huit fois le diamètre de la Terre ! Même les taches les plus petites sont décelables avec un petit télescope, à condition de prendre les précautions qui s'imposent *(voir p. 65)*. Puisque le Soleil tourne sur lui-même, les taches se déplacent à sa surface. En une dizaine de jours, elles traversent le disque solaire d'un bord à l'autre. Regarder, dessiner ou photographier les taches et leur évolution est source d'observations fascinantes.

TACHES SOLAIRES *(à droite) vues à un jour d'intervalle, au voisinage du maximum solaire de 1989.*

Paradoxalement, la difficulté de l'observation diurne provient du Soleil lui-même. Il chauffe en effet le sol et l'air, provoquant des turbulences et une visibilité moins bonne que pendant la nuit.

COURONNE DE BROUILLARD *(à gauche) La vraie couronne est très faible et cachée par la brillance du disque solaire, mais le brouillard a créé cette « couronne » brillante.*

La Lune, l'amie intime de la Terre

À la fois inspiratrice pour le poète et défi pour le scientifique, la Lune est notre plus proche voisin dans l'espace.

DIANE, *déesse romaine de la Lune, est souvent représentée en chasseresse comme sur cette peinture d'Orazio Gentileschi (XVIe siècle).*

Pour avoir une idée des épreuves subies par la Terre, il y a 4 milliards d'années, jetez un coup d'œil à la surface de la Lune, criblée de cicatrices et de balafres.
Vous n'avez besoin pour cela que d'une paire de jumelles ou d'une modeste lunette.
La Terre, dont la superficie est bien plus grande que celle de la Lune, mais qui est située dans le même environnement qu'elle, a certainement connu bien plus de bombardements. Mais, sur notre planète, les traces de ces nombreux impacts se sont érodées au fil du temps, alors qu'elles subsistent sur la Lune, qui est dépourvue d'atmosphère.

Comment la Lune s'est-elle formée ?

La Terre est la seule des planètes intérieures à posséder un satellite naturel important, la Lune. Plusieurs théories tentent d'expliquer sa présence.
On admet couramment qu'un gros objet entra en collision avec la Terre, il y a quelque 4,5 milliards d'années, soufflant de la matière dans l'espace. Les fragments se groupèrent, par la suite, en orbite autour de la Terre.

UN HOMME SUR LA LUNE
L'astronaute James Irwin, le module lunaire et la Jeep lunaire de la mission Apollo 15, sur le sol lunaire désolé.

LA PLEINE LUNE, *vue de la Terre, avec ses « océans » et ses « mers » sombres et le brillant cratère rayonnant Tycho (vers le bas) sur le « continent » lunaire.*

Ô bel œil de la nuit,
ô la fille argentée
Et la sœur du soleil
et la mère des mois
Ô princesse des monts,
des fleuves et des bois,
Dont la triple puissance
en tous lieux est vantée.

JEAN PASSERAT, *À la lune.*

Les morceaux se heurtèrent fréquemment et se mélangèrent jusqu'à fusionner, puis ils refroidirent et donnèrent la Lune.
Avec le temps, la Lune s'éloigna régulièrement de la Terre, sous l'effet des forces qui provoquent les marées.
Pendant 500 millions d'années, la Lune et le reste du système solaire ont continué d'être bombardés par les débris qui subsistaient. La phase finale de formation de cratères importants entraîna la création de grands bassins d'impact, qui furent par la suite recouverts d'une coulée de lave, formant ainsi des zones de roches lisses et sombres. Ces régions sombres sont connues sous le nom de mers (*mare,* en latin).
Par exemple, la mer des Pluies (Mare Imbrium) est un bassin large de 1 000 km, bordé de montagnes, qui s'est formé il y a 3,9 milliards d'années, puis a été recouvert par une coulée de lave.
Les mers, étendues de lave lisse, ne présentent que de petits cratères, résultats d'impacts récents.
Le reste de la surface lunaire, les régions claires, forme les « continents ».
Ces régions sont saturées d'une multitude de cratères de toutes tailles, depuis les trous minuscules jusqu'aux grands cratères avec un piton central entouré d'une plaine elle-même bordée de murs, comme le cratère Clavius, qui a plus de 225 km de large.

MONTAGNES ET CRATÈRES
Le continent lunaire, imaginé par un artiste (à gauche) et vu depuis l'orbite d'Apollo (au centre), et la plaine de lave de Mare Imbrium (en bas).

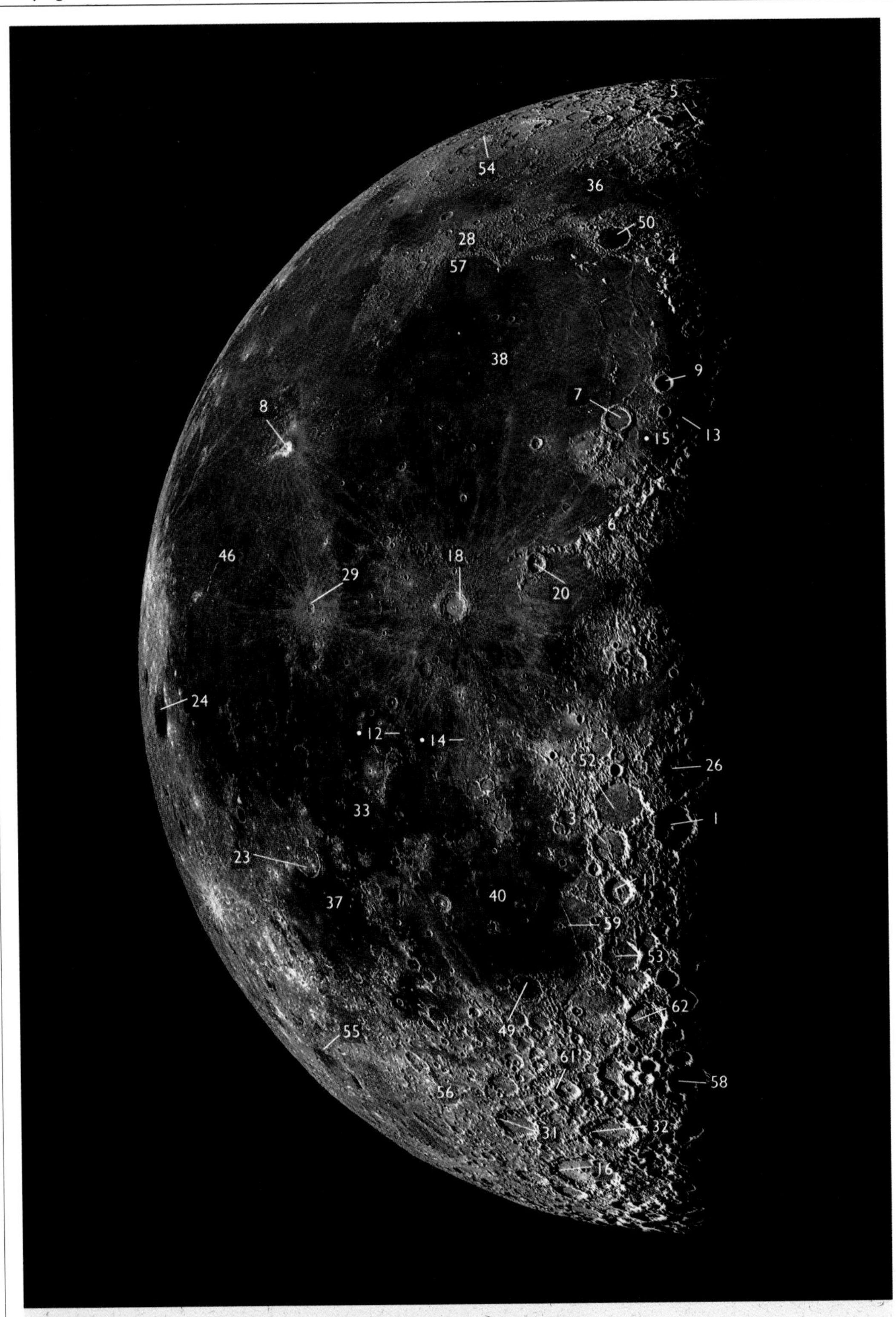

TOPOGRAPHIE LUNAIRE

1 Albategnius
2 Aliacenis
3 Alphonsus
4 Alps
5 Anaxagoras
6 Monts Apennins
7 Archimedes
8 Aristarchus
9 Aristillus
10 Aristoteles
11 Arzachel
12 Atlas
13 Autolychus
14 Catharina
15 Monts Caucase
16 Clavius
17 Cleomedes
18 Copernicus
19 Endymion
20 Eratosthenes
21 Eudoxus
22 Fracastorius
23 Gassendi
24 Grimaldi
25 Hercules
26 Hipparchus
27 Janssen
28 Monts Jura
29 Kepler
30 Langrenus
31 Longomontanus
32 Maginus
33 Mare Cognitum
34 Mare Crisium
35 Mare Foecunditatis
36 Mare Frigoris

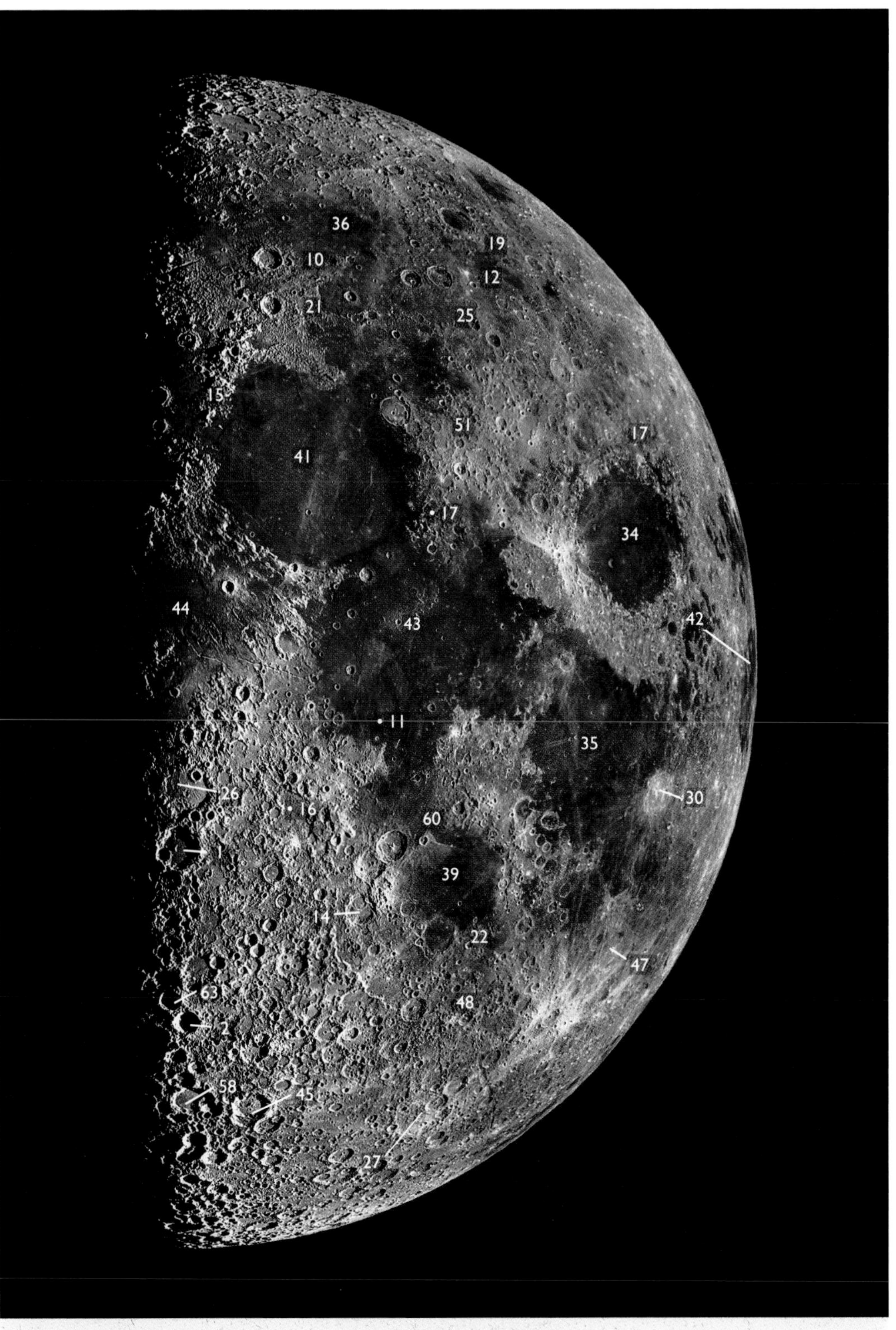

TOPOGRAPHIE LUNAIRE

37 Mare Humorum
38 Mare Imbrium
39 Mare Nectaris
40 Mare Nubium
41 Mare Serenitatis
42 Mare Smythii
43 Mare Tranquillitatis
44 Mare Vaporum
45 Maurolychus
46 Oceanus Procellarum
47 Petavius
48 Piccolomini
49 Pitatus
50 Plato
51 Posidonius
52 Ptolemaeus
53 Purbach
54 Pythagoras
55 Schikard
56 Schiller
57 Sinus Iridum
58 Stöfler
59 Mur droit
60 Theophilus
61 Tycho
62 Walter
63 Werner

SITES D'ATTERRISSAGE SUR LA LUNE D'APOLLO :

- •11 Apollo 11
- •12 Apollo 12
- •14 Apollo 14
- •15 Apollo 15
- •16 Apollo 16
- •17 Apollo 17

LES PHASES DE LA LUNE *Du premier quartier à la lune gibbeuse, de pleine à nouvelle, et ainsi de suite, sur un mois. La Lune est orientée comme si elle était vue de l'hémisphère Sud.*

LA TERRE *illumine à peine la partie sombre du disque, alors que le croissant, éclairé par le Soleil, est surexposé.*

La période de rotation de la Lune sur elle-même est synchronisée sur sa période de révolution autour de la Terre, si bien que l'on voit toujours la même face de notre satellite.
Nous avons cependant une idée de la face cachée par les photographies spatiales qui nous ont dévoilé une image semblable à l'autre face, bien qu'il n'y ait pas de mer importante.

Cratères et rayons

Si vous regardez la pleine lune avec des jumelles ou un petit télescope, vous apercevrez le cratère connu sous le nom de Tycho, entouré d'un système de rayons. Vous pourrez même vous rendre compte que certains de ces rayons s'étendent jusqu'au bord opposé de l'astre.
La comète (ou l'astéroïde)

GALILÉE ET LES PREMIERS GROS PLANS DE LA LUNE

C'est relativement tard que Galilée entendit parler d'un nouvel instrument permettant de rapprocher les objets lointains. Le fabricant de lunettes Hans Lippershey avait déposé une demande de brevet en septembre 1608, suivi par beaucoup d'autres. Des lunettes de grossissement 4 étaient en vente en France avant même que Galilée n'en entendît parler, pendant l'été de 1609. Ce n'est donc pas lui qui en fut l'inventeur.
Mais il perfectionna son grossissement (jusqu'à 9). En novembre 1609, il obtint un grossissement de 20. À l'aide de cet instrument, il entreprit l'étude de la Lune, décrivant son aspect durant un cycle complet. Il réalisa au moins huit dessins précis, dépeignant les montagnes, les plaines et les structures circulaires. En examinant la surface lunaire, il imaginait la Lune comme un monde semblable au nôtre.

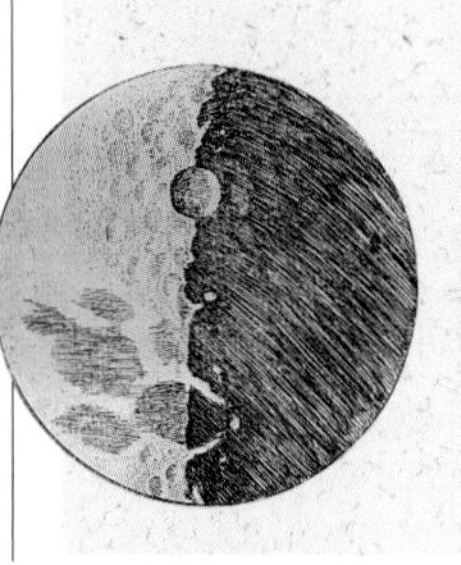

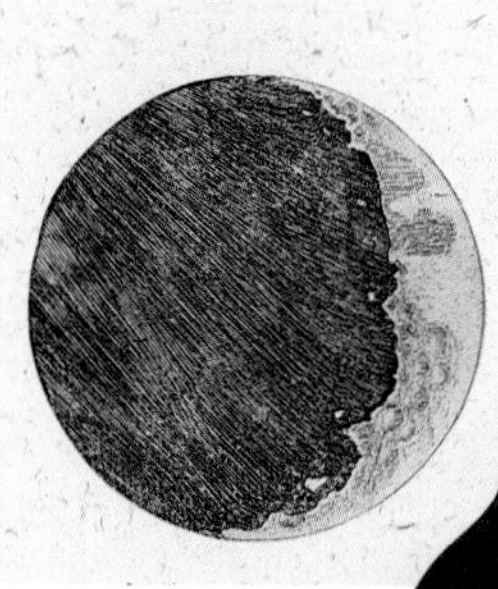

GALILEO GALILEI *représenté en 1637 par Justus Sustermans (1597-1681) et quelques dessins de la Lune faits par Galilée.*

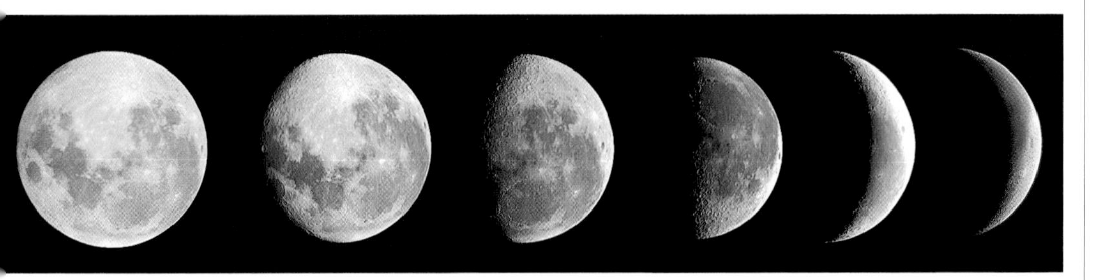

qui forma ce cratère, il y a probablement 100 millions d'années, creusa un puits de 90 km de large, projetant une traînée de rochers à travers la Lune. Tous les cratères jeunes ont des rayons, mais ces rayons ne survivent pas à des milliards d'années de chocs de micrométéorites et autres effets ténus qui érodent la surface. Les rayons ne sont visibles que lorsque la Lune est pleine.

En dehors des périodes de pleine lune, vous pourrez voir le terminateur, une zone limite entre l'ombre et la lumière. C'est une région aux ombres changeantes, où les cratères et les montagnes se détachent sur un relief désolé. Les habitués de l'observation lunaire étudient la même zone sous différents éclairages, afin d'en apprécier les détails.

La Lune est assez brillante pour qu'une pose d'une seconde avec un appareil photographique suffise à donner des images de qualité, ce qui en fait un sujet idéal pour les astrophotographes amateurs.

Les marées

Quiconque, sur la Terre, a vu une plage océanique ne peut ignorer le flux et le reflux de la marée. En de nombreux endroits, le paysage change radicalement quand la mer monte ou descend.

Les marées jouent un rôle important dans l'écologie marine. L'attraction de la Lune et, de façon moins importante, celle du Soleil provoquent environ deux marées hautes par jour, toutes les 12 heures 25 minutes. Cet intervalle est dû à la rotation de la Terre et à la révolution de la Lune autour de la Terre.

Pourquoi y a-t-il deux marées par jour ?

L'attraction gravitationnelle de la Lune agit sur la Terre, attirant l'eau de la région qui lui fait face et formant un bourrelet (marée haute). La gravitation attire aussi la Terre vers la Lune, de sorte que la masse d'eau située du côté opposé à la Lune, laissée en arrière, produit un second bourrelet (autre marée haute).

Entre ces régions de hautes eaux se trouvent des régions où l'eau est à son niveau le plus bas – les marées basses *(voir illustration p. 92).*

CARTE D'IDENTITÉ

Distance à la Terre : 384 000 km

Période de révolution sidérale (autour de la Terre) : 27,3 jours

Masse (masse de la Terre = 1) : 0,012

Rayon équatorial (rayon de la Terre = 1) : 0,272

Taille apparente : 31 minutes d'arc

Période de rotation sidérale (à l'équateur) : 27,3 jours

C'était dans la nuit brune, / Sur le clocher jauni, / La lune, / Comme un point sur un i.

A. de Musset, *Ballade à la lune.*

MARE CRISIUM, *une mer sombre et circulaire, vue par Apollo 8.*

MERCURE, LA PLANÈTE DES EXTRÊMES

Bien que Mercure soit la planète la plus proche du Soleil, il y règne les nuits les plus froides de tout le système solaire.

Mercure est la planète la plus difficile à reconnaître à l'œil nu. Elle se déplace très vite et ne s'éloigne pas à plus de 28° de l'éblouissante lumière du Soleil. Elle est visible le matin pendant quelques semaines, puis plus tard, le soir. Les Chinois et les Égyptiens connaissaient déjà cette planète, à laquelle on a donné un nom romain. Mercure est le dieu romain du Commerce, que l'on assimile au dieu grec Hermès, le messager des dieux.

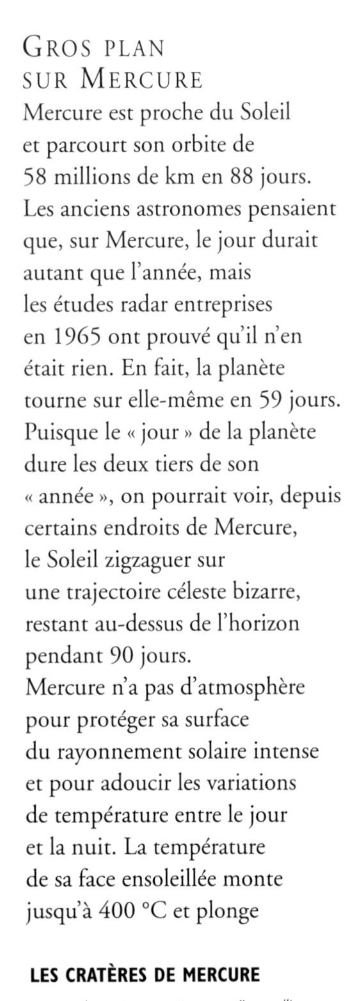

MERCURE, *le messager des dieux, représenté ici avec un casque ailé par François Boucher (1703-1770).*

GROS PLAN SUR MERCURE

Mercure est proche du Soleil et parcourt son orbite de 58 millions de km en 88 jours. Les anciens astronomes pensaient que, sur Mercure, le jour durait autant que l'année, mais les études radar entreprises en 1965 ont prouvé qu'il n'en était rien. En fait, la planète tourne sur elle-même en 59 jours. Puisque le « jour » de la planète dure les deux tiers de son « année », on pourrait voir, depuis certains endroits de Mercure, le Soleil zigzaguer sur une trajectoire céleste bizarre, restant au-dessus de l'horizon pendant 90 jours.
Mercure n'a pas d'atmosphère pour protéger sa surface du rayonnement solaire intense et pour adoucir les variations de température entre le jour et la nuit. La température de sa face ensoleillée monte jusqu'à 400 °C et plonge

LES CRATÈRES DE MERCURE *apparaissent sur cette mosaïque d'images prises par Mariner 10 en 1974, à une distance de 200 000 km.*

à –220 °C la nuit.
En 1974 et 1975, la sonde de la NASA Mariner 10 passa trois fois au-dessus de la planète et prit une série de photographies montrant que sa surface est couverte de cratères de toutes tailles. Mercure détient le record des bombardements de débris qui eurent lieu au début de l'histoire du système solaire.

Comment observer Mercure

De nombreux astronomes n'ont jamais vu Mercure. C'est pourtant une planète facile à pointer, si l'on sait où et quand regarder : bas à l'ouest, juste après le coucher du Soleil, ou à l'est, à l'aurore. Avec un petit télescope, vous pourrez suivre ses phases, au cours de son mouvement autour du Soleil. Comme la Lune, cette planète varie de la phase gibbeuse à la phase de croissant. Près de l'horizon, comme la visibilité est faible, vous devrez vous contenter d'une image dansante, pleine de couleurs.

OBSERVATION DU TRANSIT DE MERCURE *avec un télescope équipé d'un filtre solaire plein champ.*

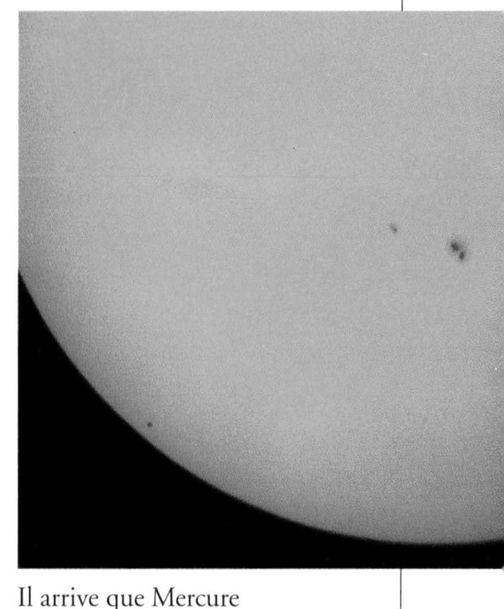

TRANSIT DE MERCURE *Mercure, minuscule à côté des taches solaires.*

Il arrive que Mercure passe juste entre la Terre et le Soleil.
Ces événements, qui se produisent à intervalles irréguliers (de l'ordre de dix ans), sont appelés transits.
Avec des techniques appropriées *(voir p. 65)*, on peut voir Mercure, sous la forme d'une minuscule tache noire, poursuivre son chemin sur le disque solaire.

CARTE D'IDENTITÉ

Distance au Soleil : 0,39 ua

Période de révolution sidérale (autour du Soleil) : 88 jours

Masse (masse de la Terre = 1) : 0,055

Rayon équatorial (rayon de la Terre = 1) : 0,318

Taille apparente : 5-13 secondes d'arc

Période de rotation sidérale (à l'équateur) : 58,7 jours

Satellites : aucun

LES ASTRES DU SOIR *La Lune, avec, juste au-dessus, Mercure, la brillante Vénus et les étoiles du Scorpion, haut dans le ciel.*

VÉNUS, L'ÉTOILE DU SOIR ET DU MATIN

Sous des voiles de nuages, Vénus, la plus brillante planète de notre ciel, ne révèle ses secrets qu'à contrecœur.

LA NAISSANCE DE VÉNUS *Détail du célèbre tableau de Sandro Botticelli, peint en 1470, actuellement au musée des Offices, à Florence.*

Connue pour être la première étoile qui s'allume le soir et la dernière qui s'éteint le matin, Vénus était autrefois baptisée Hesperus, étoile du matin, ou Phosphorus, étoile du soir. Elle porte aujourd'hui le nom de la déesse romaine de la Beauté et de l'Amour. Cette planète est mal nommée, car les conditions qui y règnent sont quasi infernales. Elle est recouverte de nuages de vapeur d'eau et d'acide sulfurique, si denses que sa surface ne peut être vue sans des systèmes radar de pointe, comme ceux de la sonde Magellan. Les températures à sa surface, voisines de 460 °C, sont les plus élevées du système solaire, dans un environnement de Cocotte-Minute !

L'atmosphère de Vénus, presque entièrement composée de dioxyde de carbone, est à l'origine d'un important effet de serre.

Le rayonnement solaire chauffe la surface de la planète, à l'instar de ce qui se passe sur la Terre, mais la chaleur reste piégée par l'épais cocon de dioxyde de carbone et de nuages.

Même la nuit, la température ne descend guère.

Les sondes spatiales Venera (mot russe désignant Vénus) ont révélé un paysage de plaques rocheuses volcaniques posées sur une boue granuleuse. La mission spatiale Magellan a réussi à cartographier la surface de Vénus d'une manière très précise et permis de découvrir des structures semblables à des continents et à des cratères.

Le faible nombre de cratères résultant d'impacts d'astéroïdes ou de comètes laisse penser que la surface est relativement jeune – la planète a peut-être été

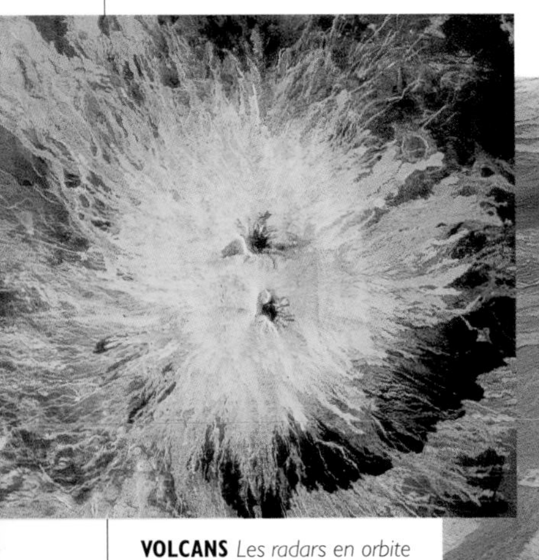

VOLCANS *Les radars en orbite donnent des images des volcans (ci-dessus) que les ordinateurs peuvent présenter sous différents angles. Cette vue de Maat Mons (à droite) montre des coulées de lave s'étendant sur plusieurs centaines de kilomètres.*

LES PHASES DE VÉNUS *(à droite) Vénus et Mercure, dont les orbites sont plus proches du Soleil que celle de la Terre, présentent des phases comme celles de la Lune. La planète est à son maximum de brillance quand elle a l'aspect d'un grand croissant, car elle est alors très près de la Terre.*

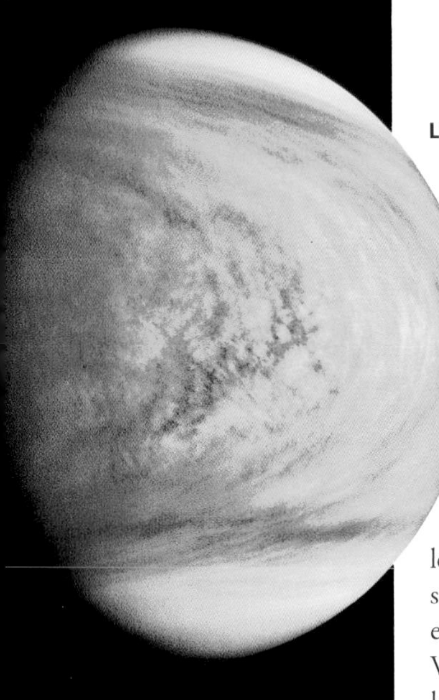

LES NUAGES DE VÉNUS *ont révélé quelques-uns de leurs détails grâce aux images en lumière ultraviolette prises par la sonde Pioneer Venus. Les photographies en lumière visible donnent très peu de détails sur les nuages formés d'acide sulfurique et situés à 60 km au-dessus de la surface.*

remodelée en surface par une activité volcanique récente, il y a 800 millions d'années. Pour permettre d'identifier les nombreuses structures de Vénus, il a bien fallu leur attribuer un nom. L'Union astronomique internationale (UAI) a décrété que toutes les structures de Vénus devaient être féminines. C'est ainsi qu'un « continent » porte le nom de la déesse grecque Aphrodite et un cratère celui de la chanteuse de jazz Billie Holliday. Une exception cependant : le physicien écossais James Clerk Maxwell est le seul « homme » sur Vénus.

COMMENT OBSERVER VÉNUS

Vénus est très facile à repérer quand elle est bien placée dans le ciel nocturne, car elle est, de loin, l'astre le plus brillant. Vous pouvez même l'admirer en plein jour si vous connaissez son emplacement. Dans sa course rapide autour du Soleil, Vénus reste environ une saison dans le ciel du soir, puis la saison suivante dans le ciel du matin, et s'écarte jusqu'à 48° du Soleil. Vu à travers une petite lunette, le spectacle qu'offre Vénus est éblouissant. Comme la Lune et Mercure, elle présente des phases. Quand elle est en forme de croissant, on aperçoit une faible lueur sur la région sombre, la lumière cendrée, qui varie en intensité. Les autres détails des nuages, ténus et éphémères, ternissent légèrement sa brillance.

CARTE D'IDENTITÉ

Distance au Soleil : 0,72 ua

Période de révolution sidérale (autour du Soleil) : 225 jours

Masse (masse de la Terre = 1) : 0,81

Rayon équatorial (rayon de la Terre = 1) : 0,95

Taille apparente : 10-64 secondes d'arc

Période de rotation sidérale (à l'équateur) : 243 jours

Satellites : aucun

... là-haut, au fond du ciel mystérieux, / Dans le soir vaguement splendide et glorieux, / Vénus rayonne, pure, ineffable et sacrée, / Et, vision, remplit d'amour l'ombre effarée.

VICTOR HUGO, *Soir.*

VÉNUS BRILLE *à l'ouest, après le coucher du Soleil, pendant plusieurs mois de l'année. Nous voyons ici Vénus et le croissant de lune.*

La Terre, le monde de la vie

La Terre est unique dans la famille du Soleil. C'est une sphère fragile, couverte d'eau et d'oxygène, abritant une merveilleuse diversité de vie.

La Terre est unique à de nombreux points de vue. Aux yeux d'un observateur situé dans l'espace, elle déploie son atmosphère, toujours en mouvement, qui a la particularité de contenir 21% d'oxygène. Des nuages de vapeur d'eau obscurcissent plus ou moins sa surface, mais la font briller tel un phare dans le système solaire intérieur. Le fait le plus remarquable est probablement que sa surface soit recouverte de 70 % d'eau, sous forme liquide ou solide (glace). On n'observe la présence d'eau liquide sur aucune autre planète du domaine solaire.

LA CRÉATION *Dieu crée Adam, détail de la fresque de la chapelle Sixtine, à Rome, peinte par Michel-Ange entre 1508 et 1512.*

LEVER DE TERRE *lors de l'atterrissage sur la Lune d'Apollo 11, en 1969.*

LA VIE SUR TERRE *L'abondance et la diversité de la flore et de la faune ne sont nulle part aussi évidentes que dans les forêts tropicales. Cette femelle orang-outang et son bébé, dans une forêt de Bornéo, sont le symbole des créatures complexes et intelligentes qui vivent sur notre planète.*

LA TERRE VUE PAR APOLLO 17 *Vue fantastique de notre planète, depuis le sud de l'Arabie Saoudite jusqu'à la calotte polaire glacée de l'Antarctique.*

L'ACTIVITÉ GÉOLOGIQUE

Contrairement à sa sœur Vénus, la Terre est géologiquement très active. Sa surface est divisée en plaques qui flottent sur un manteau rocheux.
Tremblements de terre, activité volcanique et formation de montagnes se concentrent sur les bords de ces plaques. L'activité géologique, à laquelle s'ajoutent l'érosion par la pluie et l'usure par le vent, explique que la surface de la Terre ne présente pas ces nombreuses marques d'impacts, si communes dans le système solaire.

LA PRÉSENCE DE LA VIE

La Terre est la seule planète du système solaire où la vie ait éclos, dans la mesure du moins où nous sommes capables de le constater.
Mais cette présence de la vie sur Terre n'est pas facilement détectable pour un observateur qui serait situé dans l'espace. Peut-être pourrait-il percevoir les immenses champs de céréales, preuve d'une vie agricole. Peut-être aussi pourrait-il déceler les tapis de lumières formés la nuit par les zones urbaines. Les émissions d'ondes radio qui s'échappent dans l'espace sont aussi l'indice de la présence d'une vie intelligente sur notre planète.

… toute la terre,
à plis droits,
et de partout tirée,
comme l'ample cape
du berger jusqu'au
menton nouée…

SAINT-JOHN PERSE, *Chronique.*

CARTE D'IDENTITÉ

Distance au Soleil : 1 ua

Période de révolution sidérale (autour du Soleil) : 365,26 jours

Masse (prise comme unité) : 1

Rayon équatorial (pris comme unité) : 1

Période de rotation sidérale : (à l'équateur) : 23 h 56 min

Satellite : 1

Mars, la planète rouge

L'idée que Mars pourrait abriter la vie est bien enracinée dans l'imagination populaire.

MARS, *dieu de la Guerre, détail d'un tableau de Giovanni Battista Carlone (XVIIe siècle).*

En 1938, l'adaptation radiophonique, par Orson Welles, du livre de H. G. Wells *la Guerre des mondes* terrifia de nombreux auditeurs qui crurent que les Martiens avaient réellement envahi l'État du New Jersey. C'est à la fin du XIXe siècle que l'on se mit à croire à l'existence des petits hommes verts. Un astronome italien, Schiaparelli, avait noté la présence de traînées allongées et rectilignes qui semblaient s'entrecroiser sur la surface de Mars. Il les nomma *canali,* ou « fossés », c'est-à-dire qu'il les considérait comme des éléments naturels du paysage, mais le mot fut traduit en anglais par un terme signifiant « canaux », ce qui en fait des structures artificielles.

La vie existe-t-elle sur Mars ?

Percival Lowell, fasciné par ces canaux, pensait qu'il s'agissait d'un réseau complexe, construit par des êtres intelligents pour transporter l'eau et irriguer la planète.
D'autres observateurs, avec des télescopes de même puissance, tentèrent en vain de discerner ces fameux canaux. Il n'empêche que la possibilité d'une vie sur Mars était bien ancrée dans l'imagination populaire.
La sonde interplanétaire Mariner 4, qui survola la planète en juillet 1965 sans trouver la moindre trace de construction intelligente, mit fin au mythe des canaux martiens.
En 1976, deux sondes Viking explorèrent la surface de Mars et n'y décelèrent nulle trace de vie.

MARS VUE PAR VIKING *La mince calotte polaire est visible, en bas.*

LA SURFACE DE MARS, *à l'endroit où la sonde Viking s'est posée, se compose de sable rouge et de rochers de plusieurs mètres de haut.*

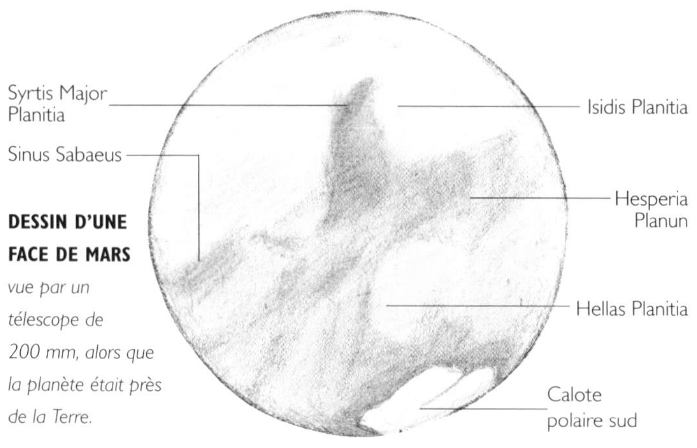

DESSIN D'UNE FACE DE MARS *vue par un télescope de 200 mm, alors que la planète était près de la Terre.*

Mars qui semble de loin la bouche d'un volcan...

VICTOR HUGO, *Explication.*

GROS PLAN SUR MARS

La surface de Mars est criblée de cratères. Ces cratères, désagrégés en grande partie par de violentes tempêtes de vent, ne forment pas des amas aussi fournis que sur la Lune ou sur Mercure. Des signes d'érosion par des courants d'eau sont également perceptibles.
Mais où se trouve cette eau ? Une petite partie est retenue dans de minces calottes polaires formées de glace et de dioxyde de carbone. Le reste est peut-être sous la surface sous forme de permagel.
Mars offre quelques paysages spectaculaires, comme Olympus Mons, un gigantesque volcan probablement éteint, ou Valles Marineris, un système de canyons de 7 km de profondeur, formant en travers de la planète une énorme faille de 4 000 km.

COMMENT OBSERVER MARS

Plus éloignée du Soleil que la Terre, la planète Mars peut se trouver n'importe où sur l'écliptique, et pas forcément près du Soleil, comme le sont Vénus et Mercure.
Lorsqu'elle est près de la Terre (à 56 millions de km), elle brille autant que Sirius, l'étoile la plus lumineuse du ciel. À d'autres instants, l'excentricité de son orbite la place à 250 millions de km. Elle est alors si loin de la Terre qu'elle semble minuscule, même avec un petit télescope.
Sur la planète Mars, il y a des saisons, comme sur la Terre. On peut s'en rendre compte en observant les calottes polaires, qui grandissent ou rétrécissent au rythme de ces saisons.
Les structures sombres de l'hémisphère Sud, telles Solis Lacus (l'« œil de Mars ») et Syrtis Major, sont faciles à voir (quand la rotation de la planète le permet).
Dans l'hémisphère Nord, l'intensité de Mare Acidalium varie d'année en année.
En fait, la plupart des structures martiennes changent, d'une façon ou d'une autre, d'une observation à l'autre.
Des nuages légers peuvent se former autour des montagnes, et lorsque la planète passe à son périhélie (point de l'orbite le plus proche du Soleil), elle subit une tempête de poussière qui obscurcit pratiquement toutes ses structures pendant plusieurs semaines.

PERCIVAL LOWELL *est surtout célèbre pour sa croyance dans les petits hommes verts. Il consacra sa vie à rechercher une planète au-delà de Neptune. Cette planète, Pluton, fut découverte en 1930, quatorze ans après sa mort.*

LES SATELLITES DE MARS

En 1726, Jonathan Swift, dans *les Voyages de Gulliver*, parle de l'existence de deux lunes martiennes, un siècle et demi avant leur découverte par Asaph Hall !
Ces minuscules satellites, Phobos et Deimos, sont probablement des astéroïdes capturés et orbitant autour de Mars par gravitation.

LES MARTIENS
Les extraterrestres sont le plus souvent dépeints comme de petits êtres verts, comme on le voit sur la couverture de Science-fiction stupéfiante, *paru en 1954.*

CARTE D'IDENTITÉ

Distance au Soleil : 1,52 ua

Période de révolution sidérale (autour du Soleil) : 687 jours

Masse (masse de la Terre = 1) : 0,11

Rayon équatorial (rayon de la Terre = 1) : 0,53

Taille apparente : 4-25 secondes d'arc

Période de rotation sidérale (à l'équateur) : 24,6 heures

Satellites : 2

JUPITER, L'ÉNORME GÉANT

Comme son homonyme Jupiter, le dieu suprême des Romains, Jupiter est la plus grande des planètes.

GANYMÈDE, *une jeune mortelle enlevée par Jupiter (déguisé en aigle), a donné son nom au plus grand satellite de Jupiter.*

Avec ses trois cents masses terrestres (deux fois et demie la masse de toutes les autres planètes réunies), Jupiter est la planète la plus importante du système solaire. C'est la première planète qu'étudia Galilée à travers son télescope.

GROS PLAN SUR JUPITER

Jupiter, comme Saturne, Uranus et Neptune, est une planète géante essentiellement formée de gaz. Elle est bien plus massive et beaucoup moins dense que les petites planètes internes, essentiellement rocheuses. Son atmosphère est un mélange d'hydrogène, d'hélium, de méthane et d'ammoniac. Sous les nuages visibles s'étendent des couches gazeuses de plus en plus denses, puis un petit cœur rocheux.
Jupiter tourne rapidement – un tour en dix heures ! Cette rotation rapide aplatit le disque planétaire aux pôles et balaie les nuages qui enveloppent la planète. La surface visible de Jupiter est formée de bandes alternativement sombres et brillantes qui correspondent à des nuages d'altitudes différentes.

UN TOURBILLON DE VENTS

La grande tache rouge de Jupiter est la caractéristique la plus importante du système nuageux de l'hémisphère Sud. Longue de 50 000 km et trois fois moins large, il s'agit en quelque sorte d'un ouragan géant qui représente à peu près quatre fois la surface de la Terre !
La grande tache rouge, aperçue pour la première fois en 1664 par Robert Hooke, varie en taille et en nuance d'année en année.

LES SATELLITES DE JUPITER

Voyager 1 a montré, en 1978, que les quatre satellites de Jupiter découverts par Galilée en 1610 sont les objets les plus fascinants du système solaire. Io, le plus proche, est tellement affecté par la gravitation de la planète qu'il offre un aspect tourmenté et que sa surface est perpétuellement couverte d'éruptions volcaniques sulfureuses. Ensuite vient Europe. Son sol glacé, relativement jeune, évoque une gigantesque patinoire. Les satellites les plus éloignés, Ganymède et Callisto, ont tous deux une surface de glace assez ancienne, criblée d'impacts de cratères. En tout, Jupiter possède seize satellites.

COMMENT OBSERVER JUPITER ?

Pour observer Jupiter, la méthode la plus simple est encore de

JUPITER ET SA TACHE ROUGE *Cette image de Voyager 1, aux couleurs rehaussées, montre d'extraordinaires détails des nuages, surtout à l'endroit de la grande tache rouge.*

JUPITER ET SES SATELLITES *offrent un spectacle changeant, accessible aux petits télescopes.*

L'ACTIVITÉ VOLCANIQUE SUR IO *projette des aigrettes de matière qui restent suspendues dans le ciel.*

répéter l'expérience de Galilée et de consigner dans un carnet de bord les positions des quatre satellites. Vous les verrez peut-être tous les quatre une certaine nuit ; une autre nuit, vous n'en verrez peut-être que deux, le troisième, se trouvant devant Jupiter, n'étant trahi que par son ombre. Si l'envie vous prend de faire un croquis de Jupiter, voici comment procéder. Avec un petit télescope, utilisez l'agrandissement nécessaire pour distinguer nettement les ceintures et les diverses zones. Avant de crayonner, contemplez la planète quelques minutes. Faites une esquisse des motifs principaux (en utilisant un crayon à papier), car vous ne disposez que dix minutes à cause de la rotation de Jupiter. Vous pourrez toujours fignoler par la suite.

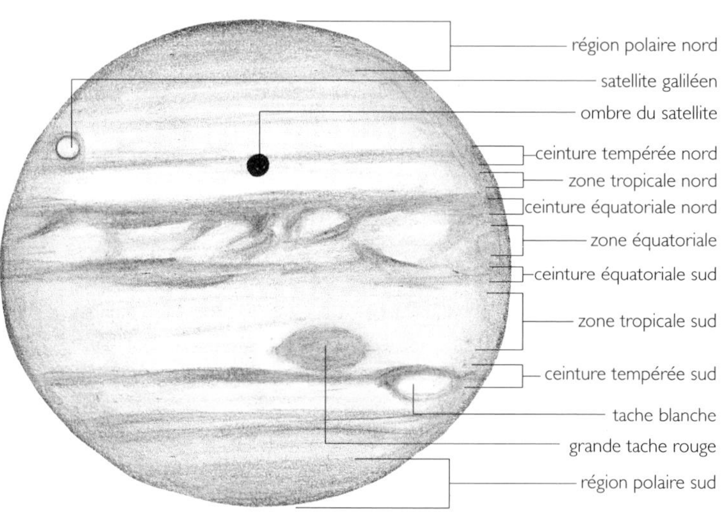

CROQUIS DE JUPITER *réalisés à l'occasion d'une observation avec un télescope de 200 mm. On peut remarquer un satellite et son ombre dessinés lors d'un transit sur le disque.*

CARTE D'IDENTITÉ

Distance au Soleil : 5,20 ua

Période de révolution sidérale (autour du Soleil) : 11,9 ans

Masse (masse de la Terre = 1) : 318

Rayon équatorial (rayon de la Terre = 1) : 11,2

Taille apparente : 31-48 secondes d'arc

Période de rotation sidérale (à l'équateur) : 9,84 heures

Satellites : 16

LA GRANDE TACHE ROUGE *se déplace par rapport aux nuages voisins, dessinant des ondulations complexes, comme le révèle cette photo aux couleurs rehaussées, prise par Voyager I.*

SATURNE, LE SEIGNEUR DES ANNEAUX

Saturne, avec son gracieux système d'anneaux, offre l'une des vues les plus extraordinaires du ciel, quel que soit le télescope utilisé.

SATURNE, *dieu des vignerons et des paysans, entouré des symboles de Rome et de produits agricoles.*

Saturne est une très ancienne divinité italique assimilée au Cronos des Grecs, le père de Zeus. Quand vous découvrirez, grâce à votre télescope, le petit globe lointain de Saturne entouré de ses délicats anneaux, vous en aurez le souffle coupé.

Les anneaux sont formés d'innombrables blocs de glace de toutes tailles, ténus comme des poussières ou massifs comme des maisons. Ils sont désignés par des lettres majuscules (A, B, C…) d'après l'ordre chronologique de leur découverte. Les deux sondes Voyager qui ont survolé la planète ont démontré que les anneaux sont eux-mêmes formés de fins annelets concentriques. La division de Cassini entre A et B apparaît comme une discontinuité entre les anneaux. Voyager a montré que cette zone correspondait, en réalité, à une région de densité faible.

C'est Édouard Roche, un mathématicien français du XIXe siècle, qui comprit le premier l'origine de ces anneaux.

Si un objet (tel un petit satellite) s'approche trop près d'une planète, l'effet de marée peut le faire se désagréger. Dans le passé, un ou plusieurs objets ont dû passer à la lisière de Saturne, à l'intérieur de la « limite de Roche », et se désagréger, formant ainsi les anneaux.

Jupiter, Uranus et Neptune possèdent aussi des anneaux, mais ils ne sont ni aussi grands ni aussi faciles à voir que ceux de Saturne.

LES SATELLITES DE SATURNE

Saturne a dix-huit satellites naturels connus, dont Titan, le second du système solaire par la taille (après Ganymède, le satellite de Jupiter).

SATURNE *vue avec des couleurs artificielles, comme sur l'image de Jupiter* (p. 248).

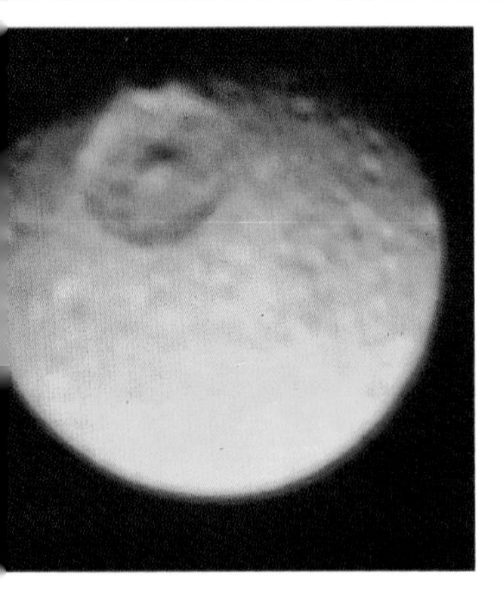

MIMAS, *dont le diamètre est de 390 km, possède un cratère géant.*

LES ANNEAUX. *Les milliers d'annelets qui forment les anneaux de Saturne ne sont pas faciles à voir, mais les couleurs artificielles, aux contrastes renforcés, révèlent de légères variations dans leur composition.*

Titan, dont le diamètre mesure 5 150 km, est le seul satellite à posséder une atmosphère constituée d'azote et de méthane. Les autres satellites de Saturne ont une surface glacée et sont couverts de cratères, mais tous ont leurs particularités. Mimas a un énorme cratère d'impact, baptisé Herschel, résultat d'une collision. Japet présente une singularité étonnante : son hémisphère arrière est très brillant alors que son hémisphère avant est très sombre, car il est recouvert d'une couche rouge sombre d'origine inconnue.

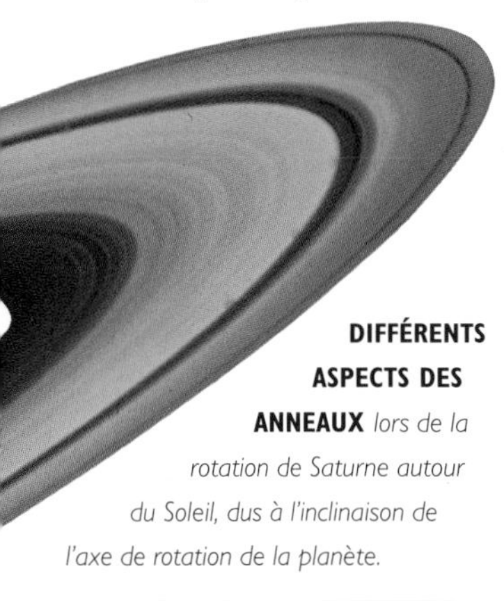

DIFFÉRENTS ASPECTS DES ANNEAUX *lors de la rotation de Saturne autour du Soleil, dus à l'inclinaison de l'axe de rotation de la planète.*

Comment observer Saturne

Saturne offre un spectacle inoubliable lorsqu'on le découvre pour la première fois dans un télescope. Même avec des jumelles, qui ne permettent pas de distinguer les anneaux, vous n'aurez aucune peine à le repérer, grâce à sa forme allongée. Saturne a des ombres plus atténuées et des variations moins rapides que celles de Jupiter, mais ses anneaux sont toujours fascinants.

Tous les télescopes, même les plus modestes, vous permettront de voir Titan ; un télescope de 150 mm vous permettra de repérer au moins trois satellites supplémentaires. Contrairement aux satellites de Jupiter, qui semblent toujours alignés, les satellites de Saturne peuvent se situer soit au-dessus, soit au-dessous de la planète, car Saturne, comme la Terre, est inclinée par rapport au plan du système solaire. La révolution de Saturne autour du Soleil (vingt-neuf ans) entraîne une lente modification de l'aspect de ses anneaux. Certaines années, les anneaux s'étendent majestueusement, et, à peu près tous les quatorze ans, lors de la traversée du plan équatorial par la Terre, ils se présentent par la tranche et se font presque invisibles (ce sera le cas en 1995-1996). Deux fois par période, l'inclinaison des anneaux, par rapport à la ligne de visée, atteint un maximum – dans un cas, les anneaux sont visibles par le dessus, dans l'autre, par le dessous.

CARTE D'IDENTITÉ

Distance au Soleil : 9,54 ua
Période de révolution sidérale (autour du Soleil) : 29,5 ans
Masse (masse de la Terre = 1) : 95,2
Rayon équatorial (rayon de la Terre = 1) : 9,5
Taille apparente (disque de la planète) : 15-21 secondes d'arc
Période de rotation sidérale (à l'équateur) : 10,2 heures
Satellites : 18

URANUS, LA PLANÈTE QUI ROULE SUR SON AXE

Inconnue des Anciens, Uranus fut la première planète découverte dans les Temps modernes.

LE DIEU DU CIEL, *Uranus, d'après la mythologie grecque, fut vaincu par son fils, le Titan Cronos.*

Inclinée d'un angle de 98° sur le plan de son orbite, cette planète bleu-vert est couchée sur le flanc, ce qui produit quelques effets étranges. Par exemple, lors de sa révolution autour du Soleil (sur une période de 84 ans), ses pôles sont tour à tour face au Soleil avec des journées de 42 ans.
Uranus est une planète géante gazeuse. Comme Jupiter et Saturne, elle possède une atmosphère impénétrable, composée d'hydrogène, d'hélium, de méthane et d'ammoniac.

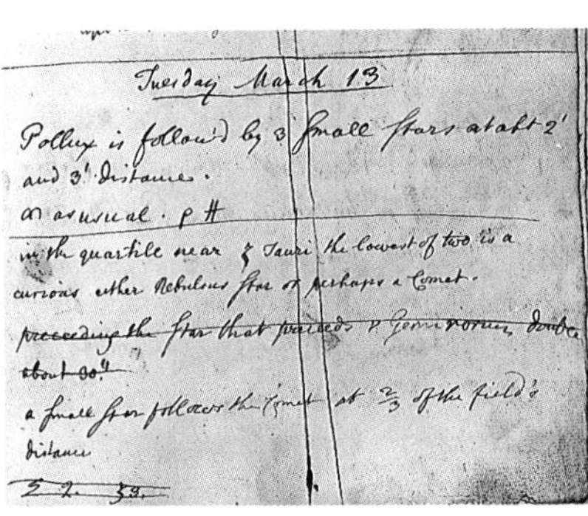
Tuesday March 13
Pollux is follow'd by 3 ſmall ſtars at abt 2' and 3' distance.
as usual. ρ ♯
in the quartile near ζ Tauri the lowest of two is a curious either Nebulous ſtar or perhaps a Comet.
preceeding the ſtar that preceeds ? Geminorum, double about 80"
a ſmall ſtar follows the Comet at 2/3 of the field's distance

LA DÉCOUVERTE D'HERSCHEL, *relatée de sa main le 13 mars 1781.*

Ses nuages les plus élevés ont une température de –200°C, température à laquelle l'ammoniac cristallise.

LES SATELLITES D'URANUS

La sonde Voyager 2, lors de son survol d'Uranus en 1986, nous a appris bien des choses sur la planète et sur ses satellites.
Le plus important d'entre eux, Miranda, est deux fois moins gros que notre Lune. Titania, Obéron et Umbriel semblent relativement

VOYAGER AU VOISINAGE D'URANUS
Montage des images de Voyager montrant les cinq plus importants satellites d'Uranus (dans le sens des aiguilles d'une montre) : Ariel, Umbriel, Obéron, Titania et Miranda.

calmes du point de vue géologique, tandis que Miranda et Ariel ont l'air d'être le siège d'une violente activité. En 1977, le passage d'Uranus devant une étoile a permis de découvrir la présence de neuf anneaux, minces et peu brillants. Voyager découvrit deux anneaux de plus, et une multitude de minuscules arcs et annelets.

Comment observer Uranus

À travers un télescope, Uranus apparaît sous la forme d'un disque verdâtre, ne dépassant pas la magnitude 6. Sa rotation rapide la rend légèrement elliptique. Il est difficile de voir tous les détails de la planète, à cause de son faible diamètre apparent et des perturbations dues à l'atmosphère terrestre.

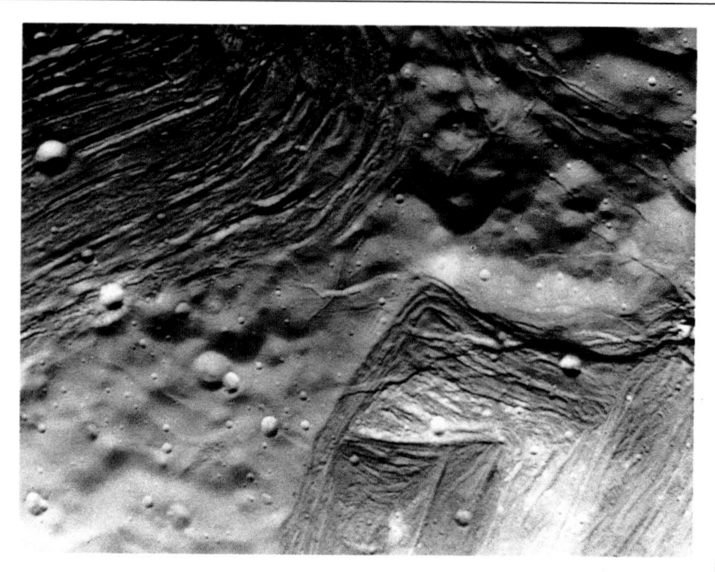

MIRANDA *présente des traces de fracture et un paysage tourmenté. Au tout début de son histoire, ce satellite a peut-être subi une très forte collision.*

Même les images de Voyager montrent une atmosphère assez pauvre en détails.

CARTE D'IDENTITÉ

Distance au Soleil : 19,2 ua

Période de révolution sidérale (autour du Soleil) : 84 ans

Masse (masse de la Terre = 1) : 15

Rayon équatorial (rayon de la Terre = 1) : 4

Taille apparente (disque de la planète) : 3-4 secondes d'arc

Période de rotation sidérale (à l'équateur) : 17,9 heures

Satellites : 15

WILLIAM HERSCHEL ET LA DÉCOUVERTE D'URANUS

Né en 1738 à Hanovre, en Allemagne, William Herschel est musicien et fils de musicien. En 1757, il s'établit en Angleterre pour y faire carrière dans le domaine de la musique. Un beau jour où lui passe entre les mains un livre d'astronomie, il se prend de passion pour l'observation. En 1781, il participe à une campagne de surveillance systématique du ciel, avec un télescope qu'il a construit lui-même. Le 13 mars, il découvre une étoile dans Gemini, qui, note-t-il, « apparaît nettement plus forte que les autres... » et qu'il soupçonne d'être une comète. Vers la fin du mois d'août, alors que Gemini se lève dans le ciel du matin, cet objet lui apparaît une nouvelle fois. Le mathématicien finlandais Anders Lexel annonce alors qu'Herschel a découvert une nouvelle planète. La carrière d'Herschel fait un grand bond en avant. En 1782, George III le nomme astronome royal, et lui permet de consacrer sa vie à l'astronomie. Il construit des télescopes de plus en plus grands, et découvre deux satellites de Saturne et deux satellites d'Uranus.

ANNEAUX *Pour obtenir cette vue des anneaux autour d'Uranus, Voyager s'est tourné vers le Soleil. On distingue également les traces des étoiles du champ.*

NEPTUNE, LA PLANÈTE BLEUE

Neptune est le dernier et le plus lointain des mondes géants que la sonde Voyager 2 nous fit découvrir.

LE TRIOMPHE DE NEPTUNE, *mosaïque de Sousse, Tunisie.*

Cette planète porte le nom du dieu romain de la mer, assimilé au dieu grec Poséidon. Les photographies de la planète, par leur couleur bleu sombre, justifient pleinement cette association avec la mer. Voyager 2, qui survola Neptune et ses satellites les 24 et 25 août 1989, révéla que l'atmosphère de Neptune, comme celle de Jupiter, est structurée en zones et qu'elle est le siège d'une tempête géante, la grande tache bleue, qui rappelle la grande tache rouge de Jupiter. Elles révèlent aussi la présence de nuages brillants, formés de cristaux de méthane, flottant dans l'atmosphère. Voyager a également permis de confirmer la présence d'un système d'anneaux ténus autour de Neptune.

LES SATELLITES DE NEPTUNE

William Lassell a découvert Triton, un mois après la découverte de la planète. C'est un satellite gros comme la Lune ; il mesure environ 4 200 km de diamètre. Il fait partie des plus gros satellites du système solaire, après Ganymède, Titan et Callisto. Contrairement aux autres grands satellites planétaires, Triton tourne autour de Neptune sur une orbite rétrograde (en d'autres termes, il se déplace dans le sens opposé à la rotation de la planète). Découvert en 1949, Néréide est au contraire assez petit (320 km de diamètre) et a une orbite très

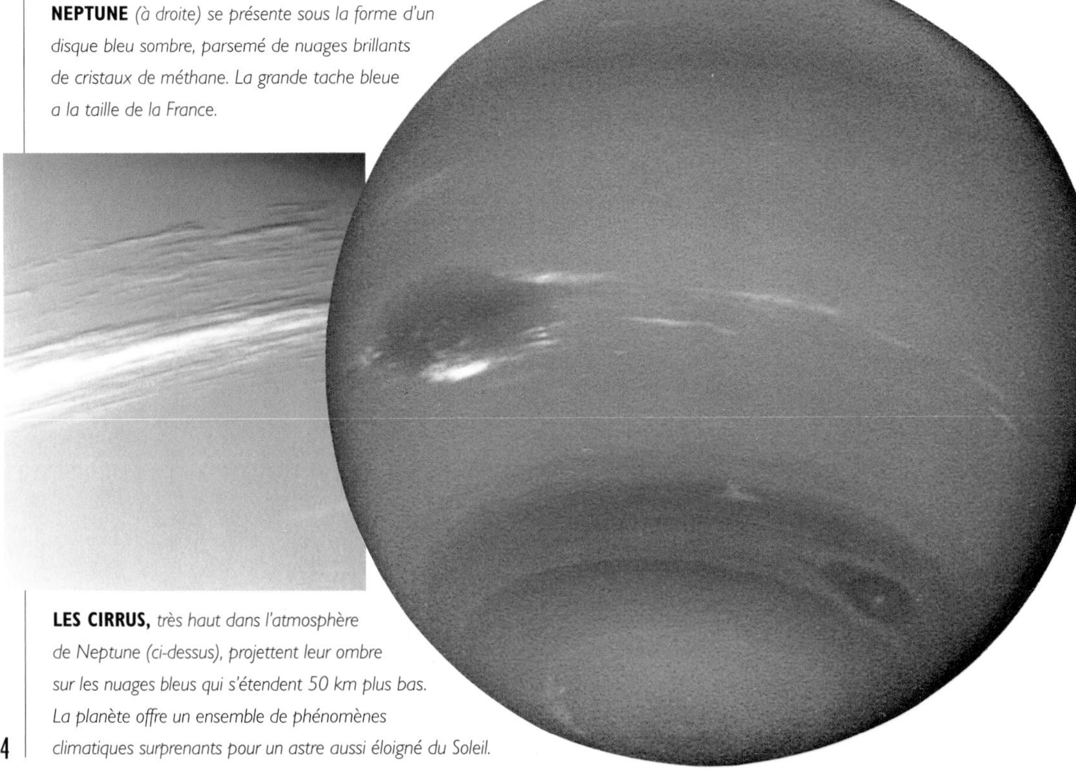

NEPTUNE *(à droite) se présente sous la forme d'un disque bleu sombre, parsemé de nuages brillants de cristaux de méthane. La grande tache bleue a la taille de la France.*

LES CIRRUS, *très haut dans l'atmosphère de Neptune (ci-dessus), projettent leur ombre sur les nuages bleus qui s'étendent 50 km plus bas. La planète offre un ensemble de phénomènes climatiques surprenants pour un astre aussi éloigné du Soleil.*

Monsieur Le Verrier

a vu un astre

au bout de sa plume!

François Arago.

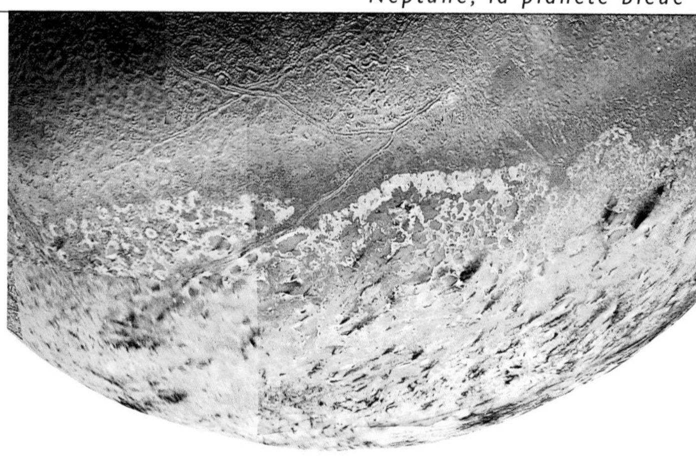

elliptique, la plus allongée de tous les satellites. Voyager 2 a permis de localiser six nouveaux satellites entre Neptune et Triton, dont un relativement grand, Naïade, de 400 km de large.

Comment observer Neptune

Dénicher le petit disque bleuâtre de magnitude 8 sous lequel Neptune se présente est un réel défi pour l'observateur car la planète est invisible à l'œil nu. Un grossissement d'au moins 300 fois est nécessaire pour en percevoir le disque. Afin de la repérer parmi la myriade d'étoiles faibles, vous aurez besoin de connaître sa position précise et d'avoir à votre disposition de bonnes cartes du ciel.

LE PÔLE SUD DE TRITON *est zébré de traces noires produites soit par de petits volcans, soit par des geysers d'azote liquide.*

CARTE D'IDENTITÉ

Distance au Soleil : 30 ua

Période de révolution sidérale (autour du Soleil) : 165 ans

Masse (masse de la Terre = 1) : 17,1

Rayon équatorial (rayon de la Terre = 1) : 3,88

Taille apparente (disque de la planète) : 2,5 secondes d'arc

Période de rotation sidérale (à l'équateur) : 19,2 heures

Satellites : 8

ADAMS, LE VERRIER, ET LA DÉCOUVERTE DE NEPTUNE

En 1845, John Couch Adams, un jeune étudiant de vingt-cinq ans, réussit, par une série de calculs, à localiser une planète perturbant, selon lui, l'orbite d'Uranus. Dès le mois de septembre, il fit parvenir ses résultats à son professeur, John Chalis, qui les transmit à l'astronome royal George Airy. Airy sembla intéressé, mais ne fit pas entreprendre de recherches. À la fin de l'année 1845, un astronome français, Urbain Jean Joseph Le Verrier, publia des travaux prédisant la position d'une nouvelle planète, à moins de 1° de l'emplacement où elle fut observée. Le 9 juillet 1846, Airy suggéra à Chalis de rechercher l'objet. Celui-ci entreprit alors un repérage, étoile par étoile, d'une grande région aux alentours, mais sans identifier de nouvelle planète. Pendant ce temps, Le Verrier s'adressa à Johann Galle, de l'observatoire de Berlin. Galle, assisté de Heinrich d'Arrest, ne mit pas longtemps à découvrir une « étoile » de magnitude 8. Le déplacement de cet objet parmi les étoiles permit bientôt de l'identifier à la nouvelle planète. Après l'annonce de cette découverte, Airy tenta d'y associer Adams, ce qui rendit les Français furieux. Adams et Le Verrier, restés en dehors de cette controverse, devinrent amis.

J. C. ADAMS *(ci-dessous, à gauche). Sa participation à la découverte de Neptune fut le premier pas d'une brillante carrière de mathématicien et d'astronome.*

LE VERRIER *travaillant sur la position de Neptune, gravure extraite de l'*Astronomie populaire*, de Camille Flammarion.*

PLUTON ET AU-DELÀ

Pluton, la planète la plus lointaine, accompagnée de son satellite d'une taille inhabituelle, Charon, tourne autour du Soleil sur une orbite singulière.

PLUTON, *ou Hadès, régnait sur le royaume des Enfers avec sa femme Perséphone. Ils sont représentés tous deux sur cette sculpture du Cavalier Bernin (1598-1680).*

Dans la mythologie grecque et romaine, Pluton est le dieu du monde souterrain des morts. Ce nom, donné à la planète par les astronomes de l'observatoire de Lowell, peu de temps après sa découverte (sur une suggestion d'une petite fille de onze ans, Venetia Burney), commémore, par ses deux premières lettres P et L, la mémoire de l'astronome Percival Lowell.
En 1978, James Christy découvrit que Pluton avait un satellite, Charon. Vers la fin des années 1980, plusieurs observations d'éclipses, au cours desquelles Pluton et Charon se cachent mutuellement, ont permis de déterminer le diamètre de Pluton, qui n'excède pas 2 300 km. Charon fait, au moins, la moitié de cette taille. L'observation de Pluton lors d'une occultation d'étoile (Pluton passe alors devant l'étoile) montre que la planète a une atmosphère ténue qui se condense probablement, sous forme de givre, quand la planète s'éloigne du Soleil, le long de son orbite très excentrique.

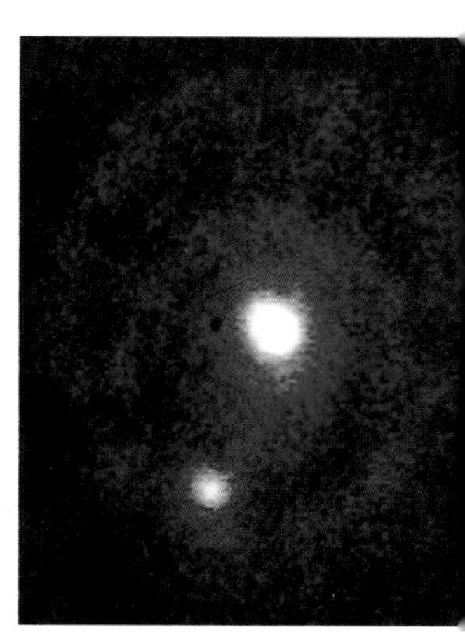

UN SATELLITE DE TAILLE *Cette photographie a été prise par le télescope Hubble avant sa réparation. Pluton et Charon sont séparés de 20 000 km.*

CARTE D'IDENTITÉ

Distance au Soleil : 39,50 ua
Période de révolution sidérale (autour du Soleil) : 249 ans
Masse (masse de la Terre = 1) : 0,002
Rayon équatorial (rayon de la Terre = 1) : 0,18
Taille apparente (disque de la planète) : 0,04 seconde d'arc
Période de rotation sidérale (à l'équateur) : 6,39 heures
Satellite : 1

PLUTON ET CHARON *Représentation de Pluton recouverte de glace (à l'arrière) et de son satellite Charon. Le Soleil dispense une lumière « froide » sur ces mondes lointains.*

Pluton n'a probablement pas une masse suffisante pour perturber les orbites de Neptune et d'Uranus, comme le pensait Lowell. Sa découverte ne fut pas le résultat d'un calcul mathématique, mais le fruit de la recherche minutieuse – et de la vue perçante – de Clyde Tombaugh.

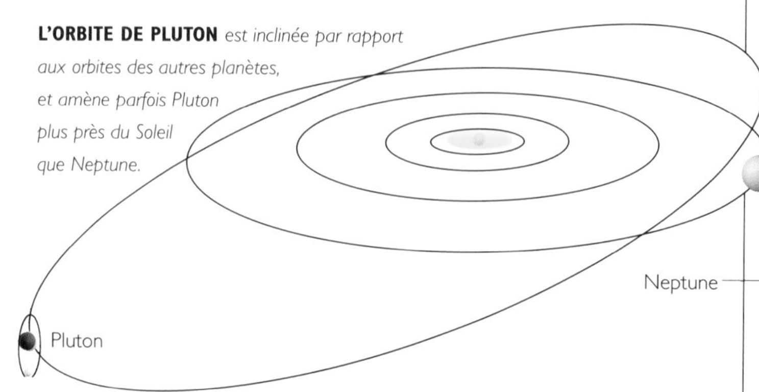

L'ORBITE DE PLUTON *est inclinée par rapport aux orbites des autres planètes, et amène parfois Pluton plus près du Soleil que Neptune.*

Comment observer Pluton

Pluton n'est pas une cible pour un observateur débutant. De magnitude 14, elle nécessite un télescope d'au moins 200 mm ; de plus, il faudra l'identifier au milieu d'une myriade d'étoiles, en étudiant son mouvement parmi le champ stellaire pendant plusieurs nuits.

Les astéroïdes du système solaire externe

En 1977, Charles Kowal découvre le premier astéroïde du système solaire externe, Chiron, dont l'orbite elliptique se trouve entre Saturne et Uranus.
En 1988, Chiron surprend les astronomes en doublant de luminosité, puis exhibe une chevelure faible semblable à celle d'une comète. Chiron, avec un diamètre estimé à 200 km, est peut-être représentatif d'une classe de gros astéroïdes ou de noyaux de comètes, non détectés dans le système solaire externe. Depuis cette découverte, on a repéré un deuxième objet, 5145 Pholus.
En 1992, David Jewitt et Jane Luu, de l'université d'Hawaii, ont trouvé le premier exemple d'objet de taille voisine de celle du Soleil, orbitant au-delà des planètes les plus externes Neptune et Pluton, 1992 QB1.

PLUTO. *Cet adorable petit chien aux oreilles tombantes, dessiné par Walt Disney, fit son apparition quelques mois après la découverte de son cousin céleste.*

UN AUTRE SYSTÈME SOLAIRE ?
Bêta Pictoris, à 50 années-lumière, est entourée d'un disque de glace et de rochers qui cache la propre lumière de l'étoile.

CLYDE TOMBAUGH ET LA DÉCOUVERTE DE PLUTON

Clyde Tombaugh (représenté ici avec un télescope équipé pour la photographie des satellites) naquit à Steator, dans l'Illinois, en 1906.
Dès son enfance, il s'intéressa à l'astronomie et construisit son propre télescope pour observer les planètes.
Il envoya ses dessins de Mars et de Jupiter à l'observatoire de Lowell pour avoir l'avis des astronomes. Le directeur, V. M. Slipher (connu pour ses mesures de décalage vers le rouge, *voir p. 50*), dut être impressionné, car il lui offrit un poste d'observateur.
Slipher lui fit part de son projet de poursuivre la recherche d'une nouvelle planète entreprise en 1905 par Percival Lowell.
Pour ce type de recherche, Tomaugh se servit d'un « comparateur clignotant » et compara des plaques photographiques d'une même partie du ciel, prises à une nuit d'intervalle.
Le 18 février 1930, Tombaugh comparait deux plaques centrées sur l'étoile Delta (δ) Geminorum, non loin de l'endroit où Uranus avait été découverte cent cinquante ans auparavant. Sa vue perçante lui permit de détecter un objet faible, en mouvement. Après vérification à l'aide d'une troisième plaque, il fut évident qu'il avait trouvé ce qu'il cherchait.

LES ASTÉROÏDES OU PETITES PLANÈTES

Les astéroïdes, petits objets rocheux en orbite autour du Soleil, sont une source incomparable de connaissances sur le développement de notre système solaire.

En 1766, l'Allemand Johann Daniel Titius divisa la distance entre le Soleil et Saturne (la planète la plus lointaine que l'on connût alors) en cent unités ou « parties ». Ainsi, Mercure est à 4 unités du Soleil, Vénus à 7 (ou 4 + 3,) la Terre à 10 (ou 4 + 6) et Mars à 16 (ou 4 + 12).
Titius découvrit qu'en doublant le second nombre on trouve une planète, jusqu'à Saturne, à l'exception du nombre 28, auquel ne correspond aucune planète.
Johann Bode fut si intrigué par la théorie de Titius qu'il entreprit de rechercher la planète manquante. C'est lui qui publia la loi, dite de Titius-Bode, alors qu'il était directeur de l'observatoire de Berlin.

LA POLICE DU CIEL

En 1800, en Allemagne, des astronomes se sont réunis au sein d'un groupe dit de la « police du ciel » dans le dessein d'organiser la recherche systématique de cette fameuse planète manquante. Ils ont commencé par diviser le plan des planètes, ou plan de l'écliptique, en plusieurs régions, chacune confiée à un astronome particulier.
Le 1er janvier 1801, ils furent devancés par Giuseppe Piazzi, de l'observatoire de Palerme, qui découvrit un objet d'apparence stellaire se comportant comme une planète. Cette petite planète, aujourd'hui baptisée Cérès, est bien sur l'orbite prévue par la loi

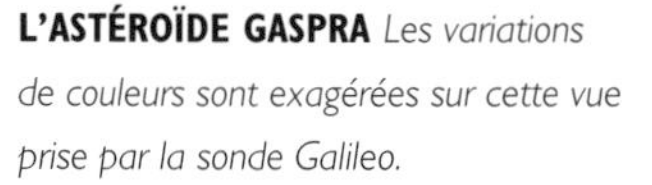

L'ASTÉROÏDE GASPRA *Les variations de couleurs sont exagérées sur cette vue prise par la sonde Galileo.*

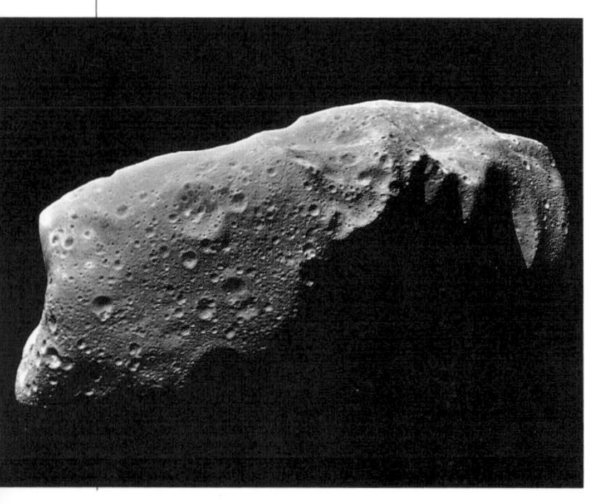

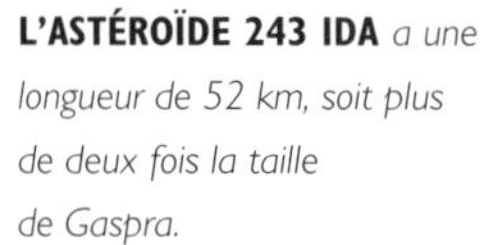

L'ASTÉROÏDE 243 IDA *a une longueur de 52 km, soit plus de deux fois la taille de Gaspra.*

de Titius-Bode, mais sa taille, inférieure à 1 000 km, la rend délicate à détecter. En mars 1802, la police du ciel découvrit un deuxième astéroïde, connu sous le nom de Pallas, puis un troisième, Junon (1804) et un quatrième, Vesta (1807) et enfin Astrée (1845). Le nombre des découvertes a beaucoup augmenté depuis. Nous connaissons actuellement les orbites de plus de 15 000 astéroïdes. Ces petites planètes se trouvent essentiellement dans le « vide » de la loi de Titius-Bode.

ELEANOR HELIN

Eleanor Helin, l'une des meilleures parmi les chercheurs d'astéroïdes, découvrit une douzaine d'astéroïdes Apollo en 1969 avec le télescope de Schmidt de 450 mm du mont Palomar. Dans leur révolution autour du Soleil, ces astéroïdes s'approchent parfois si près de la Terre qu'ils pourraient la heurter. Le programme de recherche mis au point par Helin, toujours opérationnel, a permis de découvrir de nombreux astéroïdes et comètes. En 1978, lors des accords de Camp David, Helen découvrit un astéroïde proche de la Terre. Pour honorer la paix entre Israël et l'Égypte, elle l'appela Rê-Shalom, Rê, d'après le dieu égyptien du Soleil, et *shalom*, mot hébreu signifiant paix.

LES DIFFÉRENTS TYPES D'ASTÉROÏDES

Astéroïdes de la ceinture principale

La plupart des astéroïdes se concentrent entre l'orbite de Mars et celle de Jupiter. Les scientifiques tentent de reconstituer leur histoire et de les classer en familles. Il semble qu'il soit possible, en remontant le temps dans le calcul des orbites, de montrer que chaque famille est issue d'un seul astéroïde qui s'est brisé lors d'une collision.

Astéroïdes troyens

Des astéroïdes peuvent être piégés à deux endroits de l'orbite de Jupiter, les points de Lagrange, situés, l'un à 60° en avant de la planète, l'autre à 60° en arrière. Ces astéroïdes sont qualifiés de « troyens », d'après les noms des héros de la guerre de Troie. Ceux qui précèdent Jupiter constituent le « groupe d'Achille », ceux qui le suivent, le « groupe de Patrocle ».

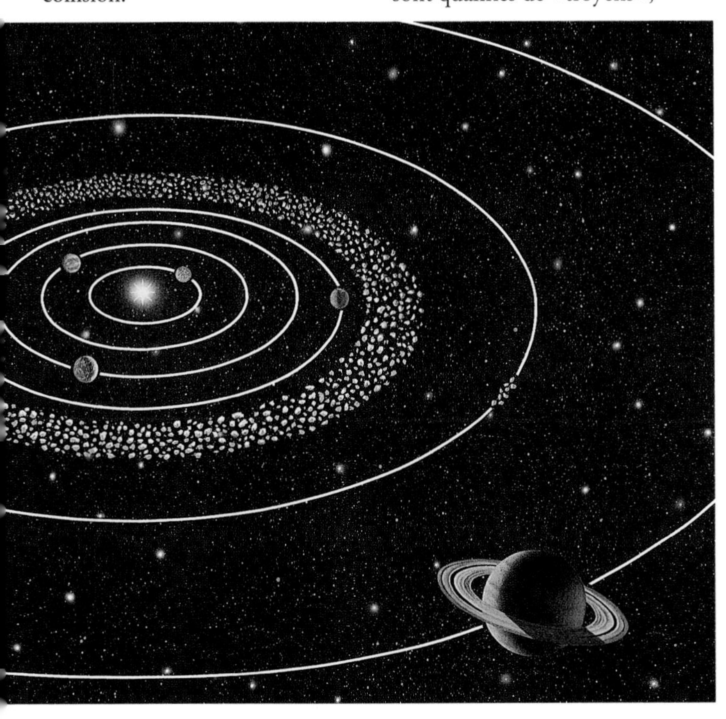

Astéroïdes proches de la Terre

En 1989, Henry Holt découvrit un astéroïde, Apollo, qui s'approche à 800 000 km de la Terre. En 1993, Tom Gehrels en trouva un autre, de 10 m de large, s'approchant à 140 000 km de la Terre (à l'intérieur de l'orbite de la Lune). Nous savons maintenant qu'il existe quelque deux cents astéroïdes assez importants dont des orbites croisent celle de la Terre et sont susceptibles de la heurter un jour ou l'autre. Il en existe probablement dix fois plus, d'un diamètre de 1 km ou plus, qui restent à découvrir.

LA CEINTURE D'ASTÉROÏDES *et les astéroïdes troyens sur l'orbite de Jupiter. Sur ce dessin, les positions des astéroïdes troyens ne sont pas exactes.*

LES COMÈTES, VAGABONDS COSMIQUES

Les comètes venues du système solaire externe ne sont plus synonymes de superstition et n'engendrent plus la crainte.

L'ADORATION DES MAGES *de Giotto di Bondone (1266-1336). L'étoile de Bethléem est représentée par une comète. Peut-être Giotto s'est-il inspiré du passage de la comète de Halley en 1301.*

DEUX QUEUES *s'échappent d'une comète au voisinage du Soleil, une rectiligne (en bleu) formée de gaz, et une incurvée (en jaune) composée de poussières.*

Orbite de Jupiter
Comète de Encke
Orbite de la Terre
Comète de Halley

Une comète éloignée du Soleil est un objet froid ressemblant à une grosse boule de neige sale dont la taille est de l'ordre de 1 km. La plupart des comètes semblent résider dans une vaste sphère entourant le Soleil, connue sous le nom de nuage de Oort, du nom de l'astronome hollandais Jan Oort. Cette sphère s'étend très au-delà de l'orbite des planètes les plus distantes. Il arrive que l'une de ces boules de neige subisse une perturbation et que sa trajectoire s'infléchisse vers le Soleil. Au voisinage de l'astre, la neige se met à bouillir et une chevelure de gaz et de poussières se développe. Le gaz quitte le noyau pour former une queue de gaz et de poussières dirigée à l'opposé du Soleil. Une explosion produit parfois une éruption de matière en forme de jet. Lorsqu'une comète passe près d'une planète, en général Jupiter, elle voit sa trajectoire modifiée par l'attraction gravitationnelle. Si de telles rencontres se répètent, il peut en résulter une modification de l'orbite cométaire. La comète passera, alors, indéfiniment dans le système solaire interne. La comète de Halley, avec sa période de 76 ans, est le meilleur exemple de comète périodique.

CAROLINE HERSCHEL

Au fur et à mesure que l'intérêt pour l'astronomie de William Herschel grandissait *(voir p. 253)*, sa jeune sœur, Caroline Lucretia, se passionnait pour ses travaux. En 1780, elle se mit à rechercher les comètes, grâce à un télescope de 150 mm construit par son frère. Le 1er août 1786, alors que Willian Herschel se trouvait en Allemagne, elle découvrait sa première comète. Caroline Hershel découvrit sa seconde comète à la fin 1788, une comète périodique, revenant tous les 150 ans. Elle découvrit deux comètes en 1790, et une autre à la fin 1791. Elle trouva sa huitième et dernière comète en 1797.

LA COMETE WEST (1975A) *(à droite), lors de son passage au voisinage du Soleil en1976, montre une très faible queue de gaz bleue et rectiligne, et une queue de poussière jaune, beaucoup plus importante.*

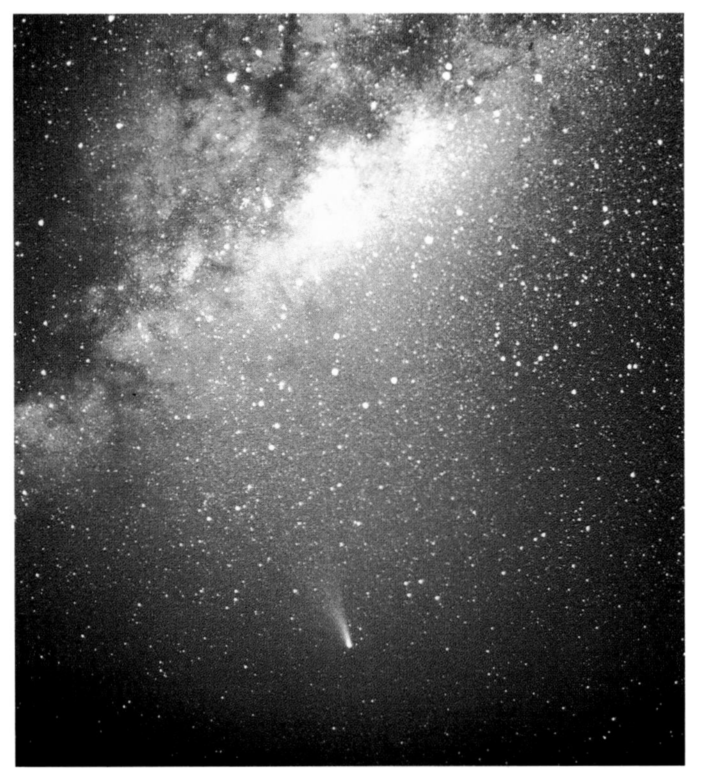

LA COMÈTE DE HALLEY, *sur la frontière des constellations du Sagittaire et du Capricorne. Quand cette photographie a été prise (mi-mars 1986), la comète était bien placée pour les observateurs de l'hémisphère Sud.*

CONSEILS POUR LA CHASSE AUX COMÈTES

Pour trouver une comète, il faut du temps, de l'expérience, une bonne dose de patience et une petite pincée de chance. Ne partez à la chasse des comètes que par une nuit sans lune, avec un ciel dégagé et noir, car les nouvelles comètes sont en général de peu d'éclat. Utilisez un télescope à grand champ. Cherchez dans une zone du ciel bien définie en déplaçant votre télescope lentement de manière à voir toutes les étoiles et tous les objets flous de chaque champ.

Il y a dans le ciel d'innombrables objets flous – galaxies, nébuleuses et amas d'étoiles –, qui peuvent ressembler à des comètes.

Si le ciel est assez sombre, vous en trouverez facilement l'un ou l'autre. Dans ce cas, positionnez-le soigneusement sur la bonne carte des constellations de ce livre. Si la carte ne comporte aucun objet flou à cet endroit, attendez un jour et vérifiez.

Si vous détectez un objet flou que vous supposez être une comète, assurez-vous qu'il se déplace d'une nuit à l'autre. Faites-vous confirmer en faisant appel à un observateur expérimenté. Puis signalez votre découverte au Bureau central des télégrammes astronomiques (BCTA) en indiquant sa position précise, sa description et l'estimation de sa brillance. Si vous êtes le premier à signaler la comète, elle portera votre nom !

DEUX « DÉCOUVREURS » DE COMÈTES

À la fin de l'année 1973, la comète Kohoutek s'approcha du Soleil, suscitant une intense curiosité dans le monde entier, mais elle se révéla moins brillante que prévu.

En revanche, presque personne ne parla de la seconde comète, presque aussi brillante que Kohoutek, qui s'approcha du Soleil quelques mois plus tard. Elle fut détectée à Adélaïde, en Australie, par William Bradfield.

Depuis, Bradfield a découvert visuellement (c'est-à-dire avec son œil à l'oculaire du télescope) plus de comètes que toute autre personne vivant actuellement.

Tandis que William Bradfield chasse, l'œil rivé à l'oculaire, comme le font la majorité des chasseurs de comètes amateurs, Caroline Spellmann Shoemaker travaille à partir de films photographiques.

Elle entama sa carrière d'astronome en aidant son mari, Eugène Shoemaker. En 1981, tous deux prenaient des photographies avec le télescope de 450 mm du mont Palomar quand Caroline découvrit de nouveaux objets.

Elle trouva sa première comète en 1983. En 1993, elle en avait trouvé trente. Son nom est associé à la découverte d'un grand nombre de comètes.

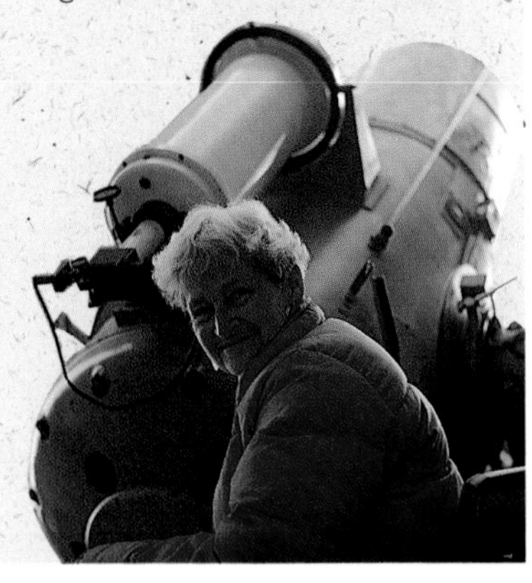

LE NOM DES COMÈTES

Selon une tradition vieille de deux siècles, les comètes portent le nom de leur découvreur. Le BCTA attribue, au départ, une désignation à toute nouvelle comète. Par exemple, la comète périodique de Halley, 1982i, a été la neuvième comète découverte ou retrouvée en 1982 (« i » étant la neuvième lettre de l'alphabet). Quelques années après la première observation, le BCTA attribue à la comète une désignation fondée sur l'ordre de son passage au voisinage du Soleil. Ainsi 1982i est également 1986 III, car la comète de Halley a été la troisième à approcher le Soleil en 1986. L'observation de nouvelles comètes ou de retour de comètes périodiques peut constituer une sorte de défi, car les comètes se déplacent d'une nuit à l'autre. Les positions des comètes brillantes sont indiquées dans les magazines d'astronomie, les banques de données sur ordinateur ou sur Minitel.

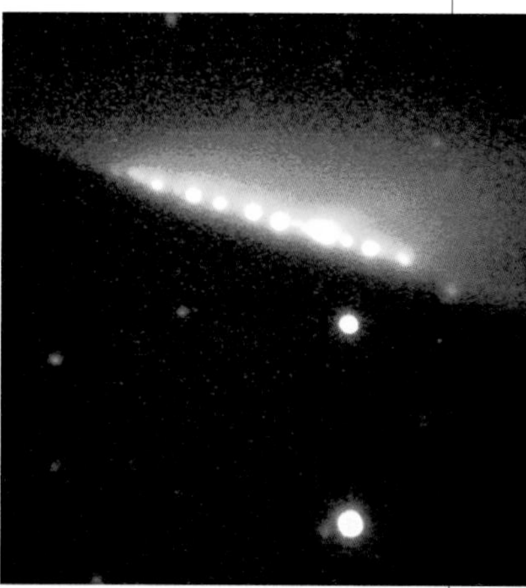

LA COMÈTE SHOEMAKER-LEVY 9 *Cette comète s'est brisée en fragments (chacun de moins de 1 km) en s'approchant très près de Jupiter en 1992. Elle ressemble à un collier de perles ou aux lumières d'un vaisseau spatial.*

Vérifiez que la comète que vous avez l'intention d'observer est suffisamment brillante pour être vue. Si vous opérez dans la banlieue d'une grande ville, elle devra être de magnitude 7, voire plus. Les comètes faibles sont très difficiles à observer dans les lueurs urbaines.

COLLISION *Représentation imaginaire de la collision des fragments de S.L.9 (avec leurs chevelures dans la direction opposée du Soleil). Chaque impact dégage plus d'énergie qu'une centrale nucléaire.*

UNE COMÈTE S'ÉCRASE SUR JUPITER

La collision d'une comète et d'une planète est un événement rare qui s'est déjà produit deux fois entre la comète Shoemaker-Levy 9 et Jupiter. La première collision eut lieu en 1992. La comète passa si près de Jupiter qu'elle se brisa en une chaîne d'une vingtaine de fragments. Le rayonnement qui en résulta fut assez intense pour être observé. Deux ans plus tard, au passage suivant, des fragments s'écrasèrent sur Jupiter. Le passage de chaque fragment dans l'atmosphère produisit un éclair lumineux puissant, suivi de l'éjection d'un panache de gaz sombre, s'élevant à plus de 1 000 km. Les impacts ont laissé des traces sombres, qui ont subsisté plusieurs semaines. L'événement fut observé au sol et dans l'espace par presque tous les observatoires, dans toutes les longueurs d'ondes depuis l'ultraviolet jusqu'à l'infrarouge, en passant par le visible et les ondes radio Bien du travail reste à accomplir pour dépouiller les données scientifiques accumulées à cette occasion.

JPL
Lockheed
FAIRCHILD

Chapitre VII
Sonder l'Univers

L'Univers nous a attirés et poussés à sortir des limites de notre petite planète. Quels mystères avons-nous percés et que nous reste-t-il à découvrir ?

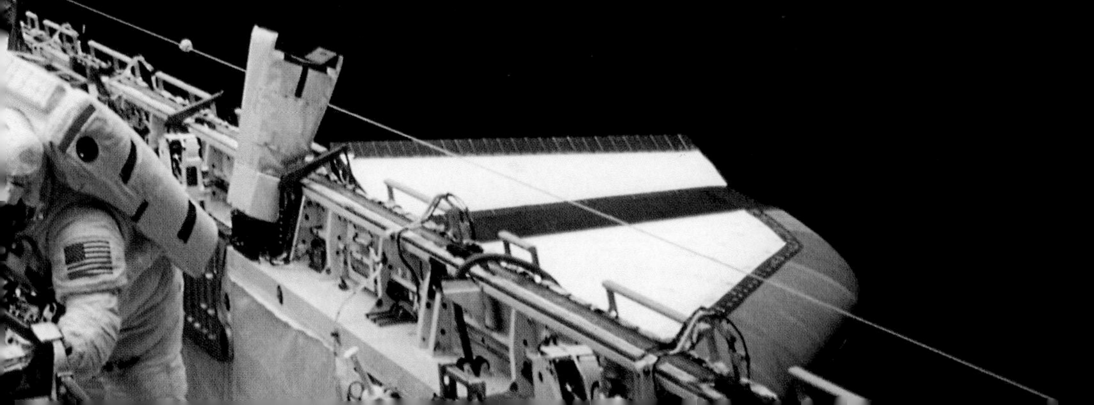

LE DÉBUT ET LA FIN DE L'UNIVERS

Les grandes questions concernant l'Univers sont certes difficiles à résoudre, mais, ces dernières années, des observations remarquables ont permis d'accorder certaines théories des plus surprenantes.

La plupart des astronomes décrivent aujourd'hui l'Univers dans le cadre de la théorie du big-bang. Cette théorie suppose l'existence, à l'origine, d'un Univers ponctuel, de température et de pression gigantesques, qui se dilate indéfiniment.

LE GRAND PROJET *Dieu, le « Grand Architecte » (ci-dessus), enluminure d'une bible française du XIIIe siècle.*

Grâce aux ordinateurs, on a pu « reconstituer » l'Univers une fraction de seconde après le big-bang : c'était alors une masse très chaude de rayonnement de particules. En se dilatant, l'Univers se refroidit, les particules élémentaires apparaissent, suivies par les atomes d'hydrogène et d'hélium, les éléments les plus abondants dans l'Univers.

LE RAYONNEMENT FOSSILE

En 1965, Arno Penzias et Robert Wilson se demandèrent d'où pouvaient bien venir les parasites qui brouillaient leur récepteur radar. Après qu'ils eurent vérifié toutes les connexions et nettoyé l'antenne, il subsistait toujours un rayonnement parasite, qu'ils n'arrivaient pas à éliminer. En fait, c'était le rayonnement fossile de l'Univers, rayonnement résiduel du big-bang à 2,7 °K, soit – 270,3 °C. Penzias et Wilson reçurent le prix Nobel en 1978 pour leur découverte. En avril 1992, le satellite Cobe (Cosmic Background Explorer) de la NASA détecta d'infimes variations de température dans le rayonnement du fond du ciel. Ces variations permirent de comprendre que l'Univers, 300 000 ans après le big-bang, contenait déjà en germe l'Univers actuel. C'est de ces minuscules irrégularités que naquirent les amas de galaxies disséminés dans de vastes régions vides.

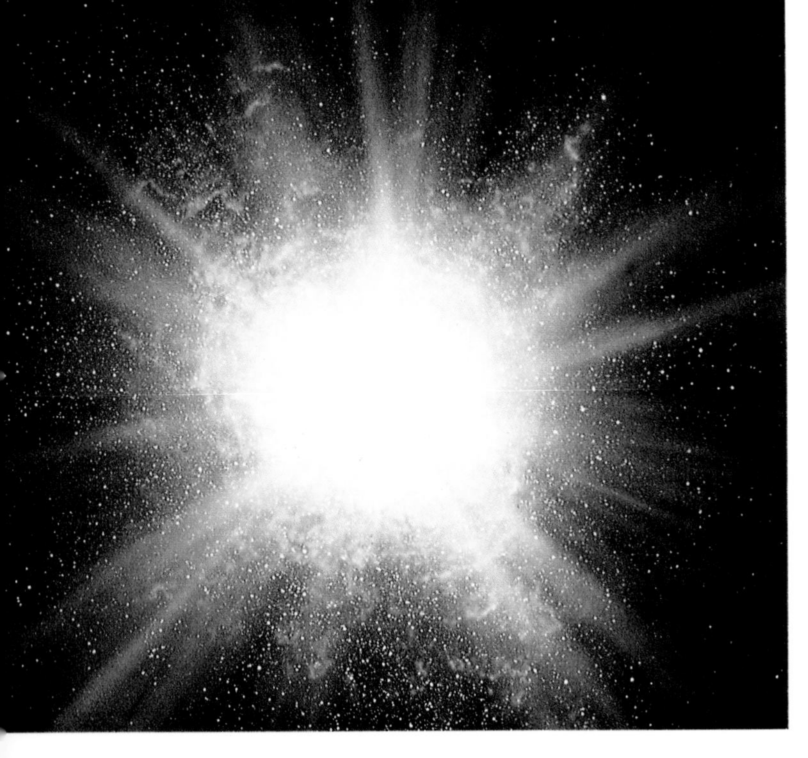

GRAVITÉ ET MATIÈRE NOIRE

À quoi ressemblera l'Univers dans un avenir lointain ? Poursuivra-t-il son expansion ou va-t-il ralentir, s'arrêter quelques « instants » pour se contracter et terminer enfin

LE BIG-BANG *Comment le représenter ? L'explosion que l'on voit ici n'est pas réaliste, puisqu'il est impossible de voir la naissance de l'Univers de l'extérieur. Le big-bang est une explosion de l'espace, non une explosion dans l'espace.*

LA NAISSANCE DE L'UNIVERS *C'est le big-bang qui fut à l'origine des planètes, des étoiles et des galaxies telles que nous les voyons aujourd'hui.*

sa course en un gigantesque « crunch » ?
La clé du problème réside dans la gravité. Si la masse totale de l'Univers est suffisamment importante, les forces d'attraction gravitationnelle seront assez fortes pour ralentir l'expansion, la stopper, puis entraîner une contraction. Sinon, l'expansion ralentira, mais ne s'arrêtera jamais. Estimer la masse totale de l'Univers est donc une tâche importante. Tâche également difficile. Si par exemple nous examinons notre galaxie et si nous estimons sa masse à partir de l'observation, il apparaît que cette masse observée est très insuffisante pour expliquer la stabilité de la structure galactique. Notre galaxie existe depuis plus de cinq milliards d'années. Or, en raison de sa vitesse de rotation, elle devrait être dispersée dans l'espace depuis longtemps. Pour rendre compte de sa stabilité, il faut supposer qu'elle contient une masse importante que nous ne voyons pas. C'est le problème de la masse manquante. Et le problème semble se poser pour beaucoup de galaxies.
Ainsi, le plus grand des amas proches de galaxies, l'amas de la Vierge, doit avoir une masse plus grande que celle qui est visible afin que la gravité soit suffisante pour maintenir ensemble les membres de l'amas. Où est cette matière invisible ? Dans les trous noirs, dans les particules subatomiques appelées neutrinos ou encore ailleurs ? Nous n'en savons rien.
En 1993, deux groupes de chercheurs détectèrent, chacun de leur côté, un nouveau type d'objet invisible qu'ils baptisèrent macho (objet compact massif du halo), et qui pourrait bien être un début de réponse. Loin dans la partie la plus extérieure de la Galaxie – le halo –, les machos seraient de grandes étoiles « obscures » ou des planètes. Que les machos existent ou non, les astronomes n'ont pas encore détecté assez de matière noire pour conclure que l'expansion de l'Univers s'arrêtera un jour.

Le grand big-bang ou le grand crunch

Dans un univers en expansion, les galaxies devraient finir par être remplies d'étoiles âgées, les naines noires, qui ne brilleraient plus. Après un temps bien plus long que celui qui s'est écoulé depuis le début de l'Univers, le nombre de naines noires devrait diminuer, ne laissant qu'un nuage de particules. Mais si la masse est suffisante pour que l'expansion s'arrête, l'avenir de l'Univers sera complètement différent. Après quelques milliards d'années, l'Univers se mettra au repos, et se contractera, lentement d'abord, puis plus rapidement, jusqu'à n'être plus qu'un point de matière. Peut-être alors le cycle recommencera-t-il.
Si un nouveau big-bang devait avoir lieu, le nouvel Univers ne garderait aucune mémoire de l'ancien. Rien de notre Univers ne passerait dans le nouveau.
À moins que les lois de la nature ne viennent à changer.

STRUCTURES DANS LE FOND CONTINU DE L'UNIVERS, *d'après des observations du satellite Cobe. Les structures bleues et roses sont à l'origine des galaxies et des amas de galaxies.*

La conquête de l'espace

Les télescopes spatiaux et les sondes planétaires, de plus en plus sophistiqués, nous révèlent des aspects inconnus du ciel.

MARINER 2, *première sonde interplanétaire américaine, passa à 35 000 km de Vénus en 1962.*

Juste après la Seconde Guerre mondiale, un groupe de scientifiques et d'ingénieurs américains installé à White Sands, dans le Nouveau-Mexique, tentait de faire voler les fusées V2 prises aux Allemands. Les fusées s'élançaient dans le ciel, les ingénieurs étudiaient leur comportement et les scientifiques se passionnaient pour les possibilités d'exploration de l'espace qu'elles offraient. Mais la réussite ne vint pas de ce côté… Le 4 octobre 1957, l'Union soviétique stupéfiait le monde entier en plaçant Spoutnik 1 en orbite autour de la Terre. Les États-Unis répliquèrent en programmant le lancement d'un satellite dans un délai de quatre-vingt-dix jours. Le 89e jour, Explorer 1 était mis en orbite.
Au mois de mai 1961, dans un discours passionné, le président John Kennedy s'engagea à envoyer un homme sur la Lune. Malgré l'incendie qui coûta la vie à trois astronautes au début de 1967, c'est un Américain, qui le premier, mis le pied sur la Lune, le 20 juillet 1969.

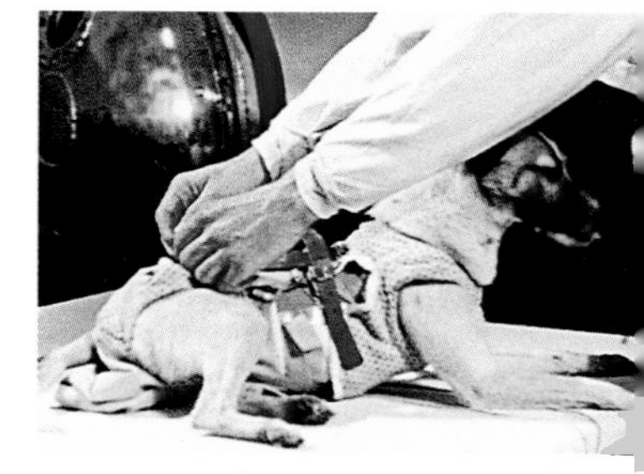

UN CHIEN DANS L'ESPACE *Spoutnik 2, lancé en 1957, emporta la chienne Laïka (à droite) ainsi que des instruments pour mesurer l'effet des vols spatiaux sur les animaux.*

L'exploration planétaire

C'est aussi dans les années 1960 qu'un ensemble de sondes spatiales automatiques se mit à explorer les planètes. L'ambitieux programme de la NASA atteignit son apogée dans les années 1970 et 1980, avec les missions Pioneer et Voyager à destination de Jupiter et de Saturne, l'exploration de Mercure et de Vénus par Mariner 10 et les atterrissages sur Mars des deux sondes Viking. L'exploration spatiale soviétique culmina avec la série des missions Venera à destination de Vénus dans les années 1960 et 1970. Les réussites les plus importantes sont les photographies de la surface de Vénus prises par Venera 9 et 10 en 1975 et l'approche de la comète de Halley par Vega 1 et Vega 2.

EDWIN ALDRIN, *photo de la mission d'Apollo 11 prise par Neil Armstrong (que l'on aperçoit dans la visière du casque d'Aldrin).*

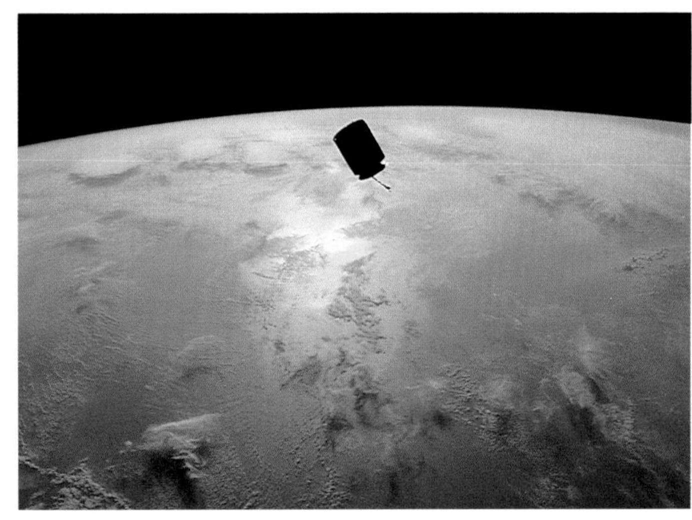

INTELSAT 6 *sur son orbite, vu par la navette spatiale Endeavour en 1992. Ce satellite de communication, qui n'avait pas réussi, deux années auparavant, à rejoindre l'orbite prévue, fut replacé sur son orbite par des astronautes.*

Voyager 2 est le plus performant des vaisseaux spatiaux actuels. Entre 1979 et 1989, il s'est approché des quatre planètes géantes et de quelques-uns de leurs satellites, et a fourni une masse gigantesque d'informations sur le système solaire.
Les programmes d'exploration se poursuivent, mais des contraintes politiques et financières, jointes à quelques échecs, ont un peu réfréné l'enthousiasme.

Les observatoires spatiaux

Les satellites astronomiques en orbite autour de la Terre sont tout aussi révolutionnaires. Fenêtres ouvertes sur un Univers inaccessible depuis le sol, ils ont prolongé le travail entrepris par les fusées et les ballons.
Entre 1978 et 1981, le satellite Einstein a permis de découvrir le ciel en rayons X. Le satellite International Ultraviolet Explorer (IUE), lancé en 1978, surveille toujours le domaine ultraviolet.
Le plus révolutionnaire de tous est sans conteste le satellite astronomique infrarouge (IRAS-Infrared Astronomy Satellite). Bien qu'il n'ait surveillé le ciel infrarouge que pendant six mois en 1983, les données qu'il en a fournies sont très précieuses.
De nouveaux satellites, dans tous les domaines de longueur d'onde, travaillent sur les fondations posées par ces pionniers.

Le télescope spatial Hubble

L'observatoire spatial le plus célèbre est le télescope spatial Hubble (TSH) lancé en 1990. Son intérêt principal n'est pas tant son miroir de 2,30 m de diamètre que la stabilité de ses images : il regarde en effet le ciel au-dessus des turbulences de l'atmosphère terrestre.
Le TSH fut lancé avec un miroir dont la mise au point était défectueuse. On aurait dû le renvoyer à son constructeur, mais c'était impossible.
Il fut donc décidé de lui offrir des « lunettes ». En décembre 1993, des astronautes l'équipèrent d'un ensemble d'optiques correctrices. Durant les trois années entre son lancement et sa réparation, le TSH rassembla de nombreuses données scientifiques et fit bien des découvertes. Il est maintenant fin prêt pour explorer les secrets des confins de l'Univers.

L'humanité ne restera pas éternellement sur la Terre, à la poursuite de la lumière et de l'espace, elle franchira d'abord timidement les limites de l'atmosphère puis conquerra tout le domaine autour du Soleil.

TSIOLKOVSKI, *lettre à Vorobier.*

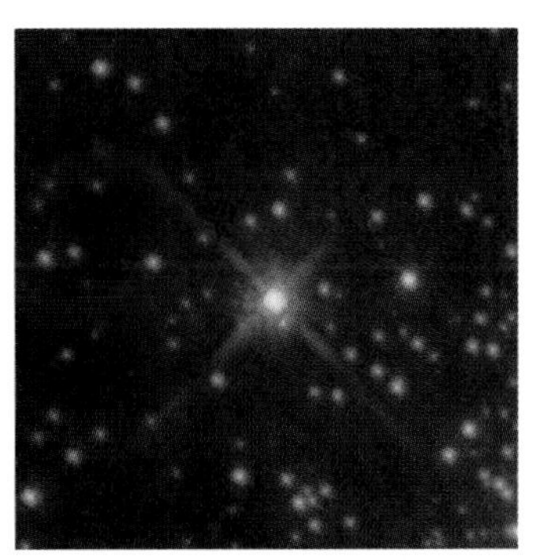

IMAGES D'ÉTOILES PAR LE THS
Après son lancement, les images fournies par le THS (au centre) avaient une résolution bien meilleure que celles vues du sol (à gauche), mais comportaient un halo de lumière parasite. Après réparation (à droite), les images sont bien meilleures, la plus grande partie de la lumière se concentrant au centre de l'image.

La vie dans l'Univers

La possibilité d'une vie extraterrestre a toujours fasciné les hommes et nous serons peut-être un jour capables de répondre à cette question : « Sommes-nous seuls dans l'Univers ? »

Nous savons qu'il existe dans notre Galaxie une planète où la vie existe. Mais la Terre est-elle la seule planète habitée ou fait-elle partie d'un immense réseau de vie couvrant toute la Galaxie ? La vie pourrait bien exister ailleurs, dans des mondes trop éloignés pour que nous puissions les contacter.
La recherche d'une vie intelligente extraterrestre a commencé en 1960 avec le projet Ozma, mis au point par le radioastronome Frank Drake. Il chercha, en vain, à détecter des signaux émis par deux étoiles voisines, de type solaire, Epsilon (ε) Eridani et Tau (τ) Ceti.
Ce genre de recherche se poursuit aujourd'hui à l'aide de techniques très sophistiquées, fondées sur la détection de signaux intelligents, délibérés ou accidentels, dans le domaine radio. Mais il pourrait exister des formes de vie qui n'utilisent pas la radio. La seule manière de les déceler serait alors de pousser l'exploration le plus loin possible, comme cela a été fait à l'intérieur du système solaire. À l'heure actuelle, il est très improbable que la vie existe dans les autres planètes solaires. Les deux tests faits par les sondes Viking en 1976 sur le sol de Mars se sont révélés négatifs.

L'USS ENTERPRISE, *vaisseau spatial du film* Star Trek.

QUELQUES EXTRATERRESTRES
Les petits hommes verts de Mars (ci-dessus), M. Spok avec ses oreilles pointues (en bas, à gauche), et le célèbre ET (ci-dessous).

L'ÉQUATION DE DRAKE

Où la vie intelligente a-t-elle le plus de chance d'apparaître ? Comme point de départ, Frank Drake a proposé une formule qui permet de calculer le nombre N de civilisations de notre Galaxie capables de nous contacter.

$$N = N_* f_p n_e f_l f_i f_c f_L$$

N_* est le nombre d'étoiles dans notre Galaxie.
f_p est la fraction d'étoiles possédant des planètes.
n_e est le nombre de planètes présentant un « environnement » favorable.
f_l est le taux de planètes où la vie a existé.
f_i est le taux de planètes où une vie intelligente peut se développer.
f_c est le taux de civilisations capables de communiquer avec d'autres.
f_L est le taux de longévité d'une civilisation par rapport à la durée de vie de l'étoile.
D'après nos connaissances actuelles, tous ces facteurs sont de l'ordre de 0,01.
Avec 200 milliards d'étoiles (N*) dans la Galaxie, on peut s'attendre à environ 200 000 contacts possibles entre civilisations. Toutefois, de nombreux scientifiques pensent que cette estimation est très optimiste, puisque, même sur Terre, il n'existe qu'une espèce « intelligente ».

IMPACT DE MÉTÉORITE! *Dessin représentant un objet de plusieurs kilomètres de large, avant l'impact (à droite) et après (ci-dessous). Des impacts de cette taille pourraient être à l'origine de la disparition des dinosaures.*

Bouleversement des écosystèmes par les impacts de météorites

Au cours des premières années de la Terre, les impacts des météorites et des astéroïdes ont pu déposer sur le sol le matériau organique, base de la vie. Mais ils ont pu tout aussi bien détruire les formes de vie qui existaient déjà ou modifier l'évolution de la vie. Une comète ou un astéroïde de 10 km de large a heurté la Terre il y a environ 65 millions d'années dans la péninsule de Yucatán, au Mexique. C'est peut-être cet impact qui a provoqué l'extinction de certaines formes de vie – dont les dinosaures – qui eut lieu à cette époque. Si un tel impact se produisait aujourd'hui, il pourrait très bien entraîner la fin de notre civilisation.

Les derniers jours des dinosaures

Pourquoi les dinosaures se sont-ils éteints il y a quelque 65 millions d'années ? Cette question a provoqué un grand nombre de controverses et donné lieu à de nombreuses théories. Le plus populaire des scénarios possibles est à peu près celui-ci : imaginez d'énormes animaux errant tranquillement dans une végétation luxuriante pendant des millions d'années sur une Terre au climat tempéré. Un beau jour, une comète ou un astéroïde vient heurter le sol. Des montagnes d'eau jaillissent du cratère et des tonnes de poussières s'élèvent en un gigantesque nuage. La végétation se consume, la Terre est noyée sous la poussière et la suie. Le ciel reste noir pendant plus d'un mois et une pluie d'acide sulfurique détrempe le sol. Il est probable que les dinosaures (et un grand nombre d'animaux et de plantes) n'ont pu survivre à un tel désastre. Les dinosaures ayant disparu, d'autres espèces animales, les premiers mammifères, ont pris la relève. Cette théorie n'est pas plus vérifiable ni moins fantaisiste que celle qui prévalait il y a cinquante ans : les femelles, trop lourdes, écrasaient leurs œufs !

LA MORT DES DINOSAURES *Elle est peut-être due à l'impact d'une ou plusieurs météorites de grande taille.*

LES DALEKS, *un exemple de créatures extraterrestres que l'on peut voir dans les feuilletons télévisés.*

Annexes

Bibliographie
Lieux & organisations
Glossaire – Index

Bibliographie

CETTE BIBLIOGRAPHIE vous permettra d'approfondir vos connaissances aussi bien en astronomie qu'en histoire de l'astronomie. Sauf cas exceptionnels, nous ne mentionnons que des ouvrages français ou traduits en français. Nous ne citons également que des ouvrages actuellement disponibles. C'est bien sûr à regret que nous avons éliminé des ouvrages introuvables, mais aussi fondamentaux que, par exemple, *la Construction du télescope d'amateur,* de J. Texereau. Les ouvrages présentés sans commentaire n'ont pas moins de mérite que les autres.

Histoire de l'astronomie

Dreyer J. L. E., *A History of Astronomy from Thales to Kepler,* Dover, New York, 1953. Un excellent petit livre, simple, clair, qui va à l'essentiel mais qui malheureusement n'a jamais été traduit en français.

Galilée, *le Messager céleste,* traduction française par Isabelle Pantin, Les Belles Lettres, Paris, 1992. Les premières découvertes télescopiques de Galilée. Les notes abondantes forment un véritable commentaire de cette œuvre importante.

Galilée, *le Dialogue sur les deux grands systèmes du monde,* Éd. du Seuil, Paris, 1992. Traduction française par René Fréreux de l'ouvrage qui valut à Galilée son procès et sa condamnation. La faiblesse de l'annotation est toutefois regrettable.

Geymonat L., *Galilée,* Éd. du Seuil, Paris, 1992. Traduit de l'italien par F. M. Rosset et S. Martin.

Kepler J., *le Secret du monde,* Les Belles Lettres, Paris, 1984. Traduction française par Alain Segonds du premier livre de Kepler, où il présente les polyèdres réguliers censés rendre compte de la structure du monde.

Koyré A, *Du monde clos à l'Univers infini,* Gallimard, Paris, 1973.

Maury J.-P., *Galilée, le messager des étoiles,* Gallimard, Paris, 1986.

Maury J.-P., *Comment la Terre devint ronde,* Gallimard, Paris, 1989.

Merleau-Ponty J., *la Science de l'Univers à l'âge du positivisme,* Vrin, Paris, 1983. Une étude historique et philosophique sur les origines de la cosmologie contemporaine.

Neugebauer O., *les Sciences exactes dans l'Antiquité,* Actes Sud, Arles, 1990. Une bonne traduction de cet ouvrage, qui traite des mathématiques et de l'astronomie égyptienne et babylonienne, ainsi que de l'origine de la science hellénistique.

Shea W., *la Révolution galiléenne,* Éd. du Seuil, Paris, 1992.

Verdet J.-P., *Une histoire de l'astronomie,* Éd. du Seuil, Paris, 1990. Un panorama d'ensemble de l'Antiquité au XIXe siècle, auquel s'ajoutent des coupes chronologiques, en particulier sur deux problèmes clés : la mesure des distances dans l'Univers et la formation du système solaire.

Westfall R., *Newton,* Flammarion, Paris, 1994. Traduction par M.-A. Lescouret de l'ouvrage monumental de Westfall. La version anglaise remontant à 1980, il aurait été utile de compléter la bibliographie.

Mythologie

Verdet J.-P., *le Ciel, ordre et désordre,* Gallimard, Paris, 1987. Un survol des mythes, des légendes et des croyances populaires liés au ciel.

Astronomie générale

Bourge P., *la Photographie astronomique d'amateur,* Dunod, Paris, 1993.

Couder A., Danjon A. *Lunettes et Télescopes,* reprint A. Blanchard, Paris, 1979. Un classique irremplaçable.

Danjon A., *Astronomie générale, Astronomie sphérique et Éléments de mécanique céleste,* reprint A. Blanchard, Paris, 1980. Édition remise à jour pour l'ère des calculettes, sous la direction de J.-P. Verdet.

Le Grand Atlas de l'astronomie, Encyclopaedia Universalis, Paris, 1993, édition remise à jour et complétée. Ouvrage réalisé par des astronomes de l'Observatoire de Paris sous la direction de J. Audouze et G. Israël.

Decaux B., Guinot B., *la Mesure du temps,* PUF, Paris, 1969. Un bon livre, simple et clair sur ce sujet difficile.

Encyclopédie scientifique de l'Univers, éditée par le Bureau des longitudes, Gauthiers-Villars, Paris : *la Terre, les eaux, l'atmosphère,* 1984 ; *les Étoiles, le système solaire,* 1986 ; *la Galaxie, l'Univers extragalactique,* 1988.

Klots H., Martinez P., *Guide pratique de l'astronomie CCD,* édité par Association d'astronomie Adagio, Toulouse, 1994. Tout ce qu'il faut savoir sur cet appareillage de plus en plus en usage chez les amateurs.

Meeus J., *Calcul astronomique à l'usage des amateurs,* édité par la Société astronomique de France, 1986. Le meilleur manuel actuellement sur le marché.

Sérane G., *Astronomie et Ordinateurs,* Dunod, Paris, 1987. Un manuel d'initiation aux calculs de l'astronomie de position et aux programmes Basic.

Conquête spatiale

Le Grand Atlas de l'espace, Encyclopaedia Universalis, Paris, 1987. Ouvrage réalisé par une pléiade de chercheurs et de techniciens internationaux sous la direction de J.-C. Falque et A. Humbert-Droz Swezey.

Dupra A., *la Saga de l'espace,* Gallimard, Paris, 1986. Une histoire des trente premières années de la conquête de l'espace.

Le système solaire

Blamont J., *Vénus dévoilée,* Odile Jacob, Paris, 1987.

Brunier S., *Voyage dans le système solaire,* Bordas, Paris, 1994. Un ouvrage bien fait, très complet et parfaitement à jour. Il existe une édition avec des compléments « culturels » aux Éditions Éclectis, Paris, 1994.

Festou M., Ribes J.- C., Véron P., *les Comètes. Mythes et réalités,* Flammarion, 1985. Présentation à la fois historique et scientifique des comètes.

Lantos P., *le Soleil,* PUF, Paris, 1994.

Louchet A., *la Planète Mars,* Masson, Paris, 1988.

Maffei P., *la Comète de Halley,* Fayard, Paris, 1985. Le meilleur parmi tous les livres qui ont fleuri lors du dernier passage de cette célèbre comète.

Rükl A., *Atlas de la Lune,* Gründ, 1993.

Astrophysique générale

Acker A., *Astronomie. Introduction,* Masson, Paris, 1992. De l'astronomie de position à la cosmologie moderne.

Aux confins de l'Univers, Fayard, Paris, 1987. Un ouvrage collectif sous la direction de Jean Schneider, astrophysicien à l'Observatoire de Paris.

Bottinelli L. et autres, *la Terre et l'Univers,* Hachette, 1993.

Brack R., Roulier F., *l'Évolution chimique et les Origines de la vie,* Masson, Paris, 1991.

Couteau P., *l'Observation des étoiles doubles visuelles,* Flammarion, Paris, 1978.

Gougenheim L., *Méthode de l'astrophysique. Comment comprendre l'Univers,* Hachette, Paris, 1981.

Harrison Ed., *le Noir de la nuit,* Éd. du Seuil, Paris, 1987. Un livre excellent sur cette énigme du cosmos : pourquoi le ciel nocturne ne brille-t-il pas comme le ciel diurne ?

Heidmann J., *Intelligences extraterrestres,* Odile Jacob, Paris, 1992.

Lachièze-Rey M., *Initiation à la cosmologie,* Masson, Paris, 1992.

Lacroux J., Berthier D., *Lunettes et Télescopes, mode d'emploi,* Bordas, Paris, 1988. Un volume de la collection « Guide » indispensable aux amateurs qui veulent s'installer une petite station d'observation.

La Recherche sur les origines de l'Univers, Éd. du Seuil, Paris, 1991. Un ouvrage collectif sous la direction de M. Lachièze-Rey, astrophysicien.

Luminet J.-P., *les Trous noirs,* Éd. du Seuil, Paris, 1992.

Merleau-Ponty J., *Cosmologie du XXe siècle,* Gallimard, Paris, 1965. Une remarquable étude épistémologique et historique des théories de la cosmologie contemporaine.

Nottale L., *l'Univers et la Lumière,* Flammarion, Paris, 1993. Un ouvrage d'initiation à la cosmologie classique et aux phénomènes des mirages gravitationnels.

Reboul H., *Introduction à l'observation en astrophysique,* Masson, Paris, 1979.

Reeves H., *Patience dans l'azur. L'évolution cosmique,* Éd. du Seuil, Paris, 1981. Le plus célèbre ouvrage de ce très médiatique astrophysicien.

Reeves H., *Poussières d'étoiles,* Éd. du Seuil, Paris, 1984. Nous sommes tous les enfants des étoiles.

Reeves H., *Dernières Nouvelles du cosmos,* Éd. du Seuil, Paris, 1994. La jeunesse de l'Univers jusqu'à sa première seconde.

Schatzman E., *l'Expansion de l'Univers,* Hachette, Paris, 1989.

Trin Xuan Thuan, *le Destin de l'Univers. Le big-bang, et après,* Gallimard, Paris, 1992.

Trin Xuan Than a su adapter ce sujet difficile à cette collection prestigieuse d'ouvrages magnifiquement illustrés.

Trin Xuan Thuan, *la Mélodie secrète, et l'Homme créa l'Univers,* Gallimard, Paris, 1951.

Weinberg S., *les Trois Premières Minutes de l'Univers,* Éd. du Seuil, Paris, 1978. Un des premiers livres de vulgarisation sur le big-bang.

Périodiques

Ciel et Terre, bulletin de la Société belge d'astronomie, de météorologie et de physique du globe, mensuel, fondé en 1880.

Journal de la Société royale d'astronomie du Canada. Six numéros par an. Sur abonnement auprès de Rondall Brooks, Ph. D., 136 Dupont Street, Toronto, M5R 1V2.

Journal for the History of Astronomy, édité par M. A. Hoskin. Quatre numéros par an et un supplément d'archéoastronomie, sur abonnement auprès de Science History Publication Ltd., 16 Rutherford Road, Cambridge, England, CB2 2HH. Indispensable à ceux qui s'intéressent à l'histoire de l'astronomie.

L'Astronomie, revue mensuelle publiée par la Société astronomique de France.

Ciel et Espace, revue mensuelle publiée par l'Association française d'astronomie.

Les Cahiers Clairant, 4 numéros par an, sur abonnement : G.Walusinski, 26, rue Bérengère, 92210 Saint-Cloud.

Lieux & Organisations

LIEUX

France

Observatoires

Observatoire de Paris
61, avenue de l'Observatoire
75014 Paris
Fondé en 1667, il est le plus vieil observatoire du monde encore en service.
Il se visite, ainsi que sa section d'astrophysique (place Janssen, 92190 Meudon) et sa section de radioastronomie de Nançay (Neuvy-sur-Barageon 18330 Cher), où l'on voit le grand radiotélescope de 200 m de long.

Observatoire de Haute-Provence,
près de Saint-Michel-l'Observatoire,
04870 Forcalquier
On y voit un télescope de 193 cm de diamètre.

Observatoire de Besançon
41 *bis,* avenue de l'Observatoire
25044 Besançon

Observatoire de Bordeaux
21, avenue Pierre-Sémirot
33270 Floirac

Observatoire de la Côte d'Azur
Le Mont-Gros
06304 Nice
On y trouve la grande lunette de 76 cm de diamètre et de 18 m de distance focale. La coupole de 24 m de diamètre est due à Gustave Eiffel. Cet observatoire a deux annexes :
– le CERGA, avenue Copernic, 06130, Grasse
– le Plateau de Calern, 06460, Caussols par Saint-Vallier-de-Thiey.

Observatoire de Grenoble
Station de radioastronomie
38402 Saint-Martin-d'Hères.
Observatoire de Lyon
avenue Charles-André
69561 Saint-Genis-Laval

Observatoire de Marseille
2, place Le Verrier
13248 Marseille

Observatoire Midi-Pyrénées
14, avenue Édouard-Belin
31400 Toulouse
Cet observatoire a une annexe, l'observatoire du Pic-du-Midi, près de La Mongie et du Tourmalet.
Se renseigner au secrétariat de l'observatoire de Bagnères-de-Bigorre
9, rue du Pont-de-la-Moulmette
65200 Bagnères-de-Bigorre

Observatoire de Strasbourg
11, rue de l'Université
67000 Strasbourg

Observatoire d'Aniane
34150 Gignac
Des instruments y sont mis à la disposition des visiteurs.

Observatoire de l'Astro Club de France 61560 Saint-Aubin-de-Courteraie

Planétariums

Planétarium du Palais de la découverte
Avenue Franklin-D.-Roosevelt
75008 Paris

Planétarium de la Cité des sciences et de l'industrie de la Villette
30, avenue Corentin-Cariou
75019 Paris

Planétarium du musée de l'Air et de l'Espace
93350 Le Bourget

Planétarium
Hôtel de Ville
59180 Capelle-la-Grande

Planétarium de la Charente
Château de l'Oisellerie
16400 La Couronne

Planétarium de Nantes
8, rue des Acadiens
44100 Nantes

Planétarium de Nîmes
Mont Duplan
Avenue du Maréchal-Juin
30000 Nîmes

Planétarium du Trégor
Parc scientifique
22560 Pleumeur-Bodou

Planétarium Devenir
1, place de la Cathédrale
86000 Poitiers

Planétarium de Reims
1, place Museux
51100 Reims

Planétarium de Saint-Étienne
6, rue Francis-Garnier
42000 Saint-Étienne

Planétarium de Strasbourg
Rue de l'Observatoire
67000 Strasbourg

Divers

Muséum d'histoire naturelle
57, rue Cuvier
75005 Paris
Pour sa collection de météorites.

Librairie spécialisée
La Maison de l'astronomie
Devaux et Chevet
35, rue de Rivoli
75004 Paris

Belgique

Institut d'astronomie
de l'université de Bruxelles
50, avenue F.-D.-Roosevelt
Bruxelles

Institut d'astrophysique de Liège
5, avenue de Cointe
4000 Liège

Observatoire royal de Belgique
3, av. Circulaire
B-1180, Uccle-Bruxelles
(station de radioastronomie
à Humain par Rochefort,
Luxembourg)

Canada

Observatoire de Montréal
(Centre de la Société royale
astronomique du Canada)
Université Mc. Gill
845, rue Sherbrooke Ouest
Montréal, Qué H3A 2T5

Suisse

Observatoire de Genève
1290 Sauverny/Genève

Observatoire cantonal
2000 Neuchâtel

Station scientifique
du Jungfraujoch
Secrétariat, Siddlerstrass,
5 CH, 3012, Berne

ORGANISATIONS

France

Société astronomique de France
3, rue Beethoven
75016 Paris
Tél. 42 24 13 74

Association française d'astronomie
17, rue Émile-Deutsch-de-la-Meurthe
75014,Paris
Tél. 45 89 81 44

Société populaire d'astronomie
9, rue Ozenne
31000 Toulouse

Société d'astronomie populaire
1, avenue Camille-Flammarion
31500 Toulouse

Société d'astronomie populaire
de la Brie
7, avenue Carnot
77220 Gretz-Armainvilliers
Tel. 64 42 00 02

Association des planétariums
de langue française
Planétarium de Strasbourg
Rue de l'Observatoire
67000 Strasbourg

Association française des
observateurs d'étoiles variables,
11, rue de l'Université,
67000 Strasbourg

Parsec, 16, avenue du Général-Étienne, 06000 Nice.
Cette association propose
en région niçoise des activités
de découverte de l'astronomie.

Pour connaître les nombreuses
associations d'astronomes
amateurs : Minitel 3615
code Bigbang.

Belgique

Société belge d'Astronomie,
de Météorologie et de Physique
du globe
Avenue Circulaire 3
B-1180, Bruxelles

Société astronomique de Liège
Institut d'astrophysique
Parc de Cointe
B-4200 Ougrée

Société royale d'astronomie
d'Anvers
Leeuw van Vlaanderenstraat
B-1000 Anvers

Infocosmos
M. André Van Der Elst
Rue Léon XIII
32 Bruxelles

Il existe de plus un coordinateur
du Comité belge des astronomes
amateurs
M. René Charles, rue Rassel 59
B-1810 Wemmel

Suisse

Société astronomique de Suisse
Lorraine 12 D 16
CH-3400, Burgdorf

Société astronomique
de Genève
6, Terreaux du Temple
CH-1202 Genève

Société astronomique
du Haut-Léman
19, rue des Communaux
CH-1800 Vevey

Société vaudoise d'astronomie
8, chemin des Grandes-Roches
CH-1018 Lausanne

Canada

Société d'astronomie de Montréal
3860 Est, Rachel
Montréal H1Y 1X9

Royal Astronomical Society
of Canada
124, Merson Street
Toronto M4S 2Z2

Glossaire

A

adaptation à l'obscurité
Augmentation de la sensibilité de l'œil sous faible éclairage.

amas galactique ou **amas ouvert**
Ensemble de quelques centaines d'étoiles jeunes faiblement liées par la gravitation.

amas globulaire
Ensemble sphérique d'étoiles (jusqu'à 1 million) liées par la gravitation.

année-lumière
Distance parcourue par la lumière en un an : 9 460 milliards de km.

aphélie
Point de l'orbite d'une planète ou d'une comète le plus éloigné du Soleil.

ascension droite
Coordonnée céleste analogue à la longitude sur la Terre.

astéroïde (petite planète)
Petit objet rocheux, de diamètre inférieur à 1 000 km, tournant autour du Soleil.

atmosphère
Couches de gaz entourant un objet céleste.

aurores
Voiles ou arcs de lumière observables à des latitudes élevées. Les aurores sont dues aux particules chargées venant du Soleil qui chauffent l'atmosphère et rendent les gaz incandescents.

B

big-bang
Théorie cosmologiste, la plus couramment admise, selon laquelle l'Univers est né il y a quelque 10 à 20 milliards d'années d'une formidable explosion.

C

chercheur
Petite lunette de faible puissance, alignée avec le télescope principal. Elle est utile pour trouver un objet dans le ciel, grâce à son champ important.

collimation
Processus d'alignement des optiques de jumelles.

comète
Petit corps composé de glace et de poussières qui tourne autour du Soleil sur une orbite très allongée.

conjonction
Instant où deux objets célestes paraissent le plus proches dans le ciel.

constellation
Chacune des 88 figures conventionnelles formées par les étoiles dans le ciel.

couronne
Atmosphère extérieure du Soleil à très haute température, visible de la Terre lors des éclipses totales de Soleil.

D

décalage vers le rouge
Déplacement vers le rouge des raies spectrales lumineuses dû au mouvement d'éloignement de la source lumineuse par rapport à la Terre.

déclinaison
Distance angulaire, vers le nord ou vers le sud, d'un objet par rapport à l'équateur céleste (équivalent à la latitude sur la Terre).

détecteur à transfert de charges
Détecteur électronique d'enregistrement d'images, commandé par ordinateur.

diagramme de Hertzsprung-Russell (HR)
Diagramme reliant la luminosité (ou la magnitude absolue) des étoiles à la température (ou la couleur).

disque d'accrétion
Couche de gaz et de poussières en rotation autour d'une étoile jeune, d'un trou noir ou de tout autre objet augmentant de taille en attirant de la matière.

E

éclat (apparent)
Éclairement donné par un astre sur un plan perpendiculaire à la ligne de visée. La comparaison avec la luminosité donne la distance.

éclipse
Obscurcissement total ou partiel d'un astre par le passage d'un autre astre devant lui ou par son passage dans une zone d'ombre.

équateur céleste
Grand cercle imaginaire, perpendiculaire à l'axe de rotation de la Terre et qui coupe le ciel en deux.

étoile à neutrons
Résidu de l'effondrement d'une étoile massive, objet dense formé presque exclusivement de neutrons, visible sous forme d'un pulsar.

étoile double ou **binaire**
Ensemble de deux étoiles liées par gravitation et tournant autour de leur centre de masse (ne pas confondre avec deux étoiles alignées, par hasard, avec l'observateur terrestre).

étoile filante, voir météore.

étoile naine
Étoile, analogue au Soleil, appartenant à la séquence principale.

étoile variable
Étoile dont l'éclat apparent change avec une période allant de quelques minutes à plusieurs années.

étoiles circumpolaires
Étoiles qui, en un endroit donné, ne se « couchent » jamais.

F

filtre solaire
Filtre réduisant la lumière du Soleil de telle façon qu'elle puisse être regardée dans un instrument. Seuls les filtres se plaçant sur l'objectif sont suffisamment sûrs pour être utilisés.

G

galaxie
Ensemble d'étoiles, de gaz et de poussières liés par la gravitation, de masse comprise entre 10 millions et 10 000 milliards de « soleils ». Ces galaxies sont de différents types : spirale, elliptique et irrégulière.

géante rouge
Étoile géante de couleur rougeâtre ou orange, au dernier stade de son évolution. Relativement froide, son diamètre atteint jusqu'à 100 fois le diamètre initial.

groupe local de galaxies
Ensemble d'une trentaine de galaxies auquel appartient la Voie lactée.

I

infrarouge (IR)
Partie du spectre lumineux dont les longueurs d'onde sont plus grandes que celles correspondant au rouge.

J

jour sidéral
Temps nécessaire pour qu'une planète, ou un satellite, effectue, par rapport aux étoiles, une rotation complète autour de son axe.

L

lentille gravitationnelle
Galaxie ou tout autre objet très massif situé entre la Terre et un astre plus lointain. Son champ de gravitation dévie la lumière venant de cet astre et en donne des images multiples ou déformées.

limite de Roche
Limite en deçà de laquelle aucun gros satellite ne peut exister sans être détruit par les forces de marée de la planète.

luminosité
Puissance totale rayonnée par un astre dans tout le spectre et dans toutes les directions.

M

MACHOs
Acronyme pour *Massive Compact Halo Objets* (objets massifs compacts du halo). Objets sombres et massifs qui entourent, semble-t-il, notre Galaxie.

magnitude apparente
Grandeur caractérisant l'éclat d'une étoile, ou de tout autre objet céleste, vu de la Terre.

magnitude
Unité logarithmique utilisée pour mesurer l'éclat des objets célestes. Les objets les plus brillants ont les magnitudes les plus faibles. Plus la magnitude est grande et plus l'éclat de l'étoile est faible. Une variation de 5 en magnitude correspond à une variation d'éclat de 100.

méridien
Ligne céleste imaginaire allant du nord au sud en passant par le zénith.

météore ou étoile filante
Trace brillante et éphémère dans le ciel, produite par un débris spatial qui se consume en entrant à grande vitesse dans l'atmosphère terrestre.

météorite
Tout débris interplanétaire qui atteint la surface de la Terre.

monture azimutale
Monture de télescope (ou de lunette) tournant dans un plan parallèle à l'horizon (de gauche à droite) et dans un plan vertical (de haut en bas).

monture équatoriale
Monture de télescope (ou de lunette) dont un axe est parallèle à l'axe de rotation de la Terre, de telle façon que le mouvement diurne est compensé avec une seule rotation.

mouvement rétrograde
Mouvement apparent d'une planète (ou d'un astéroïde) par rapport aux étoiles, en sens inverse du sens habituel.

N

naine blanche
Petit objet céleste, résidu de l'effondrement d'une étoile géante rouge qui a éjecté ses couches extérieures sous forme de nébuleuse planétaire.

nébuleuse planétaire
Enveloppe de gaz éjectée par une étoile à la fin de sa vie, d'aspect planétaire dans un petit télescope.

nova
Étoile dont la luminosité augmente brusquement de plusieurs magnitudes. C'est une naine blanche, membre d'un système binaire qui attire de la matière venant du compagnon, une géante rouge. Le gaz accéléré explose et provoque une réaction nucléaire.

Nuages de Magellan
Le double Nuage de Magellan constitue l'une des merveilles du ciel astral. Il comporte le Grand Nuage (5° de diamètre) et le Petit Nuage (3° de diamètre), deux nébuleuses extragalactiques particulièrement proches de nous (env. 250 000 années-lumière).

O

objectif
Élement optique principal (miroir ou lentille) rassemblant la lumière dans un télescope ou une lunette.

occultation
Passage d'un objet céleste devant un autre (la Lune passant devant une étoile ou une planète, vue de la Terre).

oculaire
Association de lentilles utilisées pour agrandir l'image produite par l'objectif d'un

télescope, d'une lunette ou de jumelles.

ombre
Partie centrale du cône d'éclipse. Partie centrale d'une tache solaire.

orbite
Trajectoire d'un corps céleste se déplaçant sous l'effet de la gravité d'un autre corps.

P

parallaxe annuelle
Déplacement apparent de la position d'une étoile proche, dû au mouvement de la Terre autour du Soleil.

parsec
Unité de distance, correspondant à la distance d'une étoile de 1" de parallaxe, égale à 3,26 années-lumière.

pénombre
Partie entourant l'ombre lors d'une éclipse ; également, région semi-lumineuse entourant le centre d'une tache solaire.

périhélie
Point de l'orbite d'une planète ou d'une comète le plus proche du Soleil.

phases
Variations de la partie éclairée de la Lune ou des planètes dues aux positions respectives de l'objet, de la Terre et du Soleil.

pôles célestes
Points imaginaires où l'axe de rotation de la Terre perce la sphère céleste.

pouvoir de résolution
Capacité pour un télescope de séparer les images de deux objets proches.

précession
Déplacement lent et périodique de l'axe de la Terre dû à l'attraction gravitationnelle du Soleil et de la Lune.

protoplanète
Stade de la formation d'une planète au cours duquel l'objet a presque atteint sa dimension définitive.

protubérances solaires
Masses de gaz froid s'élevant dans la couronne solaire. Certaines d'entre elles, dites protubérances éruptives, s'élancent dans l'espace interplanétaire à de grandes vitesses.

pulsar
Étoile à neutrons tournant très rapidement qui envoie des signaux de très courtes périodes radio.

Q

quasar
Objet compact d'aspect stellaire (abréviation de *quasi stellar object)* dont la lumière présente un grand décalage vers le rouge, le plus souvent associé à un noyau actif de galaxie très lointaine.

R

radian
Point du ciel dont semble jaillir une pluie de météorites.

reste de supernova
Gaz, riches en élements lourds, éjectés par une supernova.

S

satellite
Tout petit objet en orbite autour d'un objet plus massif. Le terme est le plus souvent employé pour des objets, rocheux ou artificiels, orbitant autour d'une planète.

séquence principale
Bande du diagramme de Hertzsprung-Russell sur laquelle les étoiles passent la plus grande partie de leur vie.

solstice
Instant où le Soleil atteint sa plus grande déclinaison nord ou sud.

spectrographe
Instrument servant à analyser la lumière d'un astre en la décomposant selon ses diverses couleurs.

sphère céleste
Sphère imaginaire qui entoure la Terre et sur laquelle les étoiles, les galaxies et tous les objets célestes semblent être épinglés.

supergéantes
Les plus grandes étoiles connues.

supernova
Explosion d'une étoile massive, au cours de laquelle elle éjecte les couches extérieures de son atmosphère. L'étoile peut devenir, momentanément, aussi brillante que la galaxie tout entière.

système solaire
Notre Soleil et tout ce qui orbite autour : neuf planètes (et leurs satellites), des milliers d'astéroïdes, un nombre incalculable de comètes, des météores et autres débris.

T

tache solaire
Tache sombre sur la surface du Soleil ; c'est une région à fort champ magnétique, plus froide que les autres parties du disque solaire.

télescope Schmidt-Cassegrain
Télescope utilisant à la fois des miroirs et des lentilles pour former une image.

Telrad
Système de pointage adaptable sur tout télescope (ou lunette). Le pointage se fait grâce à des cercles lumineux qui se projettent sur le ciel.

transit
Instant du passage d'un astre au méridien.

U

ultraviolet (UV)
Portion du spectre lumineux dont les longueurs d'onde sont plus petites que celles correspondant au bleu visible.

unité astronomique (ua)
Distance moyenne Terre-Soleil, égale à ± 150 millions de km.

V - Z

Voie lactée
Bande lumineuse traversant le ciel, c'est la tranche du disque de la galaxie spirale dans laquelle se trouve le Soleil.

zénith
Le point de la sphère céleste situé juste au-dessus de votre tête.

zodiaque
Ensemble des douze constellations (il y en a treize en réalité), à travers lesquelles le Soleil, la Lune et les planètes, le long de l'écliptique, semblent se déplacer au cours de l'année.

INDEX

DANS CET INDEX, les numéros de page en **gras** renvoient aux développements principaux ; ceux en *italique,* aux illustrations (dessins, schémas et photographies).

J

K

L

M

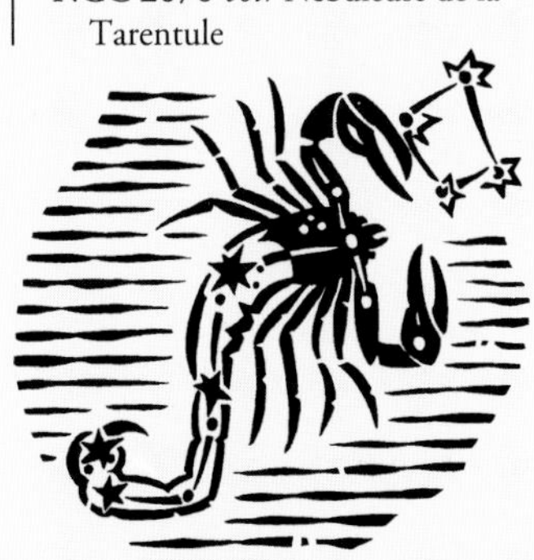

Q

R

S

T

U

V

W

X - Y - Z

CRÉDITS PHOTOGRAPHIQUES

(h = haut, b = bas, g = gauche, d = droite, c = centre)

Ancient Art and Architecture Collection, Londres 14hd; **Ann Ronan at Image Select,** Londres 18h, 20bd, 88hg, 253bg, 255bd; **Anglo-Australian Observatory,** photos de David Malin 24-25 (ROE), 32, 34bg, 34bd, 38h, 38b (ROE), 39, 42b (ROE), 43, 44 (ROE), 45h (ROE), 45b, 48, 49h, 69b, 77hg, 91bd, 134, 136g, 153b, 160g, 162g, 163, 167g (ROE), 171g (ROE), 171d, 189d, 195hg, 195b, 209h (ROE), 212d, 223, 272, 104-227; **Arc Science Simulations Software** 70, 71h; **Auscape** 20bg (Explorer), 245hd (Jean-Paul Ferrero); **Australian Picture Library** 16hg (John Miles), 15hd, 18bg, 18bd, 20h, 21h, 76h, 140g, 151d, 152, 166d, 257bd, 273 (Bettman Archive); **William Bradfield** 262bg; **Bridgeman Art Library** 14hg (The British Museum, Londres), 17b (Raymond O'Shea Gallery, Londres), 21b (Collection privée), 63c (Royal Society, Londres), 80bd, 84h (Roy Miles Gallery), 92h (Derby Museum and Art Gallery), 132 (Walker Art Gallery, Liverpool), 144g (Bibliothèque nationale, Paris), 174d (Galerie des Offices, Florence), 197d (Lambeth Palace Library, Londres), 198d (musée de l'Ermitage, Saint-Pétersbourg), 232hg (musée du Prado, Madrid), 234h (Giraudon/musée des Beaux-Arts, Nantes), 246h (Fitzwilliam Museum, université de Cambridge), 248h (Galerie des Offices, Florence), 260b (Collection privée); **BBC** ©1994 Daleks créés par Terry Nation 271bd; **avec l'aimable autorisation de The British Library** 16hd, 16b; **California Association for Research in Astronomy** 22h; **Warren Cannon** 85hd; **Jean-Loup Charmet** 11bd, 17hd, 63bd, 64h, 94h, 136d, 139g, 208, 254hg; **Geoff Chester, Albert Einstein Planetarium, Smithsonian Institution** 23c, 93h; **Dennis di Cicco** 86h; **Lynette R. Cook** 47h, 258-259b; **Graham Coxon** 35b; **Alan Dyer** 65h; **Terence Dickinson** 52-53; **©Disney** 257cg; **Luke Dodd** 150, 219d; **Prof. R.D. Ekers, Australie Telescope National Facility, CSIRO/NRAO/AUI & National Science Foundation** 46bg; **Leo Enright** 233bd; **European Southern Observatory** 177d, 199; **Everett Collection** 270bg; **Bill and Sally Fletcher** 34h, 71bg, 99b, 133b, 165b, 238g; **Akira Fujii** 66bg, 78–79, 94b, 95bg, 133h, 137, 138d, 139d, 140d, 141d, 144d, 147, 148, 149d, 151g, 153h, 155d, 159d, 161d, 165hg, 172g, 173d, 181d, 183b, 190g, 192h, 195hd, 202g, 203d, 207hg, 207b, 209b, 210g, 211, 212b, 215, 217d, 218, 221hg, 222d, 238-239he, 251gc, 261, 262h; **avec l'aimable autorisation d'Owen Gingerich** 89b; **The Granger Collection, New York** 2, 8-9, 80h, 149g, 172d 183h, 206, 240h, 247d, 266h; **John W. Griesé** III 61h; **Griffith Observatory** 15hg (Lois Cohen); **Tony & Daphne Hallas** 174g; **William K. Hartmann** 271h; **Harvard College Observatory** 41b; **Gordon Hudson** 75hd; **The Image Bank** 66bd (David Cameron), 85hg (Murray Alcosser), 90 (Bernard Van Berg); **International Dark Sky Association** 56b, 57c; **Richard Keen** 74h; **Franz X. Kohlhauf** 4-5, 83; **David H. Levy** 22bc, 74b, 262bd; **peinture ©1992 de Jon Lomberg et the National Air and Space Museum** 6-7; **Lowell Observatory Photograph** 51b; **McDonald Observatory, Université du Texas, Austin** 30h; **Jack Marling** 227d; **Mary Evans Picture Library** 3, 19h (Explorer), 19b, 250h, 270hd; **Mendillo Collection of Antiquarian Astronomical Prints** 88hd, 138g, 155g, 160d, 168g, 169, 170d, 176, 193g, 202d, 205d, 212hg, 217g, 222g; **David Miller** 55, 68, 69h, 95bd, 97h, 99h, 99c, 233bg, 241bg, 243b; **John Mirtle** 198g; **Mount Stromlo and Siding Spring Observatories,** ANU, Canberra 47b; **Mullard Radio Astronomy Observatory, Cambridge,** David Buscher, Chris Haniff, John Baldwin and Peter Warner 31b; **The Museum of New Zealand Te Papa Tongarewa, Wellington,** photo n° B18727 17hg (J. Nauta); **Joseph Myers** 153c, 167d; 193d, 196; **NASA** 22bd, 23bg2, 23cd, 23bd, 26b (JPL), 29b, 35hd, 37hg, 51hg (Dana Berry/STSCI), 42h, 51hd, 93b, 234b, 235bc, 242bd, 244-245c, 249b, 250b, 251h, 251b, 253h, 253bd, 254b, 255h, 256hd, 257bg, 258 (JPL), 263b (David Seal/JPL), 264-265, 266b, 267h (Dana Berry/ STSCI), 268hg, 268b, 269b; **National Anthropological Archives/Smithsonian Institution** photo 1285 15bd; **avec l'aimable autorisation de la National Gallery, Londres** 46hg; **National Optical Astronomy Observatories** 57b, 145d, 154, 186g, 197g, 221hd, 221b, 225b; **National Radio Astronomy Observatory/AUI** 77bd; **Jack Newton** 71bd, 185d, 201d; **North Wind Picture Archive** 235bg; **NOVOSTI** 22cc, 22cd, 268hd; **Paramount/EC** 270hg, 270bg; **David Parkhurst** 98b; **Jay M. Pasachoff Collection** 155g; **Douglas Peebles Photography** 76b (Richard Wainscoat); **The Photo Library, Sydney** (SPL/Dr Fred Espenak, 14b (Paul Thompson), 22b (SPL), 22cg (SPL), 23cg (SPL/NASA), 23bg (SPL/NASA), 23cd (SPL/NASA), 26hg (SPL), 22c (SPL/ESA), 27h (SPL/David Hardy), 28h (SPL/David Parker), 35hg (SPL), 36h (SPL/Chris Butler), 37hd (SPL/John Sanford), 40bg (SPL/John Sanford), 46hd (SPL/Rev. Ronald Royer), 49hd (SPL/Jodrell Bank), 49b (SPL), 57h (SPL/David Nunuk), 58h (TSI), 66cg (SPL), 66bc (SPL/John Sanford), 72h (SPL/John Sanford), 73h (SPL/Gordon Garrad), 77hd (SPL/Glen I Langston), 77bg (SPL/NASA), 88b (SPL), 95h (SPL John Sanford), 96hg (SPL/ NASA) 96hd (SPL/Steven Jay), 98h (SPL/Peter Ryan), 207hd (SPL), 209c (SPL), 225h (SPL), 230hg (SPL/NASA), 232b (SPL/David Hardy), 235h (SPL/John Sanford), 235bd (SPL/NASA), 239b (SPL/NASA), 240g (SPL/NASA), 242h (Bridgeman Art Library), 242bg (SPL/ NASA), 243hg (SPL/NASA), 244b (SPL/NASA), 246bg (SPL/ USGS), 246bd (SPL/NASA), 247bg (SPL), 248b (SPL/NASA), 249hg (SPL/Rev. Ronald Royer), 252b (SPL/NASA), 256b (SPL/David Hardy), 263h (SPL/David Jewitt & Jane Luu), 267b (SPL/NASA), 269h (SPL/NASA), 271bg (SPL/Julian Baum); **Janet Quirk** 241bd; **Steve Quirk** 135d, 158g, 166g, 175, 177g, 182d, 184, 191, 205g, 213, 216d, 241h; **G. Rhemann** 165hd; **Royal Astronomical Society** 10-11, 89h, 135g, 141g, 142, 143d, 145g, 146, 156, 157, 158d, 159g, 161g, 162d, 164, 173g, 178, 179, 180, 181g, 182g, 185g, 186d, 188, 189g, 190d, 192b, 194, 201g, 203g, 204, 210d, 216g, 219g, 220, 224, 227g; **Royal Greenwich Observatory** 252hd; **Royal Observatory, Édimbourg** 226; **Scala, Florence** 1 (musée de l'Œuvre du Dôme, Florence), 12-13 (Stanze de Raphaël, Vatican), 21c (musée de la Science, Florence), 54t (Pinacothèque du Vatican), 100-101 (palais Farnèse, Caprarola), 102t (palais Pitti, Florence), 214 (palais Schifanoia, Ferrare), 238bg (Bibliothèque nationale, Florence), 238bd (Galerie des Offices, Florence), 244h (chapelle Sixtine, Vatican), 252hg (Palazzo Vecchio, Florence), 256hg (Galerie Borghese, Rome), 260hg (chapelle des Scrovegni, Padoue); **Sky and Telescope Magazine** 72bg (Robert E. Cox); **Bradford A. Smith** et **Richard J. Terrile** 200; **Smithsonian Astrophysical Observatory** et **IBM Thomas J. Watson Research Center** 233hd; **Oliver Strewe** 15bg, 54b, 58b, 59, 60b, 61b, 62h, 63h, 67, 73b; **Gregg Thompson** 56h, 75hg, 75b, 247h, 249c; **©UC Regents/Lick Observatory** 168d, 236-237, 255bg (Mary Lea Shane Archives); **USGS** 97b (D. Roddy), 149hd; **John Vickers** 143g; **WSF/R. Helin** 259h; **Kim Zussman** 170g.

Les illustrations réalisées spécialement pour ce livre ont été exécutées par : **David Wood** 27b, 28bd, 29h, 30b, 31hd, 36bg, 40h, 41h, 60hd, 62b, 63hg, 63bg, 64bg, 65b, 80bg, 81, 82b, 84b, 85b, 86b, 87b, 90hd, 91h, 92b, 95hd, 102-103, 106b, 230-231b, 243hd, 257hd, 260hd; **Lynette R. Cook** 33, 50, 228-229, 231; **Steven Bray** 274-287; **Annette Riddell** 87h, 104.

LÉGENDES

Page 1 : Astronome; bronze italien du XIVe siècle. Page 2 : Tycho Brahe, Ptolémée, saint Augustin, Copernic, Galilée avec la muse de l'astronomie. Page 3 : le Soleil au centre de l'Univers et les signes du zodiaque. Pages 4-5 : la Lune peut apparaître beaucoup plus grosse lorsqu'elle est proche de l'horizon. Pages 6-7 : *la Voie lactée,* par Jon Lomberg. Pages 8-9 : Van Gogh *: la Nuit étoilée* (1889), détail. Pages 10-11 : extrait de l'atlas *Uranographia* (1801), de Johann Bode. Pages 12-13 : *l'École d'Athènes,* de Raphaël (1483-1520). Pages 24-25 : la célèbre nébuleuse de la Tête de Cheval dans Orion. Pages 52-53 : la solitude immense de l'observateur amateur. Pages 78-79 : spectaculaire aurore boréale à Wasilla, Alaska. Pages 100-101 : les Constellations, fresque du palais Farnèse, Rome. Pages 228-229 : tailles relatives des planètes et du Soleil. Page 264-265 : réparation du télescope spatial Hubble, 1994. Page 272 : une partie de la Voie lactée dans la constellation du Sagittaire.